LE CŒUR
DE L'AUTRE

SANDRA BROWN

LE CŒUR DE L'AUTRE

roman

FRANCE LOISIRS
123, boulevard de Grenelle, Paris

*L'édition originale de cet ouvrage a été publiée
à New York par Warner Books Inc., en 1994, sous le titre*

CHARADE

Traduit de l'américain par Sabine Boulongne

Une édition du Club France Loisirs, Paris,
réalisée avec l'autorisation des Éditions Grasset & Fasquelle

ISBN : 2-7242-9641-9

REMERCIEMENTS

... A tous les spécialistes qui, en dépit d'un emploi du temps surchargé, m'ont gracieusement aidée dans les recherches nécessaires à l'élaboration de ce livre.

Je remercie également Anne Wagner, chargée des relations publiques de la Banque d'organes Southwest; Nancy Johnson, RN, chef du Service Transplantations, University of Texas Southwestern/St Paul Medical Center; et John Criswell, KDFW-TV, Dallas, Texas.

Ma reconnaissance particulière va à Louann, dont la sincérité n'a d'égale que le courage.

S. B.

CHAPITRE 1

10 octobre 1990

– Réveille-toi, Cat! On a un cœur!

Cat Delaney s'extirpa d'un sommeil profond provoqué par un somnifère pour remonter péniblement sur la rive de la conscience. Elle ouvrit les yeux et s'efforça de fixer son attention sur Dean. Le pourtour de son visage était flou, mais son sourire étincelant lui apparaissait distinctement.

– On a un cœur pour toi, répéta-t-il.

– Vraiment? demanda-t-elle d'une voix faible.

Elle était arrivée à l'hôpital en sachant pertinemment qu'elle quitterait l'établissement avec un cœur greffé ou dans un corbillard.

– L'équipe de prélèvement l'apporte ici en ce moment même.

Le docteur Dean Spicer se détourna d'elle pour s'adresser au personnel hospitalier qui l'avait accompagné dans l'unité des urgences du service de cardiologie. Elle entendait sa voix, mais ses paroles ne semblaient pas avoir de sens.

Rêvait-elle? Non, Dean lui avait clairement dit que le cœur d'un donneur était en route. Un nouveau cœur! Pour elle! Une vie!

Soudain elle éprouva un élan d'énergie comme elle n'en avait pas connu depuis des mois. Elle se dressa sur son séant et se mit à jacasser à l'adresse de la nuée d'infirmières et d'aides soignantes qui s'affairaient autour d'elle, brandissant des aiguilles et des cathéters, prêtes à la piquer et à la sonder de toutes parts.

La violation médicale des tissus et orifices de son anatomie était si courante qu'elle n'y faisait plus vraiment attention. Au cours des derniers mois, on lui avait prélevé suffisamment de liquides divers pour remplir une piscine olympique! Elle avait passablement maigri et il ne restait pour ainsi dire que la peau sur son ossature déjà frêle.

– Dean? Où est-il parti?

– Je suis là», répondit son cardiologue en se frayant un chemin jusqu'à elle. Puis il lui prit la main et la serra dans les siennes. «Je t'avais bien dit que l'on trouverait un cœur à temps. Non?

– Ne fais pas le malin! Vous autres médecins, vous êtes tous les mêmes. Des prétentieux de première!

– Je proteste!

Le docteur Jeffries, le chirurgien du cœur qui devait opérer Cat, entra à ce moment dans la chambre d'une démarche nonchalante comme s'il faisait sa petite promenade du soir – sur l'eau! Il cadrait parfaitement avec le stéréotype auquel Cat venait de faire référence. Elle reconnaissait son talent, se fiait à son habileté, mais méprisait l'homme.

– Qu'est-ce que vous fichez ici? Vous devriez être dans la salle d'opération en train de stériliser votre instrument.

– Cette remarque est-elle à double entente?

– C'est vous le génie, paraît-il. A vous de le savoir.

– Toujours aussi aimable, à ce que je vois! Pour qui vous prenez-vous? Une vedette de la télévision?

– Précisément.

Imperturbable, le chirurgien se tourna vers l'infirmière en chef du service.

– Cette patiente a-t-elle de la fièvre?

– Non.

– Un rhume de cerveau? Un virus? Une infection quelconque?

– Que se passe-t-il? demanda Cat d'un ton agacé. Vous essayez de vous défiler? Vous voudriez avoir votre soirée de libre, docteur? Vous aviez d'autres projets sans doute?

– Je m'assure simplement que vous allez bien.

– Je me porte comme un charme. Trouvez-moi ce cœur, découpez-moi et faites le changement. L'anesthésie n'est pas indispensable.

Le chirurgien fit volte-face et sortit d'un pas indolent.

– Quel péteux, celui-là! bougonna-t-elle.

– Tu ferais mieux de ne pas l'insulter, lui répondit Dean en gloussant. Il va t'être utile plus tard ce soir.

– Combien de temps faut-il attendre?

– Un bon moment.

Elle l'exhorta à être plus précis, mais il refusa d'en dire davantage. On l'avait encouragée à se reposer, mais chargée d'adrénaline, elle resta tout éveillée, les yeux rivés sur son réveil pendant que les heures s'écoulaient avec une insoutenable lenteur. Elle était moins nerveuse qu'excitée.

La nouvelle de la greffe imminente s'était répandue comme une traînée de poudre dans l'hôpital. Les transplantations d'organes étaient relativement fréquentes, mais elles n'en continuaient pas moins à fasciner.

Surtout lorsqu'il s'agissait du cœur. Durant la nuit, elle reçut plusieurs visiteurs venus lui souhaiter bonne chance en passant.

On la plongea dans un bain iodé, collant, pas très ragoûtant, qui lui colora la peau d'un vilain doré. Elle engloutit sa première dose de cyclosporine, un médicament vital, antirejet. On l'avait mélangé à du chocolat au lait dans le vain espoir de couvrir son goût d'huile d'olive. Elle s'en plaignait toujours quand Dean entra précipitamment dans sa chambre pour lui annoncer la nouvelle qu'elle attendait.

– Ils arrivent avec ton nouveau cœur. Tu es prête?

– Et comment!

Il se pencha et l'embrassa sur le front.

– Je descends faire mes ablutions. Je serai là auprès de Jeffries du début jusqu'à la fin, à surveiller ce qu'il fait par-dessus son épaule. » Il marqua une pause. « Je ne te quitte pas d'une semelle.

– Quand je me réveille, dit-elle en le rattrapant par la manche, je veux savoir immédiatement si j'ai un cœur tout neuf.

– Bien sûr.

Elle avait entendu parler d'autres malades du cœur auxquels on avait annoncé qu'un cœur compatible venait d'être prélevé. Un homme qu'elle connaissait avait même été préparé pour l'opération et placé sous anesthésie. Quand le cœur était arrivé, le docteur Jeffries l'avait aussitôt examiné et avait refusé de le lui transplanter, le jugeant inadéquat. Le patient ne s'était pas encore remis de ce choc qui n'avait fait qu'aggraver son état.

Avec une force surprenante, Cat continuait à s'agripper à la veste Armani de Dean.

– A la seconde où j'émerge, je veux savoir si j'ai un nouveau cœur. Entendu?

Il posa la main sur la sienne en hochant la tête.

– Tu as ma parole.

– Docteur Spicer. S'il vous plaît, intervint une infirmière en lui adressant un petit signe.

– A tout à l'heure, dans la salle d'op, chérie.

Après le départ de Dean, tout alla très vite. Tandis qu'on l'emmenait à fond de train le long d'une suite de couloirs, Cat se cramponna aux barres latérales du brancard. Quand celui-ci franchit en trombe la porte à double battant, elle n'était pas du tout préparée à l'éclairage aveuglant de la salle d'opération, où l'équipe chirurgicale masquée s'activait résolument, chacun absorbé par sa tâche respective.

En portant son regard au-delà des lampes suspendues au-dessus de la table d'opération, elle distingua des visages à travers la vitre qui séparait la salle de la galerie d'observation.

– J'attire du monde, à ce que je vois! Ont-ils tous leur billet et le programme des festivités? Qui sont tous ces gens? S'il vous plaît, quelqu'un aurait-il la gentillesse de dire quelque chose? On ne parle pas la même langue ou quoi? Et vous là-bas, qu'est-ce que vous faites?

– Où est le docteur Ashford? grogna l'une des silhouettes affublées d'une tenue chirurgicale et d'un masque.

– Je suis là, répondit l'anesthésiste en entrant dans la salle en coup de vent.

– Dieu merci, vous voilà. Mettez-la K.O., voulez-vous, pour que nous puissions travailler tranquillement.

– Elle est intarissable. Une vraie plaie!

Cat ne se vexa pas, sachant que personne ne voulait l'offenser. Les yeux lui souriaient au-dessus des masques. L'ambiance était bonne dans la salle d'opération. Mieux valait qu'il en fût ainsi.

– Si vous passez votre temps à insulter vos patients, je comprends que vous vous déguisiez pour dissimuler vos identités. Quelle bande de lâches vous faites!

L'anesthésiste prit sa place à côté de la table.

– Je vous trouve un tantinet surexcitée, mademoiselle Delaney. Allez-vous cesser de chahuter!

– C'est le rôle de ma vie! Je le jouerai comme je l'entends.

– Vous serez merveilleuse, comme toujours.

– Avez-vous vu mon nouveau cœur?

– Je ne suis pas dans le secret des dieux. Mon rôle à moi se limite à brancher le gaz. A présent, détendez-vous, acheva-t-il en lui tamponnant le dos de la main en préparation d'une intraveineuse. Ça fait un tout petit peu mal au moment où ça pénètre.

– J'ai l'habitude, répliqua-t-elle d'un air entendu.

Tout le monde éclata de rire.

Puis le docteur Jeffries s'approcha, ainsi que Dean et le docteur Sholden, le cardiologue auquel Dean l'avait adressée lorsqu'il avait renoncé à être son médecin pour des raisons personnelles.

– Comment ça va? lui demanda Jeffries.

– Il va falloir retravailler votre scénario, docteur, répondit-elle d'un air dédaigneux. Comment ça va? Cette réplique devrait être la mienne.

– Nous avons examiné le cœur, répondit-il calmement.

Elle retint son souffle, pleine d'espoir, puis le dévisagea en fronçant les sourcils.

– Dans les feuilletons, nous recourons continuellement à ces silences lourds de sens pour renforcer le suspense. C'est trop facile. Dites-moi ce qu'il en est.

– Il est splendide, déclara-t-il. Les choses s'annoncent on ne peut mieux. C'est comme s'il était à vous.

Du coin de l'œil, elle remarqua un groupe d'infirmiers s'activant autour d'une glacière.

– Quand tu te réveilleras, il battra dans ta poitrine, lui assura Dean.

– Prête? demanda le docteur Jeffries.

Si elle était prête!

Naturellement, elle avait eu quelques hésitations la première fois qu'il avait été question d'une transplantation cardiaque. Mais elle s'était convaincue d'avoir surmonté tous ses doutes depuis lors.

Peu après que Dean eut diagnostiqué son affection cardiaque, elle avait commencé à décliner lentement. Les médicaments avaient pallié momentanément son abattement et son manque de tonus, mais comme il le lui avait dit sans détour, en définitive, il n'existait pas de remède à son état. Malgré sa franchise, elle avait refusé d'admettre la gravité de sa maladie.

Lorsqu'elle avait commencé à se sentir vraiment mal, quand prendre une douche était devenu une corvée et manger ce qu'il y avait dans son assiette un exercice éprouvant, alors seulement elle avait admis que son problème cardiaque risquait de lui être fatal.

« J'ai besoin d'un nouveau cœur. »

Jusqu'au jour où elle l'avait annoncé de but en blanc aux directeurs de la chaîne de télévision, ils ne s'étaient rendu compte de rien. L'équipe de tournage et les autres acteurs du feuilleton *Passages*, qu'elle côtoyait pourtant tous les jours, n'avaient pas remarqué son teint blafard sous son maquillage.

Ils refusèrent catégoriquement de reconnaître la vérité, de même que les responsables de la chaîne. C'était prévisible. Personne ne voulait croire que leur star, Cat Delaney, détentrice de trois Emmys et personnage central du feuilleton *Passages*, sous le nom de Laura Madison, pût être malade à ce point. Grâce à leur soutien inébranlable, forte de ses talents d'actrice et de son exubérante personnalité, elle avait continué à travailler quand même.

Mais elle avait fini par arriver à un stade où, en dépit de sa détermination, elle n'était plus capable de faire face à un horaire aussi exigeant. Aussi avait-elle dû se résigner à arrêter.

Sa santé continua à se détériorer. Elle maigrit tellement que ses fans, qui étaient légion, ne l'auraient pas reconnue. Elle avait les yeux cernés parce qu'elle n'arrivait plus à dormir, malgré sa fatigue. Ses lèvres et ses doigts avaient bleui.

La presse à sensation lui supposa toutes sortes de maladies, de la coqueluche au SIDA. En temps normal, ce genre d'exploitation cruelle par les médias l'aurait bouleversée et mise hors d'elle, mais elle n'avait même plus l'énergie de réagir. Elle ignora donc ses commentaires malveillants, en se concentrant sur la nécessité de survivre.

Son état devint si préoccupant, sa dépression si profonde qu'un après-midi, elle dit à Dean :

– J'en ai tellement assez de me sentir faible et inutile que je préférerais en être au générique de fin.

Dean réagissait rarement à ses commentaires macabres, même exprimés sur le ton de la plaisanterie, mais ce jour-là, il comprit qu'elle avait besoin de vider son sac.

– Dis-moi ce qui te tourmente.

– Tous les jours, j'ai des conversations avec la mort, lui avoua-t-elle d'une voix lasse. Je négocie avec elle. Chaque matin, au lever du soleil, je lui dis : " Donne-moi encore une journée. Je t'en supplie. Rien qu'une. " Chaque fois que je fais quelque chose, je me dis que c'est peut-être la dernière fois. Est-ce la dernière fois que je vois la pluie, que je mange de l'ananas, que j'entends une chanson des Beatles? » Elle leva les yeux vers lui. « J'ai fait la paix avec Dieu. Je n'ai pas peur de mourir, mais j'aimerais autant que cela ne soit pas douloureux ni effrayant. Comment est-ce que cela va se passer exactement le jour où je vais casser ma pipe?

Plutôt que de dissiper hypocritement ses inquiétudes, il avait préféré lui donner une réponse honnête.

– Ton cœur s'arrêtera tout bonnement de battre, Cat.

– Pas de fanfare? Ni de roulements de tambour?

– Rien de tout ça. Ce ne sera pas traumatisant comme une crise cardiaque. Pas de fourmillements dans le bras pour t'avertir. Ton cœur cessera simplement...

– ... de fonctionner.

– Oui.

Cette conversation avait eu lieu quelques jours auparavant. A présent, par un caprice du destin, son avenir avait brusquement changé de direction. La vie lui tendait à nouveau les bras.

Il lui vint tout à coup à l'esprit que pour l'équiper d'un nouveau cœur, ses médecins allaient devoir lui retirer celui qui battait encore dans sa poitrine. Cette pensée lui donna la chair de poule. Si elle en voulait profondément à cet organe défectueux qui avait pris le contrôle de sa vie depuis deux ans, elle y était aussi attachée, inexplicablement. Certes, elle était impatiente d'être débarrassée de ce cœur malade, mais elle trouvait que tout le monde manifestait un enthousiasme indécent à la perspective de le lui ôter.

Il était bien évidemment trop tard pour avoir des scrupules. De surcroît, il s'agissait d'une intervention relativement simple, comparée à d'autres opérations à cœur ouvert. Couper. Enlever. Remplacer. Suturer.

En attendant qu'un donneur fît son apparition, les membres de l'équipe de transplantation l'avaient incitée à poser des questions. Elle les avait entraînés dans des conversations à n'en plus finir et avait emmagasiné des masses d'informations qu'elle avait glanées par elle-même. Elle avait passé des heures avec son groupe de soutien, composé d'autres patients attendant eux aussi une greffe, exposant ses peurs comme les autres. Ces échanges rassurants et riches d'enseignement obligeaient à réfléchir ; les transplantations d'organe comportaient de multiples facettes et faisaient l'objet de nombreuses controverses. Les opinions variaient selon les individus et prenaient en compte les émotions et les convictions spirituelles de chacun, ainsi que des questions d'ordre moral et juridique.

Durant les mois d'attente, Cat avait passé au crible toutes ces ambiguïtés et sa décision était désormais irrévocable. Elle était parfaitement consciente des risques qu'elle encourait et préparée aux horreurs qui l'attendaient après l'intervention. Elle acceptait la possibilité d'un éventuel rejet.

L'alternative à l'opération qu'elle était sur le point de subir était une mort certaine. Et prochaine. Dans ces circonstances, elle n'avait pas vraiment le choix.

– Je suis prête, déclara-t-elle avec assurance. Oh attendez. Juste une chose encore. Pendant que je suis K.O., si je me mets à composer des odes à la gloire de mon vibrateur personnel, tout ce que je dirai ne sera que mensonges.

Les masques étouffèrent leurs rires.

Quelques secondes plus tard, la chaleur fluide de l'anesthésie commença à se propager dans son corps. Une douce lassitude l'envahit. Elle regarda Dean, sourit, puis ferma les yeux, pour la dernière fois peut-être.

Juste avant de plonger dans l'inconscience, elle eut une ultime pensée qui surgit brusquement, avec éclat, comme une étoile qui explose une seconde avant sa désintégration.

Qui est mon donneur?

CHAPITRE 2

10 octobre 1990

– Comment le divorce pourrait-il être plus condamnable que ce que nous faisons là! s'exclama-t-il.

Ils étaient couchés sur le lit qu'elle partageait d'ordinaire avec son mari, pour l'heure à son poste, dans l'usine d'emballage de viande. Les bureaux où ils travaillaient tous deux avaient été évacués pour le reste de la journée à cause d'une fuite de gaz. Ils profitaient de ce congé inattendu.

Des effluves érotiques flottaient dans la petite chambre en désordre. La sueur séchait sur leur peau, avec l'aide du ventilateur qui tournait au plafond avec lenteur. Les draps étaient humides et tout froissés. Ils avaient baissé les stores pour se protéger contre le soleil de l'après-midi. Des bougies parfumées qui se consumaient sur la table de chevet projetaient une lueur vacillante sur le crucifix se détachant sur le papier peint à fleurs passé.

Cette atmosphère somnolente était trompeuse. Leur temps était compté; bientôt il leur faudrait se séparer et ils étaient avides de tirer tout le plaisir possible de cet intermède heureux. Ses deux filles n'allaient pas tarder à rentrer de l'école. Elle n'avait aucune envie de gaspiller les moments précieux qu'il leur restait avec cette dispute pénible qui les opposait si souvent.

Ce n'était pas la première fois qu'il la suppliait de divorcer pour pouvoir l'épouser. Mais elle était catholique. Pas question de divorcer.

– Je commets un adultère, c'est vrai, dit-elle d'une voix douce. Mais mon péché n'affecte que nous deux. Nous sommes les seuls à être au courant. En dehors de mon confesseur.

– Tu as parlé de notre liaison à un prêtre?

– Au point que mes confessions sont devenues terriblement répétitives. Maintenant je n'y vais même plus. J'ai trop honte.

Elle se redressa et s'assit au bord du lit en lui tournant le dos. Son épaisse chevelure noire, humide de sueur, lui collait à la nuque. Une glace en pied dans un coin de la pièce lui renvoyait l'image qu'il avait d'elle. Son dos lisse s'affinait à la taille avant de prendre une ampleur gracieuse à hauteur des hanches. Elle avait deux petites fossettes jumelles au creux des reins.

Elle n'aimait pas son corps, trouvant ses hanches trop larges, ses cuisses trop épaisses. Lui paraissait apprécier la générosité de ses formes et sa peau mate. Elle avait même un goût mat! lui avait-il dit un jour. Des propos sur l'oreiller murmurés dans la chaleur de la passion qui ne voulaient évidemment rien dire. Néanmoins, ce compliment lui avait fait plaisir.

Il tendit la main et lui caressa le dos.

– N'aie pas honte de ce que nous faisons. Cela me désole quand je t'entends dire que notre amour te fait honte.

Leur liaison durait depuis quatre mois. Auparavant, ils avaient passé plusieurs mois pénibles à se débattre avec leur conscience. Ils travaillaient à deux étages différents de la même tour de bureaux. Ils s'étaient rencontrés à la cafétéria située au sous-sol, où il s'était heurté à elle accidentellement en reculant, renversant du même coup son café. Ils s'étaient souri tristement en échangeant des politesses et leurs noms.

Très vite, ils en étaient venus à faire coïncider leurs heures de déjeuner et de pause café. Ils se retrouvaient ainsi chaque jour à la cafétéria, une habitude qui se changea bientôt en nécessité. Leur bien-être dépendait de ces rencontres. Les week-ends étaient pour eux de véritables tortures, des éternités qu'il leur fallait endurer jusqu'au lundi matin, quand enfin ils pourraient se revoir. Ils commencèrent tous les deux à faire des heures supplémentaires afin d'avoir quelques moments seule à seul avant de rentrer chez eux.

Un soir, alors qu'ils quittaient le bureau ensemble, il se mit à pleuvoir. Il lui proposa de la raccompagner chez elle.

Elle secoua la tête.

– Je vais prendre le bus comme d'habitude. Merci quand même.

Ils se dirent adieu en se dévorant des yeux et s'en allèrent chacun de leur côté. Serrant son sac à main contre sa poitrine d'une main, un parapluie dérisoire dans l'autre, elle s'élança vers l'arrêt de l'autobus situé au coin de la rue, sous une pluie battante.

Elle y était toujours, pelotonnée sous son manteau trop mince, quand sa voiture s'immobilisa le long du trottoir. Il baissa la vitre du côté du passager.

– Montez. Je vous en prie.

– L'autobus ne va pas tarder.
– Vous allez être trempée. Montez, insista-t-il.
– Il n'a que quelques minutes de retard.
– S'il vous plaît.

Ses supplications allaient au-delà du simple privilège de la reconduire chez elle, et ils le savaient pertinemment l'un et l'autre. Incapable de résister à la tentation, elle se glissa à l'intérieur du véhicule lorsqu'il lui ouvrit la portière. Sans dire un mot, il roula jusqu'au parc municipal, à une courte distance du centre-ville, et se gara dans un endroit tranquille.

A peine le moteur coupé, il se tourna vers elle. Ils commencèrent à s'embrasser avidement. Dès qu'elle sentit le contact de ses lèvres sur les siennes, elle abandonna mentalement son mari, ses enfants et ses convictions religieuses. Sous l'emprise d'exigences toutes charnelles, elle oublia les principes qui avaient gouverné sa vie depuis qu'elle était assez grande pour faire la différence entre le bien et le mal.

Ils se débattirent impatiemment avec boutons, fermetures éclair et crochets jusqu'à ce qu'ils soient débarrassés de leurs vêtements humides et que leurs peaux se touchent enfin. Ses mains d'abord, puis sa bouche lui firent des choses qu'elle trouva aussi excitantes que choquantes. Lorsqu'il la pénétra, ses déclarations ardentes couvrirent la voix de sa conscience.

Cette passion du premier jour ne s'était pas apaisée le moins du monde. Elle s'était même intensifiée au fil des heures volées pour être ensemble.

Elle tourna la tête et le regarda par-dessus son épaule. Ses lèvres pleines ébauchèrent un sourire timide.

– Je n'ai pas suffisamment honte pour mettre un terme à notre histoire. Même si je sais que c'est un péché, je mourrais si je savais que nous ne ferions plus jamais l'amour.

Il l'attira à lui avec un grognement de désir. Elle pivota sur elle-même de manière à pouvoir se coucher sur lui, les cuisses écartées, à califourchon sur ses hanches.

Il s'enfonça profondément en elle, puis souleva la tête de l'oreiller pour enfouir son visage entre ses seins. Elle pressa l'un de ses mamelons contre ses lèvres. Il le taquina du bout de la langue avant de l'engouffrer goulûment dans sa bouche.

Cette position était encore une expérience nouvelle et excitante pour elle. Elle s'activa avec délectation jusqu'à ce qu'ils atteignent simultanément un orgasme explosif, qui les laissa affaiblis et pantelants.

– Quitte-le, l'exhorta-t-il d'une voix rauque. Aujourd'hui. Maintenant. Ne passe pas une autre nuit avec lui.

– Ce n'est pas possible. Je ne peux pas.

– Mais si tu peux. Rien que de penser à toi avec lui, ça me rend dingue. Je t'aime. Je t'aime.

– Moi aussi je t'aime, dit-elle avec des larmes dans la voix. Mais je ne peux pas partir de chez moi comme ça ni abandonner les enfants.

– Tu vivras chez moi désormais. Je ne te demande pas d'abandonner tes filles. Prends-les avec toi. Je serai comme un père pour elles.

– C'est lui leur père. Elles l'aiment. Il est mon mari. Au regard de Dieu, je lui appartiens. Je ne peux pas le laisser.

– Mais tu ne l'aimes pas.

– Non, reconnut-elle. Pas comme je t'aime, toi. Mais c'est un homme bon. Il s'occupe bien de moi et des enfants.

– Ce n'est pas de l'amour. Il ne fait qu'assumer ses responsabilités.

– Pour lui, cela revient à peu près au même. » Elle posa sa tête contre son épaule. Elle aurait tant voulu qu'il la comprenne. « Nous avons grandi dans le même quartier. C'était mon petit ami au lycée. Nos vies sont indissociables. Il fait partie de moi ; je fais partie de lui. Si je le quitte, il ne comprendra jamais pourquoi. Il ne s'en remettra jamais.

– Moi non plus, je ne m'en remettrai pas si tu restes avec lui.

– C'est faux, lui répliqua-t-elle. Tu es plus intelligent que lui. Plus sûr de toi. Plus fort aussi. Tu tiendras le coup, quoi qu'il arrive. Lui, j'en doute.

– Il ne t'aime pas comme je t'aime.

– Il ne me fait pas l'amour comme toi. Il n'aurait jamais l'idée de...

Elle baissa la tête, gênée.

La sexualité était encore un sujet tabou ; elle n'avait jamais été admise ouvertement, que ce soit au sein de sa famille, lorsqu'elle était enfant, ou dans son couple. On faisait l'amour dans l'obscurité, un mal nécessaire, toléré et pardonné par Dieu afin de perpétuer la race humaine.

– Il n'est pas sensible à mes désirs, dit-elle en rougissant. Il serait même choqué d'apprendre que j'ai des désirs. Tu m'incites à te toucher, à te faire des choses que je n'oserais jamais lui faire à lui, de peur de l'offenser. Il trouverait que ta sensualité manque de virilité. On ne lui a jamais appris à être tendre et généreux au lit.

– C'est du machisme, commenta-t-il avec amertume. Veux-tu te contenter de ça jusqu'à la fin de tes jours ?

Elle le regarda d'un air triste.

– Je t'aime plus que la vie, mais c'est mon mari. Nous avons des enfants, un passé en commun.

– Nous aussi, on pourrait avoir des enfants.

Elle lui effleura la joue, poussée par un élan d'affection mêlée de regret. Parfois il était comme un enfant déraisonnable, exigeant ce qu'il ne pouvait pas avoir.

– Le mariage est un sacrement. J'ai juré devant Dieu d'être sa femme jusqu'à la mort, et seule la mort nous séparera. » Des larmes perlaient dans ses yeux. « J'ai rompu mon serment de fidélité pour toi. Je ne romprai pas les autres.

– Ne pleure pas. Je t'en supplie. Je ne supporte pas de te voir malheureuse.

– Serre-moi fort, dit-elle en se blottissant contre lui.

Il lui caressa les cheveux.

– Je sais qu'en étant avec moi, tu désobéis à tes convictions religieuses. Mais cela me montre à quel point tu tiens à moi. Ta morale ne t'autoriserait pas à coucher avec moi, à moins de m'aimer de tout ton cœur.

– Je t'aime de tout mon cœur.

– Je le sais. » Il essuya tendrement les larmes qui inondaient ses joues. « Je t'en supplie, cesse de pleurer, Judy. Nous trouverons une solution, je te le promets. Etends-toi à côté de moi jusqu'à ce qu'il faille nous séparer. »

Ils se cramponnèrent l'un à l'autre, aussi profondément malheureux de la situation qu'ils avaient été heureux dans l'amour, leurs deux corps nus soudés l'un à l'autre.

Ce fut ainsi que son mari les trouva quelques minutes plus tard.

Elle le vit la première, debout sur le seuil de la chambre, tremblant de rage. Elle se redressa d'un bond et s'empara du drap pour cacher sa nudité. Elle essaya de dire son nom, mais la peur et la honte l'en empêchèrent.

En les couvrant d'épithètes obscènes et d'insultes haineuses marmonnées entre ses dents, il se rua vers le lit en brandissant une batte de baseball qui s'abattit brutalement, inexorablement.

Plus tard, les auxiliaires médicaux, pourtant accoutumés aux scènes de crime les plus atroces, eurent de la peine à contenir leur déjeuner dans leur estomac. Le papier peint à fleurs, derrière le lit, était maculé de sang.

« Bon Dieu ! » murmura l'un d'eux sans vouloir se montrer irrespectueux vis-à-vis du crucifix rouge de sang suspendu au mur.

Son coéquipier s'agenouilla.

– C'est incroyable ! Le pouls bat encore.

L'autre jeta un regard plein de doute à la matière grumeleuse qui suintait du haut du crâne fendu en deux.

– Tu crois qu'il y a une chance ?

– Non, mais grouillons-nous quand même. On a peut-être un donneur d'organe.

CHAPITRE 3

10 octobre 1990

– Tu ne les trouves pas bonnes, mes crêpes?

Il leva la tête et la regarda, interdit.

– Qu'est-ce que tu dis?

– La pâte toute faite promettait des crêpes plus légères que l'air. J'ai dû me tromper quelque part.

Il y avait cinq minutes qu'il tripotait son petit déjeuner sans rien avaler. Il planta sa fourchette dans le magma sirupeux au milieu de son assiette et sourit d'un air gêné.

– On ne peut rien reprocher à ta cuisine.

Il était gentil. Amanda était une très mauvaise cuisinière.

– Et mon café? Il te plaît?

– Délicieux. J'en prendrais bien une autre tasse, s'il te plaît.

Elle jeta un coup d'œil à la pendule de la cuisine.

– Es-tu sûr d'avoir le temps?

– Je prendrai le temps.

Il s'octroyait rarement le luxe d'être en retard à son travail. Ce qui le préoccupait depuis plusieurs jours devait être extrêmement important, pensa-t-elle.

Elle se leva maladroitement et se dirigea vers la machine à café posée sur le comptoir. Elle regagna la table en prenant la carafe avec elle et lui remplit sa tasse.

– Il faut qu'on parle, dit-il.

– Une conversation serait un changement bienvenu, dit-elle en se rasseyant. J'ai l'impression que tu es dans un autre monde.

– Je sais. Je suis désolé.

Il fronça les sourcils, sans quitter des yeux sa tasse de café fumant dont il n'avait pas vraiment envie, elle le savait très bien. C'était une manière de gagner du temps.

– Tu me fais peur, dit-elle d'une voix douce. Je ne sais pas ce qui te tracasse, mais tu ferais mieux de me le dire et qu'on n'en parle plus! De quoi s'agit-il? insista-t-elle. D'une autre femme?

Il lui décocha un coup d'œil farouche sous-entendant qu'elle savait très bien que cette hypothèse était absurde.

– J'y suis! dit-elle en abattant sa main sur la table. Je te répugne parce que j'ai l'air de la mère de Dumbo. Tu trouves mes chevilles enflées repoussantes, n'est-ce pas? Mes petits seins impertinents dont tu te moquais allégrement te manquent. Mon corps n'est plus pour toi qu'un bon vieux souvenir. En bref, je n'ai plus le moindre sex-appeal depuis que je suis enceinte, et tu t'es entiché d'une douce petite à la taille de guêpe, mais tu n'oses pas me le dire. Est-ce que j'approche?

– Tu es folle.

Il tendit la main par-dessus la petite table ronde et l'attira à lui. Quand elle fut debout devant lui, il posa les mains sur son ventre rond.

– J'adore ton nombril, en creux ou en relief.

Il embrassa le site en question à travers le tissu de son ample chemise de nuit. Quelques poils de moustache particulièrement drus traversant le mince coton la chatouillèrent.

– J'adore le bébé. Je t'aime. Il n'y a pas d'autre femme dans ma vie et il n'y en aura jamais.

– Balivernes!

– C'est un fait.

– Et Michelle Pfeiffer?

Il la gratifia d'un grand sourire tout en feignant de réfléchir à la question.

– Oh là là! Pas facile, celle-là! Comment fait-elle les crêpes à ton avis?

– Crois-tu que cela aurait de l'importance?

Il l'assit sur ses genoux et l'enlaça en riant.

– Fais attention, l'avertit-elle. Je vais écraser tes bijoux de famille.

– Je suis prêt à prendre ce risque.

Ils échangèrent un long baiser passionné. Quand il libéra ses lèvres, elle scruta son visage soucieux. En dépit de l'heure matinale, bien que douché et rasé de près, il avait l'air éreinté, comme s'il venait de terminer sa journée de travail.

– Si ce n'est pas ma cuisine, ni une autre femme, si ma difformité ne te dégoûte pas, alors qu'est-ce que c'est?

– Je ne supporte pas que tu sois obligée de mettre ta carrière entre parenthèses.

Elle avait redouté bien pire et se sentit profondément soulagée.

– C'est cela qui te ronge depuis quelque temps?

– C'est injuste, insista-t-il avec obstination.
– Injuste pour qui?
– Pour toi, bien évidemment.
Amanda le dévisagea d'un air soupçonneux.
– Tu envisageais peut-être de prendre une retraite anticipée et de passer ton temps à regarder la télé avec l'espoir que je t'entretiendrais?
– Ce n'est pas une mauvaise idée, fit-il en esquissant un sourire. Mais honnêtement, c'était à toi que je pensais. Parce que la biologie favorise indiscutablement le sexe fort...
– Et comment! grommela-t-elle.
– ... C'est toi qui fais tous les sacrifices.
– Combien de fois faudra-t-il que je te répète que je fais exactement ce que je veux? Je porte un bébé, notre bébé et j'en suis profondément heureuse.
Il avait accueilli la nouvelle de sa grossesse avec des sentiments mitigés. Au départ, cela l'avait beaucoup perturbé. Elle avait arrêté de prendre la pilule sans le lui dire. Une fois ce choc initial passé, il s'était habitué à l'idée d'être père et s'en faisait même une joie.
Au bout du premier trimestre, elle avait prévenu ses associés du cabinet juridique qu'elle avait résolu de prendre un congé sans solde afin de rester à la maison avec son enfant durant les premiers mois tellement importants pour les rapports entre la mère et l'enfant. Sur le moment, il n'avait pas contesté sa décision. Elle s'étonnait à présent qu'il eût gardé ses doutes pour lui.
– Il n'y a pas deux semaines que tu as quitté le bureau et je te sens déjà sur des charbons ardents, dit-il. Les signes ne trompent pas. Je sais très bien quand quelque chose te tracasse.
D'un geste doux, elle écarta de son front quelques mèches vagabondes.
– C'est juste que j'ai fait tout ce que j'avais à faire dans la maison. J'ai lessivé toutes les plinthes, étiqueté les conserves par ordre alphabétique, mis de l'ordre dans nos tiroirs à chaussettes. J'ai mis à exécution tous mes projets prébébé. Mais une fois que l'enfant sera là, j'aurai amplement de quoi m'occuper.
Il avait toujours sa mine contrite.
– Pendant que tu joues aux femmes au foyer comblées, tes associés te piquent tes clients.
– Et alors! s'exclama-t-elle en riant. Ce bébé est la chose la plus importante de ma vie, passée ou future. Je le pense de tout mon cœur.
Elle lui prit la main et la posa sur son ventre. Le bébé était en train de bouger.
– Tu sens ça! Comment un procès pourrait-il être plus fascinant que ça! J'ai pris une décision et je suis en paix avec moi-même. Je veux que tu le sois aussi.

– Tu m'en demandes peut-être un peu beaucoup.

Elle le reconnut en silence. Il ne serait jamais tout à fait en paix avec lui-même. Mais il trouvait malgré tout un répit dans l'amour qu'il lui portait et dans la perspective de l'enfant à naître. Il caressa l'endroit où le bébé venait d'assener un coup de pied vigoureux.

– Je pensais que tous les hommes rêvaient de garder leur petite femme à la maison, avec une ribambelle d'enfants, dit-elle en plaisantant. Qu'est-ce qui ne va pas chez toi?

– Je ne veux pas qu'un jour tu regrettes d'avoir interrompu ta carrière.

Elle le rassura d'un sourire.

– Cela n'arrivera jamais.

– Alors pourquoi ai-je le sentiment d'avoir une épée suspendue au-dessus de la tête?

– Parce que tu as toujours l'impression que ton verre est à moitié vide!

– Quand toi tu le vois à moitié plein!

– Je le vois même plein à ras bord!

Elle accompagna ses paroles d'un geste évocateur des deux mains qui le fit sourire, en retroussant sa moustache comme elle adorait qu'elle le soit.

– Je sais. Je sais. Je suis l'éternel pessimiste.

– Alors tu le reconnais?

– Non. Nous avons déjà parlé de tout ça.

– A n'en plus finir.

Ils se sourirent, et il l'enlaça de nouveau.

– Tu as déjà fait tellement de sacrifices pour moi. Je ne mérite pas d'avoir une femme comme toi.

– Ne l'oublie pas si Michelle Pfeiffer te fait de l'œil un jour!

Elle se pelotonna dans le creux de ses bras. Il se pencha et l'embrassa avec fougue. Sa main erra sur sa chemise de nuit et trouva ses seins fermes, lourds, prêts à allaiter. Il les caressa en en taquinant doucement les aréoles au travers du tissu.

Puis il écarta son vêtement et promena ses lèvres et le bout de sa langue sur sa poitrine. Lorsque sa moustache vint chatouiller la pointe dressée de ses seins, elle gémit en s'écriant :

– Ce n'est pas juste!

– Combien de temps faut-il attendre?

– Un minimum de six semaines après la naissance.

Il grogna.

– Nous ferions mieux de ne pas commencer quelque chose qu'on ne pourra pas finir.

– Trop tard, dit-il en faisant la grimace.

Elle réajusta sa chemise de nuit en riant et glissa de ses genoux.

– Tu ferais mieux d'y aller.
– Oui, tu as raison, dit-il.
Il se leva, enfila sa veste et se dirigea vers la porte.
– Comment te sens-tu?
– On va très bien, merci, répondit-elle en enserrant son ventre imposant.
– Tu n'as pas bien dormi.
– Essaie de dormir quand quelqu'un joue au foot avec tes entrailles.
A la porte, ils échangèrent encore un baiser.
– Que veux-tu manger ce soir?
– Si je t'emmenais au restaurant! proposa-t-il.
– On va au chinois?
– Promis.
Presque tous les matins, elle lui faisait un petit signe d'adieu depuis le seuil. Ce matin-là, toutefois, elle l'accompagna jusqu'à la voiture en le tenant par le bras. Quand le moment fut venu de le lâcher, elle éprouva une répugnance inexplicable à le faire. On aurait dit que son pessimisme était contagieux. Son défaitisme avait dû déteindre sur elle parce qu'elle eut une furieuse envie de se cramponner à lui en lui suggérant de téléphoner qu'il était malade afin de rester auprès d'elle toute la journée.
Pour couvrir ce qui n'était probablement qu'un coup de cafard dû à son état, elle le taquina :
– Ne t'imagine surtout pas que la maternité va me transformer en esclave. Dès que le petit sera là, tu auras ta part de couches à changer.
– Je bous d'impatience, répondit-il en grimaçant un sourire; puis il retrouva son sérieux, posa les mains sur ses épaules et l'attira contre lui.
– C'est tellement facile de t'aimer. Sauras-tu jamais combien je tiens à toi?
Elle pencha la tête et le regarda en souriant.
– Je le sais.
Le soleil était éblouissant. Sans doute était-ce la raison pour laquelle des larmes avaient perlé dans ses yeux.
– Moi aussi je t'aime, dit-elle encore.
Avant de l'embrasser, il prit son visage dans ses mains et plongea son regard dans le sien un long moment.
– J'essaierai de rentrer de bonne heure, dit-il, la voix rauque d'émotion.
En se glissant derrière le volant, il ajouta :
– Si tu as besoin de moi, téléphone.
– Promis, dit-elle.
Quand il atteignit le coin de la rue, elle agita la main.
Elle commença à avoir mal dans le bas du dos pendant qu'elle faisait la vaisselle du petit déjeuner. Elle se reposa avant de faire le lit, mais la douleur sourde persista.

Vers midi, elle commença à avoir des élancements dans le ventre. Elle songea à lui téléphoner, puis se ravisa. Les contractions se manifestaient parfois des jours avant que le travail en soi ne commence. L'accouchement n'était prévu que dans deux semaines. Il pouvait très bien s'agir d'une fausse alarme. Son boulot était ardu et exigeait beaucoup de lui, et elle ne voulait pas le déranger à moins que cela ne fût absolument nécessaire.

Peu après quatre heures, elle perdit les eaux et les contractions redoublèrent. Elle téléphona à son obstétricien. Il lui assura qu'il était inutile de se presser, que le premier enfant mettait parfois des heures avant de naître, mais lui conseilla malgré tout de se rendre à l'hôpital.

Le moment était venu de le prévenir. Elle l'appela à son bureau, mais on lui répondit qu'il n'était pas disponible. Cela n'avait pas d'importance. Elle avait encore des tas de choses à faire avant de partir.

Elle prit une douche, se rasa les jambes et se fit un shampooing, ne sachant pas quand elle aurait à nouveau l'occasion de le faire. Sa valise était déjà prête : des chemises de nuit, une robe de chambre neuve et des pantoufles, ainsi qu'un nid d'ange pour l'enfant, lorsqu'ils rentreraient à la maison. Elle y ajouta sa trousse de toilette et quelques articles de dernière minute, avant de boucler sa valise et de la déposer près de la porte d'entrée.

Les contractions se rapprochaient, de plus en plus douloureuses. Elle rappela le bureau et le demanda :

– Il est sorti, s'entendit-elle répondre. Mais je peux le faire bipper, si vous voulez. Est-ce une urgence?

Etait-ce une urgence? Non, pas vraiment. Les femmes mettaient des enfants au monde dans toutes sortes de circonstances. Elle n'aurait sûrement pas de problème pour gagner l'hôpital. Et puis à quoi cela servirait-il de le faire revenir à la maison pour rebrousser chemin aussitôt afin de se rendre à l'hôpital?

Elle mourait d'envie de lui parler. Cela lui aurait fait tellement de bien d'entendre sa voix. Mais elle allait devoir se contenter de lui laisser un mot : Rejoins-moi à l'hôpital dès que tu pourras.

Elle se rendait compte qu'il serait absurde de jouer les téméraires et de prendre elle-même le volant. Seulement aucun ami ni parent n'était disponible. Elle composa les urgences.

– Je suis sur le point d'accoucher, dit-elle, et j'ai besoin qu'on me conduise à l'hôpital.

L'ambulance arriva quelques minutes plus tard. L'auxiliaire médical l'ausculta.

– Votre tension n'est pas bonne, dit-il en lui retirant le brassard. Depuis combien de temps avez-vous des contractions?

– Quelques heures.

La douleur devenait insoutenable. Les exercices de respiration et de concentration qu'elle avait appris pendant les cours de préparation à l'accouchement où ils étaient allés ensemble paraissaient nettement moins efficaces quand on les faisait seule. Elle essaya malgré tout, mais ils n'atténuèrent pas sa souffrance.

– On est encore loin? demanda-t-elle, pantelante.

– Pas très. Courage. Tout va bien.

C'était faux. Elle le comprit en voyant le froncement de sourcils du médecin après qu'il l'eut examinée.

– Le bébé se présente par le siège.

– Oh mon Dieu! murmura-t-elle.

– Ne vous énervez surtout pas, ajouta-t-il. C'est tout à fait fréquent. On va essayer de le retourner. Si ça ne marche pas, nous ferons une césarienne.

– J'ai appelé le numéro que vous m'avez donné, lui annonça l'infirmière, sentant qu'elle paniquait. Il est en route.

– Dieu merci, soupira Amanda, en se détendant un peu. Il ne va pas tarder. Heureusement.

– Etait-il à vos côtés pendant les séances de préparation?

– Oui. Oh, pourvu qu'il arrive vite!

L'infirmière lui serra la main et ne cessa de lui parler durant l'obscur tunnel de douleur suivant tandis que le docteur s'efforçait de remettre le bébé dans la position correcte. Le rythme cardiaque de l'enfant était sous surveillance constante. L'infirmière mesurait la tension de la mère à intervalles de plus en plus rapprochés.

Pour finir, le médecin annonça:

– Préparez-la pour une césarienne.

Les quelques minutes qui suivirent passèrent dans un kaléidoscope de lumières, de sons et de mouvements. On l'emmena précipitamment en salle de travail.

Où était-il passé? Elle l'appela d'une voix plaintive, étouffée, avant de serrer les dents pour lutter contre la douleur qui lui taraudait le ventre.

Puis elle entendit une conversation entre deux infirmières.

– Il y a eu un carambolage terrible sur la bretelle de l'autoroute.

– Terrible. Tu peux le dire! Je suis passé par là en venant. C'est un vrai carnage. Il y a pas mal de blessés. Des traumatismes crâniens surtout. Plusieurs équipes de prélèvement d'organes et de tissus sont sur place pour s'entretenir avec les parents proches dès qu'ils arriveront.

Amanda sentit une piqûre sur le dos de sa main. On lui badigeonna le ventre avec un liquide froid, puis on lui enveloppa les jambes dans des draps bleus stérilisés.

Un carambolage sur l'autoroute?

C'est sur son chemin.

Il était pressé d'arriver avant que le bébé naisse.

Il a roulé trop vite.

Prenant des risques qu'il ne prendrait pas d'ordinaire.

– Non! gémit-elle.

– Patience. Dans quelques minutes, vous tiendrez votre enfant dans vos bras, lui dit une voix chaleureuse.

Pas la sienne. Pas celle qu'elle avait envie d'entendre.

Tout à coup, elle sut qu'elle n'entendrait plus jamais sa voix. En un instant de cruelle lucidité, elle sut, inexplicablement, mais sans le moindre doute, qu'elle ne le reverrait plus jamais.

Ce matin-là, quand ses yeux s'étaient remplis de larmes, elle avait eu le pressentiment que leur baiser d'adieu serait le dernier. Elle avait compris qu'elle ne le tiendrait plus jamais dans ses bras.

C'était la raison pour laquelle elle avait eu tant de peine à le laisser partir. Elle se souvenait de l'intensité de son regard posé sur elle, comme s'il cherchait à mémoriser son visage, dans ses moindres détails. Avait-il senti lui aussi qu'ils se disaient au revoir pour toujours?

– Non, sanglota-t-elle, non.

Mais leur sort était joué, et sa prémonition avait été trop nette, trop profonde. « Je t'aime. Je t'aime », cria-t-elle.

Son cri rauque se répercuta sur les murs dallés de la salle de travail. Mais il n'était pas là pour lui répondre. Il était parti.

Pour toujours.

CHAPITRE 4

10 octobre 1990

– Cyclope est un sale crétin.

Petey extirpa une couche de crasse graisseuse de dessous un de ses ongles, puis essuya la lame de son couteau sur son jean.

– Il est encore plus méchant que sale. Si j'étais toi, je la lui rendrais. Ça te faciliterait sacrément l'existence, Sparky!

– T'es pas dans ma peau, mon vieux.

Il se racla la gorge. Un crachat atterrit près de la botte noire tout éraflée de son ami.

– S'il revient tourner autour d'elle, je vais faire un malheur, crois-moi!

– Kismet était sa nana avant d'être la tienne, t'as oublié? Longtemps avant que tu te pointes. Lui, en tout cas, il est pas près de l'oublier.

– Il la traitait comme de la merde.

Petey haussa les épaules avec philosophie.

– S'il la touche... rien que s'il fait mine de porter la main sur elle, je lui cloue les couilles en trophée.

– T'es dingue, mec! s'exclama Petey. Une belle paire de fesses, d'accord, c'est sympa, mais c'est pas si dur que ça à trouver, tu sais. Ça vaut certainement pas le coup de crever, conclut-il en brandissant la pointe de son couteau pareil à un doigt réprobateur.

– Méfie-toi, Sparky! Cyc n'en a toujours fait qu'à sa tête. Comment tu crois qu'il est devenu le chef de la bande?

– Chef, mon cul, marmonna Sparky. C'est un foutu emmerdeur, oui.

– Je vois pas la différence.

– Eh bien, moi, y me fait pas peur. Je ne me laisserai pas emmerder par lui, ni par elle d'ailleurs.

Il braqua son regard sur la bande de filles ramollies par le joint qui venait de circuler sur le porche branlant du bar où ils traînassaient. L'établissement en question se trouvait au pied de la colline surplombant la ville, au bord de la route nationale peu fréquentée depuis qu'on avait construit une autoroute à proximité.

C'était un endroit isolé. Jadis il aurait attiré bootleggers, putains, joueurs et gangsters en cavale. A présent, on n'y trouvait plus que des motards, des petits délinquants et autres marginaux. Une bagarre éclatait au moins une fois par soir, mais même quand elle finissait dans un bain de sang, on réglait ça sans que la police intervienne.

Parmi les filles agglutinées sur le porche, Kismet tranchait tel un joyau parmi des cendres. Elle avait les cheveux foncés, épais et bouclés, des yeux noirs, provocants, et des formes généreuses qu'elle mettait fièrement en valeur en arborant un jean qui lui collait à la peau. Une large ceinture de cuir noir agrémentée de clous argentés soulignait sa taille de guêpe. Ce soir, elle avait mis un justaucorps très échancré révélant le tatouage en forme de croissant de lune perché juste au-dessus de son cœur. Il remarqua avec satisfaction qu'autour du biceps, elle portait le bracelet en cuivre qu'il lui avait rapporté du Mexique quelques semaines auparavant. Plusieurs anneaux et breloques étincelants brillaient à ses oreilles.

Sentant qu'il l'observait, elle se retourna et plongea son regard dans le sien en rejetant la tête en arrière avec arrogance. Elle écarta voluptueusement les lèvres, puis elle éclata de rire à propos de quelque chose qu'une de ses amies venait de dire, sans que ses yeux noirs le quittent une seconde.

– Tu l'as dans la peau, ça c'est sûr! lança Petey d'un ton résigné.

La remarque de Petey lui déplut, mais il préféra ne pas insister. A quoi bon dépenser de l'énergie pour s'engueuler avec ce nul. Et puis Sparky n'était pas sûr de trouver les mots qu'il fallait pour exprimer ce qu'il éprouvait vis-à-vis de Kismet, même si cela dépassait tout ce qu'il avait pu ressentir envers d'autres femmes.

Il n'évoquait jamais son passé et répugnait à l'idée de divulguer son vrai nom. Les autres motards de la bande auraient été surpris d'apprendre qu'il avait un diplôme de littérature d'une grande université. Chez ces gens-là, on tendait à mépriser l'intelligence et le savoir acquis dans les livres. Moins ils en sauraient sur lui, mieux ce serait.

A l'évidence, Kismet était aussi peu encline à parler de sa vie avant sa rencontre avec Cyclope. Jamais elle n'abordait la question de son passé. Il faut dire qu'il ne le lui avait jamais demandé.

Tels des frère et sœur de sang, ils avaient reconnu mutuellement leur nature agitée, vagabonde. S'ils avaient la bougeotte, c'était plus une fuite éperdue qu'une poursuite quelconque. Ils se dérobaient l'un et l'autre à une situation qui n'était plus tolérable.

Sans le savoir sans doute, ils s'étaient cherchés. Peut-être leur quête touchait-elle à sa fin. Ce scénario métaphysique lui plaisait et il figurait souvent dans ses rêveries.

La première fois qu'il l'avait vue, elle avait un œil au beurre noir et une lèvre tuméfiée.

– Qu'est-ce que tu regardes, bordel? lui avait-elle demandé d'un ton belliqueux dès qu'elle avait senti son regard posé sur elle.

– Je me demandais juste qui t'avait amochée.

– Qu'est-ce que ça peut te foutre?

– Je me disais que je lui défoncerais bien le portrait pour toi.

Elle l'avait toisé des pieds à la tête avant de lâcher d'un ton méprisant :

– Qui ça? Toi?

– Je suis plus costaud que j'en ai l'air.

– Et moi je suis la reine de Saba, bordel de merde, et je peux me démerder toute seule.

Ce en quoi elle se trompait apparemment. Quelques jours plus tard, elle avait de nouvelles meurtrissures sur le visage et le torse. Entre-temps, il avait appris qu'elle appartenait à Cyclope, ainsi nommé parce qu'il avait un œil de verre.

Un handicap qui n'enlevait rien à sa mine patibulaire. Son œil en bon état était aussi froid et morne que celui de verre. Lorsqu'il fixait son regard menaçant, solitaire sur quelqu'un qui n'avait plus la cote avec lui, cela compensait amplement cette prothèse défectueuse car légèrement de guingois.

A son insu, tout le monde l'appelait « le métèque ». En plus du sang anglo-saxon qui coulait dans ses veines, il avait des origines mexicaines ou indiennes, personne ne savait vraiment. Cyclope lui-même l'ignorait probablement. Il n'en avait sûrement rien à faire.

Il était basané, efflanqué et aussi résistant que du whipcord. Le couteau était son arme favorite. S'il n'y avait pas eu Kismet, Sparky aurait évité de se frotter à lui.

Malheureusement, le sort en avait voulu autrement. Les formes voluptueuses de Kismet, ses yeux de biche, sa chevelure en bataille l'avaient irrésistiblement attiré. Plus en profondeur, il avait réagi à la peur et à la vulnérabilité qu'il avait détectées derrière ce regard plein de défi et cette expression hostile. Miraculeusement, elle aussi avait été sensible à ses charmes.

Il ne lui avait jamais fait la moindre avance, pas plus qu'il ne l'avait invitée à monter sur sa moto. Néanmoins, elle avait su interpréter ses signes tacites. Un matin alors qu'ils enfourchaient leurs bécanes deux par deux, elle avait grimpé derrière lui en lui enserrant la taille de ses bras nus et lisses.

Un silence pesant s'était abattu sur la bande tandis que Cyc se dirigeait vers sa moto d'un pas nonchalant. Il jetait des coups d'œil autour de lui, cherchant manifestement Kismet. Quand il la vit installée derrière Sparky, il plissa son bon œil d'un air menaçant. Une grimace sinistre retroussa ses lèvres minces. Puis il pesa de tout son poids sur la pédale de sa bécane et démarra en trombe.

Cette nuit-là, Kismet l'avait rejoint. Il avait projeté de la traiter avec douceur à cause des coups que Cyclope lui avait assenés. Curieusement, ce fut elle qui l'agressa, s'attaquant à lui avec ses ongles, ses dents et un appétit sexuel apparemment insatiable, qu'il était plus que capable de satisfaire.

Depuis lors, ils étaient amants; tout le monde les considérait désormais comme un couple. Mais ceux qui appartenaient à la bande depuis plus longtemps que lui, qui connaissaient bien Cyc et qui avaient assisté aux revanches qu'il avait prises à la suite d'affronts réels ou imaginaires, craignaient que la rage de leur chef ne couvât en lui et qu'elle n'explosât brusquement un beau jour.

Personne ne prenait quoi que ce soit à Cyc sans le payer très cher.

La mise en garde de Petey n'était pas nécessaire. Sparky se gardait déjà de Cyc, qui feignait probablement l'indifférence face au revirement de Kismet dans l'espoir de sauver la face devant le reste de la bande. Il se méfiait de sa nonchalance calculée et restait continuellement sur le qui-vive, prêt à une attaque surprise.

Ce fut la raison pour laquelle il sentit ses cheveux se dresser sur sa tête quand Cyc franchit en titubant la porte du bar. Il posa une main sur le chambranle pour reprendre l'équilibre tout en portant une bouteille de vodka à ses lèvres. Même de loin, Sparky vit l'œil de la brute, perçant les jeux d'ombre du crépuscule, se fixer sur Kismet.

Cyc s'approcha d'elle d'une démarche vacillante et tendit le bras pour lui caresser le cou. Elle lui administra une petite tape sur la main. Ployant sa taille mince, il se pencha vers elle et lui murmura quelque chose à l'oreille. Sa riposte obscène fit rire les autres filles.

Cyc ne trouva pas cela drôle du tout. Il lâcha sa bouteille et sortit brusquement un couteau de l'étui en cuir qu'il portait au creux du dos. Les autres filles se dispersèrent aussitôt. Kismet ne broncha pas bien qu'il agitât dangereusement la pointe de sa lame sous son nez. Elle ne bougea pas d'un pouce, jusqu'au moment où il fit un geste rapide, violent avec son couteau. Son geste de recul spontané le fit rire.

Sourd aux avertissements que lui chuchotaient Petey et les autres, Sparky se rua en direction du porche. Le sentant approcher, Cyc fit volte-face et se ramassa en position d'attaque. Il le nargua tout en faisant passer son couteau d'une main à l'autre.

– Viens le chercher.

Sparky esquiva habilement plusieurs coups de lame brutaux, qui l'auraient facilement coupé en deux. Cyc était beaucoup plus fort que lui physiquement. Ne comptant que sur sa sobriété, sa rapidité et son adresse, Sparky préparait soigneusement sa contre-attaque.

Il attendit le bon moment, puis expédia un coup de pied magistral dans le poignet de Cyc. Sa botte heurta de plein fouet contre un os. Le couteau partit en vol plané tandis que Cyc hurlait de douleur en se tenant la main. Puis Sparky assena un coup de poing bien placé dans le menton de son adversaire, qui le fit basculer en arrière. Il atterrit contre le mur à toute volée et retomba comme une masse, ivre, infâme, sur le porche.

Sparky alla récupérer le couteau sur le sol poussiéreux et l'envoya valdinguer le plus loin possible. Tout le monde suivit des yeux, en transe, la lame d'acier affûtée, virevoltant sur elle-même, étincelante dans la lumière projetée par l'enseigne au néon, jusqu'au moment où elle disparut dans un taillis.

A bout de souffle, mais avec dignité et assurance, Sparky tendit la main à Kismet. Celle-ci s'en saisit sans hésitation, et ensemble, ils s'éloignèrent de quelques pas et montèrent sur sa moto. Pas une seule fois il ne se retourna. Elle si. Cyc était en train de recouvrer ses esprits et secouait la tête, visiblement groggy. Elle lui fit un bras d'honneur juste avant que la moto ne s'enfonce dans le crépuscule.

Le vent leur hurlait dans les oreilles, empêchant toute conversation. Mais ils avaient d'autres moyens de communiquer. Elle serrait ses cuisses entre les siennes et frottait sa poitrine contre son dos tout en lui taquinant l'entrejambe de ses mains avides. Elle lui mordit la partie charnue de l'épaule. Il grogna de douleur et de plaisir, anticipant déjà d'autres délices.

Elle lui appartenait désormais. Sans le moindre doute. S'il lui était resté le moindre sentiment pour le Cyclope vaincu, elle aurait choisi de rester à ses côtés. Elle était sa récompense. Vainqueur, il avait acquis le droit de la faire sienne. Dès qu'ils seraient à une distance respectueuse de Cyc...

– Flûte ! Il nous poursuit, Sparky.

Une fraction de seconde avant qu'elle ait crié, il avait aperçu le phare perçant l'obscurité derrière eux, brillant comme l'œil unique d'un monstre, une comparaison qu'il trouva judicieuse mais troublante.

Le phare grossissait à vue d'œil dans son rétroviseur. Cyc rattrapait son retard à une cadence alarmante. Bien qu'il prît déjà les virages à une vitesse périlleuse, Sparky accéléra encore afin de maintenir une distance relativement sûre entre lui et eux.

Conscient que la vodka ajoutée à la fureur avait rendu Cyc fou, il se résigna à cette course-poursuite effrénée parmi les tournants en épingle à cheveux conduisant en ville où il espérait bien le semer. A chaque seconde, il risquait de perdre le contrôle de sa moto.

Il cria à Kismet de se cramponner et prit un tournant à un angle vertigineux, la moto se couchant presque sur le côté. Dès qu'ils se furent redressés, il jeta un coup d'œil dans son rétroviseur et vit que Cyc n'avait même pas ralenti dans le virage.

– Fonce! hurla-t-elle. Il se rapproche. S'il nous rattrape, il nous tuera.

Il poussa son engin au maximum. Le paysage n'était qu'un brouillard flou. Il n'osait pas penser à l'éventualité de véhicules arrivant en sens inverse. Jusqu'à présent, ils n'avaient croisé personne mais...

– Attention!

Cyc les avait presque rejoints. Sparky s'engagea brusquement sur la voie de gauche afin de conserver son avance. S'il laissait Cyc les rattraper, ou les dépasser, ils étaient morts.

La route était moins abrupte à présent, mais elle serpentait encore parmi les collines. Ils étaient pour ainsi dire arrivés. Dès l'entrée de la ville, ils sèmeraient ce salopard fou à lier.

Il planifia mentalement sa stratégie tout en négociant un nouveau virage. Lorsqu'ils en ressortirent, ils eurent l'impression d'être précipités dans un autre paysage. Soudain les collines avaient disparu. Une large route se déployait devant eux tel un ruban argenté menant droit au cœur de la ville. Si la chance avait été de leur côté, c'eût été une vision réconfortante.

Kismet hurla. Sparky jura. Ils fonçaient à tombeau ouvert vers une intersection. Un camion de bétail s'engageait sur leur voie. Ils allaient trop vite pour tourner. Cyc leur collait au train. Le camion n'allait pas assez vite pour dégager la route à temps.

Pas le temps de réfléchir.

Une demi-heure plus tard, un interne au teint frais filait dans le couloir de l'hôpital en direction de la salle d'attente des urgences où une bande de motards attendait des nouvelles de leurs amis. Les plus costauds d'entre eux blêmirent en voyant la quantité de sang qui maculait sa blouse.

– Je suis désolé, leur annonça-t-il à bout de souffle. Nous avons fait tout ce que nous pouvions. A présent, nous devons parler à la famille – de dons d'organe. Et vite.

CHAPITRE 5

Mai 1991

– Eh, Pierce! On est dans un édifice public. Un peu de respect, tout de même! Retire ton foutu pied du mur.

Cette voix aurait réveillé un mort. Elle eut vite fait de tirer Alex Pierce de sa rêverie. Un sourire éclaira sa mine sombre quand il vit l'huissier s'approcher de lui. Contrit, il écarta docilement du mur la semelle de sa botte de cow-boy.

– Salut, Linda.

– T'as rien d'autre à dire? “ Salut, Linda. ” Après tout ce que nous avons été l'un pour l'autre?

Elle planta ses poings dodus sur ses larges hanches en le fusillant du regard, puis abandonna cette pose pour lui taper affectueusement sur l'épaule.

– Comment ça va, beauté?

– Je ne peux pas me plaindre. Et toi, ça roule?

– Comme d'habitude.

En fronçant les sourcils, elle tourna son attention vers la salle du jury bondée où des centaines de futurs jurés espéraient follement se voir exemptés de leur devoir civique.

– Rien ne change par ici, en dehors des visages. Toujours les mêmes excuses bidon, les mêmes lamentations, ronchonnements et jérémiades à propos du devoir civique d'être juré dont tout le monde se passerait bien.

Son regard revint se poser sur lui.

– Où est-ce que tu crèches ces jours-ci? J'ai entendu dire que tu avais quitté Houston.

Avant le 4 juillet de l'année précédente, on l'avait souvent vu au tribunal d'Harris County où il venait témoigner lors de procès impliquant des accusés qu'il avait contribué à appréhender.

– Je reçois toujours mon courrier ici, répondit-il d'un ton indifférent. J'ai pas mal voyagé. Au Mexique notamment, où je suis allé à la pêche.

– T'as attrapé quelque chose?

– Rien de bien intéressant.

– Pas la chtouille, j'espère.

– Par les temps qui courent, ça vaut mieux qu'autre chose, répondit-il avec un sourire désabusé.

– Tu l'as dit! » L'huissier aux formes généreuses secoua tristement son casque de cheveux couleur bourgogne. « Hier, j'ai lu dans le journal que mon déodorant faisait des trous dans la couche d'ozone. Mes tampons sont toxiques paraît-il. Tout ce que je mange me bouche les artères ou provoque un cancer du côlon. Voilà qu'en plus, on ne peut même plus s'amuser en couchant à droite à gauche. »

Alex rit, sans s'offusquer le moins du monde de sa vulgarité. Ils se connaissaient depuis l'époque où il était entré dans la police de Houston, paradant dans une voiture de patrouille, armé jusqu'aux dents. Linda était une institution au tribunal; tout le monde la connaissait. On pouvait compter sur elle pour apprendre les derniers cancans et raconter les histoires cochonnes. Sous cette grossièreté bon enfant se dissimulait en réalité une tendresse qu'elle ne révélait qu'à une poignée de privilégiés dont Alex faisait partie.

Elle l'observait d'un air entendu.

– Alors, dis-moi comment tu vas vraiment, mon cœur?

– Vraiment tout à fait bien.

– Ton boulot te manque?

– Sûrement pas.

– J'imagine que tu es content d'être loin des intrigues et de toutes ces conneries. Mais l'action, ça ne te manque pas?

– Ces jours-ci, ce sont mes personnages qui esquivent les balles.

– Tes personnages?

– Ouais, répondit-il un peu gêné, je me suis mis à écrire un peu.

– Sans rire?

Elle avait l'air impressionné.

– Tu vas écrire un grand livre révélateur sur les rouages d'un commissariat de grande ville?

– Non, c'est de la fiction. Mais inspirée de mes expériences.

– Des perspectives?

– D'édition, tu veux dire? » Il secoua la tête. « Je n'en suis pas là. Loin de là. Si tant est que j'y arrive un jour.

– Tu y arriveras.

– Je n'en sais rien. Mes antécédents de carrière ne sont pas brillants.

– J'ai pleinement confiance en toi. Tu vois quelqu'un? ajouta-t-elle.
– Tu veux dire une femme?
– A moins que tu n'aies viré ta cuti, répliqua-t-elle sèchement. Evidemment.
– Non, je n'ai pas viré ma cuti. Et je ne vois personne. Personne en particulier.
Elle le toisa des pieds à la tête.
– Tu ferais peut-être mieux. Ta garde-robe laisse passablement à désirer. Elle bénéficierait d'une touche féminine.
– Qu'est-ce qu'ils ont, mes habits?
Il baissa les yeux et ne trouva rien à reprocher à sa tenue.
– Pour commencer, ça fait un bon moment que ta chemise n'a pas vu la couleur d'un fer à repasser.
– Elle est propre. Mes jeans aussi.
– J'ai bien l'impression que depuis que tu as quitté la police, tu te laisses sacrément aller.
– C'est ce qui arrive quand on se met à travailler à son compte. Je m'habille pour être à l'aise, et si je n'ai pas envie de me raser, je ne me rase pas.
– Tu es maigre comme un clou, observa-t-elle.
– Je suis mince.
Elle haussa les sourcils, sceptique.
– Okay. Un de ces microbes mexicains a jeté son dévolu sur moi pendant que j'étais là-bas. J'ai dégobillé à n'en plus finir. Je n'ai pas encore repris mon poids normal.
Son œil torve prouvait qu'elle n'en croyait pas un mot.
– Ecoute, je vais très bien, insista-t-il. Il m'arrive d'oublier de manger, c'est tout. Je commence à écrire à la nuit tombante et il fait jour quand je me rends compte que je n'ai pas dîné. Dormir sans manger est l'un des risques de mon nouveau métier.
– L'alcoolisme aussi, à ce qu'il paraît.
Alex s'empressa de détourner la tête.
– Je maîtrise la situation, répondit-il d'un ton irrité.
– Ce n'est pas ce qu'on me dit. Tu ferais peut-être mieux de diminuer un peu.
– Oui maman.
– Ecoute, connard, je me compte au nombre de tes amis. Et tu ne peux pas te vanter d'en avoir tellement. J'ai appris qu'il t'arrivait de tourner de l'œil, mon cœur, ajouta-t-elle, agacée et inquiète à la fois.
Ce foutu téléphone arabe! Il ne faisait même plus partie du jeu au tribunal, mais son nom continuait à susciter de savoureux commérages.
– Pas depuis un moment, mentit-il.
– Si j'évoque ton histoire d'amour avec Johnny Walker, Alex, c'est parce que je me fais du souci pour toi.

– Tu serais bien la seule dans les parages.

En percevant ce qui lui parut une nuance d'apitoiement sur soi-même dans sa voix, il abaissa sa garde d'un cran et son expression s'adoucit.

– Ta sollicitude me touche, Linda. Je sais que j'ai un peu perdu la tête après tous les emmerdes que j'ai eus, mais maintenant, ça va. Je t'assure. Ne laisse pas de pareilles rumeurs circuler sur mon compte.

Linda le considéra d'un air sceptique, mais elle préféra changer de sujet.

– Qu'est-ce qui t'amène ici aujourd'hui?

– J'essaie de dénicher une idée de roman. Le procès Reyes qui approche pourrait bien offrir des possibilités.

Elle plissa les yeux, l'air méfiant.

– Pourquoi choisir celui-là quand il y en a une foule d'autres en cours?

Depuis plusieurs mois, Alex suivait de près cette affaire troublante.

– Tous les ingrédients d'un roman palpitant sont réunis. Des relations extra-conjugales. Des connotations religieuses. Les amants pris sur le fait par un mari enragé. L'arme du crime : une batte de base-ball. Beaucoup plus dramatique qu'une balle de fusil de chasse. Du sang et des bouts de cervelle éclaboussant le mur. Un macchabée en route pour la morgue.

– Pas vraiment un macchabée.

– Coma dépassé, souligna-t-il.

– C'est une notion médicale, et non pas juridique, lui rappela-t-elle.

– L'avocat de Reyes prétend qu'il ne l'a pas vraiment tué, puisqu'on a maintenu le cœur en fonctionnement pour le prélèvement.

– Prélèvement, s'exclama-t-elle avec mépris. Laisse aux médecins le soin de parler d'un cœur humain comme s'il s'agissait d'une foutue prise de sang.

Alex hocha la tête.

– Quoi qu'il en soit, ils se sont fourrés dans un vrai guêpier juridique. Si le macchabée n'était pas vraiment un macchabée quand ils ont prélevé le cœur, Reyes était-il coupable de meurtre, oui ou non?

– Fort heureusement, ce n'est pas à nous d'en décider, dit Alex. Ce sera au jury de trancher.

– Si tu faisais partie des jurés, quel serait ton verdict?

– Je ne sais pas. Je ne connais pas encore tous les faits. Mais j'ai bien l'intention de me mettre au courant. Sais-tu dans quelle salle ils sont?

– Bien sûr que je le sais, répondit-elle en grimaçant un sourire, révélant de beaux bridges en or. Combien tu me donnes?

N'importe quel employé du tribunal aurait pu lui fournir ce renseignement, mais il joua le jeu.

– Quelques bières à la mi-séance.

Elle sourit.

– Je pensais plutôt à un dîner chez moi. Et puis... qui sait quoi?
– Oui?
– Steaks, frites et sexe. Pas nécessairement dans cet ordre. Reconnais-le, mon petit Alex. C'est la meilleure proposition qu'on t'ait faite aujourd'hui.

Il éclata de rire, sans prendre son invitation au sérieux, sachant pertinemment qu'elle plaisantait.

– Désolé, Linda. Ce soir, je ne peux pas. Je suis déjà pris.
– D'accord, je ne suis pas une reine de beauté, mais ne te laisse pas abuser par les apparences. Je connais l'anatomie masculine comme ma poche. Tu pleurerais de gratitude. Crois-moi, tu ne te rends pas compte de ce que tu rates.
– J'en suis sûr, répondit-il gravement. Tu as énormément de sex-appeal, Linda. Je l'ai toujours pensé.

Elle le gratifia d'un sourire jusqu'aux oreilles.

– Tu mens comme tu respires, mais tu as toujours su enrober les choses. Il m'arrive même de te croire. C'est la raison pour laquelle je pense que tu seras un écrivain à succès. Tu as le don de convaincre les gens, quoi que tu leur racontes.

Elle lui donna un petit coup de coude.

– Viens, mon beau. Je vais te conduire dans la salle. La sélection du jury ne va pas tarder à commencer. Essaie de ne pas faire l'imbécile, okay? Si tu pintoches et si tu fais du grabuge, ils te mettront à la porte, auquel cas je décline toute responsabilité.
– Je promets d'être sage comme une image, répondit-il en esquissant un signe de croix.
– C'est bien ce que je disais. N'importe quoi! grogna-t-elle.

L'affaire Reyes avait mis le public en émoi. Alex arrivait chaque jour un peu plus tôt au tribunal pour être sûr d'avoir une place. La famille du prévenu et ses amis occupaient presque tous les sièges disponibles.

Le procureur s'appuya en grande partie sur les témoignages des premiers policiers parvenus sur les lieux, qui décrivirent l'épouvantable scène du crime avec force détails. Les membres du jury frémirent en voyant les clichés brillants grand format qu'on leur montra.

L'avocat de la défense avait réuni une phalange de collègues et d'amis de l'accusé, y compris un prêtre qui témoigna de sa nature bienveillante. Seul l'adultère de sa chère épouse avait pu le pousser à commettre un tel acte de violence.

Le jury écouta aussi les dépositions des ambulanciers, appelés à la barre par Reyes lui-même. Le pouls de la victime battait encore lorsqu'ils étaient arrivés sur place, affirmèrent-ils. Le médecin du service des urgences avait établi qu'il n'y avait plus d'activité cérébrale, mais il avait maintenu le cœur et les poumons artificiellement en vie jusqu'à ce que le feu vert fût donné pour prélever organes et tissus. Le chirurgien qui s'était chargé de l'intervention confirma que le cœur battait encore lorsqu'il l'avait extrait.

Ce témoignage provoqua un tollé général. Le juge dut abattre son marteau à plusieurs reprises. L'assistant du procureur s'efforçait, en vain, de prendre un air détaché. De l'avis d'Alex, ce dernier aurait dû opter pour une accusation d'homicide involontaire au lieu de volontaire. L'homicide volontaire sous-entendait la préméditation, qui, dans ce cas précis, ne pouvait être prouvée. Malheureusement pour l'accusé, le survivant de ce terrible assaut n'était pas disponible pour témoigner.

Le procureur prononça quoi qu'il en soit un éloquent réquisitoire, exhortant le jury à se prononcer en faveur d'une lourde peine. Que la victime ait succombé ou non au moment de l'attaque, Paul Reyes était responsable de la mort d'un être vivant et devait donc être jugé coupable.

L'avocat de la défense n'eut qu'à rappeler aux jurés, encore et encore, que Paul Reyes était en prison au moment où la victime avait rendu l'âme.

L'affaire fut mise entre les mains du jury après trois jours de dépositions. Quatre heures et dix-huit minutes plus tard, on annonça qu'il avait achevé ses délibérations. Alex fut parmi les premiers à regagner la salle d'audience.

En regardant les jurés rejoindre leurs places en file indienne, il essaya de deviner leur humeur, mais rien ne transparaissait sur leurs visages figés.

Le silence s'abattit sur la salle lorsqu'on pria l'accusé de se lever.

Non coupable.

Les genoux de Reyes se dérobèrent sous lui, mais son avocat, radieux, le soutint. Ses parents et ses amis se ruèrent vers lui pour lui donner l'accolade. Le juge remercia les membres du jury et leur fit savoir qu'ils pouvaient se retirer.

Les journalistes étaient avides d'obtenir des déclarations, mais l'avocat de Reyes les ignora et entraîna son client à la hâte dans l'allée centrale, en direction de la sortie. Quand Reyes arriva à la hauteur de la rangée où Alex avait pris place, il dut sentir son regard posé sur lui.

Il s'immobilisa brusquement, tourna la tête, et l'espace d'une seconde, leurs regards se croisèrent.

CHAPITRE 6

Mai 1991

Manger. Dormir. Respirer. Ces fonctions vitales s'effectuaient machinalement. Pourquoi s'embêter? La vie n'avait plus de sens.

Impossible de trouver le moindre réconfort, ni dans la religion, ni dans la méditation, la dépense physique ou les crises de rage. Il avait tout essayé pour tenter d'apaiser l'intolérable souffrance de sa perte. Rien à faire.

Impossible de retrouver la paix. Chaque inspiration était lourde de chagrin. L'univers se réduisait désormais à une minuscule sphère d'une tristesse indicible. Peu de stimulations pénétraient cette capsule de désespoir. Lorsque l'on croupit ainsi dans le deuil, le monde paraît incolore, inodore et sans saveur. Sa douleur était si aiguë qu'elle le paralysait. Cette mort prématurée était injuste et intolérable.

Pourquoi avait-il fallu que cela leur arrive à eux? Jamais deux êtres ne s'étaient autant aimés. Leur amour était d'une espèce rare et pure et aurait dû durer des années, se prolongeant au-delà de la mort. Ils en avaient parlé, s'étaient juré un amour éternel.

Leur amour ne serait pas immortel parce que la cachette qui le recelait avait été profanée et cédée à quelqu'un d'autre.

Une horreur, ce vandalisme post-mortem. On lui avait ôté la vie, puis le noyau de l'existence, enfoui dans sa tendre poitrine.

A présent, quelque part, dans l'enveloppe corporelle d'un étranger, ce cher cœur battait encore.

De faibles gémissements résonnaient dans la petite chambre.

– Je ne le supporterai pas un jour de plus. Pas un jour de plus.

Si l'être aimé gisait mort dans un cimetière, son cœur, lui, continuait à battre. Son cœur battait encore! Une obsession tenace, inexorable, qui vous enchaînait comme des fers.

Le scalpel du chirurgien avait été rapide et sûr. Aussi difficile que cela soit à admettre, la situation était irréversible. Son cœur vivait toujours alors que son esprit était injustement voué à un éternel inachèvement. Son âme chercherait à jamais sa demeure, tandis que son cœur qui continuait à palpiter se jouait du caractère sacré de la mort. A moins que...

Mais il y avait un moyen!

Soudain, cette mélopée funèbre cessa.

Sa respiration se fit haletante.

Des pensées de révolte, fugaces, exaltantes se mirent à déferler dans son esprit.

L'idée naquit brusquement, prit forme, se morcela, s'épanouissant rapidement dans son cerveau.

Il y avait un moyen de se libérer de ce supplice. Un seul. Une solution qui se développa à toute allure à partir de cette cellule d'idée unique et qui fut vite pleinement formée. Elle se convertit en mots précis qui furent chuchotés avec une vénération digne d'un disciple investi d'une mission divine.

– Mais oui, bien sûr. Bien sûr. Je trouverai ce cœur tant aimé. Et quand je l'aurai trouvé, afin de réunir nos esprits et de nous rendre la paix, avec amour et miséricorde, je l'arrêterai pour toujours.

CHAPITRE 7

10 octobre 1991

Cat Delaney voltigeait dans la salle de bal tel un papillon étincelant se posant un bref instant pour bavarder avec un groupe d'invités avant de s'envoler vers le suivant. Tous ses interlocuteurs étaient éblouis par sa verve et son entrain.

– Elle est incroyable.

Le docteur Dean Spicer, qui observait fièrement la jeune femme à la dérobée, se tourna vers l'homme qui venait de faire ce compliment. Dean avait accompagné Cat à d'innombrables réceptions, et il connaissait la plupart des gens avec lesquels elle travaillait. Cet homme grand et distingué lui était pourtant étranger.

– Tout à fait incroyable, oui, répondit-il sur le ton de la conversation.

– Je m'appelle Bill Webster.

Dean se présenta et les deux hommes échangèrent une poignée de main.

– Vous étiez le cardiologue de Mlle Delaney, n'est-ce pas?

– Au départ, oui, répondit Dean, ravi qu'on eût reconnu son nom. Avant que notre relation personnelle ne constitue un obstacle.

Webster lui sourit d'un air bienveillant puis porta son attention sur Cat.

– C'est une jeune femme charmante.

Dean se demandait qui ce Webster pouvait bien être et pourquoi il avait été invité au gala patronné par la chaîne pour fêter le premier anniversaire de la greffe du cœur de Cat.

Tout le gratin des chaînes affiliées au réseau avait été convié, ainsi que les annonceurs, les journalistes, les agents, les acteurs et tous ceux qui étaient directement intéressés par le succès de *Passages*.

– Comment connaissez-vous mon nom? demanda Dean, déterminé à découvrir l'identité de son interlocuteur.

– Ne vous sous-estimez pas, docteur Spicer. Vous êtes presque aussi connu que votre compagne.

– La presse à sensation! s'exclama Dean avec une fausse modestie. Il appréciait la reconnaissance publique que lui valait le fait d'être « le concubin » de Cat Delaney, comme l'avait écrit un échotier hollywoodien.

– La publicité générée par les revues populaires n'a pas entamé votre réputation de cardiologue, affirma Webster.

– Merci. » Il marqua une pause. « J'aimerais pouvoir donner à tous mes patients un pronostic aussi favorable que celui de Cat. Elle s'est remarquablement bien remise.

– Cela vous surprend-il?

– Pas vraiment. Je n'en attendais pas moins d'elle. En plus d'être une patiente en or, c'est un être exceptionnel. Une fois les premières semaines de récupération passées, et Dieu sait si elles sont difficiles, poursuivit-il, elle était résolue à vivre jusqu'à cent ans. Elle y arrivera, c'est certain. Son optimisme est un atout majeur. Elle est la fierté de toute l'équipe des transplantations de l'hôpital.

– Je me suis laissé dire qu'elle militait avec acharnement en faveur des greffes d'organes.

– Elle fait campagne pour une prise de conscience chez les donneurs potentiels et rend visite régulièrement à des patients en attente d'une greffe. Quand ils dépriment, elle les encourage à ne pas perdre espoir. Ils la considèrent comme un ange. » Il gloussa de rire et sourit affectueusement. « Ils ne la connaissent pas aussi bien que moi. Elle a ce caractère explosif que l'on attribue aux rousses.

– En dépit de ce tempérament, vous faites à l'évidence partie de ses admirateurs.

– Incontestablement. D'ailleurs, nous avons l'intention de nous marier prochainement.

Ce n'était pas tout à fait vrai. Dean projetait d'épouser Cat qui s'obstinait pour sa part à éluder la question. Il lui avait proposé maintes fois de venir s'installer chez lui, à Beverly Hills, mais elle résidait toujours dans sa maison de Malibu en bord de mer, sous prétexte que l'air du large avait sur elle un effet thérapeutique, vital pour sa santé physique et son moral.

– Rien que de regarder la mer, je me sens plus forte, disait-elle.

Elle affirmait aussi que l'indépendance était essentielle à son bien-être.

La question de l'indépendance n'était qu'une piètre excuse pour ne pas se marier. Dean n'avait certainement pas l'intention de la river au fourneau de sa cuisine dès lors qu'elle serait sa femme. De fait, il tenait absolument à ce qu'elle poursuive sa carrière. La dernière chose qu'il voulait, c'était une femme au foyer.

Ils étaient fidèles l'un à l'autre. Aucun fantôme d'une vie amoureuse passée ne les hantait. Une fois qu'elle s'était totalement remise, il avait découvert avec bonheur qu'ils s'entendaient bien sur le plan sexuel aussi. Ils gagnaient très bien leur vie tous les deux; ses tergiversations ne tenaient donc pas à une question de déséquilibre entre leurs revenus. Il ne comprenait pas pourquoi elle persistait à décliner ses propositions de mariage.

Il s'était patiemment incliné devant sa volonté, mais maintenant que son opération était considérée comme un succès absolu et que sa célébrité était fermement établie grâce à *Passages,* il était résolu à faire davantage pression sur elle afin qu'elle se décide à s'engager.

Il insisterait jusqu'à ce qu'elle lui appartienne.

– Permettez-moi de vous féliciter dans ce cas, s'exclama Webster en levant sa coupe de champagne.

Dean lui rendit son sourire et ils trinquèrent.

Tout en écoutant d'une oreille distraite un publicitaire déployer toute son éloquence pour vanter son indicible courage (« C'était la première fois de sa vie qu'il touchait quelqu'un à qui on avait greffé un cœur », lui avait-il précisé), Cat jetait des coups d'œil par-dessus son épaule en direction de Dean et de l'homme avec lequel il s'entretenait depuis quelques minutes. Son visage ne lui disait rien et cela éveillait sa curiosité.

– Merci mille fois pour toutes les cartes que vous m'avez envoyées durant ma convalescence. » Aussi subtilement que possible, elle extirpa sa main de la poigne de son interlocuteur. « A présent, veuillez m'excuser. Je viens d'apercevoir un ami que je n'ai pas vu depuis longtemps.

Avec l'aisance d'un diplomate, elle se fraya un chemin parmi la foule. Plusieurs personnes essayèrent d'engager la conversation avec elle au passage; elle s'arrêta juste assez longtemps pour échanger quelques plaisanteries de bon aloi et répondre gentiment aux félicitations et aux compliments qu'on lui adressait.

Etant donné la mine épouvantable qui avait été longtemps la sienne avant son opération, elle s'estimait en droit de se sentir resplendissante ce soir-là. Ses cheveux avaient retrouvé leur brillant, bien que les stéroïdes qu'on lui avait administrés après l'intervention leur eussent conféré une nuance plus sombre, mais tout aussi vibrante. Pour les festivités de ce soir, elle les avait remontés en un chignon savamment négligé.

Un maquillage subtil rehaussait l'éclat de ses yeux, qualifiés de « bleu laser » pour ainsi dire chaque fois qu'un article paraissait sur elle. Jamais elle n'avait eu une peau aussi éclatante. Elle l'exhibait grâce à une mini-robe noire ornée de paillettes qui lui allait comme un gant et lui dégageait les bras et le dos.

Pas de décolleté, bien sûr. Sa robe s'attachait derrière la nuque. Elle ne tenait pas du tout à montrer sa « fermeture éclair », la cicatrice qui courait verticalement du creux de sa gorge jusqu'au centre du sternum, à la jonction des côtes. Toute sa garde-robe avait été choisie en fonction de cette cicatrice. Dean soutenait qu'on la voyait à peine et qu'elle s'effaçait de jour en jour, mais Cat trouvait pour sa part qu'elle sautait aux yeux.

Elle savait bien que c'était un prix dérisoire à payer pour un nouveau cœur. La hantise que suscitait chez elle cette cicatrice était certainement un vestige de son enfance, durant laquelle elle avait été si souvent blessée par les commentaires cruels ou inconsidérés de ses camarades de classe. En ce temps-là déjà, la maladie avait fait d'elle un objet de curiosité, comme c'était le cas maintenant qu'elle était une greffée du cœur. Elle avait toujours redouté de provoquer la pitié ou une curiosité malsaine. Même si elle se sentait merveilleusement bien ce soir, être en bonne santé ne serait jamais pour elle quelque chose qui allait de soi. Les souvenirs de sa maladie étaient encore bien trop vifs dans son esprit. Elle était heureuse d'être en vie et de pouvoir travailler. La reprise du rôle de Laura Madison, avec tous les efforts que cela supposait sur le plan physique, ne lui avait pas causé de problèmes. Un an après son opération, elle n'avait jamais été aussi en forme.

En souriant, elle s'approcha de Dean qui lui tournait le dos et glissa son bras sous le sien.

– Comment se fait-il que les deux hommes les plus séduisants de cette soirée se monopolisent l'un l'autre en privant les autres de leur présence ?

– Merci, répondit Dean en lui rendant son sourire.

– Je vous remercie moi aussi, renchérit l'autre homme. Ce compliment est d'autant plus flatteur qu'il vient de la reine du bal.

Elle esquissa une révérence, puis tendit la main à l'inconnu.

– Cat Delaney.

– Bill Webster.

– D'où venez-vous ?

– De San Antonio, au Texas.

– Ah, la WWSA ? Vous êtes ce Webster-là.

Elle se tourna vers Dean et, en prenant une mine de conspiratrice, lui chuchota :

– Propriétaire et directeur de la chaîne. En d'autres termes, un gros bonnet.

Modestement, Webster gloussa de rire.

Son nom était connu et respecté dans l'ensemble du secteur de la télévision. Il devait avoir une cinquantaine d'années. Quelques touches de gris aux tempes lui seyaient à ravir et son visage hâlé s'accommodait fort bien de la maturité. Cat le trouva tout de suite très sympathique.

– Vous n'êtes pas né au Texas, n'est-ce pas? demanda-t-elle. Ou alors vous dissimulez votre accent.

– Je viens du Middle West. Mais cela fait près de quinze ans que je vis au Texas. J'y suis chez moi.

– Merci de vous en être arraché suffisamment longtemps pour prendre part à cette soirée, lui dit-elle d'un ton sincère.

– Je ne l'aurais ratée pour rien au monde», répondit-il. Puis faisant un signe de tête en direction de Dean, il ajouta : « Le docteur Spicer et moi étions en train de parler de votre admirable rétablissement.

– C'est à lui que je le dois, dit-elle en souriant à Dean. A lui et à tous les médecins et infirmières du service de transplantation. Ils ont fait tout le travail. Je n'étais qu'un pantin entre leurs mains.

– Elle a été une patiente hors pair, décréta fièrement Dean en passant le bras autour de sa taille fine, pour moi d'abord, puis pour le docteur Sholden, qui a repris son dossier quand notre relation a évolué au point que toute considération médicale risquait de devenir nébuleuse. Comme vous pouvez le constater, tout s'est bien passé.

– Tout se passe bien depuis que j'ai ajusté le dosage de ces fichus stéroïdes, répliqua Cat en soupirant ostensiblement. Evidemment, il m'a fallu renoncer à ma moustache et à mes joues de raton laveur, mais on ne peut pas tout avoir.

Les désagréables effets secondaires des stéroïdes s'étaient dissipés dès que l'on avait pu diminuer les doses. Elle avait récupéré les kilos qu'elle avait perdus et se maintenait désormais au poids idéal qui avait été le sien avant son opération.

Avant même que la « fermeture éclair » devînt partie intégrante de son corps, sa silhouette frêle n'avait jamais été son point fort. Elle avait été une enfant malingre, dégingandée. L'adolescence ne l'avait guère servie, contrairement à bon nombre de jeunes filles : les rondeurs tant désirées avaient refusé de faire leur apparition. Son visage anguleux et les tonalités vibrantes de ses cheveux et de sa peau constituaient ses meilleurs atouts. Elle avait appris à en tirer profit au maximum. Les caméras en raffolaient.

– Je fais partie de vos inconditionnels, mademoiselle Delaney, disait Bill Webster.

– Je vous en prie, appelez-moi Cat. Les inconditionnels sont mes gens préférés.

– Il faut vraiment que j'aie un déjeuner très important pour ne pas regarder *Passages* chaque jour.

– Vous me flattez.

– C'est à vous et au personnage de Laura Madison que j'attribue l'énorme succès de ce feuilleton.

– Merci, mais vous êtes bien trop généreux à mon égard. *Passages* marchait déjà avant que l'on incorpore le personnage de Laura dans le scénario. Il a tenu bon à l'audimat durant mon absence. Je partage la réussite de ce feuilleton avec tous ceux qui y participent, les scénaristes, toute la distribution et l'équipe de tournage.

– Est-elle toujours aussi modeste? demanda Webster, en se tournant vers Dean.

– A l'excès, j'en ai peur.

– Vous avez beaucoup de chance, mon ami.

– Messieurs, intervint-elle, vous parlez de moi comme si j'étais invisible!

– Désolé, s'excusa Webster. Je reprenais simplement la conversation où nous l'avions laissée au moment où vous nous avez rejoints. Je venais de féliciter le docteur Spicer de votre mariage imminent.

Le sourire de Cat s'effaça brusquement. Elle sentit la colère monter en elle. Ce n'était pas la première fois que Dean avait fabriqué une histoire de fiançailles. Son orgueil l'empêchait de prendre au sérieux les refus qu'elle avait opposés maintes fois à ses propositions de mariage.

Au début, leur amitié naissante avait mis en péril son objectivité en tant que cardiologue. Durant toute sa maladie et après son opération, elle s'était reposée sur cette amitié. Au cours de l'année qui venait de s'écouler, leurs liens s'étaient encore renforcés, acquérant profondeur et maturité. Il comptait beaucoup pour elle, c'était indéniable, mais il se méprenait sur la nature de l'affection qu'elle lui portait.

– C'est gentil, Bill, mais Dean et moi n'avons pas encore fixé de date précise.

En dépit des efforts qu'elle faisait pour dissimuler son agacement, Webster avait dû s'en apercevoir. Il s'éclaircit la gorge d'un air gêné.

– Ecoutez, Cat, dit-il, il y a ici une foule de gens qui désirent votre attention, alors je vous souhaite le bonsoir.

– Ravie d'avoir fait votre connaissance, dit-elle en lui tendant la main. J'espère que nos chemins se croiseront de nouveau.

– Vous pouvez en être sûre, lui répondit-il en serrant sa main dans la sienne.

Elle en était persuadée.

CHAPITRE 8

10 octobre 1991

Minuit était passé de quelques minutes lorsqu'ils décidèrent qu'ils en avaient assez des jeux vidéo.

Après la pénombre de la salle de jeux, où les visages se distinguaient à peine les uns des autres, la lumière fluorescente du centre commercial désert leur parut brutale. Ils rirent à l'idée de devoir donner à leurs yeux le temps de s'y accoutumer.

Les magasins et les cafés de la galerie marchande étaient fermés depuis des heures. Leurs voix résonnaient dans l'immense passage couvert, mais c'était un soulagement de pouvoir parler sans avoir à couvrir la cacophonie électronique qui régnait dans la salle de jeux.

– Tu es sûr que ça ira?

Jerry Ward gratifia son nouveau compagnon d'un de ces sourires arrogants qui sont l'apanage des adolescents de seize ans, heureux de vivre et bien dans leur peau.

– Mes parents dorment à cette heure-ci. Ils n'attendent jamais que je rentre.

– Ecoute, je ne sais pas. Cela me paraît bizarre que tu m'invites chez toi comme ça. Je veux dire, on se connaît à peine.

– N'est-ce pas le meilleur moyen d'apprendre à se connaître?

Jerry comprit qu'il ne s'était pas encore montré suffisamment persuasif.

– Ecoute, tu viens d'être lourdé et tu as besoin d'un boulot. Exact? Mon père a une affaire. Il embauche tout le temps des gens. Il te trouvera quelque chose. En plus, cette nuit, tu as besoin d'un endroit où crécher. Ça te fera faire des économies de loger à la maison. On a une chambre d'amis. Si vraiment ça t'inquiète de savoir ce que mes parents diront en découvrant que tu as passé la nuit chez nous, tu n'auras qu'à te glisser dehors de très bonne heure demain matin. On fera les présentations plus tard. Ils ne sauront jamais que tu as dormi là. Alors, relaxe.

Il rit en déployant les bras.

– Okay? C'est cool?

La bonhomie de Jerry était contagieuse et finit par lui valoir un sourire hésitant.

– C'est cool.

– Bon. Oulala! Vise un peu ces *blades*.

Jerry se dirigea d'un pas alerte vers un magasin de sports. Les derniers modèles de patins et tout l'arsenal de protection étaient exposés en vitrine.

– T'as vu cette paire-là! Celle avec les roues vertes. Génial! C'est ça que je veux pour Noël. Avec le casque en plus. Tout le tralala.

– Je n'ai jamais fait de *roller blade*. Ça a l'air dangereux.

– C'est ce que dit ma mère, mais je pense que d'ici Noël, elle aura changé d'avis. Elle est tellement contente que je puisse enfin faire des trucs normaux qu'elle se laisse facilement convaincre.

Jerry jeta un dernier coup d'œil empreint de convoitise à la vitrine avant de continuer son chemin.

– Des trucs normaux? Qu'est-ce que tu veux dire?

– Quoi?... Oh, laisse tomber.

– Excuse-moi. Je voulais pas me mêler de ce qui me regarde pas.

Jerry regrettait de lui avoir répondu sur ce ton. Mais il avait été une lavette pendant tant d'années et il était tellement heureux que ce soit fini qu'il détestait qu'on lui rappelle son infirmité.

– C'est juste que quand j'étais gamin, j'étais malade. Vraiment malade, tu comprends. Depuis l'âge de cinq ans jusqu'à l'année dernière. D'ailleurs, ça fera un an demain. Maman a organisé une grande fête pour célébrer ça.

– Célébrer quoi? Tu n'es pas obligé de me répondre si tu ne veux pas.

Ils étaient arrivés aux portes de sortie. Le garde de service dormait profondément, avachi sur un banc. Jerry dévisagea son nouvel ami d'un air méfiant.

– Si je te le dis, promets-moi de ne pas me prendre pour une mauviette.

– Je te le promets.

– C'est que les gens réagissent parfois bizarrement.» Jerry prit une inspiration rapide. «J'ai eu une greffe du cœur.»

Cette révélation suscita un éclat de rire incrédule.

– Ben voyons!

– Je te jure. J'ai failli mourir. Ils m'ont trouvé un cœur juste à temps.

– T'es sérieux? Sans déconner. Bon Dieu!

Jerry éclata de rire.

– Ouais. Mes parents croient dur comme fer qu'Il y est pour quelque chose. Allez. Viens. » Il ouvrit la porte d'un coup d'épaule et une bourrasque de pluie lui cingla la figure. « Merde. Il pleut encore. Chaque fois qu'il pleut comme ça, la rivière près de chez nous déborde. Où est ta voiture ?

– Par là.

– La mienne aussi. Tu veux que je t'accompagne ?

– Non. Gare-toi devant le magasin Sears. Je te suivrai à partir de là.

Jerry leva le pouce en signe d'assentiment, mit son imperméable sur sa tête et s'éloigna à toutes jambes sous la pluie battante. Il ne vit pas son compagnon jeter un dernier coup d'œil au garde endormi.

Pour célébrer la réussite de son opération, les Ward avaient acheté à Jerry une petite camionnette flambant neuve. Il s'engagea fièrement dans l'allée qui menait à l'entrée de Sears, klaxonna à deux reprises et regarda dans son rétroviseur au moment où la voiture de son nouveau copain s'arrêtait derrière lui.

En route, il fredonna les airs qui passaient à la radio, ajoutant quelques bruits de percussion, tout en zigzaguant dans le labyrinthe de rues familières qui conduisaient de la banlieue de Memphis vers la campagne environnante. Il roulait assez lentement de façon à ne pas semer le véhicule qui le suivait. Si l'on ne connaissait pas le coin, on pouvait facilement s'y perdre dans la nuit.

En approchant d'un pont étroit, Jerry réduisit encore sa vitesse. Comme il l'avait prédit, la rivière était en crue. Il était presque arrivé à mi-chemin du pont quand quelque chose le heurta par-derrière.

– Qu'est-ce que c'est que...

Le choc le projeta en avant, mais sa ceinture de sécurité le retint. Le recul le plaqua violemment en arrière et il eut la sensation qu'on lui enfonçait une pointe brûlante dans la nuque.

Il hurla de douleur et porta machinalement la main à son cou. Au moment précis où il lâchait le volant, l'autre véhicule emboutit de nouveau son pare-chocs. Du bois vola en éclats avec un craquement sinistre quand la camionnette alla percuter contre la barrière branlante. L'espace d'un instant, elle resta suspendue dans le vide, avant de plonger avec fracas dans les eaux sombres et tumultueuses de la rivière. Quelques secondes plus tard, le courant impétueux léchait le pare-brise.

En poussant des cris rauques, Jerry chercha à tâtons la boucle de sa ceinture de sécurité qui finit par s'ouvrir avec un déclic. Il était libre. Dans l'obscurité, il tendit la main vers la poignée de la porte et tirailla frénétiquement dessus, avant de se rappeler que les portes restaient automatiquement fermées tant que le moteur tournait. Merde !

Il sentit que l'eau lui arrivait déjà aux genoux. Il leva les jambes et flanqua un coup de pied dans la vitre, de toutes ses forces. La glace se fendit, mais ce fut la puissance de l'eau qui acheva de la briser.

Des litres d'eau s'engouffrèrent aussitôt dans le camion, remplissant en un clin d'œil la cabine.

Jerry retint son souffle, bien qu'il eût déjà compris que c'en était fait de lui. La mort, dont il avait miraculeusement déjoué les tours tant de fois dans son enfance, le réclamait pour de bon.

Il allait bientôt rencontrer Jésus. Pour être plus exact, un étranger l'avait expédié à Sa rencontre.

Et la dernière pensée de Jerry Ward fut empreinte de colère et de doute.

Pourquoi?

CHAPITRE 9

Eté 1992

– Tu es fâchée.

Dean n'avait manifestement pas besoin de poser la question.

Cat continua à regarder droit devant elle au travers du pare-brise de sa Jaguar.

– Comment as-tu deviné?

– Cela fait vingt minutes que tu n'as pas dit un mot.

– Pour la bonne raison que tu parles à ma place. Une fois encore, tu as pour ainsi dire publié les bans.

– Cat, je n'ai fait que bavarder avec ma voisine de table.

– Qui m'a coincée dans les toilettes après coup pour me supplier de lui donner des détails sur notre mariage. » Se tournant vers lui, elle ajouta : « Tu as dû lui laisser entendre que c'était imminent. Le plus drôle dans cette affaire, c'est que nous n'avons fait aucun projet dans ce sens.

– Bien sûr que si.

Cat allait protester, mais la voiture venait de s'engager dans l'allée semi-circulaire conduisant à la maison de Dean. La gardienne ouvrit aussitôt la porte d'entrée pour les accueillir. Cat lui sourit et la salua en pénétrant dans le hall d'entrée surmonté d'un dôme. La présence de domestiques la mettait toujours mal à l'aise. Dean, en revanche, trouvait tout naturel d'être servi.

Cat regrettait à présent d'avoir consenti à passer la nuit chez lui. Si elle avait accepté, c'était parce que la soirée promettait d'être longue. Elle avait pensé qu'il serait trop tard pour retourner à Malibu alors qu'il lui faudrait se remettre en route de bonne heure le lendemain matin afin d'être à l'heure au studio.

Elle décida que si une dispute éclatait comme elle le redoutait, elle téléphonerait au Bel-Air Hôtel en demandant qu'on lui envoie une voiture. Elle se dirigea vers le bureau de Dean, qu'elle préférait aux autres pièces de la maison parce que c'était la plus confortable et la moins luxueuse.

– Tu veux quelque chose à boire? demanda-t-il, en lui emboîtant le pas.

– Non merci.

– Un snack? J'ai remarqué que tu n'avais rien mangé à table. Tu étais bien trop occupée à bavarder avec Bill Webster.

Elle ignora sa remarque. Depuis sa rencontre avec le directeur de la chaîne texane, leurs chemins s'étaient croisés à plusieurs reprises lors de réunions professionnelles. Mais Dean se méprenait sur la nature de l'intérêt qu'il lui inspirait.

– Non merci. Je n'ai pas faim.

– Je peux demander à Célesta de te préparer quelque chose.

– Inutile de la déranger.

– Elle est payée largement pour être dérangée. Qu'est-ce qui te ferait plaisir?

– Rien! lâcha-t-elle.

Elle regretta aussitôt de lui avoir répondu sur ce ton et prit une profonde inspiration pour se calmer les nerfs.

– Cesse de me materner, Dean. Si j'avais faim, je te le dirais.

Il disparut quelques minutes, le temps de renvoyer la domestique chez elle. Lorsqu'il revint, Cat se tenait devant la fenêtre, le dos tourné, et regardait le jardin tiré au cordeau. Elle l'entendit approcher, mais ne se retourna pas.

Il posa les mains sur ses épaules avec douceur.

– Je suis désolé. Je ne pensais pas qu'un commentaire aussi anodin ferait une telle histoire. Pourquoi est-ce qu'on ne se marie pas afin de nous épargner une fois pour toutes ces querelles inutiles?

– Cela ne me paraît pas vraiment une raison suffisante pour se marier, répondit-elle d'un ton sec.

– Cat. » Il resserra son emprise sur ses épaules et la força à faire volte-face. « Ce n'est pas pour ça que je veux t'épouser, tu le sais très bien. »

Ils pouvaient parler de n'importe quoi – du temps, de leur parfum de glace préféré, de l'endettement national –, ils finissaient toujours par en revenir au même sujet. Elle ferma les yeux en serrant les paupières.

– Tu ne vas pas remettre ça ce soir, Dean.

– J'ai été patient, Cat.

– Je sais.

– Rien ne nous oblige à faire de notre mariage un événement médiatique. Nous pouvons nous envoler pour Mexico ou Las Vegas et régler le problème avant qu'un seul journaliste en ait eu vent.

– Ce n'est pas la question.

– Alors qu'est-ce que c'est? insista-t-il. Tu ne vas pas me ressortir toutes ces balivernes à propos de ta maison de Malibu que tu ne veux pas abandonner, ou de ta peur de sacrifier ton indépendance. Ces objections-là ne tiennent plus. Si tu t'obstines à me repousser, il va falloir que tu trouves des arguments un peu plus convaincants.

– Mon opération ne remonte qu'à un an et demi, lui répondit-elle calmement.

– Et alors?

– Alors tu risques de devoir te coltiner une épouse qui passera une bonne partie de sa vie, et de la tienne, dans un service de cardiologie.

– Tu n'as pas eu une seule menace de rejet, nota-t-il en levant l'index. Pas une seule, Cat.

– Rien ne prouve que je n'en aurai pas. Certains greffés vivent avec leur nouveau cœur pendant des années, et puis patatrac, sans raison apparente, ils ont un rejet.

– Et d'autres meurent de causes qui n'ont rien à voir avec leur cœur. Du reste, il y a une chance sur un million que tu meures foudroyée.

– Je ne plaisante pas.

– Moi non plus. » Son ton se radoucit. « De nombreux transplantés ont vécu vingt ans et plus sans présenter le moindre signe de rejet, Cat. Ces patients ont été opérés alors que ce type de greffe en était encore au stade expérimental. La technique s'est considérablement améliorée. Tu as toutes les chances d'avoir une durée de vie normale.

– Et chaque jour de cette vie soi-disant normale, tu seras en train de surveiller mes fonctions vitales.

Il la regarda d'un air perplexe.

– J'ai été ta patiente d'abord, Dean, poursuivit-elle, avant de devenir ton amie, puis ta maîtresse. A mon avis, tu me considéreras toujours comme une patiente, que tu le veuilles ou non.

– C'est faux, répliqua-t-il d'un ton ferme.

Mais elle savait ce qu'il en était. Il veillait sur elle avec une sollicitude infinie, lui rappelant ainsi constamment sa fragilité passée. Il continuait à lui prodiguer un soin extrême. Même lorsqu'ils faisaient l'amour, il la maniait avec délicatesse, comme s'il craignait de la casser. Ces précautions l'agaçaient, en lui donnant l'impression d'être spoliée plutôt qu'aimée, et portaient atteinte à ses sentiments.

De peur de le blesser, elle supportait sa frustration en silence, tout en rêvant d'être traitée comme une femme, et non pas comme une transplantée cardiaque. Avec Dean, elle doutait que ce fût un jour possible.

En même temps, elle devait reconnaître que cette protection excessive n'était au fond qu'un prétexte, le véritable problème étant qu'elle n'était pas vraiment amoureuse de lui. Pas suffisamment en tout cas pour l'épouser. La vie eût été tellement plus simple si elle avait été sûre de l'aimer! A certains moments, elle se prenait à regretter que ce ne fût pas le cas.

Elle s'était toujours efforcée de le ménager, mais maintenant, elle sentait qu'une approche plus directe s'imposait.

– Je ne veux pas t'épouser, Dean. Je tiens beaucoup à toi. Sans toi, je ne m'en serais jamais sortie. » En lui souriant tendrement, elle ajouta : « Mais je mentirais en disant que je suis folle de toi.

– J'en suis parfaitement conscient et je ne t'en demande pas tant. La passion est l'apanage de l'adolescence. Nous sommes au-dessus de ces fadaises romantiques. Mais nous formons une bonne équipe.

– Une bonne équipe, répéta-t-elle. On ne peut pas dire que ça m'enchante tellement. Je n'ai jamais appartenu à qui que ce soit depuis l'âge de huit ans, depuis que mes parents... sont morts.

– Raison de plus pour que je prenne soin de toi.

– Je ne veux pas que l'on prenne soin de moi! Je veux être Cat. La nouvelle Cat. Une Cat forte, en bonne santé. Chaque jour qui s'est écoulé depuis mon opération, j'ai découvert une nouvelle facette de ma personnalité. Je continue à faire connaissance avec cette femme qui monte l'escalier au lieu de prendre l'ascenseur. Qui peut se laver les cheveux en trois minutes quand il lui fallait une demi-heure.

Elle pressa ses poings contre sa poitrine où son cœur battait à tout rompre.

– Le temps a une nouvelle envergure à mes yeux, Dean. Il m'est infiniment précieux. Je protège jalousement les moments que je passe seule. Jusqu'à ce que je connaisse tout à fait bien cette nouvelle Cat Delaney, je me refuse à la partager avec qui que ce soit.

– Je vois, fit-il d'un ton sec, manifestement plus froissé que triste.

Elle rit.

– Ne fais pas cette tête-là. Je ne marche pas. Tu t'en remettras, va, si l'on ne se marie pas. Ce que tu apprécies le plus chez moi, c'est ma célébrité. Tu es ravi de partager les feux de la rampe avec moi, d'être invité aux premières d'Hollywood, d'être vu à Spago en compagnie d'une vedette de la télévision.

Elle prit une pose de starlette, une main sur la hanche, l'autre derrière la nuque.

Il rit, et sa mine penaude en disait aussi long qu'une confession signée de sa main.

– Reconnais-le, Dean, insista-t-elle. Si je travaillais dans un supermarché, crois-tu que tu me supplierais de t'épouser?

Elle l'avait remis à sa place, et ils le savaient tous les deux.

– Vous êtes dure, Cat Delaney.

– Je dis la vérité.

Si Dean l'avait aimée différemment, elle aurait mis fin à leur relation depuis longtemps afin de lui épargner une vraie peine de cœur. Mais il reconnaissait lui-même que ses sentiments pour elle avaient certaines limites.

Il la prit dans ses bras et l'embrassa sur le front.

– Je t'aime vraiment, Cat, à ma manière, et je m'obstine à vouloir t'épouser. Pour le moment néanmoins, je te laisse tranquille. Cela te paraît juste?

Ils n'avaient strictement rien résolu, mais au moins, elle avait droit à un sursis.

– Tout à fait juste.

– Bon. » Il la serra un peu plus fort. « Si on allait se coucher?

– J'ai envie d'aller me baigner d'abord.

– Tu veux de la compagnie?

Il n'aimait pas beaucoup nager, ce qui était regrettable puisqu'il possédait une splendide piscine entourée d'une végétation plus luxuriante que celle d'un lagon tropical.

– Monte. Je te rejoins tout de suite.

Il se dirigea vers le grand escalier qui conduisait au premier étage. Cat sortit par la porte-fenêtre donnant sur la terrasse et suivit le sentier dallé qui se faufilait à travers le jardin parfaitement entretenu jusqu'à la piscine. Sans la moindre gêne, elle dégrafa sa robe, la retira, puis enleva son collant et son slip et se glissa toute nue dans l'eau délicieusement fraîche. Elle se sentit purifiée. Peut-être l'eau la délivrerait-elle de ce sentiment d'insatisfaction tenace qui la hantait depuis des mois, par rapport à Dean mais aussi au regard du reste de sa vie.

Elle fit trois longueurs avant de se mettre sur le dos pour faire la planche. Elle s'émerveillait encore de pouvoir nager sans être à bout de souffle et sans avoir peur que son cœur ne s'arrête brusquement de battre. Un an et demi plus tôt, elle n'aurait jamais imaginé qu'un tel exploit fût possible. Elle s'était préparée à mourir. Et elle serait morte, si quelqu'un d'autre n'avait pas péri à temps pour elle.

Cette pensée n'était jamais très loin de sa conscience; chaque fois qu'elle s'imposait à elle, cela la faisait frémir. Du coup, elle sortit de la piscine, gagna la cabine de bain sur la pointe des pieds, toute grelottante, et s'enveloppa dans une grande serviette.

Elle ne parvenait toujours pas à chasser cette idée de son esprit : elle devait la vie à la mort de quelqu'un d'autre.

Elle avait bien précisé à Dean et à tous les membres de l'équipe de cardiologie qu'elle ne voulait rien savoir de son donneur.

Il était rare qu'elle s'autorisât à songer à cette personne anonyme comme à un individu, à cette famille qui avait consenti un sacrifice extraordinaire afin qu'elle puisse continuer à vivre. Quand elle se laissait aller à penser à cet être sans nom, cette insatisfaction équivoque lui paraissait le summum de l'égoïsme et de l'apitoiement sur soi-même. Une vie avait été interrompue prématurément; grâce à cela, elle avait eu une deuxième chance.

Elle s'étendit sur une chaise longue, ferma les yeux et se força à penser aux bienfaits de l'existence. Elle avait surmonté les innombrables obstacles d'une enfance malheureuse, poursuivant inexorablement son rêve jusqu'à ce qu'il devienne réalité. Elle était au sommet de sa carrière et travaillait avec des gens de talent qui l'aimaient et qui l'admiraient. Elle gagnait beaucoup d'argent et était à l'abri du besoin. Elle était la compagne d'un cardiologue séduisant, cultivé, très respecté, qui vivait comme un prince.

Alors pourquoi ce trouble, cette nervosité qu'elle ne pouvait ni expliquer ni dissiper? Sa vie, si chèrement payée, lui paraissait sans objet. Elle désirait ardemment quelque chose qui lui échappait, qui dépassait son entendement, qu'elle ne parvenait pas à décrire ni à identifier.

Que pouvait-elle bien vouloir qu'elle n'eût déjà? Que pouvait-elle demander de plus, alors qu'elle avait déjà reçu le don de la vie?

Brusquement elle se redressa, animée d'un regain d'énergie. Elle venait d'avoir un éclair de lucidité.

Il était quelquefois bon de douter de soi-même. L'introspection avait sa raison d'être. Il s'agissait de poser le problème convenablement.

Au lieu de se demander ce qu'elle voulait, elle ferait sans doute mieux de se préoccuper de savoir ce qu'elle pouvait *donner*.

CHAPITRE 10

10 octobre 1992

Cela sentait toujours délicieusement bon chez elle. Ce matin-là, elle avait confectionné des petits biscuits pour le thé. Dorés, saupoudrés de sucre, ils refroidissaient sur une grille posée sur la table de la cuisine, à côté d'un gâteau au chocolat et de deux tartes aux fruits.

Des rideaux en dentelle flottaient devant les fenêtres ouvertes garnies de moustiquaires. Sur le frigidaire, des aimants maintenaient en place des cartes de la Saint-Valentin en papier rouge orné de mini-napperons blancs, des dindes de Thanksgiving dessinées autour de petites empreintes de main et des anges de Noël ressemblant curieusement à des chauves-souris d'Halloween. Les œuvres de ses innombrables petits-enfants.

Elle répondit par un sourire à la personne qui frappait à la porte de derrière, elle aussi équipée d'une moustiquaire, et lui fit signe d'entrer.

– Tous les voisins ont l'eau à la bouche. L'odeur de vos biscuits m'a chatouillé les narines dès que j'ai mis le nez dehors.

La chaleur du four avait rosi ses joues rebondies. Quand elle souriait, une multitude de rides plissaient ses yeux doux, pétillants.

– Goûtez-en un pendant qu'ils sont encore chauds, dit-elle en désignant les biscuits à thé.

– Pas question. C'est pour la fête.

– Juste un. J'ai besoin de votre avis. Et soyez honnête.

Elle prit un biscuit et le lui tendit, puis attendit sa réaction.

Sachant que c'eût été mal élevé de refuser, il céda.

– Hum! Délicieux. Ça fond dans la bouche. Comme ceux de ma grand-mère.

– Vous ne m'avez jamais parlé de votre famille. Cela fait pourtant trois mois que nous sommes voisins.

En lui tournant le dos, elle commença à laver les plats et les ustensiles qui trempaient dans l'évier.

– Pas grand-chose à dire. Mon père était militaire de carrière; on déménageait sans arrêt quand j'étais gamin. Douze années scolaires; douze écoles.

– C'est souvent très pénible pour un enfant.

Un froncement de sourcils compatissant assombrit son visage d'ordinaire si enjoué.

– Proclamation royale! Pas de pensées tristes aujourd'hui. C'est jour de fête. C'est *votre* fête.

Elle ricana comme une petite fille, bien qu'elle eût largement dépassé la cinquantaine.

– J'ai tellement de choses à faire avant cet après-midi. Fred va rentrer de bonne heure. Il m'a dit qu'il serait là à deux heures. Les enfants devraient arriver vers cinq heures avec leur famille.

– Vous ne pouvez pas tout faire toute seule. Donnez-moi du travail. J'ai pris ma journée pour pouvoir vous aider.

– Oh, mais vous n'auriez pas dû! s'exclama-t-elle. Votre patron va être furibard, non?

– Si c'est le cas, tant pis pour lui. Je lui ai dit combien j'avais de la veine d'habiter à côté de quelqu'un d'aussi spécial que vous et que j'allais vous aider à célébrer comme il se doit votre deuxième année avec un nouveau cœur, que cela lui plaise ou non.

Elle était si touchée que des larmes brillaient dans ses yeux.

– J'ai eu tellement de chance. Quand je pense que j'ai failli...

– Hé, pas question de parler de ça! Souvenez-vous de la proclamation royale. Par où commence-t-on?

Elle se tamponna les yeux avec un mouchoir brodé qu'elle remit ensuite à sa place dans la poche de son tablier.

– Eh bien, vous pourriez installer les chaises pliantes pendant que j'arrose les plantes.

– Je vous suis.

Ils gagnèrent le salon, une grande pièce claire et accueillante. Une porte vitrée coulissante ouvrait sur le patio. Une bruyère suspendue à un crochet, tout près de la grande vitre, profitait du soleil matinal.

– J'imagine que Fred se charge d'arroser cette plante pour vous. Vous n'arrivez sûrement pas à l'atteindre.

– Oh ce n'est pas si difficile, mon garçon, répondit-elle. J'ai un escabeau.

Il y avait un an que le fils Ward avait péri dans ce terrible accident à Memphis. Douze mois de minutieux préparatifs s'étaient écoulés depuis lors. Ce délai, aussi angoissant fût-il, était nécessaire. Sa mission exigeait de la méthode. Sans ordre et discipline, ce serait de la folie.

Les dernières heures surtout, depuis minuit la veille au soir, lui avaient paru affreusement longues. Aussi longues que toutes celles qui avaient passé depuis un an. Il avait compté chaque seconde avec impatience. Cette interminable attente s'achevait. Dans quelques minutes, enfin, il obtiendrait satisfaction.

Regarde mon amour. Je fais ça pour toi. C'est une preuve de notre amour que la mort elle-même ne vaincra pas.

– Un escabeau. Comme c'est commode!

CHAPITRE 11

Novembre 1993

– Je n'ai même pas sonné.
– J'ai entendu ta voiture.
Cat s'effaça, invitant silencieusement Dean à entrer, puis elle le conduisit au salon.
Trois coupes obtenues aux Emmy Awards étaient exposées sur une étagère construite spécialement à cet effet. Des couvertures de magazine encadrées la représentant ornaient les murs d'un blanc immaculé. C'était une pièce intime qui donnait une impression de chaleur et de confort en dépit de la hauteur du plafond et de la grande baie vitrée. La maison, moderne, était perchée en haut d'une falaise; on accédait à la plage par des marches en bois qui descendaient en zigzaguant la pente abrupte et rocheuse.
Un feu de cheminée palliait la fraîcheur de cette journée sans soleil. Au-delà de la baie donnant sur le Pacifique, la vue était monochrome, l'horizon invisible. La mer était du même gris morne que les gros nuages bas.
Même lorsqu'il faisait mauvais temps, Cat adorait ce panorama. L'océan ne cessait jamais de la fasciner. Chaque fois qu'elle portait son regard sur lui, elle avait l'impression de le voir pour la première fois. Le va-et-vient permanent des vagues l'hypnotisait et lui donnait la sensation d'être bien peu de chose comparée à la puissance des éléments.
Ces derniers temps, elle faisait régulièrement de longues promenades sur la plage. Elle passait des heures à contempler la mer, tout en réfléchissant à son avenir, cherchant des réponses dans le déferlement des vagues.
– Veux-tu quelque chose à boire? demanda-t-elle.
– Non merci.

Elle se rassit dans le fauteuil rembourré où elle avait jeté sa couverture en entendant la voiture de Dean approcher. Sur la table basse, à côté d'elle, il y avait une tasse de tisane et une lampe de lecture à haute intensité dont le faisceau était dirigé sur ses genoux.

Dean prit place en face d'elle.

– Qu'est-ce que c'est que tout ça?

– Des premières moutures de scénarios. Chaque scénariste de l'équipe a soumis une idée quant au sort de Laura Madison. Elles sont toutes excellentes, et très tristes. Plutôt que de la liquider, je leur ai conseillé de faire appel à une autre actrice pour me remplacer. » Elle soupira en passant les doigts dans ses boucles désordonnées. « Mais ils tiennent absolument à la supprimer purement et simplement.

– Aucune autre actrice ne peut tenir ce rôle, lui répondit Dean. Tu as réussi l'impossible, Cat. Meryl Streep elle-même n'y arriverait pas. Laura Madison, c'est toi.

Elle détecta sur son visage des signes de frustration et d'anxiété qui seraient passés inaperçus aux yeux de quiconque ne l'eût pas connu comme elle le connaissait. Elle se savait responsable de sa tristesse et s'en voulait énormément.

– Alors, c'est officiel, n'est-ce pas? reprit-il. *Entertainment Tonight* a annoncé la nouvelle hier. Tu abandonnes *Passages.* Dès que ton contrat touchera à sa fin, au tout début de l'année prochaine, si je comprends bien.

Cat hocha la tête sans rien dire. Le vent s'abattait par rafales sur la baie vitrée comme s'il cherchait à souffler les bougies qui trônaient sur le manteau de la cheminée. Elle jouait machinalement avec la frange de sa couverture. Quand elle releva les yeux, Dean regardait par la fenêtre, l'air aussi agité que la mer.

– Quel rôle Bill Webster a-t-il joué dans ta décision?

Elle prit son temps pour répondre.

– WWSA lui appartient.

– Ce n'est pas ce que je te demande.

– Si tu sous-entends que nos rapports dépassent le cadre strictement professionnel, tu te trompes lourdement. J'ai des défauts, Dean, mais je ne suis pas menteuse. J'aurais plutôt tendance à être trop honnête pour mon bien. En outre, Bill est l'heureux époux d'une femme aussi charmante et séduisante que lui.

Il paraissait toujours aussi tendu.

– Dans un effort désespéré pour tâcher de comprendre pourquoi tu as décidé de tourner le dos à ta carrière, à tout ce pour quoi tu t'es donnée à fond pendant des années, j'ai étudié ta décision sous tous les angles possibles et imaginables. Naturellement, il m'est venu à l'idée que l'amour pouvait y être pour quelque chose.

– C'est faux, répliqua-t-elle avec véhémence. Les Webster ont six enfants. De plus, ils ont perdu une fille il y a quelques années. C'était l'aînée. Cela fut un coup terrible pour eux. Je n'étais pas vraiment heureuse depuis un bon moment, poursuivit-elle. Mais c'est seulement lorsque Bill m'a raconté ce qui était arrivé à sa fille, il y a environ six mois de cela, que j'ai compris qu'il me fallait à tout prix prendre un nouveau départ. La vie est trop précieuse pour que l'on gaspille ne serait-ce qu'une seule journée.

« Ce soir-là, Bill et moi parlions à cœur ouvert de la perte de sa fille, et sans même m'en rendre vraiment compte, je me suis mise à lui relater mon enfance. Je lui expliquai l'effet que cela m'avait fait d'être orpheline, pupille de la nation, d'être trimbalée d'un foyer à un autre, sans jamais trouver ma place.

« La conversation s'orienta sur une idée que Bill avait repérée sur d'autres chaînes locales. Il s'agissait d'insérer durant les actualités de brefs messages présentant des enfants à la recherche de parents adoptifs. Ces spots ont un énorme succès. Bill m'exprima son désir de lancer un programme similaire sur la chaîne WWSA, dans le contexte des services proposés à la communauté. Je commençai alors à entrevoir une solution pour recommencer ma vie.

« Je comptais t'en parler à un moment ou à un autre, Dean. D'innombrables fois, j'ai eu envie d'en discuter avec toi, mais je savais que tu n'étais pas à même d'être objectif. Pas plus que tu ne pouvais comprendre les raisons qui m'incitaient – m'obligeaient presque – à choisir cette option. » Elle eut un petit rire. « Je ne suis pas certaine de les saisir moi-même. Mais je les sens. Intensément. J'ai lutté contre elles, j'ai tout fait pour les chasser de mon esprit, mais elles me tenaient et refusaient de me lâcher. Plus je pensais aux retombées qu'un tel programme pouvait avoir, plus j'étais enthousiaste.

« J'ai repensé à toutes les fois où l'on avait refusé de m'adopter à cause de mon âge, de mon sexe, de mes antécédents médicaux. Même mes cheveux roux jouaient un rôle dissuasif, semblait-il.

« Il y a tant d'enfants à problèmes qui n'ont pas de parents pour les aimer. Ils me hantaient, Dean. Je les entendais crier dans le noir, seuls, effrayés, sans amour, et je n'arrivais plus à dormir.

Elle lui adressa un pâle sourire.

– Il faut absolument que je fasse quelque chose pour ces gamins. C'est aussi simple que ça.

– J'admire ta philanthropie, Cat. Si tu veux adopter un gamin, plusieurs même, je suis parfaitement disposé.

Elle éclata de rire.

– Oh, je vois ça d'ici. Cesse de te bercer d'illusions, veux-tu ? Tu es un remarquable médecin, mais tu n'as pas la souplesse nécessaire pour être père.

– Si c'est la condition pour t'avoir à mes côtés...

– Cela n'a rien à voir. Crois-moi, si je pensais qu'un juge m'octroierait un enfant, à moi, célibataire et greffée du cœur, j'en aurais déjà un. Mais il ne s'agit pas pour moi d'adopter, mais de convaincre les autres de le faire par le biais de *Cat's Kids.*

– *Cat's Kids?*

– Une idée de Nancy Webster. Ça te plaît?

– C'est une bonne... accroche.

Elle aurait aimé le voir partager son enthousiasme, mais il était évident que ce projet lui paraissait grotesque.

– Cat, tiens-tu vraiment à... rétrograder de la sorte, à abandonner ta carrière pour aller t'installer au Texas?

– Ça va me changer! reconnut-elle en pouffant de rire.

– Ne pourrais-tu pas te contenter de patronner l'émission, d'en être le porte-parole officiel sans avoir à t'engager personnellement?

– Servir de prête-nom, tu veux dire?

– Quelque chose comme ça.

– Ce serait de la triche. Si cette émission porte mon nom, c'est mon bébé. Je m'y implique du début jusqu'à la fin.

Elle le regarda tristement.

– D'ailleurs je n'ai pas du tout l'impression de rétrograder, comme tu dis. A mes yeux, il s'agit de faire plusieurs pas en avant et non pas de reculer. Je m'attends à d'immenses gratifications.

Tout excitée, elle repoussa sa couverture d'un grand geste et se leva.

– C'est ce que tu ne veux pas comprendre », ajouta-t-elle en lui faisant face. Elle posa la main sur sa poitrine. « Si je fais ce choix, c'est parce que je ne supporterais pas d'être dans ma peau autrement.

– Tu as raison, fit-il en se levant à son tour, je ne comprends pas. Tu as eu une enfance difficile, d'accord. Mais qui n'en a pas eu? Les enfances heureuses font partie des contes de fées, Cat. Dans la vie réelle, nous grandissons tous en ayant le sentiment d'être mal aimés.

– Oui! Surtout si ton père et ta mère choisissent de mourir plutôt que de vivre avec toi!

Il contint de justesse une riposte rageuse.

– Ils se sont suicidés? Tu m'avais dit que tes parents étaient morts dans un accident, s'exclama-t-il en scrutant son visage d'un air perplexe.

– Eh bien, c'est faux.

Elle regretta aussitôt d'avoir laissé échapper la triste vérité à propos du décès de ses parents parce qu'il la dévisageait à présent avec ce regard mêlant horreur et fascination que les assistantes sociales posaient jadis sur la petite Catherine Delaney aux cheveux roux, si maigrichonne et si rebelle.

– C'est à ce moment-là que j'ai appris à plaisanter au lieu de pleurer.

J'avais le choix entre devenir drôle ou cinglée. Cesse de t'apitoyer sur mon sort, Dean. C'était affreux sur le moment, mais cette épreuve a fait de moi quelqu'un de fort et m'a donné suffisamment de cran pour survivre à une greffe du cœur. J'espère que tu comprends maintenant pourquoi je dois changer de vie.

« Je suis bien placée pour savoir l'effet que cela fait d'être mis à l'écart des autres enfants, sous prétexte que tes parents sont morts, que tu es handicapé, pauvre, ou noir. Ces désavantages font de toi un marginal. Et tu le sais aussi bien que moi, lorsqu'on est différent, on est mis hors jeu d'office. Un point, c'est tout.

« Des centaines de milliers d'enfants souffrent, Dean. Ils sont confrontés à des problèmes que nous ne pouvons même pas imaginer. Chaque jour est pour eux un véritable défi. Ils ne peuvent ni jouer, ni apprendre, ni côtoyer d'autres enfants parce qu'ils portent le fardeau de mauvais traitements, qu'ils sont orphelins, malades, ou une combinaison de tout ça.

« Il existe des familles capables et disposées à leur redonner une vie normale, si seulement elles savaient comment s'y prendre. Je vais contribuer à les mettre en contact les uns avec les autres. C'est un défi que je suis ravie de relever. Cela me donne un but dans l'existence. Je suis convaincue que c'est la raison pour laquelle j'ai eu droit à une deuxième vie.

– Ne joue pas aux philosophes, Cat, grogna-t-il. Si tu as eu une deuxième vie, c'est grâce aux progrès de la médecine.

– Tu as ton interprétation. J'ai la mienne, répondit-elle. Tout ce que je sais, c'est que je dois restituer ce qui m'a été donné d'une manière ou d'une autre. Etre une vedette de la télévision, gagner beaucoup d'argent, vivre au milieu de gens beaux : la vie ne s'arrête pas là. Pas la mienne, en tout cas. Je veux davantage. Pas en termes d'argent et de célébrité. Je veux quelque chose de concret.

Elle tendit les bras vers lui et lui prit les mains.

– Tu m'es infiniment précieux, Dean. Tu as été le meilleur des amis pendant la période la plus difficile de mon existence. Je t'aime et je t'admire. Tu vas me manquer. Enormément. Mais tu ne vas pas être mon filet de sécurité jusqu'à la fin de tes jours.

– Je préférerais être ton mari.

– L'amour et le mariage ne cadrent pas dans le paysage pour le moment. Ce que je m'apprête à faire mérite toute mon attention. Je t'en prie, donne-moi ta bénédiction et souhaite-moi bonne chance.

Il plongea longuement son regard dans ses yeux implorants. Pour finir, il lui sourit avec regret.

– Je suis certain que tu feras de *Cat's Kids* un franc succès du jour au lendemain. Tu as le talent, l'ambition et le savoir-faire pour parvenir à tes fins.

– J'apprécie ta confiance.

– Toutefois, ajouta-t-il, la mine sombre, je ne perds pas facilement. Je continue à penser que Bill Webster t'a éblouie avec ses beaux discours sur les émissions de service public. Je suis navré pour sa fille, mais j'ai tout de même le sentiment qu'il a profité de ta compassion pour t'attirer dans sa chaîne.

« Grâce à toi, l'audimat s'emballera, et il le sait parfaitement. Je doute que son intérêt pour ce projet soit entièrement altruiste. A mon avis, tu découvriras très vite qu'il a des défauts, et qu'il est aussi humain et intéressé que le reste d'entre nous.

– Bill m'a donné une chance, répondit-elle, mais il n'est pas à l'origine de ma décision. Ses motivations n'ont rien à voir avec les miennes. Je voulais changer de vie. Si ce n'était pas *Cat's Kids*, ce serait autre chose.

Dean se refusa à tout commentaire.

– A mon avis, tu en viendras à me regretter, ainsi que ta vie ici et tu finiras par revenir », dit-il, préférant changer de sujet. Puis il lui caressa la joue. « Je t'attendrai, ajouta-t-il.

– Je t'en prie, n'en sois pas si sûr.

– Un de ces jours, tu reviendras, insista-t-il. En attendant, je ferai ce que tu me demandes et je te souhaite bonne chance.

CHAPITRE 12

Janvier 1994

Le réveil posé sur le bureau était un ancien modèle, avec un cadran rond et blanc et de grands chiffres arabes noirs. Une deuxième aiguille rouge marquait les secondes avec un déclic régulier, qui faisait songer aux battements d'un cœur.

La couverture de l'album était en faux cuir, mais c'était une bonne imitation, avec un grain tout à fait réaliste. Pesant, robuste, il était agréable au toucher et l'on avait envie de le caresser comme un animal familier.

En un sens, c'était tout à fait ça. Un animal familier. Un ami à qui l'on pouvait se fier pour garder ses secrets. Quelque chose à cajoler, avec quoi jouer durant son temps libre, ou lorsqu'on avait besoin de réconfort, de compagnie, ou d'une approbation sans réserve.

Ses pages étaient remplies de coupures de journaux. Un grand nombre d'entre elles relataient la vie du jeune Ward, son vaillant combat contre une malformation cardiaque congénitale, sa greffe, sa guérison et, pour finir, sa mort accidentelle et prématurée, par noyade. Une terrible tragédie, après tout ce que l'adolescent avait enduré.

Et puis il y avait la vieille dame de Floride. Ses amis et sa famille, terrassés par son décès inattendu, se répandaient en éloges sur son compte. Apparemment, elle n'avait pas un seul ennemi sur terre. Tout le monde l'adorait. Après son opération, son cardiologue avait fait un pronostic excellent. Elle avait toutes les chances de vivre encore de nombreuses années si ce morceau de verre ne lui avait pas transpercé le poumon lorsqu'elle était tombée de son escabeau en arrosant une bruyère. Dire que cet épouvantable accident avait eu lieu deux ans jour pour jour après sa greffe!

Une page tournée. 10 octobre 1993. Il y avait trois mois de cela. Un autre Etat. Une autre ville. Un autre greffé du cœur. Encore un accident affreux.

Répugnant, cette histoire de tronçonneuse. Ce n'était pas une très bonne idée. Mais il aimait le plein air...

Sa mission avait un inconvénient évident. Il n'y avait aucun moyen de savoir précisément quand elle s'accomplirait. C'était peut-être déjà fait, avec la mort de Jerry Ward, ou l'élimination d'une des deux autres victimes. Mais on ne pouvait la considérer comme achevée tant que tous les receveurs potentiels n'auraient pas été liquidés. A ce moment-là seulement, le cœur et l'esprit de l'être aimé seraient réunis pour l'éternité, sans le moindre doute.

L'album fut refermé avec révérence. La couverture reçut une caresse affectueuse avant que le volume soit déposé avec douceur dans le tiroir du bureau, à l'abri des regards indiscrets. Non pas qu'il y en eût beaucoup. Personne n'était jamais invité.

Avant que le tiroir soit refermé, une épaisse enveloppe en papier kraft, pleine à craquer, en fut extraite. Une fois décachetée, son contenu s'éparpilla sur le bureau. Chaque article, photographie et coupure de journal, avait été soigneusement étiqueté afin d'en faciliter l'étude. Chaque fait inclus dans cette mine d'informations avait été mémorisé et analysé. Sa taille, son poids, ses mensurations, ses goûts, ses aversions n'étaient plus un secret, pas plus que ses inclinations religieuses, son parfum préféré, ses bêtes noires, le numéro de son permis de conduire délivré en Californie, son numéro de sécurité sociale, ses affiliations politiques, la taille de ses bagues et le numéro de téléphone du service de nettoyage qui se chargeait de faire le ménage dans sa maison à Malibu.

Il avait fallu plusieurs mois pour compiler tous ces renseignements. C'était étonnant combien on pouvait apprendre sur quelqu'un quand on s'adonnait entièrement à cette tâche. Comme elle était célèbre, évidemment, on pouvait déjà en savoir pas mal par l'intermédiaire des médias, même s'il fallait parfois se méfier des journaux. La presse à sensation n'était pas toujours très exacte, de sorte que les « faits » glanés par ce biais nécessitaient un sérieux travail de vérification.

Intéressant, ce revirement qu'elle avait opéré récemment. Elle abandonnait sa fabuleuse existence hollywoodienne pour se consacrer à une sorte d'œuvre de charité à San Antonio, au Texas.

Cat Delaney serait un personnage fascinant à connaître.

Et la tuer serait un véritable défi.

CHAPITRE 13

Mai 1994

– Hé, ça va peut-être vous paraître dingue ce que je vous dis là, mais j'étais assis dans le box là-bas et je vous regardais en me disant que je vous avais déjà vu quelque part. Et puis tout à coup, ça m'est revenu. Vous ne seriez pas Alex Pearson par hasard?

– Pas du tout.

– Vous êtes sûr?

– Certain.

– Ça alors! Je l'aurais pourtant juré. Vous lui ressemblez comme deux gouttes d'eau. L'écrivain, vous voyez qui je veux dire? Celui qui a écrit ce polar que tout le monde lit! Vous êtes son portrait craché.

La plaisanterie avait duré assez longtemps.

– Alex *Pierce*, corrigea-t-il en tendant brusquement la main droite.

– Ah la vache! J'étais sûr que c'était vous. Je vous ai reconnu d'après la photo sur la jaquette du livre. Moi je m'appelle Lester Dobbs.

L'aimable inconnu lui pressa la main avec enthousiasme.

– Ravi de faire votre connaissance, Alex. Ça ne vous dérange pas si je vous appelle Alex?

– Aucun problème.

Sans attendre qu'on l'y invite, Dobbs se glissa dans le box en face d'Alex.

C'était l'heure du petit déjeuner chez Denny's. Le café était bondé, entre ceux qui s'apprêtaient à prendre le travail et ceux qui finissaient au petit matin.

Dobbs fit signe à la serveuse surchargée de lui apporter du café.

– J'vois pas pourquoi elle fait la gueule comme ça, marmonna-t-il après qu'elle eut rempli sa tasse. Au moins, en me mettant là, j'ai libéré un box.

Alex plia son journal et le posa sur la banquette à côté de lui. A l'évidence, il n'allait pas pouvoir retourner à sa lecture pendant un moment.

– J'ai lu quelque part que vous étiez texan, poursuivit Dobbs. Mais je savais pas que vous habitiez toujours à Houston.

– Je n'habite plus ici. Pas de façon permanente en tout cas. Je me déplace souvent.

– Evidemment, avec votre boulot, vous êtes libre.

– Je peux brancher mon ordinateur n'importe où pourvu qu'il y ait une poste et un téléphone dans les parages.

– Faudrait pas que l'envie de vagabonder me prenne, constata Dobbs avec regret. Moi, ça fait vingt-deux ans que je travaille dans une raffinerie. Elle n'est pas près de bouger et moi non plus. Mon boulot me permet de croûter. C'est à peu près tout ce que l'on peut en dire. Mon superviseur est un vrai salopard. Il est totalement accro à la pendule, si vous voyez ce que je veux dire.

– Ouais, je vois le genre, répondit Alex avec compassion.

– Vous étiez flic avant, non?

– C'est exact.

– Vous avez troqué votre arme pour un disque dur, hein!

Alex le dévisagea d'un air étonné.

– Futé, hein! Mais ce n'est pas de moi. J'ai lu ça dans un article sur vous dans le supplément du dimanche, il y a quelques mois de ça. Ça m'est resté, allez savoir pourquoi! On est dans la zone non-fumeurs? Tant pis. En tout cas, ma femme et moi, on adore ce que vous faites.

– J'en suis ravi.

– Je ne lis pas des masses, vous comprenez. Elle, elle a toujours le nez fourré dans un bouquin. Elle les achète par douzaines dans un magasin de livres d'occasion. Moi je n'aime que le genre de trucs que vous écrivez. Plus il y a du sang, mieux c'est.

Alex hocha la tête, puis il but une gorgée de café.

– Est-ce que vous en connaissez vraiment des nanas comme celles qui sont dans votre livre? Y en a-t-il une qui vous a fait le numéro de la plume comme à votre héros?

Tous les Lester Dobbs de la terre voulaient croire qu'il écrivait d'après son expérience personnelle.

– C'est de la fiction, souvenez-vous!

– Ouais, mais faut bien que vous en sachiez un peu pour pouvoir écrire, non?

Alex ne voulait pas exagérer son existence solitaire ni décevoir son admirateur. Aussi garda-t-il le silence, laissant Dobbs libre de tirer ses propres conclusions. Il en avait apparemment trouvé une qui l'amusait car il se mit à glousser, raclant du même coup sa gorge de fumeur.

– Y'en a qui ont toutes les chances, saperlipopette! Suis pas près d'en trouver une qui me fasse tous ces trucs-là, ça vous pouvez en être sûr. Enfin, c'est peut-être mieux comme ça, ajouta-t-il, philosophe. Sinon je mourrais probablement d'une crise cardiaque, écartelé sur le lit, nu comme un ver, mon zizi dressé comme un porte-drapeau, et...

– Encore un peu de café, monsieur Pierce?

La serveuse tenait déjà la cafetière au-dessus de sa tasse.

– Oh, non merci. Vous pouvez m'apporter l'addition. Et soyez gentille, ajoutez-y celle de M. Dobbs.

– Alors ça c'est vraiment sympa de votre part. Merci.

– Il n'y a pas de quoi.

– Quand est-ce qu'il sort votre prochain livre?

– Dans un mois environ.

– Super! Est-ce qu'il est aussi bon que le premier?

– Personnellement je le trouve meilleur, mais un auteur est rarement à même de juger son travail.

– En tout cas, pour moi, plus vous en écrirez, mieux ce sera.

– Merci. » Alex prit l'addition et son journal. « Désolé, il faut que je m'en aille. J'ai eu du plaisir à bavarder avec vous. »

Il alla payer à la caisse et sortit du café bondé, bien qu'il s'y fût volontiers attardé un peu plus longtemps en prenant un autre café.

En réalité, il travaillait quand Dobbs s'était joint à lui. Il s'imprégnait de l'ambiance du café, étudiant les gens, leurs manies, leurs traits particuliers, prenant mentalement des notes dans l'intention de s'y référer plus tard. Tout cela, il le faisait on ne peut plus discrètement, ne voulant pas attirer l'attention sur lui. Il était même surpris que Dobbs l'eût remarqué.

Il s'étonnait encore que ses lecteurs le reconnaissent. Cela ne lui arrivait pas très souvent, toutefois. Au moment de sa parution, un an plus tôt, son premier roman n'avait obtenu qu'un succès médiocre. Mais lorsqu'il avait été repris par le livre de poche, le bouche à oreille, allié à un coup de pouce publicitaire de son éditeur, avait enclenché la machine. Son livre figurait à présent sur diverses listes de best-sellers et plusieurs producteurs de télévision hollywoodiens s'y intéressaient sérieusement. Ses lecteurs attendaient avec impatience sa deuxième œuvre, dont la sortie était prévue le mois prochain.

Pour son troisième roman, son agent avait demandé une avance colossale, que l'éditeur avait consenti à payer. Le responsable de collection avait accueilli l'idée du livre avec enthousiasme et tout le monde chez l'éditeur attendait sa parution avec impatience. On avait conçu une splendide couverture et une vaste campagne de lancement était en train de se mettre en place.

En dépit de sa récente percée dans le monde de l'édition, Alex Pierce était encore loin d'être célèbre. En dehors des lecteurs dont les goûts coïncidaient avec le genre littéraire qui était le sien, peu de gens avaient entendu parler de lui.

Ses romans montraient des hommes et des femmes pris dans des situations dangereuses, parfois même violentes. Ses personnages étaient de gros trafiquants de drogue, des rois des bas-fonds, des maquereaux, des prostituées, des membres de gang, des assassins, des usuriers, des pyromanes, des violeurs, des voleurs, des extorqueurs de fonds, des délateurs : la lie de la société. Ses héros, des flics qui leur réglaient leur compte, en appliquant la loi ou en l'enfreignant. Dans ses récits, les frontières entre le bien et le mal, le juste et l'injuste, étaient floues au point d'être pour ainsi dire invisibles.

Ses histoires avaient un ton dur et un contenu qui l'était encore plus. Il dépeignait les choses sous l'angle le plus noir, avec un estomac bien accroché, n'épargnant rien à la sensibilité de ses lecteurs, sans lésiner sur le réalisme dans la narration comme dans les dialogues.

Bien qu'aucun mot ne pût décrire l'horreur d'un crime sanglant, il s'efforçait de rendre au mieux les visions, les bruits et les odeurs des atrocités qu'un être humain était capable d'infliger à un autre, et la psychologie à même d'engendrer de pareils actes.

Il rédigeait les scènes de séduction avec autant de précision que lorsqu'il s'agissait d'autopsies, en se servant du langage de tous les jours. Ses livres ne manquaient certainement pas de force. Ils n'étaient pas destinés aux petites natures, aux prudes et aux esprits délicats.

Un critique avait écrit que son style avait « ... de la vigueur. [Pierce] a une vision décapante de l'expérience humaine. Il taille dans la chair pour exposer l'âme ».

Alex se méfiait des louanges. Il craignait que ces trois premières parutions n'eussent été un coup de chance. Il se remettait chaque jour en question. Il n'était pas aussi doué qu'il aurait voulu l'être et en était arrivé à la conclusion déconcertante que le talent et le succès – dans la limite du succès qu'un auteur reconnaissait à son œuvre – étaient incompatibles.

En dépit de ces doutes sur lui-même, il bénéficiait d'un public de lecteurs fidèles de plus en plus nombreux. Si son éditeur le considérait comme une star en plein essor, il ne laissait pas cette réussite lui monter à la tête. La célébrité lui faisait peur. La dernière fois qu'il s'était trouvé sous les feux de la rampe avait été la période la plus turbulente de son existence. S'il tenait à réussir sa carrière de romancier, il se satisfaisait fort bien de vivre dans l'anonymat. Question notoriété, il en avait eu plus qu'il ne lui en fallait.

Il monta dans sa voiture de sport et quelques minutes plus tard filait à toute allure sur l'autoroute, conducteur intrépide parmi les plus redoutables. Il gardait les fenêtres ouvertes, prêtant l'oreille au vacarme de la circulation, heureux de sentir le vent dans ses cheveux, trouvant même un certain plaisir dans l'odeur entêtante des gaz d'échappement.

Il se délectait des sensations les plus simples et avait été surpris de découvrir à quel point le monde pouvait être stimulant et sensuel, dès lors que ses sens avaient cessé d'être émoussés par l'alcool.

Pour se débarrasser de son problème d'alcoolisme, il avait fini par se décider à faire une cure de désintoxication dans une clinique. Après plusieurs semaines d'enfer, il en était ressorti, pâle, squelettique et tremblotant, mais d'une sobriété à toute épreuve. Il y avait plus de deux ans qu'il n'avait pas bu une goutte.

Quelles que soient les pressions qu'il subirait à l'avenir, il était déterminé à ne pas replonger. Ces pertes de conscience lui avaient fait une peur bleue.

En arrivant à son appartement, il n'eut pas l'impression d'entrer chez lui. Les grandes pièces spartiates étaient remplies de caisses d'emballage. Ses recherches exigeaient des déplacements fréquents et des séjours périodiques dans divers endroits. Inutile, dans ces conditions, de chercher à faire son nid. Du reste, il avait déjà pris des dispositions en vue de son prochain déménagement.

Il se fraya un passage parmi les caisses, en direction de la chambre à coucher qui faisait aussi office de bureau. C'était la seule pièce qui paraissait habitée – un lit défait dans un coin, un bureau et une table de travail occupant presque tout l'espace.

Et des papiers partout. Des piles de documents s'entassaient ici et là, sur toutes les surfaces disponibles ainsi qu'au pied des murs. Cette bibliothèque chaotique, disposée au petit bonheur, était un cruel rappel du délai qu'il lui fallait tenir. Il jeta un coup d'œil au calendrier mural. Mai. Le temps passait vite. Beaucoup trop vite.

Et il avait tant de choses à faire.

CHAPITRE 14

– Dieu sait ce qu'il va falloir que l'on fasse pour que ce gamin passe à la télé et trouve enfin un foyer!

Cat feuilletait un dossier, visiblement exaspérée. A 4 ans, Danny avait déjà enduré plus de coups durs que la plupart des gens dans leur vie entière.

Elle passa en revue les différents rapports, en les paraphrasant à voix haute au fur et à mesure.

– Le petit ami de sa mère le battait régulièrement, aussi l'a-t-on retiré de sa garde et placé dans une famille où il y avait déjà plusieurs enfants.

Elle leva les yeux et adressa le reste de ses remarques à Sherry Parks, spécialiste de la protection infantile auprès du département des Affaires sociales de l'État du Texas.

– Dieu merci, il a cessé de servir de punching-bag à l'amant de sa mère, mais il a besoin d'une attention de tous les instants. Il faut à tout prix qu'il soit adopté, Sherry.

– Sa mère est plus que disposée à le céder.

– Dans ce cas, je ne vois pas où est le problème! Consacrons-lui une page de notre magazine et nous trouverons des familles intéressées.

– Le hic, Cat, c'est le juge. Je veux bien essayer de plaider sa cause encore une fois auprès de lui, si vous le souhaitez, mais je ne peux pas vous promettre qu'il changera d'avis pour autant. L'assistante sociale chargée du cas de Danny soutient mordicus qu'il serait plus à sa place dans un foyer. Jusqu'ici, le juge s'est prononcé pour cette solution.

Depuis le lancement de *Cat's Kids,* Sherry Parks assurait la liaison entre Cat et les services publics. Cette femme d'âge moyen, maternelle, avait pour mission d'extraire les cas sociaux du système des foyers publics pour les transférer dans des familles adoptives de manière permanente.

C'était une tâche ardue qui sous-entendait des piles de paperasserie.

Sherry se bagarrait continuellement avec les assistantes sociales et les juges gouvernés, comme tout un chacun, par des partis pris. Après avoir été maltraité chez lui, l'enfant devenait parfois la victime d'un système léthargique.

– Je suis certaine que l'assistance sociale a les meilleures intentions du monde, reprit Cat, mais je pense sincèrement que Danny a besoin d'être placé dans une famille. Il souffre d'insécurité et il lui faut des parents sur lesquels il puisse compter pour longtemps.

– L'assistance sociale affirme qu'il a besoin d'une thérapie plus longue avant d'envisager une adoption, souligna Sherry Parks, se faisant l'avocat du diable. Depuis qu'il est né, on l'a négligé. Il doit apprendre à vivre dans une structure familiale. Selon elle, une adoption immédiate serait prématurée et vouée à l'échec. Elle estime qu'il a franchi les étapes du système un peu trop rapidement.

Cat fronça les sourcils.

– En attendant, le message qu'il perçoit est on ne peut plus clair : personne ne veut de toi. Une famille veut bien t'accueillir temporairement, mais tu dois encore prouver que tu es digne d'être adopté.

« Personne donc ne se rend compte que c'est une autre façon de lui faire porter toute la responsabilité de la situation. Dans la mesure où il ne peut le supporter, ses sentiments d'échec et d'aliénation s'en trouvent renforcés. C'est un cercle vicieux auquel il n'a aucun moyen d'échapper.

– En toute honnêteté, Cat, reprit Sherry, il faut reconnaître qu'il est terriblement provocateur. Il mord tout le monde, fait des scènes épouvantables et détruit tout ce qui lui tombe sous la main.

Cat secoua sa chevelure aux reflets acajou et leva les mains en un geste de capitulation.

– Je sais, je sais. J'ai lu le rapport. Mais cette attitude est symptomatique. Il cherche à attirer l'attention. Je me souviens encore des numéros que j'ai pu faire pour prouver que j'étais indésirable et qu'il était par conséquent inutile de me chercher des parents adoptifs. Cela après plusieurs promesses qui s'étaient soldées par des rejets.

« Je sais très bien ce qui le mine. Il sera impossible à vivre jusqu'au jour où quelqu'un lui dira : “ Fais des scènes si tu veux, Danny. Je t'aimerai quand même. Rien de ce que tu fais n'entamera l'amour que j'ai pour toi. Rien. Je ne te battrai jamais, jamais je ne t'abandonnerai. Tu m'appartiens et je suis à toi pour toujours. ” Puis la personne en question devra le serrer dans ses bras jusqu'à ce que le message ait franchi le magma qui s'est accumulé autour de son cœur et de son esprit au point de l'empêcher de fonctionner normalement sur le plan social et émotionnel.

Jeff Doyle applaudit.

– Voilà un discours émouvant. Nous devrions l'utiliser comme promotion.

Cat sourit à son jeune assistant. Dans le court laps de temps où ils avaient travaillé ensemble, Jeff avait fait ses preuves. Il ne reculait devant aucune tâche; parallèlement, il acceptait sans sourciller les besognes les moins gratifiantes. Il avait largement contribué au succès du programme, à telle enseigne que Cat l'avait récemment invité à prendre part à ses entretiens avec Sherry. Il manifestait un vif intérêt pour la qualité des messages diffusés comme pour le bien-être des enfants apparaissant à l'écran.

– C'est gentil à vous, Jeff, répondit-elle, mais je n'étais pas en train de composer un argumentaire publicitaire. Je parle on ne peut plus sérieusement. » Puis se tournant vers Sherry : « Vous sentez-vous à l'aise pour plaider une nouvelle fois la cause de Denny auprès du juge? demanda-t-elle.

– A l'aise, certainement. Sûre de moi, non, répondit-elle. Mais je le ferai quand même.

Elle prit le dossier qu'elle cala tant bien que mal dans sa serviette déjà pleine à craquer.

– Je vous communiquerai la date de l'audience dès qu'ils l'auront fixée.

Cat hocha la tête.

– Si vous n'arrivez pas à m'atteindre, prévenez Jeff ou Mélia.

– Demandez-moi plutôt, sinon Cat risque de ne pas avoir le message.

Sherry les considéra tour à tour d'un drôle d'air, mais Cat fit comme si de rien n'était. Jeff avait commis une indiscrétion. Elle lui ferait la remarque plus tard, en tête-à-tête. Les querelles de bureau n'avaient pas à être déballées en public.

L'assistante sociale acheva de rassembler ses affaires.

– Bon, je pense que c'est tout pour le moment. Je vous appelle bientôt.

Parvenue sur le seuil du bureau, elle se retourna :

– A propos, l'émission d'hier soir était excellente!

– Merci. Je ferai part de vos éloges à l'équipe. Le photographe vidéo a fait quelques superbes plans de la petite Sally.

La fillette âgée de cinq ans souffrait d'un bégaiement dû aux mauvais traitements qu'elle avait subis. Ce handicap, ainsi que les troubles du comportement dont elle était affectée, pouvaient être corrigés dès lors qu'on lui prodiguerait des soins attentifs et de la tendresse.

– Bien sûr, son regard exprime tout. Il suffisait de faire des gros plans sur ses yeux. Ils racontent d'eux-mêmes son histoire, rendant le commentaire presque inutile. Elle a un tel potentiel, une telle capacité d'aimer, commenta Cat d'une voix triste. J'espère que le standard est surchargé d'appels ce matin.

– Moi aussi, répondit Sherry. Dites-moi, vous êtes sûre que cela ne vous dérange pas de me remplacer ce matin?

– C'est moi qui vous l'ai proposé.

Après avoir pris rendez-vous avec un couple ayant formulé une demande d'adoption, Sherry s'était aperçue qu'elle avait un empêchement. Cat l'avait persuadée de la laisser l'interviewer à sa place.

– Merci encore. Je vous téléphonerai cet après-midi pour savoir comment ça s'est passé.

Après le départ de Sherry, Jeff remplit leurs deux tasses de café.

– Quel est le programme d'aujourd'hui? demanda-t-il.

– Allez voir si Mélia est arrivée s'il vous plaît. Et soyez gentil, Jeff, à l'avenir, gardez vos opinions pour vous, qu'il s'agisse de Mélia ou de tout autre membre du personnel de la WWSA. Compris?

– Je suis désolé, répondit-il, contrit. Je sais que je n'aurais pas dû dire cela devant Mlle Parks, mais ça m'a échappé. En attendant, j'ai raison. Les messages confiés à Mélia ont toutes les chances de se perdre avant de vous atteindre.

– C'est mon problème, et non pas le vôtre.

– Mais...

– Mon problème, insista-t-elle. Et c'est à moi de le régler. Entendu?

– Entendu.

Sur ce, il sortit et revint quelques minutes plus tard en compagnie de Mélia King. Ils étaient aux antipodes l'un de l'autre. Jeff avait les cheveux blonds et les yeux bleus; il s'habillait très BCBG. Mélia avait un regard obscur, langoureux qu'elle soulignait avec art d'un trait d'eye-liner au khôl noir. Ses lèvres étaient pleines et sensuelles. Elle avait un goût prononcé pour les couleurs vives qui mettaient en valeur sa chevelure noir de jais et son teint mat.

– Bonjour Mélia.

– Salut.

Ce matin-là, elle portait une robe en laine moulante couleur coquelicot. Elle s'assit et croisa ses longues jambes bien galbées. Elle avait un sourire suffisant, affecté, qui faisait grincer des dents Cat. Son amour-propre chatouilleux agaçait tout le monde au bureau. Malheureusement, ces frictions n'étaient pas un motif suffisant pour un renvoi, sinon Cat l'aurait licenciée il y avait des mois.

De surcroît, elle avait le sentiment que ce genre de décision ne lui appartenait pas. Bill Webster avait sélectionné avec soin les membres de son équipe avant son arrivée à WWSA. Les « candidats » lui avaient été présentés après coup; elle n'avait pu que donner son approbation.

Jeff Doyle briguait un poste de producteur aux informations, mais il avait sauté sur l'occasion de travailler sur *Cat's Kids*, sachant qu'il trouverait là un défi plus audacieux sur le plan créatif.

Quant à Mélia King, elle faisait déjà partie du service des actualités. Elle aussi avait exprimé le désir d'un travail plus varié, plus stimulant et mieux rémunéré. *Cat's Kids* était l'occasion qu'elle attendait.

Cat avait estimé qu'il serait impoli de rejeter les recommandations de Bill, bien que l'antipathie de Mélia à son égard eût été manifeste dès l'instant où elles avaient échangé une poignée de main. Faute d'une explication plausible à l'hostilité de la jeune femme, elle en avait conclu qu'elle devait avoir le trac de la rencontrer pour la première fois et qu'elle ne tarderait pas à adopter une attitude plus chaleureuse. Au bout de six mois de travail côte à côte, toutefois, le courant ne passait toujours pas.

Mélia n'était jamais en retard. Elle n'avait jamais fait d'erreur grave. S'il lui arrivait de commettre une négligence, elle avait toujours une justification valable. Ses excuses manquaient de chaleur et de sincérité, mais elle prenait tout de même la peine de s'excuser.

En d'autres termes, songea Cat non sans amertume, elle couvre ses arrières.

– Quels sont mes rendez-vous aujourd'hui? demanda-t-elle.

Mélia feuilleta son bloc-notes à spirale d'un geste nonchalant.

– Vous avez une entrevue avec M. et Mme Charlie Walters à la place de Mlle Parks.

– Ah oui. A quelle heure déjà? s'enquit-elle en jetant un coup d'œil à la pendule.

– Onze heures. Elle a laissé le dossier sur mon bureau.

– Je le prendrai en sortant.

– Ils habitent sur une route de campagne dans la direction de Kerrville. Vous savez où c'est?

– Non.

Mélia leva les yeux au ciel, comme si le fait d'ignorer la géographie du Texas était le comble de la stupidité.

– Je vais vous expliquer comment y aller.

– C'est inutile, répliqua Cat un peu sèchement. Autre chose?

– Il y a une réunion de la rédaction à trois heures cet après-midi.

– Je serai de retour bien avant ça.

– Et puis M. Webster souhaiterait vous voir aujourd'hui. Quand vous pourrez, a-t-il dit.

– Appelez son bureau et voyez s'il est là. Je voudrais le voir avant de partir pour mon rendez-vous.

Mélia se leva sans dire un mot et se dirigea vers la porte. Elle avait la démarche élastique d'un lynx. Manifestement, Jeff n'était pas le moins du monde impressionné. Il la suivit des yeux d'un air désapprobateur, les lèvres pincées.

Cat fit semblant de rien. Il n'était évidemment pas question de monter ses collaborateurs les uns contre les autres ou de manifester la moindre partialité.

– A-t-on confirmé le site du tournage pour Tony? demanda-t-elle en revenant à des choses plus sérieuses.

Elle appelait toujours les enfants du programme par leur prénom, se souvenant à quel point elle détestait qu'on fît référence à elle en disant « l'enfant » ou « la fillette », comme si le fait d'être une pupille de la nation lui retirait d'office toute identité.

– Que pensez-vous du parc Brackenridge? suggéra Jeff. On pourrait lui faire faire un tour dans le petit train. Ce serait excellent d'un point de vue visuel.

– Plus important encore, je pense que Tony serait ravi. Tous les gosses de six ans adorent les trains, non?

Mélia venait de passer la tête par l'entrebâillement de la porte.

– M. Webster est dans son bureau. Il propose que vous montiez tout de suite.

Elle disparut instantanément.

Cat se leva et fit le tour de son bureau.

– Pendant mon absence, allez donc au parc et prenez toutes les dispositions nécessaires, voulez-vous? Dites aux responsables que nous aimerions tourner mercredi matin. Assurez-vous que le train fonctionne ce jour-là, etc. Ensuite appelez le bureau de Sherry pour leur dire à quelle heure il faut conduire Tony là-bas. Vérifiez l'horaire avec le chef du service des reportages pour être sûr qu'une équipe de tournage est disponible ce jour-là.

Jeff prenait des notes rapides.

– Y a-t-il autre chose?

– Oui. Tâchez d'être un peu plus gai. La vie est trop courte pour être prise au sérieux à ce point.

Il interrompit brusquement ses griffonnages frénétiques, leva les yeux et la dévisagea d'un air perplexe.

– Croyez-moi, je sais de quoi je parle, ajouta-t-elle.

Un petit couloir reliait le bureau de Cat à la salle de rédaction en perpétuelle effervescence. Bill Webster lui avait proposé un bureau plus vaste et mieux installé à l'étage de la direction, mais elle avait décliné son offre. *Cat's Kids* relevait du service des informations, à l'instar de tous les programmes produits localement. Elle avait estimé important d'intégrer dans son équipe les photographes vidéo, les rédacteurs, les réalisateurs et tout le personnel du plateau.

– L'image que je projette à l'écran dépend d'eux, avait-elle dit à Webster. Je ne peux pas me permettre de me les aliéner en restant à l'écart.

Néanmoins, son arrivée avait provoqué des réactions mitigées dans la salle de rédaction voisine. Parachutée chez WWSA, Cat Delaney n'avait pas gravi les échelons à la sueur de son front, contrairement à eux. Pire encore, elle était actrice, et non pas journaliste.

Elle reconnaissait ne pas avoir de talents journalistiques et se rendait bien compte qu'on avait imposé sa présence à l'équipe des actualités. Tout le monde s'était probablement attendu à ce qu'elle se donne des airs, prenant ses nouveaux collègues de haut, à ce qu'elle joue sa mademoiselle Je-sais-tout, sous prétexte qu'elle venait d'Hollywood.

Au lieu de cela, elle leur demandait constamment leur avis. Bien qu'elle eût passé des années devant des caméras de plateau, le format des actualités lui était étranger. A force de poser des questions, de bafouiller, de demander de nouvelles prises, en se dénigrant elle-même, elle avait réussi à se faire accepter.

La secrétaire du directeur l'accueillit cordialement :

– M. Webster vous attend, mademoiselle Delaney. Entrez.

– Je suis enchanté de la manière dont les choses se déroulent, lui annonça-t-il d'entrée de jeu, dès qu'elle fut assise.

– Vous me l'avez déjà dit à plusieurs occasions », répondit-elle en lui souriant par-dessus son bureau laqué noir, étincelant comme un miroir. « Cessez de me couvrir d'éloges. Vous allez me faire rougir.

– Ce ne sont pas des compliments en l'air, répliqua-t-il en riant. La progression de l'audience est là pour confirmer mes dires. *Cat's Kids* est un succès sur toute la ligne.

Le sourire de Cat s'effaça brusquement. Son regard s'assombrit.

– Ce n'est pas ce que dit M. Truitt.

Journaliste au *San Antonio Light,* Ron Truitt éreintait le programme de Cat depuis ses débuts.

– Son dernier article était particulièrement caustique, poursuivit-elle. Quelque chose comme “ Ces émissions à l'eau de rose n'ont pas plus leur place dans les actualités qu'un numéro de claquettes ”. Il a l'art de tourner les phrases, vous ne trouvez pas?

Webster ne faisait pas vraiment cas de ces critiques.

– Je sais, notre chaîne fait plutôt partie de ces stations “ chaudes ”. Comme n'importe quelle autre grande ville, à San Antonio, nous avons notre part de violence. Dans le domaine des actualités, le credo a toujours été : “ Plus c'est sanglant, mieux c'est. ”

« La politique de WWSA ne fait pas exception, j'en ai peur : il faut être explicite. Nous sommes forcés de suivre la tendance si nous voulons rester dans la course. On ne peut pas dire que cela me plaise particulièrement. Mais c'est comme ça, ajouta-t-il en déployant les mains en un geste d'impuissance.

« Comparés aux titres des nouvelles, qui ont presque toujours trait à quelque acte violent, vos programmes sont un vrai bol d'air. Ils rappellent aux téléspectateurs qu'il y a encore du bon dans ce monde. Alors oubliez les vitupérations de M. Truitt. Considérez ses commentaires comme de la publicité gratuite.

Elle était loin de partager l'indifférence de Webster vis-à-vis de ces articles. Une mauvaise presse faisait forcément du mal. Si Truitt s'était contenté de critiquer sa prestation, elle n'aurait pas pris la chose au sérieux ; ça ne lui aurait fait au fond ni chaud ni froid. Mais il s'en prenait à son « bébé », et pareille à une maman ourse, elle se sentait farouchement protectrice.

– S'ils veulent de la violence et des effusions de sang, il suffit de leur montrer l'environnement d'où sortent la plupart de ces enfants, répliqua-t-elle amèrement.

– Raison de plus pour que vous ignoriez ces critiques. Faites un pied de nez à ce monsieur Truitt.

– J'ai bien essayé, mais ce lâche ne me rappelle jamais. Au fond, tant mieux, ajouta-t-elle en haussant les épaules. Il serait trop content de savoir que ses éreintages font mouche.

Webster lui proposa de boire quelque chose, mais elle refusa en lui expliquant qu'elle avait rendez-vous avec un couple de parents adoptifs potentiels.

– Ces entrevues ne sont pas de votre ressort.

– En temps normal, non, répondit-elle, mais Sherry a un empêchement. Plutôt que de les décevoir, j'ai proposé d'y aller à sa place. De plus, ils ont semble-t-il le profil adéquat.

« A dire vrai, Bill, je serais ravie de rencontrer personnellement tous les candidats. Cela me donnerait l'occasion de leur expliquer précisément ce à quoi ils s'engagent. Je suis bien placée pour le savoir.

– En tant qu'ex-enfant adoptif.

– Effectivement. La loi oblige les futurs parents à suivre un cours de préparation à l'adoption, mais même après ces dix semaines de formation, ils ne sont pas vraiment prêts à affronter toutes les difficultés liées à l'enfance en danger. Cela leur permettrait par ailleurs de se rendre compte par eux-mêmes que le programme, comme sa présentatrice, sont parfaitement légitimes.

– Vous avez déjà suffisamment de responsabilités comme ça.

– C'est le travail qui me fait vivre.

– Et vous êtes une maniaque du contrôle. Vous ne pouvez pas vous empêcher de tout superviser vous-même.

– Coupable, répondit-elle avec un sourire.

– Ne vous démenez pas trop tout de même.

Elle se hérissa. S'il y avait une chose qu'elle ne tolérait pas, c'était qu'on la traite avec une délicatesse excessive sous prétexte qu'elle avait eu une greffe du cœur.

– Ne me maternez pas, Bill.

– Cat, riposta-t-il sur un ton de reproche, je mets en garde mes représentants au même titre que tout l'encadrement de la chaîne, tous des gens stressés comme vous, contre les risques du surmenage. Aucun d'entre eux n'a eu le genre d'opération que vous avez subie. Ce conseil est valable pour tout le monde.

– Je vous le concède.

– Tout se passe bien avec votre équipe? demanda-t-il, sentant qu'il valait mieux changer de sujet.

Voyant qu'elle hésitait, il la considéra d'un œil interrogateur en fronçant les sourcils.

– Des problèmes?

– Dès lors que deux personnes coopèrent à un projet, il y a forcément des heurts, répondit-elle avec diplomatie.

Webster se laissa aller en arrière dans son fauteuil.

– Les frictions donnent souvent lieu à des discussions bénéfiques, en définitive. Vos collaborateurs ont été bien choisis, me semble-t-il.

Elle décida d'aborder ses difficultés avec Mélia de manière indirecte.

– Jeff est un bourreau de travail. Il est super-efficace. Mais il lui arrive d'être très tendu.

– Est-il homosexuel?

– Quelle importance cela peut-il avoir?

– Aucune, répondit Webster sans se laisser démonter par la rudesse de son ton. J'étais curieux, c'est tout. C'est ce que l'on dit en tout cas. Quoi qu'il en soit, je trouve que sa personnalité convient beaucoup mieux à un programme comme *Cat's Kids* qu'au format plus rigide du journal. Et avec Mélia, ça se passe bien?

– Elle a des sautes d'humeur, répondit-elle avec prudence.

– Nous en avons tous, non?

– Bien sûr. C'est juste que nous ne sommes pas toujours sur la même longueur d'onde.

Elle ne voulait surtout pas laisser entendre que toute la faute incombait à Mélia. Peut-être n'était-ce pas le cas d'ailleurs. L'antipathie était mutuelle, bien que Cat estimât avoir fait de son mieux pour accorder à la jeune femme le bénéfice du doute. A son avis, elle avait jeté plus de lest qu'elle ne le méritait.

Webster choisit de laisser passer l'allusion.

– Comme vous le dites vous-même, Cat, dès que l'on est deux sur un projet, il y a forcément des divergences.

Bill s'était donné beaucoup de mal pour faciliter son intégration à WWSA et lui rendre la vie agréable. Elle ne voulait surtout pas avoir l'air de se plaindre et résolut de garder ses griefs pour elle.

– Je suis certaine qu'avec le temps, nous aplanirons tous les obstacles.

– J'en suis convaincu moi aussi. Autre chose?

Elle jeta un rapide coup d'œil à sa montre et vit qu'elle avait encore quelques minutes devant elle.

– J'aimerais que vous réfléchissiez à l'éventualité d'un gala de charité.

– Un gala de charité? s'étonna-t-il.

– Pour les enfants. Ceux qui vivent encore dans des foyers comme ceux qui ont trouvé une famille. L'Etat verse aux parents adoptifs deux cents dollars par mois et par enfant. La sécurité sociale se charge des soins médicaux. Mais cela ne couvre pas tout.

« Songez à l'impact que cela aurait sur notre image de marque, sans parler des avantages que cela représenterait pour les gosses, si WWSA sponsorisait un concert, ou un tournoi de golf, ou je ne sais quoi, dans le but de collecter des fonds? Cet argent pourrait servir à couvrir les frais d'orthodontie, par exemple, ainsi que les lunettes ou les séjours en colonie de vacances.

– Excellente idée. Je vous laisse libre de faire comme vous l'entendez.

– C'est gentil à vous. Mais j'ai besoin d'aide. Je suis nouvelle ici et je ne connais pas encore grand monde. Croyez-vous que Nancy s'intéresserait à une telle initiative?

– Si elle s'y intéresserait? répliqua-t-il en riant. C'est tout ce qu'elle aime. Rien ne peut lui faire plus plaisir que de se jeter à corps perdu dans ce genre d'entreprise. Dans le domaine des collectes de fonds, elle en connaît un rayon!

– Magnifique! Je vais l'appeler, fit-elle en se levant. Si vous ne voyez rien d'autre, il faut que je file.

Il fit le tour de son bureau pour la reconduire jusqu'à la porte.

– Vous faites un travail formidable, Cat. Nous avons tellement de chance de vous avoir. Grâce à vous, WWSA a acquis davantage de classe et de crédibilité. Avons-nous été aussi généreux à votre égard? Regrettez-vous d'avoir quitté la Californie? Etes-vous heureuse?

– Des regrets, je n'en ai aucun, Bill. J'adore les gamins. Je fais quelque chose d'utile et cela me fait du bien.

Il attendit, mais comme elle n'ajouta rien, il insista.

– Cela ne répond qu'à moitié à ma question.

– Si je suis heureuse? Bien sûr. Pourquoi ne le serais-je pas?

– Et le docteur Spicer?

Si Cat s'entendait bien avec ses nouveaux collègues, elle n'avait pas encore eu le temps de se faire des amis. Du reste, elle avait pour principe de ne pas mêler ses activités professionnelles et sa vie privée. Ses journées de travail, longues, fatigantes, ne lui permettaient guère de rencontrer des gens en dehors du secteur de la télévision. En conséquence, Dean était toujours son meilleur ami, et ce fut ce qu'elle choisit de répondre à Bill.

– Nous nous appelons très souvent.

Il parut inquiet tout à coup.

– A-t-il une chance de vous convaincre de retourner en Californie?

– Aucune. J'ai beaucoup trop à faire ici. » Elle jeta un coup d'œil à sa montre-bracelet. « En commençant par mon rendez-vous de 11 heures. »

CHAPITRE 15

La sonnette retentit dans toute la ferme. A travers le grillage de la porte d'entrée, Cat apercevait un large corridor qui traversait la maison de part en part. Plusieurs portes donnaient sur ce passage central, mais, de l'endroit où elle se trouvait, il lui était impossible de savoir de quelles pièces il s'agissait.

Quelque part à proximité, un chien se mit à aboyer, un gros chien à en juger d'après sa voix rauque. Dieu merci, il avait l'air plus curieux que féroce.

Elle sonna de nouveau tout en jetant un coup d'œil par-dessus son épaule dans la direction d'où elle était venue. La maison se cachait derrière une colline, hors de vue de l'autoroute. Une barrière blanche délimitait la propriété et la divisait en plusieurs pâturages où paissaient chevaux et bétail.

La ferme en elle-même, de plain-pied, avait été construite en pierre calcaire, le matériau local. Un treillis en bois couvert d'une glycine luxuriante ombrageait la vaste véranda, ornée d'une foison de géraniums écarlates dans des pots en terre. Tout était soigné, bien entretenu, y compris le chien d'arrêt au pelage doré qui venait de franchir d'un bond l'angle de la maison et montait les marches du perron.

– Salut le clebs.

Le chien renifla la main qu'elle lui tendait avant de la lui lécher affectueusement.

– On t'a laissé tout seul? Je croyais que tes maîtres m'attendaient. Ou tout au moins Sherry.

Elle sonna encore une fois. M. et Mme Walters devaient bien se trouver quelque part dans la maison. Ils ne seraient sûrement pas sortis sans fermer la porte d'entrée à clé.

Une main en visière, elle guigna à travers le grillage.

– Y a quelqu'un? cria-t-elle.

Une porte s'ouvrit en grinçant tout au fond du couloir, puis la silhouette d'un homme se détacha sur le rectangle de lumière. Cat se redressa vivement, gênée d'avoir été surprise en train d'épier à travers le grillage.

Il était grand, dégingandé, et pieds nus. Une barbe de deux jours au moins lui obscurcissait le menton. Tout en se dirigeant vers la porte d'entrée d'une démarche nonchalante, il commença à reboutonner avec désinvolture la braguette de son Levi's, mais abandonna au bout de deux boutons. Puis il essaya en vain de remettre un peu d'ordre dans ses cheveux noirs en bataille avant de bâiller à s'en décrocher la mâchoire.

– Que puis-je faire pour vous? demanda-t-il d'un ton bourru à travers le grillage.

Cat n'en croyait pas ses oreilles. Mélia lui avait probablement mal indiqué le chemin. A moins que Sherry ne se soit trompée de numéro de rue ou d'heure?

M. Walters n'attendait manifestement personne. Il sortait de son lit. Son épouse y était-elle encore? Si tel était le cas, qu'avait-elle interrompu exactement? Une sieste, espérait-elle.

– Euh, je... je m'appelle Cat Delaney.

Il la dévisagea un long moment, avant de pousser brusquement la porte grillagée et de fixer sur elle un regard plus attentif, méfiant, qui lui plissait le coin des yeux.

– Oui?

L'évocation de son nom suscitait généralement une réaction. Quand une vendeuse prenait conscience de l'identité de la personne qui venait de lui tendre sa carte de crédit, elle devenait muette ou se mettait au contraire à parler à tort et à travers. Les serveuses de restaurant, bégayantes, se répandaient en éloges tout en la conduisant à la meilleure table. Dans la rue, les gens se retournaient souvent sur elle.

M. Walters n'avait même pas sourcillé. Son nom ne lui disait apparemment rien.

– En fait, je remplace Mlle Parks. Sherry Parks. Elle n'a pas pu venir ce matin, alors...

– Sale bête! cria-t-il tout à coup, en se tapant la cuisse.

Cat sursauta, puis elle se rendit compte que ce n'était pas à elle qu'il s'adressait. Il parlait au chien, qui continuait à lui lécher la main de sa longue langue rose.

– Couché, Bandit, ordonna-t-il brusquement.

D'un œil compatissant, elle regarda l'animal s'éloigner d'une démarche furtive pour aller se coucher docilement au bord du porche, en posant son menton sur ses pattes de devant tout en continuant à la fixer de ses yeux tristes.

Elle avala sa salive avec difficulté.

– J'ai bien peur qu'il y ait une erreur.

– J'ai besoin d'un café. Entrez.

Sur ce, il fit volte-face et disparut dans la maison. Elle rattrapa la porte grillagée juste à temps pour l'empêcher de claquer, hésita, se demandant s'il était sage de le suivre à l'intérieur. Il n'avait pas l'air d'humeur à recevoir qui que ce soit chez lui. Quant à sa femme, elle n'avait toujours pas apparu.

D'un autre côté, il n'était pas dans sa nature de reculer devant l'adversité. Il lui avait fallu plus d'une heure pour venir jusque-là. Si elle repartait tout de suite, nul doute qu'elle aurait perdu un temps précieux. Par ailleurs, Sherry attendait d'elle un rapport détaillé. Elle ne pouvait pas vraiment s'en aller tant qu'elle n'aurait pas analysé la situation à fond.

L'incroyable grossièreté de M. Walters, irritante certes, avait piqué sa curiosité. Elle avait lu la demande d'adoption envoyée par le couple, qui l'avait enthousiasmée. Ils étaient tous les deux diplômés d'université, âgés d'une quarantaine d'années et sans enfant, au bout de quinze ans de mariage.

Mme Walters était disposée à abandonner son métier de bibliothécaire pour s'occuper à plein temps d'un enfant. Cette cessation d'activités et la suppression de sa part de revenus ne devaient pas poser de problèmes sur le plan financier car son époux, entrepreneur, gagnait bien sa vie.

Ils lui avaient paru un couple idéal pour adopter l'un des enfants de *Cat's Kids.* Pourquoi auraient-ils pris la peine d'envoyer leur candidature pour se comporter ensuite avec une désinvolture totale le jour de leur première entrevue ? C'était une question trop déconcertante pour la laisser sans réponse.

« La curiosité tue le chat », se dit-elle en poussant la porte et en se glissant à l'intérieur. Ce vieil adage ferait un excellent gros titre si elle devait ne pas s'en sortir vivante, songea-t-elle avec une ironie désabusée.

L'ouverture en arc de cercle par laquelle M. Walters avait disparu donnait sur un salon spacieux. De grandes fenêtres inondant la pièce de lumière s'ouvraient sur un paysage de collines de toute beauté. Le mobilier avait été choisi pour son confort. C'eût été une jolie pièce, s'il n'y avait pas régné un effroyable désordre.

Une chemise d'homme pendait sur le dossier du canapé. Une paire de bottes de cow-boy et des chaussettes gisaient au milieu de la moquette. La télévision était allumée, mais sans le son, ce qui lui évita d'avoir à écouter les bruits d'une poursuite entre deux personnages d'un dessin animé, dont l'un tapait frénétiquement sur la tête de l'autre avec une raquette de tennis.

Des journaux étaient éparpillés un peu partout. Un oreiller calé dans un coin du canapé portait encore l'empreinte d'une tête. Deux canettes de soda traînaient sur la table basse, ainsi qu'un paquet de chips vide, tout froissé, et ce qui ressemblait aux vestiges d'un sandwich à la viande.

Cat resta plantée sous l'arche, rebutée par tout ce capharnaüm. Un comptoir séparait le salon de la cuisine où M. Walters était en train de sortir des gobelets d'une armoire. Il souffla dessus pour enlever la poussière.

– Mme Walters est-elle là? demanda-t-elle d'une voix hésitante.

– Non.

– Quand sera-t-elle de retour?

– Je l'ignore. Dans quelques jours, sans doute. Le café est prêt. J'avais mis la minuterie pour sept heures. Il est fait depuis quelques heures, mais plus c'est fort, mieux c'est, non? Du sucre? Du lait?

– Vraiment, je ne crois pas...

– Oh là! Oubliez le lait. » Il avait sorti un carton du frigidaire et l'avait ouvert. Cat sentait l'odeur âcre de l'endroit où elle se trouvait. « Il y a un bol de sucre quelque part, marmonna-t-il en se lançant à sa recherche. Je me souviens de l'avoir vu il y a un jour ou deux.

– Je ne prends pas de sucre.

– Tant mieux parce que je ne le trouve pas.

Cela n'avait rien de surprenant. La cuisine était dans un pire état que le salon. L'évier débordait de vaisselle. Une poêle graisseuse traînait sur la cuisinière. Des piles de courrier, de livres, de magazines s'entassaient sur la table, outre une boîte en carton crasseuse portant la mention *Tamales maison de chez Carlotta.*

L'extérieur ordonné de la maison était trompeur. Ses occupants étaient des porcs!

– Voilà pour vous.

Il fit glisser un gobelet plein de café sur le comptoir dans sa direction. Une partie du liquide se répandit sur le carrelage, sans qu'il s'en aperçoive. Il sirotait déjà son café. Après plusieurs gorgées, il poussa un soupir.

– Je me sens déjà mieux. Bon, qu'est-ce que vous vendez?

Elle eut un petit rire incrédule.

– Je ne vends rien du tout. Sherry Parks pensait avoir rendez-vous ici ce matin.

– Hum! Comment vous appelez-vous déjà?

– Cat Delaney.

– Cat... » Il la dévisagea en plissant les yeux au-dessus du bord fumant de son gobelet, la toisant des pieds à la tête, puis de la tête aux pieds. « Vous êtes la reine du feuilleton, c'est bien ça, n'est-ce pas?

– Si l'on peut dire, répondit-elle froidement. Je remplace Mlle Parks qui avait un rendez-vous avec vous ce matin à onze heures.

– Un rendez-vous? Ce matin?

Il secoua la tête, interloqué.

– Ce n'est pas grave, fit Cat en agitant la main. On s'est mal compris, mais cela n'a pas d'importance.

Elle jeta un coup d'œil circulaire sur la pièce sens dessus dessous, puis lui fit face en le regardant droit dans les yeux.

– Je suis vraiment désolée, mais je ne pense pas que vous ferez l'affaire.

– Que je ferai l'affaire pour quoi? demanda-t-il en continuant à boire son café imperturbablement.

Il était idiot ou extrêmement habile. Elle n'arrivait pas à savoir s'il jouait la comédie ou s'il ignorait effectivement le motif de sa visite.

Peut-être Mme Walters avait-elle envoyé sa candidature et organisé cette entrevue à l'insu de son époux, avec l'espoir qu'elle finirait par le convaincre d'adopter un enfant. Cela se produisait quelquefois. Un des conjoints, généralement la femme, voulait devenir parent, tandis que l'autre non. Parfois, le mari était même farouchement opposé à cette idée.

Il se pouvait très bien que ce soit le cas cette fois-ci. Cat n'avait nullement l'intention de se trouver prise entre deux feux dans une querelle conjugale.

– Etes-vous sûr d'avoir examiné la question sous tous ses angles avec votre épouse?

– Quels angles? demanda-t-il en lui tournant le dos pour se servir une deuxième tasse de café.

– D'une adoption, répondit-elle, agacée.

Il la fusilla du regard, puis inclina la tête et ferma les yeux en se pinçant la base du nez.

– J'ai dû me coucher plus tard que je ne le pensais, marmonna-t-il, avant de relever la tête pour la regarder. Vous êtes ici pour me parler d'adopter un gamin?

– Evidemment. Que vous étiez-vous imaginé?

– Je ne sais pas, répliqua-t-il, imitant son ton agacé. Vous pourriez très bien vendre des biscuits confectionnés par les girl-scouts.

– Ce n'est pas le cas.

– Bon, alors que... » Il s'interrompit brusquement et une lueur de compréhension passa dans son regard. « Oh merde! Quel jour sommes-nous?

– Lundi.

Il consulta le calendrier suspendu à côté du frigidaire, puis tapa le mur d'une paume énergique.

– Catastrophe!

Il se retourna en passant les doigts dans sa tignasse noire d'un air dépité.

– J'étais censé vous appeler, vous ou cette demoiselle Parks, vendredi pour annuler le rendez-vous. Tout est de ma faute. J'ai oublié de vérifier le calendrier tous les jours comme elle me l'avait demandé. Elle va être folle de rage, ajouta-t-il, comme s'il se parlait à lui-même. Ecoutez, je suis navré. J'aurais pu vous épargner le voyage. L'entrevue devra être reportée.

– Je ne pense pas que ce sera nécessaire. Dites à votre femme...

– Ma femme?

– Vous voulez dire que vous n'êtes pas mariés?

– Non.

– Pourtant elle porte le nom de Walters.

– Evidemment.

L'ébauche d'un sourire flotta sur ses lèvres.

– Irène Walters est l'épouse de Charlie Walters. Ils vont se marrer quand ils sauront que vous m'avez pris pour lui.

Voyant sa mine perplexe, il secoua la tête.

– Je loge chez eux en leur absence. Un parent de Charlie est tombé malade en Géorgie la semaine dernière et ils ont dû partir subitement. J'avais besoin d'un endroit tranquille pour travailler pendant que l'on repeignait mon appartement. Ils m'ont proposé de rester ici et de garder la maison.

– Ils vous ont chargé de vous occuper de leur maison? s'exclama-t-elle d'un ton plein de sous-entendus en fixant son attention sur l'évier encombré.

Il suivit son regard et parut surpris, comme s'il remarquait le désordre pour la première fois.

– Il va falloir que je range un peu avant qu'ils reviennent. Une dame est venue avant-hier, je crois bien que c'était avant-hier, pour nettoyer, mais je l'ai fait fuir. Elle est repartie presque aussitôt. Elle faisait la poussière et passait l'aspirateur à côté de moi pendant que j'essayais d'écrire. Ça m'a rendu fou. J'ai dû un peu élever la voix. Bref, elle a filé sans demander son reste. Il va falloir qu'Irène l'amadoue. Ça aussi, ça va la mettre en rogne.

Il fit « tst » de la langue, manifestant ainsi ses remords.

– D'écrire?

Son regard revint se poser sur elle.

– Pardon?

– Vous dites que vous étiez en train d'essayer d'écrire.

Il passa à côté d'elle et se dirigea vers une bibliothèque encastrée dans le mur. Il en sortit un livre qu'il lui mit dans les mains.

– Alex Pierce.

Elle lut le titre de l'ouvrage, puis le retourna pour jeter un coup d'œil à la photographie figurant au dos de la jaquette brillante. L'auteur était propre et habillé de pied en cap. Mais le regard était le même – gris, pénétrant sous des sourcils broussailleux, dont un barré d'une cicatrice verticale. Quelques rides d'expression séduisantes. Un nez droit. Une bouche sérieuse, mais sensuelle. La mâchoire carrée. Un visage puissamment viril. Dur et beau.

Elle hésita à relever la tête, trouvant plus facile de plonger son regard dans celui de la photographie que dans celui de l'homme en chair et en os debout en face d'elle. Elle avait bizarrement chaud et éprouvait le besoin de s'éclaircir la gorge.

– J'ai entendu parler de vous. Mais je ne vous aurais pas reconnu.

– Je m'étais lavé pour la photo. Arnie, mon agent, y tenait beaucoup.

– Combien de livres avez-vous publiés, monsieur Pierce?

– Deux. Le troisième est prévu pour le début de l'année prochaine.

– Vous écrivez des romans policiers, n'est-ce pas? Enfin, quelque chose comme ça?

– Quelque chose comme ça.

– Je suis désolée. Je ne les ai pas lus.

– Ça ne vous plairait pas.

Sur la défensive, elle redressa brusquement la tête.

– Pourquoi pas?

– Vous n'avez pas la tête à ça, répondit-il en haussant les épaules. Il est question d'armes et de femmes. De sang et de cervelle. De meurtre et de mutilations. Pas très joli tout ça.

– Quoique cela ne manque pas d'allitérations.

Impressionné, il leva son sourcil rayé d'un trait blanc.

– Qu'est-ce qui vous fait penser que je n'aimerais pas vos livres?

Il la toisa une nouvelle fois d'un œil insolent, puis tendit la main pour jouer avec une mèche de ses cheveux.

– Parce que les rousses de mes livres sont toujours des filles faciles.

Son estomac se crispa, ce qui la mit hors d'elle, parce qu'elle soupçonnait que c'était précisément la réaction qu'il attendait. Elle écarta sa main sans ménagement.

– Et s'emportent facilement, ajouta-t-il avec un sourire arrogant.

Elle lui tendit le livre brutalement.

– Vous avez raison. Je suis sûre que je n'aimerais pas.

Sentant la moutarde lui monter au nez, elle parvint tout juste à se contenir de peur de coller à son stéréotype.

– Quand M. et Mme Walters seront-ils de retour?

Il posa le livre sur une table et but tranquillement une gorgée de café.

– Ils m'ont dit qu'ils téléphoneraient avant de quitter la Géorgie. En attendant leur appel, je n'en sais pas plus que vous.

– Dès qu'ils seront là, demandez-leur de contacter le bureau de Mlle Parks. Elle leur fixera un autre rendez-vous.

– Irène et Charlie sont des gens super. Ils feraient de merveilleux parents pour l'un de vos gosses.

– Il appartiendra au juge d'en décider.

– Mais votre aval est déterminant, j'en suis sûr. Je parie que vous avez de l'autorité sur cette Mlle Parks et les autres. Votre opinion compte beaucoup à leurs yeux, n'est-ce pas?

– Que cherchez-vous à me dire, monsieur Pierce?

– Ne gâchez pas tout pour Irène et Charlie à cause de quelques assiettes sales, dit-il. Ne les jugez pas d'après moi.

– Je refuse vos sous-entendus. Je ne suis pas venue ici pour juger qui que ce soit.

– C'est archifaux. Vous m'avez déjà dit que je ne ferais pas l'affaire.

– C'est vrai!

– Vous voyez? Vous êtes persuadée d'avoir toujours raison et vous adorez commander. Pour quelle autre raison une star de la télé viendrait-elle s'enterrer à San Antonio?

Cat bouillait de rage, mais dans une guerre des mots, elle redoutait de perdre.

– Au revoir, monsieur Pierce.

Il la suivit jusqu'à la porte d'entrée. Elle sentait son regard perçant dans son dos tandis qu'elle traversait la véranda à grandes enjambées.

– Salut, Bandit.

Le chien se redressa et geignit lorsqu'elle passa sans s'arrêter. Il était probablement malheureux que ses propriétaires l'aient confié à un fichu fanfaron qui vous figeait le sang dans les veines.

Seigneur. Encore des allitérations.

Alex Pierce était plus caustique que de la soude. Il l'avait agacée, énervée, insultée. Mais elle s'en voulait encore plus à elle-même. Pourquoi l'avait-elle laissé avoir la haute main sur elle? Au lieu d'être gênée par sa gaffe, pourquoi n'en avait-elle pas ri? L'humour était son antidote dans la plupart des situations embarrassantes.

Cette fois-ci, pourtant, elle avait vite été à court d'arguments. Elle avait rougi, bégayé comme une écolière intimidée et il ne lui restait plus à présent qu'un orgueil meurtri et un puissant ressentiment à l'encontre d'un auteur de mauvais romans policiers qui vivait comme un cochon et buvait un infâme café noir comme si c'était de l'eau du robinet.

C'était d'autant plus agaçant qu'elle trouvait que tout le monde aurait dû être aussi séduisant que lui au saut du lit.

L'objet de son mépris sortit sur le porche d'un pas nonchalant et se laissa tomber sur la balancelle, qui grinça lamentablement sous son poids. Il tapota la place à côté de lui. Bandit, rendu fou de joie par cette invitation tacite, sauta sur le siège et posa son menton sur la cuisse de l'écrivain.

Son ultime vision avant de partir fut celle d'Alex Pierce se balançant tranquillement en sirotant son café tout en grattant Bandit derrière les oreilles d'une main paresseuse.

CHAPITRE 16

– Vous avez l'air éreinté, tous les deux.

Assise derrière son bureau, fraîche comme une fleur exotique dans le réfrigérateur d'un fleuriste, Mélia accueillit Cat et Jeff qui revenaient en traînant les pieds.

– Nous sortons d'un bain de vapeur plus connu sous le nom de parc Brackenridge, expliqua Cat en faisant glisser son lourd sac de son épaule. Il n'y avait pas un brin d'air. Rappelez-moi de ne jamais porter de la soie en été à San Antonio, ajouta-t-elle en tiraillant sur son chemisier qui lui collait à la peau.

– A part ça, tout s'est bien passé?

– Très bien.

– Nous avons d'excellents plans de Tony, précisa Jeff en se laissant tomber dans un fauteuil. Il n'a pas manifesté la moindre peur devant les caméras.

Mélia tendit à Cat une poignée de messages.

– Sherry Parks souhaite que vous la rappeliez sur-le-champ. Elle pense que le juge va donner son approbation à l'adoption de Danny.

– Merveilleux! s'exclama-t-elle, sentant sa fatigue se dissiper d'un seul coup. Essayez de la joindre pour moi, voulez-vous?

Elle ramassa son sac et se dirigea vers son bureau. Après avoir enlevé ses chaussures, elle s'installa à sa table. Machinalement, elle jeta un coup d'œil à la pendule et tendit la main vers le tiroir du bas.

La sonnerie de l'interphone retentit. Elle appuya sur le bouton d'appel tout en se penchant pour ouvrir le tiroir.

– Oui, Mélia?

– Mademoiselle Parks, sur la une.

Le tiroir était vide.

– Passez-la-moi s'il vous plaît.

Le tiroir était vide.

– Cat? Vous êtes là?

– Oui, mais mes... Mélia, où sont mes médicaments?

– Comment?

– Mes remèdes. Mes médicaments. Où sont-ils passés?

– Je croyais que vous les conserviez dans le tiroir de votre bureau, répondit Mélia, apparemment perplexe.

– Evidemment, mais ils ne sont pas là.

Elle claqua le tiroir, puis le rouvrit aussitôt, comme si le tiroir vide n'avait été qu'une illusion d'optique qui allait se corriger d'elle-même. Mais le tiroir était bel et bien vide. Ses médicaments s'étaient volatilisés.

Mélia apparut sur le seuil.

– J'ai dit à Mlle Parks que vous la rappelleriez plus tard. Que se passe-t-il?

– Exactement ce que je viens de vous dire.

Elle s'aperçut qu'elle hurlait et fit un effort pour se ressaisir.

– Mes médicaments ont disparu, reprit-elle calmement. J'en ai toujours une provision dans le tiroir du bas. Toujours. Mais ils n'y sont plus. Quelqu'un me les a pris.

– Qui voudrait de vos remèdes?

Cat la fusilla du regard.

– C'est ce que je voudrais savoir.

– Que se passe-t-il? demanda Jeff en entrant à son tour dans le bureau.

– Quelqu'un m'a volé mes médicaments.

– Quoi?

– Vous êtes devenus sourds tous les deux? cria-t-elle. Faut-il que je répète tout ce que je dis? Quelqu'un s'est introduit dans mon bureau et m'a dérobé mes médicaments!

Elle savait qu'elle était en train de perdre le contrôle d'elle-même, mais sa vie dépendait de ces remèdes.

Jeff fit le tour du bureau et alla regarder lui-même dans le tiroir.

– Qui pourrait bien vous les avoir volés?

Cat se passa la main dans les cheveux.

– J'ai déjà posé la question, répondit Mélia à mi-voix. Ça l'a foutue en rogne.

– Est-il possible que vous les ayez rangés ailleurs? suggéra Jeff.

Il essayait sincèrement de l'aider, mais cela ne fit qu'accroître son exaspération.

– On peut égarer un tube d'aspirine et le retrouver six semaines plus tard dans la poche d'une veste. Quatorze flacons, c'est plus difficile à perdre.

– Vous les avez peut-être emmenés avec vous hier soir?

– Jamais je ne ferais une chose pareille. » Elle avait recommencé à crier. « Je les ai tous en double. J'en conserve un lot à la maison, et l'autre au bureau. Cela me permet de prendre ma dose de midi ici. Ainsi que celle du soir, de temps en temps, quand je travaille tard.

Trois de ces quatorze remèdes étaient des pilules antirejet absolument vitales, les onze autres ayant pour but de pallier les effets secondaires des trois premiers. Elle se conformait religieusement à la posologie qui prescrivait trois prises quotidiennes.

– Si j'avais trimbalé quatorze flacons chez moi hier soir, je m'en souviendrais, déclara-t-elle. Quelqu'un a fouillé dans mon bureau et me les a pris. Qui est venu ici ce matin?

– M. Webster et moi-même, répondit Mélia. Personne d'autre. Il a apporté une cassette vidéo qu'il voulait vous montrer, ajouta-t-elle en désignant la cassette en question posée sur le bureau. Enfin en tout cas, il est la seule personne que j'aie vue.

– Vous êtes-vous éloignée de votre bureau? demanda Jeff.

Elle trouvait cette question déplacée et le montra en y répondant d'un ton agressif :

– Qu'est-ce que vous voulez? Que je fasse pipi sur ma chaise? Evidemment, je suis allée aux toilettes une ou deux fois, et puis je suis sortie déjeuner. Depuis quand est-ce un crime?

Cat s'en voulait de soupçonner Mélia de lui avoir joué ce sale tour. Elle songea à l'accuser ouvertement, mais à quoi cela servirait-il? Si elle était coupable, elle nierait. Si elle était innocente, cette accusation intempestive ne ferait qu'élargir le fossé qui les séparait déjà.

Plus grave, toutefois, en de mauvaises mains, ces médicaments pouvaient se révéler dangereux.

– Mélia, s'il vous plaît, téléphonez au docteur Sullivan.

Le cardiologue chez qui Dean l'avait adressée à San Antonio avait son bureau à deux pas de là.

– S'il n'est pas disponible, tâchez de le joindre quand même. Peu m'importe où il est et ce qu'il fait. Trouvez-le. Dites-lui de téléphoner à la pharmacie et de leur demander de m'envoyer mes remèdes au plus vite.

Mélia pivota sur ses talons et quitta le bureau sans dire un mot.

– Je peux me rendre chez vous en voiture et vous les rapporter, si vous voulez, proposa Jeff.

– Merci, mais je peux y aller moi-même dans ce cas.

– Vous êtes trop énervée pour conduire.

Elle avait du mal à l'admettre, mais elle était effectivement dans tous ses états. Elle aurait ses médicaments en temps voulu ; ce n'était pas comme si le tiroir contenait les dernières réserves existant sur la terre.

Mais elle était bouleversée à l'idée qu'on lui eût subtilisé quelque chose de plus précieux que des bijoux, des fourrures ou de l'argent. Sa survie dépendait de ces remèdes.

– J'apprécie votre offre, Jeff, dit-elle avec un calme apparent. Mais dès que le pharmacien aura reçu un appel du docteur Sullivan, il prendra les dispositions nécessaires.

– Où allez-vous? s'enquit-il, lui emboîtant le pas, voyant qu'elle s'apprêtait à sortir du bureau.

– Je suis en attente pour le docteur Sullivan, annonça Mélia au moment où Cat passait devant elle. Il est avec un patient, mais sa secrétaire m'a dit qu'elle allait le prévenir.

– Merci.

Elle se tourna vers Jeff, toujours sur ses talons.

– J'ai bien l'intention de régler son compte sur-le-champ au salopard qui croit que ce qu'il a fait là est drôle.

La salle de rédaction était le paradis des mauvais plaisantins. Les journalistes faisaient assaut d'ingéniosité pour concevoir la meilleure farce, ou la pire selon le point de vue duquel on se plaçait.

Cela allait du vomi en plastique caché dans le frigidaire communautaire à l'annonce fallacieuse de l'assassinat du président des Etats-Unis alors qu'il se soulageait dans les toilettes d'une station-service Texaco sur l'A35.

Cat s'approcha du bureau du responsable des reportages. C'était un fumeur invétéré, grognon et revêche, atteint d'un emphysème, qui enrageait depuis que la salle de rédaction avait été décrétée zone non-fumeurs. Il faisait continuellement la tête et n'était aimable avec personne. Son instinct journalistique infaillible lui valait cependant le respect absolu de tout le monde. Tous les journalistes de la rédaction lui obéissaient au doigt et à l'œil, y compris les plus présomptueux d'entre eux.

Il faillit avoir une attaque quand Cat enfonça le bouton de l'interphone posé sur son bureau.

– Hé les gars. » Sa voix retentit dans les haut-parleurs de la vaste salle pareille à une ruche avec ses multiples cloisons. « Hé, vous autres, se corrigea-t-elle, utilisant l'expression favorite des Texans. Je voudrais dire au malade qui s'est permis de me piquer mes médicaments antirejet que je ne trouve pas ça drôle du tout.

– Qu'est-ce que vous radotez? demanda le responsable des reportages, le souffle court.

L'ignorant, Cat poursuivit son annonce :

– Quand vous vous êtes servis de mes cotons démaquillants pour insonoriser la salle de déjeuner, j'ai trouvé ça tordant. J'ai même ri de voir une affiche me représentant avec une moustache en guidon de vélo et un sein en rab. Mais cette fois-ci, ce n'est pas drôle, okay? Je ne m'attends pas à ce que le coupable se manifeste. Mais qu'il ne recommence pas.

– Poussez-vous de là », s'exclama le responsable des reportages en récupérant son interphone que personne n'avait jamais eu la témérité de toucher auparavant. « Qu'est-ce qui vous a mise dans un état pareil?

– Quelqu'un m'a volé mes médicaments.

Plusieurs journalistes sortis de leur box la regardaient avec curiosité. Le directeur des informations approchait, le front barré d'un pli soucieux.

– Que se passe-t-il, pour l'amour du Ciel?

Elle répéta ce qu'elle venait de dire.

– Je suis sûr que celui ou celle qui s'est introduit dans mon bureau pour subtiliser mes remèdes ne voulait pas faire de mal. Il n'empêche que c'était stupide et dangereux.

– Comment savez-vous qu'il s'agit de quelqu'un de la salle de rédaction?

– Je n'en sais fichtrement rien, reconnut-elle. Mais il est plus facile de s'aventurer dans mon bureau sans attirer l'attention si l'on travaille à cet étage. Et tous vos journalistes adorent les farces. Plus c'est malsain, plus ça les amuse. Seulement ces médicaments ne donnent pas matière à plaisanter.

– Et je suis sûr que tous les membres du personnel de la salle de rédaction en sont parfaitement conscients, mademoiselle Delaney, répliqua le directeur des informations.

La confiance qu'il manifestait en son équipe força Cat à mettre en doute sa réaction instinctive. Peut-être avait-elle été un peu vite en besogne en lançant cette accusation générale.

– Je vous prie de m'excuser de mon irruption, dit-elle, se sentant tout à coup très mal à l'aise. Si vous apprenez quoi que ce soit, je vous serai reconnaissante de me le faire savoir.

Avant que la discussion puisse aller plus loin, elle battit en retraite dans son bureau.

– La livraison est en route, lui annonça Mélia, la mine toujours aussi renfrognée. Vos remèdes devraient être là dans vingt minutes environ. Est-ce que ça ira?

– Très bien. Merci. Donnez-moi une minute de répit et puis rappelez Sherry. Jeff, apportez-moi le dossier de Danny, s'il vous plaît.

Elle éprouvait le besoin d'être seule un moment et ferma la porte de son bureau derrière elle. Elle s'adossa à la porte et prit plusieurs inspirations profondes. Son chemisier en soie lui collait encore plus à la peau que lorsqu'elle était arrivée. Elle transpirait à grosses gouttes et elle avait les genoux qui tremblaient.

Pendant trois ans, elle avait essayé de se convaincre qu'elle était comme tout le monde, qu'elle n'avait rien de spécial.

Mais le fait était qu'elle avait subi une greffe du cœur.

Cela voulait dire qu'elle n'était pas comme les autres, qu'elle avait des besoins qu'une poignée de gens seulement partageaient, que cela lui plaise ou non. Et il en serait ainsi jusqu'à la fin de ses jours.

La crise d'aujourd'hui avait été de courte durée, et sa vie n'avait pas été en danger. Quoi qu'il en soit, cela avait été un cruel rappel de sa fragilité.

CHAPITRE 17

Bill Webster était en train de donner à Cat un premier échantillon de sa fureur. Elle avait entendu dire qu'il sortait rarement de ses gonds, mais que lorsque cela se produisait, tout l'immeuble tremblait. Ce matin-là, sa colère était dirigée contre elle.

– Ils étaient fous de rage, Cat.

– C'est on ne peut plus compréhensible, répondit-elle à voix basse.

– Ils ont estimé qu'on leur avait brossé un portrait erroné de la petite fille.

– Effectivement, mais ce n'était pas délibéré.

Webster poussa un profond soupir. Il s'efforçait de reprendre le contrôle de lui-même, mais il était toujours rouge comme une écrevisse.

– *Cat's Kids* est un atout pour la communauté. Ce programme a déjà une impressionnante liste de succès à son actif. C'est désormais l'un des piliers de WWSA.

– Mais c'est aussi un talon d'Achille en puissance, ajouta-t-elle, devinant sa pensée.

– Précisément. Mon engagement est le même aujourd'hui qu'au départ. N'allez surtout pas vous imaginer que je me défile. Mais ce programme nous rend vulnérables. Nous sommes potentiellement la cible de procès de la part des pouvoirs publics, des candidats à l'adoption, comme des parents légitimes – en fait, de tous ceux qui nourrissent des ressentiments à notre égard à cause d'un affront, réel ou imaginaire. Notre modération même nous met dans une situation précaire.

– En d'autres termes, nous sommes pris entre deux feux.

Il hocha vigoureusement la tête.

– En lançant *Cat's Kids,* nous savions que nous prenions des risques. En ma qualité de président de la chaîne, je suis toujours disposé à accepter ces risques dans la mesure où les bénéfices potentiels les compensent largement. Mais nous devons à tout prix multiplier les précautions pour éviter qu'un tel incident ne se reproduise.

Cat se frotta le front. La veille, un couple du nom de O'Connor avait téléphoné à Sherry Parks pour annuler la procédure d'adoption. Leur petite fille, qu'ils avaient connue sous les auspices de *Cat's Kids,* avait provoqué M. O'Connor sexuellement.

– Ils affirment que son développement sexuel avancé a été délibérément passé sous silence dans son dossier afin de faciliter l'adoption.

– C'est faux, Bill. Plusieurs psychologues l'ont analysée. Elle a dissimulé sa sexualité précoce à tout le monde, les médecins, les assistantes sociales, tous ceux qui ont eu affaire à elle, y compris nous.

– Je ne comprends pas très bien comment elle a pu passer au travers des mailles du filet.

– Elle a sept ans ! s'exclama Cat. Elle a des tresses et des fossettes, pas de cornes ni de queue fourchue. Comment pouvions-nous savoir qu'elle avait des problèmes sexuels ? Elle a subi des mauvais traitements depuis le berceau. Son beau-père lui a appris à le satisfaire. Il lui a montré comment le...

– Pour l'amour du Ciel, s'exclama Bill en blêmissant. Epargnez-moi les détails.

– Tout le monde devrait les connaître au contraire, riposta-t-elle d'un ton acerbe. Si chacun voulait bien ouvrir les yeux sur ces pratiques immondes, ce genre d'outrage serait peut-être un peu moins répandu dans notre société.

– C'est enregistré. Continuez.

– Etant donné ses antécédents, les psychologues se sont étonnés au début qu'elle ait aussi peu de séquelles. Nous savons maintenant à quel point elle est perturbée. Elle se sert de sa sexualité pour manipuler son entourage, et en particulier pour obtenir ce qu'elle veut des hommes, n'importe lesquels.

« Vous avez parfaitement raison, Bill. On a de la peine à s'imaginer une enfant si innocente en apparence jouant les femmes fatales. Il est tout aussi difficile de se figurer ce qu'elle a dû subir pour en arriver là.

– Mais l'on ne peut pas vraiment reprocher aux O'Connor de vouloir revenir sur leur engagement.

– Bien sûr. Ils savaient naturellement que l'on avait abusé d'elle sexuellement. Avant que l'on connaisse véritablement l'étendue des ravages, ils étaient prêts à en supporter les conséquences. Aucun de nous ne se doutait de l'habileté avec laquelle elle avait manipulé les experts.

« Elle connaissait les réponses à toutes les questions. Elle a réussi un sans-faute parce qu'elle était résolue à vivre chez les O'Connor. Elle voulait absolument dormir dans le joli lit rose qu'ils avaient installé dans sa chambre. Elle l'a avoué elle-même à Sherry.

Bill secoua la tête, incrédule.

– Ce n'est pas la première fois que j'entends parler de cas aussi graves, souligna Cat. Ils sont tragiques pour tout le monde.

– C'est exact. Et ne serait-ce que pour cette raison, nous n'avons nul besoin d'y être associés. Il faut à tout prix éviter qu'une telle erreur se reproduise, Cat, insista-t-il d'un ton sévère.

– Je ne peux pas vous le promettre. Mais j'accepte pleinement la responsabilité de la sélection des enfants apparaissant dans *Cat's Kids*. S'il y a le moindre doute dans mon esprit...

– ... laissez tomber.

Sa terminologie la choqua. Il n'était pas question de melons, mais d'enfants. Elle n'admettait pas qu'il lui dise de choisir les spécimens les moins meurtris. Elle hocha pourtant la tête, cédant sur ce point.

– J'ai envoyé une lettre d'excuse aux O'Connor ce matin même. Je suis affreusement désolée pour eux. Ils ont été horrifiés par ce qu'elle a fait, naturellement, mais ils ont eu le temps de s'attacher à elle malgré tout. C'est un terrible dilemme pour eux.

– Pourvu qu'ils ne nous collent pas un procès de plusieurs millions sur le dos, s'exclama Webster, redevenant l'homme d'affaires qu'il était avant tout.

– Je suis navrée que la chaîne soit forcée d'encaisser un coup pareil.

Quelque peu apaisé, il écarta ses excuses d'un geste.

– Vous êtes en première ligne dans cette affaire, Cat, mais nous sommes tous solidaires de vous. Quoi qu'il arrive, sachez que je vous soutiendrai à cent pour cent. Nos avocats seront dans votre camp, et ce sont de vrais requins, croyez-moi.

Elle supportait mal l'image de requins juridiques lâchés sur un couple déjà profondément affligé.

– J'espère que nous n'en arriverons pas là.

– Moi aussi.

Il prit la pose d'un juge prêt à rendre son verdict.

– Quoi qu'il en soit, après cela, vous y réfléchirez peut-être à deux fois avant de vous mêler personnellement du sort de ces enfants. Vous prenez leurs problèmes trop à cœur. Du coup, vous perdez toute objectivité.

– Heureusement ! s'exclama-t-elle avec passion. Il s'agit d'enfants, Bill, et non pas de numéros ou de statistiques. Ce sont des êtres humains, dotés d'un cœur, d'une âme et d'un esprit, et gravement blessés qui plus est.

« Vous les considérez peut-être comme une accroche publicitaire, une manière de faire monter l'audimat. Tous ceux qui travaillent avec moi sur *Cat's Kids* ne voient peut-être pas autre chose en eux qu'un sujet de reportage, sur lequel braquer leurs caméras.

Elle se pencha par-dessus le bureau, en serrant les bras contre sa poitrine.

– Ces enfants ont toute mon attention. Le reste n'est pour moi qu'un moyen d'arriver à mes fins. Si je ne rêvais que de fortune et de célébrité, je n'avais qu'à conserver mon rôle dans *Passages.* Or j'ai préféré venir ici pour faire quelque chose d'utile et je compte m'y tenir. Pour réussir dans cette entreprise, il faut absolument que je m'implique personnellement.

– Je désapprouve, mais je me fie à vous.

– Je ne trahirai pas votre confiance.

Il fit glisser le journal du matin sur le bureau dans sa direction, mais elle avait déjà lu l'article qu'il avait entouré en rouge.

– Maintenant que nous en avons fini avec l'affaire O'Connor, je voudrais savoir comment vous proposez de régler ceci.

Dès qu'elle fut de retour dans son bureau, Cat convoqua Jeff et Mélia.

– Pour nous épargner du temps et de l'énergie, je vais couper court aux formalités d'usage pour en venir directement aux faits. Hier après-midi, vous avez tous les deux été mis au courant de l'affaire O'Connor. L'un de vous en a-t-il fait part à la presse?

Ils gardèrent le silence l'un et l'autre.

Du revers de la main, elle tapota le journal qu'elle avait rapporté avec elle du bureau de Webster.

– Ron Truitt a encore frappé! Mais cette fois-ci, il avait des munitions. Il est impossible qu'il ait découvert cette histoire accidentellement. Quelqu'un lui a vendu la mèche.

« Il est évident que personne au département des Affaires sociales n'avait intérêt à ce que la presse en soit informée. Les O'Connor sont presque aussi bouleversés par la publicité faite autour de cette histoire que par l'incident en lui-même. Ce ne sont certainement pas eux qui l'ont renseignée. Cette fuite ne peut donc provenir que de WWSA, et pour être plus précis, de ce bureau.

« Lequel d'entre vous est-il responsable? En plus d'un aveu, je souhaiterais avoir des explications. Si *Cat's Kids* est rayé de la grille des programmes, nous nous retrouvons tous sur la paille. Alors qu'espériez-vous gagner en sapant l'émission?

Ils continuaient à se taire et détournèrent tous les deux le regard.

– Jeff, dit-elle au bout d'un long moment, voudriez-vous nous excuser un instant?

Il s'éclaircit la gorge en jetant un coup d'œil en biais à Mélia.

– Certainement.

Puis il sortit discrètement et referma la porte derrière lui. Un silence pesant s'installa, que Cat se garda bien d'interrompre. On ne pouvait pas dire que Mélia manquait de sang-froid en tout cas. Pas une seconde ses yeux de biche ne flanchèrent. Elle fixait Cat sans sourciller.

– Mélia, je vous donne une dernière chance pour admettre que vous avez vendu la mèche à Ron Truitt. Vous serez réprimandée. Mais dès lors que vous promettez de ne plus jamais faire entorse à notre politique du silence, nous en resterons là.

– Je n'ai pas téléphoné à ce journaliste, ni à personne d'autre. C'est la stricte vérité.

Cat ouvrit le dernier tiroir de son bureau et en sortit un emballage McDonald qu'elle posa devant elle. Son geste provoqua chez la jeune femme si stoïque une réaction que Cat attendait depuis longtemps. Mélia fixait à présent le sac, bouche bée, n'en croyant manifestement pas ses yeux.

– A la suite de la mystérieuse disparition de mes médicaments, l'un des stagiaires de la salle de rédaction est venu me trouver, expliqua Cat. Il vous avait vue traverser le parking à l'heure du déjeuner et jeter ceci dans une benne. Il avait trouvé bizarre que vous quittiez un immeuble climatisé pour aller jeter les vestiges de votre déjeuner de l'autre côté du parking sous un soleil de plomb. Je suis allée jeter un coup d'œil dans la benne moi-même et j'y ai trouvé ce sac contenant quatre frites froides, un sachet de ketchup intact et quatorze flacons de remèdes.

Comprenant qu'elle était coincée, Mélia rejeta ses cheveux en arrière en un geste plein de défi.

– Vous m'aviez vraiment foutue en rogne ce matin-là en m'enguirlandant parce que j'avais mal noté un numéro de téléphone.

– C'est tout ce que vous avez trouvé comme excuse? s'écria Cat en abattant sa main sur l'emballage qui se fendit.

– Vous ne risquiez pas de crever. On vous a réapprovisionnée en un rien de temps.

– Là n'est pas la question. Votre geste était délibérément malveillant.

– Ça vous pendait au nez! hurla Mélia. Vous n'arrêtiez pas de me gueuler dessus devant ce petit pédé, en me faisant passer pour une imbécile. Je ne suis pas une imbécile!

Cat se leva.

– Ça, j'en suis persuadée. Je pense même que vous êtes très futée, Mélia. Pas suffisamment toutefois pour ne pas vous faire prendre. Débarrassez-moi le plancher sur-le-champ! ajouta-t-elle en redressant les épaules.

– Vous me mettez à la porte? s'écria Mélia, interloquée.

– Je m'arrangerai pour que le service comptabilité vous verse ce qu'on vous doit, outre vos indemnités de licenciement, ce qui me paraît on ne peut plus équitable au vu des circonstances.

Mélia plissa les yeux d'un air mauvais, mais Cat tint bon. Pour finir, la jeune femme fit volte-face et se dirigea vers la porte.

– Vous allez le regretter, lâcha-t-elle entre ses dents avant de refermer derrière elle.

A midi, elle avait retiré toutes ses affaires personnelles de son bureau et quitté l'établissement.

Cat demanda au directeur des informations s'il pouvait lui prêter une secrétaire d'ici à ce qu'elle pût en embaucher une autre. Elle était soulagée de s'être débarrassée de Mélia, mais les incidents des dernières vingt-quatre heures, à commencer par l'affaire O'Connor, l'avaient exténuée. Elle était de fort mauvaise humeur et certainement pas prête à recevoir le visiteur qui l'attendait sur le pas de sa porte quand elle arriva chez elle à la nuit tombante.

Affronter Alex Pierce lui paraissait clairement au-dessus de ses forces.

– Qu'est-ce que vous faites là? s'exclama-t-elle en baissant la vitre de sa voiture. Et puis d'abord comment connaissez-vous mon adresse?

Il était à califourchon sur sa moto garée le long du trottoir.

– Un simple " Bonjour comment ça va? " suffirait.

Cat engagea sa voiture dans l'allée. Il la rejoignit au moment où elle en sortait et essaya de lui prendre sa lourde mallette des mains.

– Je peux me débrouiller toute seule, merci, fit-elle sèchement.

Elle monta les marches du perron et prit son courrier, principalement des réclames.

– Pourquoi est-ce que l'on m'envoie toute cette saloperie? Des douzaines d'arbres sont sacrifiés rien que pour remplir ma poubelle.

Son humeur massacrante semblait beaucoup l'amuser.

– Dure journée au bureau?

– Une horreur!

– Ouais. J'ai vu votre nom dans le journal.

– J'ai eu droit à des articles plus flatteurs.

– C'est dur pour la gamine.

– Je ne vous le fais pas dire.

Elle dut jongler avec son courrier, son sac, sa mallette et ses clés pour ouvrir la porte. Une troisième main lui aurait été fort utile, mais il était hors de question de lui demander de l'aide. Elle laissa tomber le courrier sur la table du couloir, posa sa mallette et son sac par terre, puis se retourna pour lui faire face, lui barrant du même coup le passage.

Il lorgnait chez elle, par-dessus son épaule.

– Jolie maison.

– Jolie tentative.

– Jolie repartie. » En se penchant vers elle, il ajouta en un murmure : « A nous deux, on peut jouer longtemps à ce petit jeu-là. Je suis très doué pour ça.

– Je n'en doute pas, riposta-t-elle en plantant sa main sur sa hanche comme pour renforcer son barrage. Qu'est-ce que vous fichez ici, monsieur Pierce?

– Si vous m'appeliez Alex maintenant que vous avez lu mon livre?

– Comment savez-vous... » Elle s'interrompit brusquement, réalisant qu'elle était tombée dans le piège. « Okay, vous m'avez eue. Effectivement, je les ai lus.

– Les...? Vous avez lu les deux?

– Je suis quelqu'un de curieux, d'accord? A propos, j'aimerais bien savoir comment vous avez fait pour me trouver et pourquoi vous vous êtes donné cette peine?

– Faim?

– Comment?

– Ça vous dirait d'aller manger un hamburger?

– Avec vous?

Il tendit les mains, paumes levées.

– Je me suis lavé les mains. Y compris les ongles. Avec de l'Omo.

En dépit de sa détermination à résister à son charme espiègle, elle ne put s'empêcher de rire. Abandonnant sa posture, il s'adossa au chambranle de la porte.

– On a pris un mauvais départ l'autre jour, vous ne pensez pas?

– Incontestablement.

– Je ne suis pas au mieux de ma forme le matin. Surtout après un marathon nocturne.

– D'écriture? » La question était sortie avant qu'elle eût le temps de la refouler. Elle n'était pas certaine de vouloir connaître le type d'activités où il avait manifesté un pareil degré de résistance.

Il avait dû lire dans ses pensées parce qu'il la regardait en souriant d'un air entendu.

– De recherches, en fait. Ce qui n'est pas aussi amusant que d'écrire.

– Ah bon! Pourquoi?

– Parce qu'il s'agit de faits, et non pas de fiction.

– Vous préférez la fantaisie à la réalité?

– D'après ce que j'ai vu de la réalité, je crois bien que oui. » Après une courte pause, il ajouta : « Quoi qu'il en soit, je ne peux pas être tenu pour responsable de ce que je dis ou fais avant ma première tasse de café. Il était tôt.

– Onze heures du matin.

– Et vous étiez d'une humeur de cochon.

Elle ouvrit la bouche pour protester, mais se ravisa.

– Je me suis montrée plutôt bégueule et catégorique, n'est-ce pas?

– Oui.

– Je suis désolée. Vous m'avez exaspérée et j'ai réagi de façon exagérée.

Il répondit à ses excuses par un haussement d'épaules.

– Il semble que j'ai le don de mettre les gens en boule, dit-il, non sans amertume. Bref, qu'en pensez-vous? Si nous nous donnions mutuellement une deuxième chance?

Elle n'était pour ainsi dire pas sortie depuis son arrivée à San Antonio. Personne à WWSA ne l'intéressait, et même s'il s'était trouvé là un homme séduisant et disponible, elle n'aurait rien fait pour l'encourager. Elle se défendait rigoureusement de fréquenter des collègues de travail de peur d'empoisonner l'ambiance du bureau si la relation venait à tourner au vinaigre. Mais avait-elle vraiment envie d'aller dîner avec Alex Pierce ?

Il était beau parleur et paraissait intelligent. Chez les Walters, elle avait vu son côté irascible, mais à présent, elle entrevoyait chez lui un sens de l'humour plus spirituel que caustique. Ce genre de défi verbal l'amusait toujours.

Il était nettement plus soigné que la dernière fois qu'elle l'avait vu, même s'il continuait à ressembler davantage aux méchants de ses livres qu'à ses héros. Il émanait de lui comme un parfum de danger.

Bref, c'était un homme extrêmement séduisant, vraiment pas gêné de se présenter à une inconnue alors qu'il ne portait rien d'autre qu'un jean à moitié déboutonné. Il savait probablement que cette tenue l'avantageait, tout comme il savait combien cela l'avait troublée.

Après avoir pesé le pour et le contre, elle décida que c'était le genre d'homme qu'il convenait d'éviter à tout prix.

– Cela vous ennuierait-il de m'attendre le temps que j'aille me changer ? dit-elle.

CHAPITRE 18

Ce n'était pas vraiment le genre de restaurant qu'elle aurait choisi. Elle n'y serait certainement pas allée toute seule. Le parking était rempli de poids lourds. A l'intérieur, des boules de billard claquaient en fond sonore; le juke-box beuglait de la musique à deux temps. L'établissement se vantait de servir les meilleurs hamburgers et la bière la plus fraîche du Texas.

Son hamburger était incroyablement épais et juteux. Après en avoir grignoté délicatement un ou deux morceaux, elle décida qu'elle n'avait rien à faire des bonnes manières et mordit dedans à belles dents sans se soucier du jus qui lui coulait sur le menton.

Elle plongea une frite dans le ketchup avant de l'enfourner.

– Je ne suis pas près de vous pardonner la boutade de mauvais goût que vous avez faite l'autre jour à propos des rousses.

– Je ne m'en souviens plus.

Elle le fusilla du regard.

– Bien sûr que si. Vous m'avez dit que dans vos livres, les rousses sont toujours faciles.

– C'était une plaisanterie tout aussi facile, reconnut-il, en s'efforçant vainement de prendre un air contrit.

– Malheureusement, c'était vrai, reprit-elle, les rousses accordent aisément leurs faveurs dans vos livres. Ainsi que les brunes, les blondes et toutes les autres. Une page sur deux, un personnage féminin se...

– ... s'abandonne.

– Exact. Vos héros ne demandent jamais la permission. Et vos personnages féminins ne refusent jamais.

– Il y a une grande part de rêve dans toute œuvre de fiction.

– Vous avez des rêves sexistes dans ce cas.

– Pour Ian Fleming, ça a bien marché. James Bond demande-t-il jamais la permission? Essuie-t-il jamais le moindre refus?» Il fit une boulette du papier qui enveloppait son cheeseburger, s'essuya la bouche avec une serviette en papier, et posa les avant-bras sur la petite table ronde comme s'il était sur le point de se lancer dans une discussion sérieuse.

– Mis à part ma phallocratie flagrante, et en passant outre au fait que toutes mes héroïnes sont des marie-couche-toi-là, que pensez-vous de mes livres?

Elle n'avait aucune envie de lui dire qu'elle les avait trouvés excellents, mais elle se sentit obligée d'être sincère. Puisque Alex semblait faire cas de son opinion, elle n'avait pas le droit de le tromper.

– Ils sont bons, Alex. Durs. Noirs. D'un réalisme brutal. J'ai même dû survoler la plupart des scènes de violence. Mais c'est sacrément bon. Et aussi difficile que ce soit pour moi de l'admettre, vos personnages féminins sont parfaitement convaincants.

– Merci.

– Mais...

– Oh oh! Voilà le mais! Vous auriez dû être critique littéraire. Ces gens-là vous lancent des fleurs, puis viennent les coups de pied où je pense.

Elle rit.

– Mon intention n'était pas de vous critiquer. Sincèrement, je trouve que vous écrivez extrêmement bien.

– Alors pourquoi ce «mais»?

– Mais je trouve ça triste.

– Triste?

– Votre écriture a quelque chose de...» Elle chercha le terme exact. «... De désespéré. De fataliste.

Il réfléchit un moment avant de répondre.

– Je crois que cela tient aux innombrables scènes de violence auxquelles j'ai assisté personnellement.

– Quand vous étiez policier?

Il parut étonné qu'elle fût au courant.

– Ce renseignement figure sur la jaquette de vos livres.

– C'est vrai.» Il but une gorgée. «Le crime paie, vous savez. Trop souvent, ce sont les méchants qui gagnent. Par les temps qui courent, il semble que cela soit généralement le cas. Je suppose que cela explique le fatalisme qui émane de mes livres.

– C'est aspect m'a effectivement touchée au vif...

Elle hésita. C'était la première fois qu'ils sortaient ensemble. Dans quelle mesure voulait-elle s'ouvrir à lui?

– Quand cela?

Elle baissa les yeux et tripota le panier en plastique rouge contenant les vestiges de son repas.

– Je ne sais pas si vous êtes au courant. La presse en a parlé, mais j'aborde rarement la question parce que les gens réagissent parfois bizarrement lorsqu'ils l'apprennent. Il n'y a pas de quoi en faire un plat, mais...

Elle releva la tête et plongea son regard dans le sien, avide d'évaluer sa réaction initiale.

– J'ai eu une greffe du cœur.

Il cligna des paupières une ou deux fois. Cela s'arrêta là. Il était bien sûr impossible de deviner ses pensées derrière ce regard gris, imperturbable.

Au bout d'un moment, elle vit qu'il fixait sa poitrine. Il avala sa salive. Puis ses yeux se reportèrent sur les siens.

– Il y a longtemps?

– Presque quatre ans.

– Et ça va?

Elle rit pour alléger la tension.

– Bien sûr que ça va. Qu'est-ce que vous croyez? Que je vais tourner de l'œil et vous laisser avec l'addition sur les bras?

Il était toujours difficile de prévoir la réaction des gens face à un greffé du cœur. Certains étaient rebutés; ils frémissaient en apprenant la nouvelle et s'empressaient de changer de sujet. D'autres éprouvaient pour leur part une crainte mêlée de respect. Ils tendaient la main vers elle et la touchaient comme si cela pouvait leur conférer des pouvoirs spirituels; ils la traitaient comme de l'eau miraculeuse ou une statue de la Vierge censée avoir versé des larmes de sang. Quel acte magique attendaient-ils d'elle? Elle l'ignorait. D'autres encore manifestaient une curiosité insatiable, la bombardant de questions personnelles souvent embarrassantes.

– Etes-vous limitée de quelque manière que ce soit? demanda-t-il.

– Oui, répondit-elle d'un ton grave. Je n'ai pas le droit de faire plus de vingt chèques par mois sans l'aval de ma banque.

Il la regarda d'un air gêné.

– Vous avez très bien compris ce que je voulais dire.

Oui, elle avait parfaitement compris, mais elle avait horreur de parler de ça.

– Je dois prendre deux poignées de pilules trois fois par jour. Je suis censée faire de l'exercice, manger sainement, comme tout le monde. Pas de graisse, pas de cholestérol.

Il leva son sourcil oblique et pointa le menton vers les ravages qu'elle avait faits à son hamburger et à sa portion de frites.

– Mais j'ai dû me passer de la bière la plus fraîche du Texas, dit-elle, se justifiant.

– L'alcool vous est interdit?

– Cela annihile l'effet de mes médicaments. Et vous, dites-moi? J'ai bien remarqué que vous buviez un soda alors que tous les individus débordant de testostérones présents dans cet établissement sifflent des bières.

Sa question l'avait mis mal à l'aise, mais nichant son menton dans le creux de sa main, Cat ne le quitta pas du regard jusqu'à ce qu'il se laissât faiblir.

– L'alcool m'annihile l'esprit. On s'est bagarrés, lui et moi, il y a plusieurs années de cela. Il m'a mis K.O., mais j'ai finalement réussi à me remettre sur pied en chancelant.

– Et vous chancelez toujours?

– Je n'en suis pas sûr. Je n'ai pas suffisamment confiance en moi pour remonter sur le ring.

Il parut attendre sa réaction, comme s'il cherchait à savoir si son problème d'alcoolisme, bien que surmonté, altérerait l'opinion qu'elle avait de lui. Elle eut envie de lui demander s'il avait commencé à boire après avoir quitté la police, ou bien si c'était la raison pour laquelle on l'en avait exclu. La courte biographie figurant sur la jaquette de ses livres ne le précisait pas.

Elle décida de ne pas être indiscrète. Cela ne la regardait vraiment pas, mais elle était à peu près sûre que l'alcool avait joué un rôle déterminant dans le développement de la face obscure, secrète de sa personnalité qu'elle avait détectée.

– Remonter sur le ring, répéta-t-elle, résolue à changer de sujet. Décidément, j'aime bien parler avec les écrivains. Les conversations sont bourrées de métaphores et d'analogies. Sans parler des comparaisons, des litotes, etc.

– Vous n'allez pas recommencer avec ça, grommela-t-il.

Il déposa sur la table de quoi payer l'addition, outre un généreux pourboire. Cat proposa de payer sa part.

– Non, fit-il en se levant et en lui faisant signe de l'imiter. Je vous invite. Je ferai passer cela en note de frais.

– Ce n'était pourtant pas un dîner d'affaires.

– Si. C'est juste que je n'ai pas encore eu le temps d'aborder ce côté-là de la chose.

Une fois dehors, il l'entraîna vers sa moto et l'aida à mettre un casque. Elle enfourcha le siège, il démarra et l'engin s'anima avec un rugissement.

Comme ils quittaient le parking à vive allure, Cat saisit Alex par la taille. Il conduisait vite, mais prudemment. Quoi qu'il en soit, elle ne put s'empêcher de penser que Dean parlait toujours des motards comme de donneurs d'organes.

Ce fut sa seule pensée liée à Dean, et elle fila aussi vite que la moto sur la route.

En arrivant devant chez elle, elle regretta que le trajet eût été aussi court. Il dut sentir sa répugnance à mettre pied à terre.

– Qu'est-ce qu'il y a? demanda-t-il d'un ton curieux alors qu'elle enlevait son casque et se passait la main dans les cheveux.

– Rien, répondit-elle en lui tendant le casque.

– Mais si, je vois bien qu'il y a quelque chose.

– Je veux vous remercier de ne pas avoir fait toute une histoire à propos de ce que je vous ai dit. » Il la considéra d'un air perplexe. « A propos de ma greffe du cœur, précisa-t-elle. Vous n'avez pas blêmi à l'idée de me prendre sur votre moto. Vous avez conduit aussi vite qu'à l'aller, avant de savoir que j'avais été opérée.

– Je n'aurais pas dû?

– La plupart des gens me ménagent plus que de raison. Ils me croient fragile. Ils ne prennent aucun risque avec moi, de peur que je leur claque entre les doigts. Toutes ces attentions me fatiguent à la longue. Je vous suis reconnaissante de ne pas avoir pris de gants avec moi. Merci.

– Il n'y a pas de quoi.

Ils échangèrent un long regard. Elle savait que quelque chose d'important était en train de se passer. Son attirance pour lui était trop forte pour qu'elle l'ignorât. Et cela ne datait pas de ce soir.

Elle avait eu un pincement au cœur dès l'instant où il avait poussé la porte de chez les Walters, lorsque leurs regards s'étaient croisés pour la première fois. Elle avait été tentée alors de repaître ses yeux, mais elle s'était retenue. Plus maintenant. Cette fois-ci, ils explorèrent longuement son visage.

Il y avait eu des regards comme celui-là dans certaines scènes de *Passages*. Des regards qui laissaient entendre que l'instant présent pouvait changer le cours d'une vie, qu'il fallait « être en éveil », que le moment était de la plus haute importance. A partir de ce moment, plus rien ne serait jamais pareil. Pour le plaisir des téléspectateurs, elle avait interprété cet élan d'exaltation avec conviction, mais elle ne l'avait jamais vécu elle-même. Pas comme ça.

Ce fut Alex qui rompit la magie de cet instant en lui saisissant le coude et en l'orientant vers la maison.

– J'ai une faveur à vous demander, dit-il tandis qu'ils remontaient l'allée.

– Nous en venons donc au côté business de la soirée?

– Oui. Seriez-vous d'accord pour m'aider dans mes recherches pour mon prochain livre?

– En quoi puis-je vous être utile?

Comme ils arrivaient devant la porte, il lui fit face.

– En vous abandonnant dès notre premier rendez-vous.
– Quoi?
– Voulez-vous coucher avec moi ce soir?
– Non!
– Voilà. Business terminé. Je vous ai demandé de m'assister dans mes recherches. Vous m'avez dit non, naturellement, mais reconnaissez que c'était une demande légitime qui venait du fond du cœur.
Elle s'efforçait de conserver son air renfrogné, mais elle sentait le fou rire monter irrésistiblement.
– Pensez-vous que le fisc considérerait cela comme une transaction légitime?
– Ils me demandent rarement d'être aussi spécifique.
Une voiture passa, détournant l'attention d'Alex un instant.
– C'est une rue agréable. Je ne vous imaginais pas du tout dans un endroit comme ça.
– Ah bon?
– Non, je vous voyais dans un quartier beaucoup plus chic.
– C'est le cas à Malibu. Ceci est exactement ce que je recherchais quand je suis venue m'installer ici. Une rue bordée d'arbres dans un quartier tranquille. Une maison vieille de trente ans avec des planchers dans toutes les pièces et un grand porche qui fait tout le tour. De la place et du confort.
– Une maison dans laquelle votre mère se sentirait à l'aise.
– Oui, probablement.
Une ombre passa sur le visage de Cat. Il la remarqua aussitôt.
– J'aurais mieux fait de me taire, n'est-ce pas? Situation difficile?
– Pas de situation du tout. Mes parents sont morts tous les deux quand j'avais huit ans.
– Mon Dieu! Que s'est-il passé?
Elle éluda la question en feignant d'avoir mal compris.
– J'ai été prise en charge par le système.
– Adoptée, vous voulez dire?
– Hum. Personne n'a jamais voulu m'adopter parce que j'étais malade.
– Tous les enfants sont malades.
– Pas à ce point-là. J'avais la maladie d'Hodgkin. On l'a diagnostiquée de bonne heure et j'ai pu guérir complètement, mais les gens trouvaient risqué d'adopter une petite rousse maigrichonne avec des antécédents médicaux pareils.
Elle leva les yeux vers lui un court instant.
– La suite n'est pas belle à entendre. Vous êtes sûr que vous voulez que je vous raconte tout ça?
– Je n'ai pas encore capitulé.

– Vous êtes libre de le faire quand vous le souhaitez.

Elle marqua une pause. Il n'avait pas bougé. Elle prit une profonde inspiration avant de plonger.

– J'ai été ballottée de famille en famille. En conséquence de ces rejets répétés, j'ai fini par avoir une drôle d'attitude. J'étais prête à tout pour attirer l'attention. En bref, je suis devenue une vraie peste.

– Je n'ai pas de mal à le croire.

– J'ai toujours été différente des autres enfants, d'abord parce que j'étais très malade, ensuite parce que je n'avais plus mes vrais parents. Dieu merci, j'ai survécu à tout ça sans souffrir de troubles psychologiques trop graves.

– Ça aussi je le crois aisément. Vous avez le profil d'une battante.

Elle gonfla ses petits biceps. Il éclata de rire.

– Quelle était la cause de vos problèmes cardiaques?

– La chimiothérapie que l'on m'a administrée pour lutter contre la maladie d'Hodgkin. Elle a vaincu le cancer, mais a fait des ravages sur mon cœur. Je mourais à petit feu depuis des années.

– Sans en être consciente?

– Absolument. Je menais une vie saine et parfaitement normale. Pendant ce temps-là, mon cœur se pétrifiait littéralement dans ma poitrine. Quand les muscles cardiaques commencèrent à ne plus guère fonctionner, je constatai que je manquais de tonus. J'en rejetai la faute sur le surmenage, mais ni le repos ni les vitamines n'apaisaient ma fatigue.

« Finalement, j'allai me faire faire un check-up pour me retrouver au bout du compte dans le cabinet d'un cardiologue. A ma consternation, il découvrit qu'une grande portion de mon cœur était devenue presque aussi dure que de la pierre. Il n'arrivait plus à pomper le sang en quantité suffisante. Il fonctionnait à moins d'un tiers de sa capacité, ce qui faisait de moi une candidate à la greffe. Faute de quoi, j'étais condamnée.

– Avez-vous eu peur?

– J'étais plus en colère qu'effrayée. Le sort ne m'avait guère favorisée dans mon enfance, mais j'avais surmonté toutes ces épreuves. J'étais une vedette de la télévision. Des millions de gens m'adoraient. Certains organisaient leur emploi du temps autour de mon feuilleton. J'avais une vie merveilleuse, et puis vlan! J'avais envie d'attraper Dieu par le collet et de lui dire : « Hé, je voudrais pas me plaindre, mais quand ça suffit, ça suffit! Il a dû recevoir mon message puisqu'il m'a laissée vivre.

– D'où *Cat's Kids.*

– D'où *Cat's Kids,* répéta-t-elle en un murmure, souriante, heureuse qu'il ait eu l'intuition de faire le lien de lui-même.

Leurs sourires se prolongèrent un long moment puis progressivement, ils s'effacèrent, mais ils continuèrent à se regarder. Les ombres étaient profondes sous le porche. Le silence aussi. Une autre voiture passa, mais cette fois-ci, ils ne s'en aperçurent ni l'un ni l'autre. Cat sentit un moustique se poser sur son bras. Elle le chassa sans y penser.

Ils se tenaient face à face, les yeux dans les yeux, se rapprochant imperceptiblement l'un de l'autre. Tout à coup, sans prévenir, il leva la main et la glissa dans l'échancrure de son chemisier. Les bouts de ses doigts firent leur chemin du creux de sa gorge jusqu'au milieu de sa poitrine. Il suivit leur mouvement du regard.

– Je m'attendais à voir une cicatrice.

Sa voix de baryton étouffée provoqua un frémissement tout au fond de son être.

– Elle s'est effacée peu à peu, même si je la vois encore.

– Vous la voyez?

– Oui. Bien qu'elle ne soit plus là.

– Hum. Est-ce que ça fait mal?

– La cicatrice?

– Non, ça et le reste.

– Il y a eu des moments difficiles.

– Mon Dieu, ce que vous êtes courageuse.

– Si vous m'aviez vue tout de suite après l'opération, vous ne diriez pas ça. Avec tous ces tubes, ces cathéters, cette horrible sensation d'étouffer. On m'avait pourtant prévenue, mais j'ai paniqué. C'était une vraie chambre de torture.

– J'imagine assez bien.

– Non, vous ne pouvez pas vous l'imaginer. Pas si vous ne l'avez pas vécu vous-même.

– Vous avez sûrement raison.

– La seule chose qui m'a permis de tenir le coup, c'était le fait de savoir que j'avais un nouveau cœur. Je le sentais battre dans ma poitrine. Si fort!

– Comme maintenant?

Il pressa sa main plus fermement contre sa poitrine.

– Non. Il bat encore plus fort maintenant.

Ils parlaient à mi-voix. Ses doigts continuaient à lui masser le sternum. Embarrassée comme elle l'était par sa cicatrice, elle n'arrivait pas à croire qu'elle le laissait faire. Pourtant cela lui semblait normal, inexplicablement. Ses doigts l'exploraient, mais avec douceur et sensualité, que cela fût intentionnel ou non. Elle se sentait fondre.

Une délicieuse langueur l'envahit, aussi douce et pénétrante qu'une anesthésie. Ses extrémités nerveuses la picotaient, leur sensibilité accrue.

Il regardait ses doigts se promener sur sa peau, mais progressivement, ses yeux remontèrent pour plonger dans les siens. Elle lut du désir dans son regard. Un besoin.

– Allez-vous m'inviter à entrer? demanda-t-il d'une voix rauque.

– Non. Vous allez partir fâché?
– Non. Déçu seulement.
Puis sa bouche s'empara de la sienne. Il l'enveloppa dans ses bras. Lorsqu'elle écarta les lèvres, il émit un gémissement distinctement masculin. Elle en fut bouleversée et noua les mains autour de sa nuque, en glissant les doigts dans ses cheveux.
Ils se mouvaient à l'unisson; leurs hanches se heurtèrent, puis se soudèrent, intimement. Sa main qui n'avait pas quitté l'échancrure de son chemisier se déploya sur son cœur, dont il sentait les battements rapides contre sa paume.
Son autre main évoluait hardiment le long de son dos et de ses hanches. Il mit sa main en coupe sur son jean et la serra plus fort contre lui. La passion de leur baiser s'intensifia.
Cat rejeta la tête en arrière, haletante.
– Alex?
– Hum?
Sa bouche avait gagné sa gorge qu'il embrassait voracement.
– Je ferais mieux de rentrer, dit-elle.
Il leva la tête et cligna des yeux, dans un effort pour accommoder son regard sur elle.
– Ah oui! C'est vrai.
Il retira prestement la main de son chemisier, écarta une mèche de son front et fit volte-face. Il descendit en une seule enjambée les trois marches du perron.
Le remords la traversa de part en part, comme une douleur violente.
– Est-ce que vous m'appellerez?
Il s'arrêta, se retourna.
– Voulez-vous que je le fasse?
Elle avait l'impression d'être au bord d'un plongeoir, ses dix doigts de pied alignés contre le rebord de la planche. Elle pouvait plonger dans l'inconnu sans savoir si elle atterrirait en beauté ou en catastrophe. Elle ne le saurait pas tant qu'elle n'aurait pas plongé. Aussi dangereux que cela risquait d'être, elle voulait connaître ce vertige et découvrir ce qui l'attendait en bas.
– Oui, je voudrais bien.
– Alors, je vous appellerai.

Il lui fallut un bon moment pour se remettre de leur étreinte. Tout étourdie, elle errait dans la maison, oubliant pourquoi elle était entrée dans une pièce, incapable de penser à quoi que ce soit en dehors du contact de ses lèvres sur les siennes, de ses mains sur son corps. Elle se dévêtit, prit une douche et but une tasse de tisane dans l'espoir de se détendre et de dissiper la fièvre érotique qui s'était emparée d'elle.

Pour finir, persuadée qu'elle allait pouvoir dormir, elle fit le tour de la maison pour éteindre les lumières. Au moment où elle allait tirer le verrou de la porte d'entrée, elle aperçut son courrier qu'elle avait laissé sur la table de l'entrée.

– Zut!

Elle n'avait qu'une seule envie : aller se coucher, serrer son oreiller contre elle et revivre le moment qu'elle avait passé avec Alex Pierce. Mais si elle n'ouvrait pas son courrier tout de suite, elle en aurait deux fois plus à dépouiller le lendemain soir.

Résolue à couper la poire en deux, elle ramassa sa correspondance qu'elle emmena avec elle dans sa chambre. Elle fit rapidement le tri, jetant les réclames par terre et plaçant les factures sur sa table de nuit.

La dernière enveloppe de la pile attira son attention parce qu'elle était blanche, simple, dépouillée. Son nom et son adresse avaient été tapés à la machine, bien au milieu, sur trois lignes. Il n'y avait ni en-tête ni adresse au dos, mais le cachet indiquait que cette lettre avait été postée localement.

Intriguée, elle décacheta l'enveloppe et découvrit une coupure de journal : quatre paragraphes sur une seule colonne. Ni mot, ni explication.

Elle parcourut l'article en zigzag, puis le relut attentivement, avec un intérêt croissant. Il s'agissait d'une dépêche en provenance de Memphis, dans le Tennessee. Jerry Ward, un gamin de seize ans, avait péri noyé, pris au piège dans son camion. Il avait apparemment perdu le contrôle de son véhicule sur un pont rendu glissant par la pluie et avait plongé dans une rivière à proximité de son domicile. Sa dépouille et l'épave n'avaient été retrouvées que plusieurs heures plus tard.

Cat vérifia l'enveloppe banale dans laquelle on lui avait envoyé cet article. En dépit de son lieu d'origine, celui-ci aurait pu provenir de n'importe quel journal. C'était du fait divers. La plupart des lecteurs se contentaient d'y jeter un coup d'œil, avant de lire le courrier du cœur ou la page des sports.

Mais son correspondant anonyme savait que son intérêt serait éveillé parce que le jeune garçon de Memphis et elle avaient quelque chose en commun.

Jerry Ward était un greffé du cœur. Après avoir lutté contre une affection cardiaque depuis sa prime enfance, il avait subi une opération, couronnée de succès, pour mourir en définitive tragiquement dans un accident.

Cette ironie cruelle ne lui avait pas échappé.

Elle soupçonnait que son correspondant avait prévu sa réaction.

CHAPITRE 19

Nancy Webster se glissa au lit à côté de son mari. Elle posa la main sur son ventre en un geste rituel qui mettait officiellement fin à la journée. Il couvrit sa main de la sienne en la caressant distraitement.

– A quoi penses-tu? demanda-t-elle d'une voix douce.

– A des tas de choses, répondit-il en souriant.

– Par exemple?

– Oh, rien de spécifique.

Au début de leur mariage, il lui relatait en détail toutes les étapes de sa journée de travail. Ils évoquaient leurs espoirs et leurs rêves à voix basse pour ne pas réveiller les enfants qui dormaient dans la pièce voisine.

Au fil des années, d'autres obligations les avaient accaparés, prenant quelquefois le pas sur ces paisibles conversations sur l'oreiller. Nancy les regrettait et se languissait de l'époque où son opinion comptait plus que celle de quiconque aux yeux de Bill. Il continuait à en faire cas, bien sûr, mais il ne la consultait plus aussi fréquemment qu'avant, lorsque sa réussite n'était pas encore assurée.

– Les nouveaux indices d'écoute Neilsen seront rendus publics demain, remarqua-t-il.

– La dernière fois, WWSA était le leader sur le marché, lui rappela-t-elle. Ton principal rival était loin derrière. Je parie que tu auras encore plus d'avance sur lui cette fois-ci.

– J'espère que tu as raison.

Elle se blottit contre lui et posa la tête sur son épaule.

– Quoi d'autre?

– Oh rien. Enfin tout.

– Cat Delaney?

Elle perçut sa réaction immédiate. A peine discernable, il est vrai – une crispation, un léger recul même s'ils continuaient à se toucher –, mais incontestable.

– Pourquoi penserais-je à elle? demanda-t-il d'un ton agacé. Plus qu'à Dirk Preston, Wally Seymour ou Jane Jesco? ajouta-t-il, nommant les autres présentateurs populaires de la chaîne.

– C'est la question que je te pose, Bill, répondit-elle d'une voix douce. Y a-t-il une raison particulière pour laquelle tu l'aurais à l'esprit?

– Elle fait un travail remarquable. Mais elle s'est mise dans de vilains draps la semaine dernière, avec ce couple qui a révoqué son adoption. » Il marqua une pause. « Dieu merci, ils ne s'en sont pas pris à nous. »

Il changea de position. Sous les couvertures, son pied entra en contact avec celui de son épouse, mais il s'en écarta aussitôt.

– Cat est consciencieuse. Quelquefois trop, à mon avis. Je l'admire et je l'aime bien.

– Moi aussi, répondit Nancy en se redressant, prenant appui sur son coude. Mais je ne veux pas partager mon mari avec elle, ajouta-t-elle en le regardant dans le blanc des yeux.

– Qu'est-ce que tu racontes? s'exclama-t-il brusquement.

– Bill, il y a quelque chose qui cloche entre nous.

– Mais pas du tout.

– Je le sens. Il y a plus de trente ans que nous sommes mariés. J'ai dormi à tes côtés chaque nuit depuis lors. Je t'ai vu heureux, malheureux, frustré, radieux, effondré. Je connais toutes tes humeurs. Je... je t'aime.

Sa voix se brisa, et elle s'en voulut parce qu'il était hors de question qu'elle devienne une épouse pleurnicheuse précipitant son mari dans les bras d'une autre femme plus compréhensive et moins encline à le harceler et à lui poser des questions.

Il lui caressa les cheveux.

– Moi aussi je t'aime. Je te jure devant Dieu qu'il n'y a rien entre Cat Delaney et moi.

– Mais tu es obsédé par elle. Tu l'étais déjà avant de la rencontrer.

– Je la voulais pour WWSA.

– Cesse de me raconter des histoires, lâcha-t-elle. Ton intérêt pour elle dépasse clairement le cadre professionnel. Tu avais déjà jeté ton dévolu sur d'autres présentateurs auparavant, mais pas avec l'obstination avec laquelle tu l'as pourchassée, elle. Est-ce qu'elle t'attire physiquement?

– Non! » s'écria-t-il avec dureté. Baissant le ton, il répéta : « Non, Nancy. »

Elle scruta son visage, cherchant la vérité, mais ses yeux ne trahissaient rien. Cette implacabilité avait contribué à faire de lui un remarquable homme d'affaires. S'il ne voulait pas que l'on devine ses pensées, c'était peine perdue que de s'y essayer.

Poursuivre cette discussion revenait à le qualifier de menteur et ne ferait que creuser le fossé qui les séparait. Elle décida d'abandonner la partie pour le moment.

– Très bien, dit-elle.

Il l'attira contre lui et mit son bras autour de ses épaules.

– Tu sais que je t'aime, Nancy. Tu le sais.

Elle hocha la tête. Mais pour se tranquilliser l'esprit, elle voulait qu'il le lui prouve physiquement. Elle lui prit la main et la posa sur sa poitrine. Il réagit aussitôt. Ils s'embrassèrent, commencèrent à se caresser. Lorsqu'il la pénétra, elle serra les jambes autour de lui en un geste possessif.

Plus tard, elle se blottit contre lui, attentive au rythme profond de sa respiration. Même étroitement enlacés, même si leurs rapports restaient passionnés, ils avaient perdu l'intimité spirituelle qu'ils partageaient jadis. Quelque chose y faisait obstacle.

Cat Delaney ne semblait pas du genre à se lancer dans une liaison avec un homme marié, mais c'était tout de même une actrice. En se montrant aussi gentille à son égard, peut-être jouait-elle la comédie. Nancy éprouvait toujours une certaine méfiance vis-à-vis des autres femmes. Bill était un homme beau, charmant et riche – une proie pour une foule de femmes qui n'auraient pas hésité à briser un mariage.

Ils s'étaient rencontrés et mariés alors qu'ils étaient encore étudiants, mais de nombreux couples se séparaient au bout de trente ans de mariage, voire davantage. Elle ne pouvait pas tabler sur la sentimentalité, ni sur ses six enfants pour lui attacher Bill à jamais.

Elle ne pouvait compter que sur l'amour qui avait résisté aux épreuves pendant plus de trois décennies – et sur elle-même. Luttant avec acharnement contre l'embonpoint, elle gardait la ligne. A cinquante-quatre ans, elle n'avait pour ainsi dire pas de rides. Un rinçage couleur miel dissimulait ses quelques cheveux blancs. Elle allait au gymnase trois jours par semaine, jouait régulièrement au golf et au tennis avec des amies. Autant d'activités qui l'aidaient à combattre l'indolence de l'âge mûr. Quand elle se regardait dans une glace, elle se trouvait sans modestie en meilleure forme que beaucoup de femmes plus jeunes qu'elle.

N'ayant jamais vraiment eu d'ambitions professionnelles, elle s'était consacrée tout entière à la poursuite des objectifs de son mari. Bill avait fait ses débuts comme cameraman de studio alors qu'il était encore adolescent, puis il avait gravi les échelons jusqu'au service des ventes, avant de passer au rang du management, allant de chaîne en chaîne, de ville en ville, d'État en État.

Durant les quinze premières années de leur mariage, ils avaient déménagé si souvent qu'elle n'arrivait plus à savoir combien de fois. Cela ne l'avait pas dérangée. Avec chaque nouveau poste, Bill s'élevait dans la hiérarchie et elle savait l'importance que cela avait à ses yeux.

A l'époque où il dirigeait une chaîne dans le Michigan, il avait facilité la vente de celle-ci à un consortium de médias, ce qui lui avait valu une prime énorme. Les nouveaux propriétaires lui avaient demandé de rester, mais il avait préféré se servir de cet argent comme premier acompte pour l'acquisition de sa propre chaîne. WWSA avait été pour eux comme un enfant supplémentaire. Bill avait dorloté sa chaîne. Nancy l'avait dorloté, lui.

Nancy comptait bien conserver son rôle de confidente, d'épouse, d'amie, d'amante, jusqu'à son dernier souffle. Elle adorait William Webster et elle était prête à tout pour le garder.

La joue posée sur l'oreiller, elle le regarda dormir. Avec cet homme, elle avait connu des moments d'intensité qu'elle n'aurait jamais imaginés possibles. Ses sentiments pour lui étaient complexes et comportaient d'innombrables facettes, marquées par les épisodes cataclysmiques de leur vie commune. Le jour de leur mariage. Chaque étape de sa carrière. Chaque succès, chaque revers. La naissance de chaque enfant. La mort de l'aînée.

Nancy sentit sa gorge se serrer.

Bill lui avait-il dit la vérité? Et si son engouement pour Cat Delaney n'avait rien de sexuel? Se pouvait-il que cela eût quelque chose à voir avec Carla?

Cette pensée lui glaça le sang.

– Bonjour, mademoiselle Delaney.

Cat s'arrêta net en voyant Mélia King à la réception du bureau du directeur des informations.

– Excusez-moi un moment.

Mélia répondit au téléphone mains libres qui venait de sonner.

– Bonjour. WWSA. Bureau des informations. Je vous écoute.

Elle appuya sur un bouton correspondant au poste d'un des journalistes, puis se tourna vers Cat en la gratifiant d'un sourire mielleux.

Cat pivota aussitôt sur ses talons. Délaissant l'ascenseur en faveur de l'escalier, elle atteignit le bureau du personnel en un temps record et fonça sur la secrétaire à laquelle elle demanda sans préambule si Mélia King faisait toujours partie de la maison.

– Elle est réceptionniste à la salle de rédaction maintenant.

– Comment est-ce possible? demanda-t-elle. Je l'ai renvoyée il y a quinze jours.

– On l'a réembauchée.

– Quand? Pourquoi?

– Je ne suis vraiment pas habilitée à discuter des affaires d'une autre employée avec vous, mademoiselle Delaney, s'entendit-elle répondre. On m'a dit de la réintégrer dans notre personnel. C'est tout ce que je sais.

Cat jeta un coup d'œil en direction de la porte de la directrice du personnel. Fermée.

– Je voudrais la voir. Annoncez-moi, s'il vous plaît.

– Elle n'est pas là, mademoiselle Delaney. Mais je lui laisserai un message de votre part.

– Non merci. Cela peut attendre.

Elle se retourna, sur le point de partir, puis fit face de nouveau à la secrétaire qui la considérait d'un œil anxieux.

– Vous ne serez pas mêlée à cette histoire, je vous le promets, ajouta-t-elle.

Elle quitta précipitamment le bureau du personnel, suivit le couloir d'un pas rapide et fit irruption dans la suite du président de la chaîne.

– Est-il là?

L'assistante de Webster la dévisagea d'un air à la fois choqué et terrorisé, comme si cette furie aux cheveux de feu et aux yeux remplis d'éclairs lui avait demandé de choisir entre la bourse et la vie.

– Oui, mais...

– Merci.

Bill était au téléphone quand elle ouvrit brusquement la porte. Il leva les yeux, furibond, mais dès qu'il eut identifié cette visite inattendue, il sourit et lui fit signe d'entrer.

– Entendu. Je vous rappelle la semaine prochaine à ce sujet. Certainement. Merci à vous. Au revoir.

Il raccrocha et se leva courtoisement en la gratifiant d'un grand sourire.

– Je suis content que vous soyez montée, Cat. J'espérais avoir une chance de bavarder avec vous aujourd'hui.

– Je ne suis pas ici pour bavarder.

Son ton hargneux le décontenança. Son sourire s'effaça peu à peu.

– Je vois ça. Asseyez-vous.

– Je préfère rester debout. Savez-vous que Mélia King fait de nouveau partie de votre personnel? enchaîna-t-elle.

– Ah, c'est donc de cela qu'il s'agit!

– La responsable du personnel l'a réintégrée alors que je l'avais licenciée. Je ne vois vraiment pas ce qui a pu la pousser à prendre une initiative pareille, mais je souhaiterais que vous interveniez pour corroborer ma décision.

– C'est impossible, Cat.

– Vous êtes le président de cette chaîne. Vous avez tous les pouvoirs.

– Je ne le peux pas parce que j'ai donné mon aval à la réintégration de Mlle King.

Sous le choc, elle s'assit, sans même s'en apercevoir. Ses genoux fléchirent et elle se laissa tomber sur un siège. Après l'avoir fixé pendant quelques secondes d'un air incrédule, elle posa les deux mains à plat sur le bureau de Bill et se pencha vers lui.

– Pour quelle raison, Bill?

– Ces questions sont assez complexes, Cat. Cela peut paraître simple en apparence, mais je vous assure qu'en réalité, c'est extrêmement compliqué.

Son ton condescendant la mit hors d'elle.

– Vous n'allez tout de même pas me dire que je ne devrais pas encombrer ma jolie petite tête avec ces petits soucis sans importance?

Il fronça les sourcils.

– Je n'étais pas du tout en train de vous faire la leçon.

– Bien sûr que si. Et cessez de me raconter des bobards, voulez-vous? Dites-moi la vérité. Aussi complexe qu'elle soit, je pense que je suis capable de la comprendre. Pourquoi avez-vous annulé le renvoi de Mlle King?

– Pour deux raisons. D'abord à cause de ses origines hispaniques. Nous devons tenir compte des quotas ethniques et les licenciements sont souvent très délicats. Vous travaillez depuis suffisamment longtemps à la télévision pour savoir que si l'on transgresse de quelque manière que ce soit la loi régissant l'égalité des chances face à l'emploi, même si quelqu'un a simplement l'impression que vous l'avez enfreinte, la Commission fédérale des communications vous passe au microscope et dissèque toute votre opération. Pour le prix d'un timbre-poste, quelqu'un est à même de formuler une plainte susceptible de fermer une chaîne de télévision.

– Son licenciement n'a strictement rien à voir avec des considérations ethniques, et vous le savez aussi bien que moi.

– Je le sais, mais si nous devons faire l'objet d'une investigation, ce ne sera certainement pas mon opinion qui comptera. Ecoutez, Cat, je sais que vous avez eu des problèmes avec cette employée, mais vous n'avez pas rapporté le moindre incident spécifique.

– Parce que je ne voulais pas passer pour une geignarde.

– Je le comprends, dit-il. Malheureusement, votre sagesse vous a desservie cette fois-ci. S'il y avait eu des rapports écrits concernant la négligence ou l'incompétence de Mlle King, vous auriez eu un dossier convaincant en faveur de son renvoi. Sans ces documents, on a l'impression que vous l'avez licenciée sur un coup de tête, à cause d'un conflit de personnalités et rien de plus. La commission pourrait très bien nous prendre à partie. Mlle King l'a très bien compris et elle a porté la question à l'attention de notre directrice du personnel qui m'en a fait part à son tour. Tout a été réglé très professionnellement, mais le subtil message de Mlle King était on ne peut plus clair.

– Elle a bluffé et vous avez cédé.

– La réembaucher allait dans l'intérêt de WWSA, répondit-il d'un ton cassant.

La réintégration de Mélia était un fait accompli. La décision de Webster était irrévocable. Cat savait qu'elle n'obtiendrait rien de plus en lui parlant des médicaments volés et de l'aveu de Mélia à ce sujet.

– Non pas que cela ait la moindre importance maintenant, mais je suis curieuse de connaître l'autre motif qui vous a incité à la reprendre. Vous m'avez dit que vous aviez deux raisons.

– Elle a un handicap.

– Un handicap? répéta-t-elle en riant sèchement. S'il est un spécimen physiquement sans défaut parmi vos employés, c'est bien elle.

– Elle est dyslexique.

– Seigneur! soupira-t-elle, se souvenant du nombre de fois où elle avait réprimandé Mélia parce qu'elle avait mal noté un numéro de téléphone. Je l'ignorais.

– Personne ne le savait. Ce détail ne figurait pas sur sa fiche de renseignements. Elle a appris à pallier cet inconvénient, même si elle n'y parvient pas toujours. Sans doute est-ce la raison pour laquelle elle faisait tant d'erreurs.

– Peut-être.

La dyslexie n'expliquait pas le fait que Mélia eût jeté ses remèdes dans une benne.

– Pensez-vous qu'il soit sage alors de lui confier un poste où elle doit constamment noter des noms et des numéros de téléphone?

– Elle affirme qu'elle peut s'en tirer. De plus, c'était la seule place disponible. On a même dû jongler un peu avec les horaires.

– Eh bien, on peut dire que vous vous êtes montré arrangeant.

– Le sarcasme ne vous va pas, Cat.

Toujours fâchée, elle se leva pour partir.

– Je comprends que vous vous soyez trouvé dans une position difficile, Bill. Je vous concède même que, pour le bien de la chaîne, vous n'aviez pas vraiment d'autre moyen de régler cette affaire. Ce qui me met en boule, c'est que vous n'ayez pas jugé bon de me consulter. Vous me faites passer pour une imbécile en me privant de toute autorité.

– Ce n'est pas vrai, Cat.

– J'ai bien peur que si. Si moi ou n'importe lequel de mes collègues censément à un poste à responsabilités peut voir ses décisions cassées ainsi, à quoi bon nous donner des pouvoirs? Dyslexie ou pas, Mélia méritait d'être licenciée!

– C'est tout à fait possible, mais les choses fonctionnent ainsi dans notre profession.

– Eh bien, cette facette-là de notre profession me débecte!

Il se leva et fit le tour de son bureau.

– Vous y allez un peu fort, Cat. Quelque chose d'autre vous tracasse-t-il?

Oui, pensa-t-elle. *Cette fichue lettre.*

La coupure de journal et l'enveloppe se trouvaient toujours dans le tiroir de sa table de nuit. Elle avait tenté de dissiper son malaise en se disant qu'il s'agissait probablement d'un maniaque, mais elle n'avait pas pu se résoudre à les jeter. Plus préoccupant encore que le contenu de l'article en soi était le fait qu'il provenait d'un expéditeur anonyme. Mais rien ne prouvait que les intentions de ce dernier fussent mauvaises; sans doute était-il insensible et avait-il un sens de l'humour tordu.

Elle n'avait pas encore tiré de conclusions. Il était certainement prématuré d'en parler à Bill, qui la taxerait sûrement de paranoïa. Ce en quoi il n'aurait pas tort.

– Non, tout va bien, dit-elle, en affichant un sourire affecté, préférant changer de sujet. Vous ai-je fait part de notre dernier succès? Chantal – vous vous souvenez d'elle?

– La petite fille qui avait besoin d'un nouveau rein?

– C'est cela. Ses parents adoptifs ont accepté de couvrir tous les frais médicaux. Hier, on a trouvé un donneur. Ils l'ont opérée la nuit dernière. Pour le moment, tout se passe bien.

– Excellente nouvelle, Cat. Je crois que cela nous fera une excellente publicité.

– Je le pense aussi. J'ai déjà demandé à Jeff de rédiger un communiqué et de l'envoyer à la presse. Je lui ai suggéré de commencer par Ron Truitt. S'il refuse de faire un article à ce propos, nous serons en mesure de l'accuser légitimement de partialité.

Bill posa les deux mains sur ses épaules et la serra contre lui un court instant.

– Evitez de ressasser ces histoires. C'est de la roupie de sansonnet à côté de l'excellent travail que vous fournissez. Continuez comme ça et laissez-moi m'occuper du fonctionnement de WWSA au jour le jour.

– Je tâcherai de m'en souvenir, Bill. Mais quand je m'énerve, il m'arrive de perdre la mémoire.

Il rit et la raccompagna à la porte.

– Je comprends que vous soyez en colère. Laissez-moi me racheter. Nancy m'a demandé de vous inviter à dîner. Elle voudrait vous présenter à diverses personnes susceptibles de vous aider à organiser un gala de charité à grand renfort de célébrités, comme il en avait été question. Que diriez-vous de samedi prochain?

– Merveilleux. Puis-je venir avec ma propre célébrité?

– Bien sûr. De qui s'agit-il?

– Alex Pierce.

– L'écrivain?

– Vous avez entendu parler de lui?

– Comment pourrait-il en être autrement? On dit de lui qu'il sera le prochain Joseph Wambaugh. Mais j'ignorais qu'il habitait San Antonio.

– J'ai l'impression qu'il n'habite nulle part. Il est ici en ce moment pour travailler sur son prochain livre.

– Mais certainement. Amenez-le-nous. Nancy en sera ravie.

CHAPITRE 20

– Alors, vous voulez venir?
– Qu'est-ce que je dois me mettre?
– Des chaussures et des chaussettes pour commencer.
Le téléphone amplifia son gloussement. Cela lui chatouilla l'oreille et elle s'aperçut qu'elle avait la chair de poule. De plus en plus ridicule, se dit-elle. Elle se comportait comme une gamine amoureuse pour la première fois.
Elle pensait à lui sans arrêt, au point que cela la perturbait dans son travail, et le son de sa voix suffisait à lui donner le tournis. Ridicule!
– Je vais voir si je peux dénicher deux chaussettes qui vont ensemble, dit-il.
– Ce n'est pas une soirée habillée, mais je ne voudrais pas que vous me mettiez mal à l'aise. Il y aura là des gens *très* importants, ajouta-t-elle, en prenant un accent britannique. Nancy Webster organise une collecte de fonds pour les gosses. Sachez que si vous commettez le moindre impair, je ne vous adresserai plus jamais la parole.
– Je promets de n'insulter personne, à moins que cela ne soit absolument nécessaire.
– C'est rassurant! gémit-elle. Vous allez probablement m'humilier en public, ou oublier de venir.
– Je vais le marquer sur mon calendrier.
– Vous oublierez de le vérifier. Rappelez-vous, c'est comme cela que nous nous sommes rencontrés!
– C'est la meilleure erreur que j'ai jamais commise.
Elle rougit de plaisir, heureuse qu'il ne puisse pas voir son sourire béat.
– Pour plus de sûreté, je vous téléphonerai une ou deux heures avant et je passerai vous chercher en voiture.

– Bonne idée.

– Vous travaillez ce soir?

– Oui, mais ces derniers temps, j'ai du mal à me concentrer. Je me demande bien pourquoi!

Une nouvelle onde de plaisir la parcourut. Elle se sentait flattée d'être un objet de distraction. Ils s'étaient revus à deux reprises depuis leur première sortie. Une fois au restaurant, pour dîner. Ils s'étaient retrouvés sur place, puis ils étaient rentrés chacun de leur côté. La fois suivante, il était venu la chercher – en voiture.

Ils étaient allés au Riverwalk, où ils avaient dîné à la terrasse d'un restaurant mexicain – fort mal –, après quoi ils avaient flâné le long de la fameuse promenade qui longe le fleuve San Antonio d'un bout à l'autre du centre-ville. Pour finir, ils avaient abandonné les boutiques et les galeries aux touristes pour rejoindre la rue où il faisait plus frais et où il y avait moins de monde.

Ils avaient acheté des glaces parfumées à la pina colada à un vendeur endormi et s'étaient assis sur un banc ombragé dans un coin tranquille de l'Alamo Plaza. Le soleil déclinait vers l'horizon et les bus de touristes étaient partis, conférant à la forteresse illuminée un air imposant et serein qui convenait à ce monument au regard de ce qui s'y était passé quelque cent cinquante ans plus tôt.

– Drôle de choix qu'ils ont fait là, hein? avait remarqué Alex en mordant dans sa glace à belles dents. Seriez-vous restée vous aussi pour vous battre jusqu'à la mort?

– Difficile à dire. Je crois que oui, si je n'avais rien eu à perdre en dehors de ma vie. » Elle avait léché sa glace du bout de la langue. « Je comprends leur attitude, en tout cas. »

Il l'avait regardée d'un air intrigué.

– Juste avant mon opération, j'ai réalisé tout à coup qu'on était sur le point d'extraire mon cœur de ma poitrine. Ne vous méprenez pas, s'empressa-t-elle d'ajouter. J'attendais avec impatience d'avoir un nouveau cœur. Mais brusquement, l'incertitude m'a saisie. J'allais devoir mourir pour revivre ensuite. Ce fut un moment terrible. » Elle le regarda et sourit. « Mais c'est passé, et j'ai eu droit à un nouveau cœur et à une deuxième vie. »

Ils avaient mâchonné leurs cônes en silence. Une carriole tirée par un attelage était passée lentement à proximité. Il n'y avait pas de passagers, juste le cocher, les épaules voûtées, la barbe sur la poitrine, l'air aussi las que son cheval.

– Cat?

– Oui?

– Connaissez-vous l'identité de votre donneur?

– Non.

– Savez-vous quoi que ce soit... ?
– Non, et je ne veux rien savoir.
Il avait hoché la tête, manifestement insatisfait par ses réponses laconiques.
– Comment se fait-il... ? Je veux dire, est-ce fréquent parmi les greffés du cœur ?
– Non. Certains souhaitent connaître la famille de leur donneur. Ils tiennent à les remercier personnellement et à leur faire savoir qu'ils sont conscients du sacrifice consenti. D'autres veulent tout savoir sur leur donneur. » Elle avait secoué la tête avec véhémence. « Pas moi. Je n'aurais jamais pu affronter ça.
– Pour quelle raison ?
– Imaginez que je les déçoive.
– Cela m'étonnerait.
– Il y a trop de zones d'ombre. Au lieu de m'appesantir sur ce qui m'a permis de survivre, je préfère me rendre utile dans l'existence. De cette façon, leur sacrifice n'aura pas été vain.
Ils en étaient restés là. Alex n'avait pas insisté et elle lui en avait su gré. C'était un sujet sensible. Elle en avait parlé plus librement avec lui qu'avec qui que ce soit, en dehors de Dean.
Mais aujourd'hui, en jetant un nouveau coup d'œil au tiroir de sa table de chevet, elle hésitait à aborder un autre sujet difficile : cette lettre qu'elle avait reçue récemment. Penserait-il que l'article sur le fait divers de Memphis avait un rapport quelconque avec elle ? Sinon, pourquoi le lui aurait-on envoyé ? Elle voulait connaître l'avis d'Alex à cet égard, mais décida que le moment était mal choisi pour en parler. Elle l'avait empêché de travailler suffisamment longtemps.
– Je vous laisse maintenant. Désolée de vous avoir dérangé.
– Ne vous faites aucun souci. Il y a des heures que je me concentre. J'avais besoin d'un moment de répit. Merci de votre invitation au dîner des Webster.
– Je suis contente que vous acceptiez.
– Je tâcherai de me comporter correctement.
– Je vous faisais marcher.
– Je le sais.
Elle devina qu'il souriait à sa voix. Elle sourit elle aussi.
– Bonne nuit, Alex. A samedi.
Longtemps après qu'elle eut raccroché, un sourire béat flottait encore sur ses lèvres. La situation commençait à lui échapper, incontestablement. Cela ne lui ressemblait pas du tout de se laisser ainsi dominer par ses émotions. A cause de son enfance, elle était terrorisée à l'idée de nouer une relation. A plusieurs reprises, elle avait dû renoncer brutalement aux frères et sœurs d'adoption auxquels elle s'était déjà attachée. Ses aventures s'achevaient inévitablement par une rupture douloureuse.

Il n'empêche qu'elle était en train de s'amouracher d'Alex Pierce à une vitesse grand V.

Qu'éprouvait-il à son égard?

Il avait envie de coucher avec elle. Ça, elle le savait. Il avait une robuste libido. Il suffisait de lire les passages chauds de ses livres pour s'en convaincre. Elle les avait lus. Plusieurs fois.

Evidemment, on ne pouvait pas dire qu'elle approuvait le comportement de ses héros vis-à-vis des femmes. Les qualifier de sexistes eût été offensant pour les sexistes eux-mêmes. A quelques exceptions près, ils traitaient les femmes avec moins d'égards qu'ils n'en auraient eu pour un Kleenex usagé.

Cependant elle n'avait pas l'impression qu'Alex partageait la misogynie de ses personnages. Il avait l'air de l'estimer ainsi que son travail. Il la complimentait souvent.

Bien qu'il fût capable de rire et de plaisanter, il était plutôt sérieux de nature, parfois même grave, supportant mal les banalités. Il ne parlait guère de son ancien métier de policier, et les rares fois où il avait abordé la question, elle avait perçu de l'amertume dans sa voix. Il y avait eu quelque chose de désagréable dans cette mise à la retraite anticipée dont elle soupçonnait qu'elle lui avait été imposée.

L'avoir comme amant était une perspective excitante, mais elle serait heureuse aussi qu'ils fussent amis. Elle restait très attachée à Dean, mais il était si loin. Elle avait besoin de quelqu'un à qui se confier, et pas systématiquement par téléphone.

Son regard se porta à nouveau sur la table de chevet où elle avait caché la mystérieuse coupure de journal, ainsi que celle qu'elle avait trouvée dans son courrier du matin.

Elle était arrivée dans une enveloppe identique à la première. Comme la première fois, celle-ci ne contenait rien d'autre qu'une dépêche, en provenance de Boca Raton, en Floride.

Une dame de soixante-deux ans avait été retrouvée morte après une chute. Alors qu'elle se trouvait seule chez elle, elle avait tenté d'arroser une plante suspendue au plafond par un crochet. Son escabeau avait glissé et elle était passée à travers une baie vitrée donnant sur un patio. Un morceau de verre lui avait transpercé un poumon.

A l'instar du jeune garçon de Memphis, c'était une greffée du cœur.

Cat ne savait que penser de ces messages sibyllins. Qu'en dirait Alex, lui qui avait été policier? Estimerait-il qu'il convenait de s'en inquiéter ou dissiperait-il son angoisse en décrétant qu'elle avait affaire à un dingue?

Elle était presque convaincue que ce devait être le cas pour la première lettre lorsqu'elle avait reçu la deuxième. C'était une coïncidence pour le moins étrange que deux opérés du cœur périssent dans des circonstances aussi bizarres. Plus curieux encore, quelqu'un tenait absolument à la mettre au courant de ces décès.

« C'est de la folie », se dit-elle en fourrant nerveusement les deux coupures de journaux dans leur enveloppe respective avant de refermer le tiroir brusquement. L'expéditeur de ces lettres cherchait probablement à lui embrouiller l'esprit et à l'agacer pour une raison ou pour une autre.

Elle n'allait pas se laisser faire en donnant prise à ce cinglé. Ces harcèlements faisaient partie des risques de sa profession. Il fallait faire comme si de rien n'était. A moins que ces messages ne devinssent franchement menaçants, inutile de se tourmenter.

En outre, elle avait des problèmes plus pressants à régler. Par exemple, quelle tenue choisir pour le dîner des Webster.

– Ouah !

Cat arriva cinq minutes en avance chez Alex. Il portait un pantalon noir et une chemise gris perle, qu'il n'avait pas encore eu le temps de rentrer dans son pantalon. Ses manchettes défaites pendaient à ses poignets et il n'avait attaché que deux boutons. Il était pieds nus.

Plus qu'une exclamation, son éloge avait été comme un souffle doux. Elle sentit ses genoux se dérober sous elle.

– Merci.

– Vous êtes superbe.

– C'est gentil. Désolée d'être en avance. Il y avait moins de circulation que je croyais. Plutôt que d'attendre dehors, j'ai préféré entrer au cas où vous seriez déjà prêt. Peu importe que vous ne le soyez pas. On n'est pas pressés. On a tout le temps...

– Pourquoi êtes-vous aussi nerveuse ? Je vous ai promis de mettre des chaussettes et des chaussures, pas vrai ?

Il ne manquait pas de flair. Elle s'était mise à jacasser pour dissimuler son trac. Elle se sentit encore plus mal à l'aise à l'idée qu'il pût lire aussi facilement dans ses pensées. Il n'était pas écrivain pour rien ! S'il devait décrire cette scène, il ne manquerait pas de faire parler son personnage féminin à tort et à travers.

Son intuition la mettait en position de faiblesse. A l'avenir, elle allait devoir se surveiller, jouer les impassibles, ne pas se dévoiler autant.

– Entrez, dit-il en s'écartant pour la laisser passer.

– Dit l'araignée à la mouche.

– Je ne mords pas. » Il referma la porte derrière lui et tira le verrou. « Enfin pas très fort. »

Elle rit, plus à son aise à présent, tout en inspectant le duplex. Cela sentait la peinture fraîche. Le plafond arrondi et les grandes baies vitrées lui rappelaient sa maison de Malibu. Deux murs compartimentaient le premier étage.

– La chambre est en haut, dit-il. La cuisine se trouve là-bas au fond. Ces portes donnent sur la terrasse.

– C'est sympathique.

– Ça peut aller, répondit-il. Comme vous le savez, je ne suis pas un très bon maître de maison.

Elle fut impressionnée par l'ordre impeccable qui régnait dans l'appartement, jusqu'au moment où elle aperçut une manche de chemise qui dépassait de dessous les coussins du sofa. Les magazines sur la table d'angle paraissaient avoir été empilés à la hâte et l'emballage d'un Mars était resté collé sur la couverture de l'un d'eux. Sur la table basse, elle remarqua des ronds laissés par des verres, pareils au sigle des Jeux Olympiques.

– Sans blague, Delaney. Vous êtes resplendissante ce soir.

Son compliment la fit se retourner brusquement. Elle se sentit fondre comme un bonbon sous son regard brûlant.

– Merci.

– Je croyais que l'orange n'allait pas aux rousses.

– Ce n'est pas orange. C'est cuivre.

– Mais non, c'est orange.

Elle avait mis une robe droite, assez courte et moulante, maintenue aux épaules par deux fines bretelles et parsemée de minces disques métalliques qui brillaient comme des sous neufs. C'était la première fois qu'elle ne portait pas une tenue ras-du-cou depuis son opération. Jamais elle ne l'aurait fait, encore récemment. Mais Alex l'avait débarrassée de sa gêne vis-à-vis de sa cicatrice.

– Cuivre ou pas cuivre, c'est de la même couleur que vos cheveux et vous flamboyez.

– Quel lyrisme! Vous étiez poète et vous ne le saviez même pas.

– Poète et va-nu-pieds! dit-il en considérant ses pieds nus. Mettez-vous à l'aise. Je reviens tout de suite.

Il monta les marches quatre à quatre. En arrivant au premier, il avait déjà rentré sa chemise dans son pantalon.

– Il se peut qu'il y ait quelque chose à boire dans le frigidaire. Servez-vous.

– Merci. Où est votre moto? Je ne l'ai pas vue dehors.

– Je l'ai emmenée au garage pour une révision générale.

– Dommage! J'aimerais bien retourner faire un tour.

– Eh oui! Une fois qu'on a eu un tel engin entre les jambes, on ne peut plus s'en passer.

– Très drôle.

– Elle va me manquer. Le garagiste m'a dit qu'il lui faudrait plusieurs mois pour faire le travail correctement.

– Comment va votre roman?

– C'est nul.

– Cela m'étonnerait.

Elle savait par expérience que les écrivains avaient en général une piètre opinion de leur œuvre en cours.

Elle déambulait dans le salon, en quête d'indices sur la personnalité d'Alex. Elle n'en trouva aucun. La seule touche personnelle était cette tentative précipitée pour remettre de l'ordre avant son arrivée. En dehors de cela, la pièce n'avait rien d'intime. Pas de photos de famille, ni souvenirs, ni courrier, ni reçus, ni tickets. Le mobilier, banal, paraissait sortir tout droit d'un magasin de location.

Elle était vaguement déçue.

Derrière l'escalier, elle découvrit deux caisses portant chacune le nom d'un de ses romans en grosses lettres. Elles n'avaient même pas été ouvertes. Pourquoi n'avait-il pas distribué ces exemplaires à sa famille et ses amis ? Peut-être l'avait-il fait et lui en restait-il malgré tout ? Peut-être aussi n'avait-il ni famille ni amis.

Peut-être avait-elle l'imagination un peu trop fertile.

Elle jeta un coup d'œil à la terrasse à travers les mini-persiennes. Rien de spécial. Il ne devait pas y aller très souvent.

Dans le petit corridor qui menait à la cuisine, elle remarqua une porte fermée qu'il ne lui avait pas signalée. Un placard ? Les toilettes ? Elle recula d'un pas pour juger de la dimension de l'espace derrière la porte. La pièce était plus vaste qu'un placard ou qu'une petite salle d'eau.

Sa main se posa sur la poignée avant même qu'elle se rende compte de ce qu'elle faisait. Elle marqua une pause et réfléchit un moment. Pourquoi n'avait-il pas mentionné cette pièce ? Son omission avait-elle été délibérée ?

Elle tourna la poignée avec précaution. La porte s'ouvrit sans bruit. On n'y voyait rien à l'intérieur tant il faisait noir. Elle glissa la tête dans l'entrebâillement de la porte.

Une faible lumière filtrait entre les fentes des persiennes. Elle discernait vaguement quelques formes. Il lui sembla voir une table, un...

Une main s'abattit violemment sur son poignet.

– Qu'est-ce que vous foutez là ?

CHAPITRE 21

– Bon sang, Alex! » Elle dégagea brusquement sa main et fit volte-face. « Vous m'avez fichu une de ces trouilles! Qu'est-ce qui vous prend? »

Il referma la porte avec détermination.

– Il est défendu d'entrer dans cette pièce. Accès strictement interdit.

– Vous n'avez qu'à mettre un écriteau! Qu'est-ce que vous fabriquez là-dedans? De la fausse monnaie?

Il lui prit le poignet, avec délicatesse cette fois-ci.

– Désolé de vous avoir fait peur. Ce n'était pas volontaire. Je ne supporte pas qu'on envahisse mon espace de travail.

– C'est le moins que l'on puisse dire, lâcha-t-elle entre ses dents.

– Comprenez-moi, je vous en prie. Ce que je fais là-dedans est extrêmement personnel. » Il fixait la porte close comme s'il pouvait voir à travers. « Cet endroit provoque le meilleur de moi-même et le pire. C'est là que j'accouche de chaque mot et ça fait un mal de chien. C'est là que je crée et que je maudis le processus créatif. C'est ma chambre de torture. Ultra-privée et masochiste. »

Il eut un sourire espiègle.

– Cela paraît fou quand on n'écrit pas, je le sais, mais si l'on empiétait sur mon espace de travail, j'aurais l'impression que quelqu'un viole mon subconscient. Ce serait une véritable profanation. Plus jamais il ne m'appartiendrait exclusivement, à moi et à mes pensées.

Sa réprimande était méritée. Elle n'avait pas à aller fouiner dans une pièce fermée. Les peintres et les sculpteurs dissimulaient leurs œuvres en cours sous des draps jusqu'à ce qu'elles fussent achevées. Personne n'avait jamais entendu la composition d'un musicien avant qu'il en fût satisfait. Elle aurait dû se douter qu'Alex adopterait une attitude tout aussi protectrice vis-à-vis de ses écrits.

– Je ne me rendais pas compte, dit-elle, pleine de remords. Je vous prie de m'excuser.

– En dehors de cette pièce, vous êtes libre de fureter où bon vous semble. Vous avez accès à mon garde-manger, mon frigidaire, mon panier de linge sale, et même à ma collection privée d'œuvres érotiques, mais cette pièce est interdite.

– La curiosité, dit-elle en secouant la tête. Quand j'étais petite, une assistante sociale m'avait prédit qu'elle me perdrait. Mais elle croyait aussi que le chocolat était du poison et me défendait d'en manger.

Elle leva les yeux vers lui d'un air à demi repentant.

– J'ai bien peur de ne pas avoir tenu compte de ses mises en garde.

Il prit appui contre le mur en tendant le bras, la piégeant sur place.

– J'oublie votre curiosité si vous me pardonnez à votre tour d'avoir réagi avec autant de véhémence.

Il avait passé une cravate autour de son cou, mais ne l'avait pas encore nouée. Il sentait le savon – une peau d'homme propre, humide qu'elle trouvait bien plus attrayante qu'une eau de Cologne, aussi coûteuse soit-elle. Il ne s'était toujours pas peigné et il avait les cheveux tout ébouriffés. En bref, il était superbe et incroyablement sexy.

– Vous avez une collection d'œuvres érotiques? demanda-t-elle à mi-voix.

– Oui!

– Depuis longtemps?

– Depuis que je suis assez grand pour savoir que c'était obscène.

– Si longtemps que ça? Hum! J'aimerais bien que vous me la montriez un jour.

Il sourit avec désinvolture.

– Je crois que vous avez l'esprit mal tourné, Cat Delaney.

– C'était l'autre aspect de ma personnalité qui troublait les assistantes sociales.

Il scruta son visage, puis son regard alla errer sur sa gorge. Ils étaient si près l'un de l'autre que pour pouvoir l'observer tout entière il dut pencher la tête. Son front effleura sa joue. Elle sentit son souffle sur sa poitrine.

Il lui tenait toujours le poignet droit. Il le plaqua contre le mur, légèrement au-dessus de sa tête, la paume tournée vers l'intérieur. Il embrassa cet endroit délicat, translucide où l'on sent battre le pouls, y promena le bout de sa langue.

Puis ses lèvres frôlèrent les siennes.

– A quelle heure sommes-nous attendus?

– Il y a dix minutes.

– Zut!

Il baissa la tête et enfouit son visage au creux de son épaule.

– Mais j'ai prévenu que nous serions légèrement en retard.

– Comment cela se fait-il? Je parie que vous vous êtes dit que je ne serais pas prêt à l'heure.

– Non, non. C'était juste au cas où. Euh...

C'était difficile de penser pendant qu'il lui mordillait l'oreille.

– Enfin, juste au cas où nous serions retardés.

Son estomac se crispa. Elle avait la gorge serrée.

– Par la circulation, je veux dire, ou quelque chose comme ça.

– Ah oui! La circulation. Bien sûr.

Il fit mine de s'écarter d'elle, mais elle le rattrapa par son nœud de cravate.

– Nous ne ratons rien, dit-elle. L'apéritif dure des heures.

– Et nous ne buvons ni l'un ni l'autre.

Il glissa sa main libre sous sa poitrine et pencha encore davantage la tête pour aller se nicher entre les rondeurs qui faisaient saillie au-dessus de la ligne de son décolleté. Il goûta sa peau avec délice.

Cat gémit de plaisir et s'arc-bouta contre lui.

Il releva la tête et l'embrassa avec fougue et provocation. Quand leur baiser s'acheva, il garda les lèvres sur les siennes.

– Alors? fit-il, haletant.

– Alors quoi?

– Vous voulez baiser?

Son désir s'évapora sous l'effet de cette vulgarité inattendue, pareille à un seau d'eau froide jetée à la figure. Elle le repoussa sans ménagement.

Il leva les mains en un geste d'innocence et de capitulation.

– Vous accusez les personnages de mes romans de ne jamais demander la permission! J'ai tenté ma chance, voilà tout.

– Vous auriez pu tourner ça autrement.

– Je le reconnais.

Il joignit les mains sous son menton d'un air penaud.

– Vous voulez baiser, madame, s'il vous plaît.

– Adorable!

Elle essaya de se faufiler à côté de lui, mais il la rattrapa au passage par la taille et la plaqua contre le mur. Il était clair qu'il avait tout fait pour l'exciter la première fois qu'il l'avait embrassée. Plus possessif que séducteur, il s'empara de nouveau de ses lèvres jusqu'à ce que sa colère se dissipe et qu'elle lui rende son baiser avec une ardeur égale.

Quand il la libéra finalement, ses lèvres brûlantes palpitaient. Elle avait l'impression qu'un feu la consumait de la tête aux pieds.

– Je vous veux, dit-il. Mais pas quand je dois m'inquiéter d'abîmer votre coiffure ou votre maquillage. » Il fit courir son pouce sur sa lèvre inférieure. « Pas quand je suis pressé et que j'ai un délai à tenir. Pas lorsqu'on nous attend pour dîner, surtout si ce dîner peut rapporter de l'argent pour vos gamins. Parce que j'ai la nette impression qu'une fois avec vous ne suffira pas. C'est clair?

A bout de souffle, encore sous l'effet prometteur de sa tirade, elle ne put que hocher la tête.

– Je me suis joué de vous en me montrant aussi grossier, mais je maintiens ma proposition. Telle que je l'ai exprimée. » Ses yeux s'étaient considérablement assombris. « Pour ce qui est du lieu et de l'heure, c'est à vous de choisir. Compris? »

Elle hocha de nouveau la tête.

Il soutint son regard pendant un bon moment, puis il pivota sur ses talons.

– J'en ai pour quelques minutes.

– Cat, vous voilà! s'exclama Nancy Webster en l'embrassant. Tout le monde vous attendait avec impatience.

Une domestique en uniforme les avait conduits dans le salon de l'imposante demeure des Webster. Tout le gratin de San Antonio était présent ce soir-là. Le vacarme qui régnait dans la pièce rendait compte de l'aptitude de la maîtresse de maison à mettre ses convives à l'aise.

– Je suis désolée d'être en retard, dit Cat. Nous...

– C'est entièrement de ma faute, l'interrompit Alex. J'ai été... retenu.

Cat le foudroya du regard, mais Nancy était tellement avide de le rencontrer que cet aparté et la réprimande tacite de la jeune femme lui échappèrent.

– Soyez le bienvenu, monsieur Pierce, dit-elle en lui serrant chaleureusement la main.

– Appelez-moi, Alex, je vous en prie.

– J'étais tellement heureuse quand Bill m'a dit que vous viendriez avec Cat ce soir. Je suis honorée et ravie de vous avoir parmi nous.

– Je suis enchanté d'être là.

– Venez, je vais vous présenter mon mari. Que puis-je vous servir à boire?

Nancy était une hôtesse parfaite. En un rien de temps, elle tendit à Alex un Perrier-rondelle et s'arrangea pour que son époux et Alex s'appellent par leur prénom.

– J'ai lu votre premier roman et je l'ai trouvé excellent pour un début, dit Bill.

C'était un de ces compliments à double tranchant auxquels il est pour ainsi dire impossible de répondre. Alex se demanda si Bill en était conscient et en vint rapidement à la conclusion que c'était le cas. Webster s'efforçait de le discréditer secrètement.

Il fit un effort pour rester aimable.
– Je vous remercie du compliment.
– Vous travaillez sur autre chose en ce moment?
– Je suis en plein dedans.
– L'action se passe-t-elle à San Antonio?
– En partie, oui.
Cat glissa son bras sous celui d'Alex.
– Inutile de lui poser des questions, Bill. Vous n'obtiendrez rien de lui. Il devient muet comme une carpe dès qu'il s'agit de son travail.
Webster le dévisagea d'un air curieux.
– Pourquoi cela?
– En parlant d'un roman avant qu'il ne soit écrit, on gâche l'effet de surprise. Non pas pour le lecteur, mais pour l'auteur.
– Vous voulez dire que vous écrivez un livre, mais vous ne savez pas comment l'histoire va se dérouler.
– Pas toujours, non.
Webster fronça les sourcils d'un air dubitatif.
– Je ne pourrais jamais travailler comme ça, sans objectif défini.
Qu'est-ce que j'en ai à foutre? pensa Alex.
Cat rompit le silence malaisé qui suivit.
– Je ne voudrais pas me vanter, mais Alex m'a demandé de l'aider dans ses recherches.
– Ah vraiment? s'exclama Webster.
– Il avait de la peine à écrire certaines scènes intimes, alors je lui ai relaté quelques anecdotes de mon sordide passé hollywoodien en lui donnant la permission de...
Elle fit un geste de la main comme si elle s'efforçait d'attraper le mot juste au passage.
– D'en rajouter? suggéra gentiment Nancy.
– Non. D'édulcorer.
Tous ceux qui se trouvaient à portée de voix éclatèrent de rire.
– Nous n'avons pas le droit de les monopoliser, Bill, nota Nancy, même si ce n'est pas l'envie qui nous en manque. Nos autres invités ne nous le pardonneraient jamais. Cat? Alex? » Elle se glissa entre eux et les prit chacun par le bras. « Pour commencer, je voudrais que vous fassiez connaissance avec notre nouveau maire et son mari. »
Elle les guida dans la pièce, les présentant à tout le monde. Alex était ravi du nombre de gens qui affirmaient faire partie de ses fans. Cat avait encore plus d'admirateurs. Chacun avait quelque chose de gentil à dire à propos de *Cat's Kids.* Elle ne prenait jamais ces compliments entièrement à son compte, les partageant avec toute l'équipe.
– Depuis Bill Webster jusqu'aux plus bas échelons, tout le monde à WWSA est partie prenante du succès de ce programme, déclara-t-elle.

L'une des convives mentionna un article paru dans l'édition du dimanche du *San Antonio Light*. Il était question d'une petite fille adoptée récemment et qui venait de subir une transplantation de rein.

– Oui, l'histoire de Chantal est pleine de promesses », remarqua-t-elle à l'adresse de la dame qui avait attiré l'attention sur cette affaire. Puis elle se tourna vers Webster et ajouta à mi-voix : « Pour ce qui est de Truitt, on lui a fait rentrer ses mots dans la gorge. Je me demande quel effet ça lui a fait?

Pendant plusieurs jours, le journaliste s'était acharné sur l'affaire O'Connor. En vain. Le service des relations publiques de la chaîne ayant émis un communiqué de presse, plus personne à WWSA n'était disposé à faire le moindre commentaire. Sur le conseil de leur avocat, les O'Connor eux-mêmes avaient refusé d'être interviewés. Les psychologues leur ayant fait remarquer avec quelle habileté Chantal avait dissimulé ses problèmes émotifs, le couple avait finalement décidé de garder la petite auprès d'eux.

Les services sociaux et *Cat's Kids* avaient échappé de peu à la catastrophe. Cat espérait que le dernier article en date dissiperait les doutes qui subsistaient peut-être encore quant à la validité de son programme.

– Ce qui se passe actuellement dans la vie de Chantal ressemble à un miracle, dit-elle. De nombreux autres enfants en difficulté mériteraient le même sort. On les place momentanément dans des familles. Ils sont constamment ballottés. La plupart de ces parents temporaires sont gentils avec eux et pleins de bonnes intentions, soyez-en sûrs. Mais ces enfants ont désespérément besoin d'un foyer permanent.

Le dîner comportait sept plats et dura plus de deux heures. Alex se serait ennuyé à mourir, si Cat n'avait pas été là. A la demande des autres invités, elle relata diverses anecdotes concernant certains enfants ayant apparu dans *Cat's Kids*.

Son auditoire était fasciné par ces récits émouvants. A certains moments, tout le monde riait, à d'autres, certains avaient les larmes aux yeux. L'enthousiasme de Cat était aussi touchant que les histoires qu'elle racontait. Sa voix communiquait le dévouement passionné que lui inspirait son travail.

Au moment où l'on servit la mousse au chocolat blanc, elle avait échauffé tous les esprits et tous parlaient avec excitation de la collecte de fonds.

En tirant sa chaise à la fin du dîner, Alex se pencha et lui chuchota à l'oreille :

– C'est dans la poche.

Quand les autres invités furent partis, les Webster leur proposèrent de rester encore un moment pour prendre une dernière tasse de café afin de célébrer la réussite de la soirée.

– Si nous allions dans le bureau de Bill, suggéra-t-elle, en se levant. Nous y serons plus à l'aise.

Une servante apporta un service à café en argent, mais ce fut Nancy qui servit.

– Un brandy vous ferait-il plaisir, Alex?

– Juste un café, merci.

– J'ai remarqué que vous n'aviez pas pris de vin à table, observa Bill en tendant la main vers sa tasse de café additionné d'une goutte de brandy que Nancy venait de lui servir. Vous ne buvez pas d'alcool?

– Non.

Estimant que rien ne l'obligeait à expliquer les raisons de sa sobriété aux Webster, Alex en resta là. En refusant de répondre, il provoqua un nouveau silence que Cat combla une fois de plus.

– Est-ce un album de famille? » demanda-t-elle en tendant le bras vers un gros classeur en cuir posé sur la table basse. Elle s'installa par terre, les jambes pliées sous elle. « M'autorisez-vous à y jeter un coup d'œil?

– Bien sûr, répondit Nancy. Nous serions capables de vous barber pendant des heures avec les photos de nos enfants.

– Combien en avez-vous? demanda Alex.

– Six.

– Six! » Il leva sa tasse de café en un salut tacite. « On ne le devinerait jamais en regardant leur mère.

– Merci.

– Mon épouse sait se maintenir en forme, intervint Webster en souriant fièrement.

– Vos enfants vivent-ils encore avec vous?

Pendant que Nancy expliquait en détail à Alex où sa progéniture était dispersée et ce que chacun faisait dans la vie, Cat continua à tourner les pages de l'album. De temps à autre, Alex jetait un coup d'œil aux photos par-dessus son épaule. D'après ce qu'ils pouvaient en voir, les enfants Webster ressemblaient à leurs parents. Ils avaient un physique séduisant et vigoureux et donnaient l'impression d'être des fonceurs, comme en témoignaient les trophées ou autres récompenses présents sur de nombreux clichés.

– De sorte que seul le petit dernier vit encore avec nous, conclut Nancy, bien qu'il soit rarement à la maison. Il est le rédacteur en chef du journal de son lycée et...

– Oh mon Dieu!

L'exclamation de Cat coupa court au discours de Nancy.

En un clin d'œil, tous les regards s'étaient tournés vers elle.

CHAPITRE 22

– Saviez-vous que vous étiez le sosie de leur fille Carla?

Tandis qu'Alex la dévisageait avec insistance, Cat conduisait en tâchant de rester concentrée.

– Il y a un petit air de famille, reconnut-elle.

– C'est le moins que l'on puisse dire!

– Elle avait les yeux bruns, et non pas bleus.

– Mais elle avait les cheveux roux et bouclés, et la même forme de visage que vous. » Il analysa son profil en penchant la tête. « Ses traits étaient moins anguleux, ses pommettes moins saillantes. Mais la ressemblance est frappante. »

Elle regardait droit devant elle et serrait si fort le volant que les jointures de ses doigts avaient blanchi.

– Vous savez très bien que j'ai raison, persista-t-il. J'ai cru que vous alliez vous évanouir en voyant sa photo. Vous êtes devenue rouge comme une pivoine.

– Vous êtes très observateur.

– C'est mon métier qui veut ça. J'observe les gens et j'écris ce que je vois.

– Eh bien, moi je n'aime pas qu'on m'observe.

– C'est dommage, parce que vous êtes fascinante à regarder. Webster aussi, d'ailleurs.

– Bill? Et pourquoi cela?

– Eh bien, pour commencer, il m'a détesté dès le premier regard. Non pas que j'en aie quoi que ce soit à faire, mais je trouve ça bizarre.

– Je ne vois pas ce qu'il y a de bizarre là-dedans. Est-ce que tous les gens que vous rencontrez vous aiment d'office?

– Ne faites pas semblant de ne vous être aperçue de rien, parce que je sais que c'est faux. Pour le couvrir, vous vous êtes empressée de concocter cette plaisanterie à propos de l'aide que vous apportez à mes recherches. Après ça, il a failli avoir une attaque d'apoplexie quand vous avez commencé à feuilleter leur album de famille. Il ne voulait pas que vous tombiez sur la photographie de leur fille décédée.

Cat fit appel à ses dons d'actrice pour garder un visage impassible. Elle n'avait pas observé Bill comme Alex l'avait fait, de sorte qu'elle ne pouvait pas dire avec autant de précision quelle avait été sa réaction lorsqu'elle avait manifesté un intérêt pour l'album. Cependant, elle avait bien remarqué qu'il n'avait pas soufflé mot après qu'elle eut découvert la photo de Clara, laissant Nancy faire face à la situation.

Nancy avait calmement reconnu la saisissante ressemblance entre Cat et leur fille en disant : « Bill et moi l'avions remarqué la première fois que vous êtes apparue dans *Passages*. Nous taquinions même Carla à ce sujet, en l'accusant d'avoir une double vie à notre insu. Tu te souviens, chéri ? »

Il avait marmonné une réponse affirmative d'une voix bourrue.

Après cela, Alex et Cat avaient refusé de prendre une autre tasse de café en prétextant qu'il était tard. Cat avait remercié les Webster avec effusion d'avoir organisé ce dîner. Nancy était certaine qu'avec le soutien de ceux qu'elle avait réunis ce soir, elle pourrait mettre sur pied une collecte de fonds exceptionnelle.

– J'ai passé une excellente soirée, avait dit Alex à ses hôtes en prenant congé. Merci de m'avoir convié.

A la porte, Nancy les avait serrés dans ses bras l'un et l'autre. Elle avait gardé une parfaite maîtrise d'elle-même. En revanche, Bill paraissait secoué et... coupable ?

Pourquoi s'était-il montré si froid à l'égard d'Alex ?

– Etiez-vous au courant pour Carla avant ce soir ? lui demanda ce dernier.

– Je savais qu'ils avaient perdu leur fille aînée. Elle est morte dans un accident en regagnant l'université d'Austin où elle faisait ses études.

– C'est Webster qui vous l'a dit ?

Elle hocha la tête.

– Avant même que je vienne vivre ici. Il semble qu'ils ne s'en soient pas encore tout à fait remis. Mais comment pourrait-il en être autrement ? Votre fille rentre pour le week-end. Vous faites sa lessive, vous l'écoutez vous parler à n'en plus finir du garçon avec qui elle sort, du professeur qu'elle déteste. Vous lui dites au revoir, en lui recommandant de conduire prudemment, vous la serrez dans vos bras. Quand vous la revoyez, c'est pour identifier son corps à la morgue.

Cat frissonna et ajouta d'une voix douce :

– Il n'y a sûrement rien de pire que d'enterrer son enfant.

Alex garda respectueusement le silence un moment, avant de réattaquer sournoisement.

– Webster serait-il amoureux de vous?

– Non.

– Ben voyons!

– Il ne l'est pas, insista-t-elle. Ce serait vraiment malsain, étant donné ma ressemblance avec sa fille.

– Peut-être est-ce ce qui a attiré son attention au départ, en toute innocence. Mais avec le temps, ses sentiments auront évolué.

– Vous vous trompez.

Sceptique, Alex restait silencieux. Pour finir, elle mitigea sa réponse.

– Si c'est le cas, il n'en a jamais rien laissé paraître.

– Je doute qu'il soit du genre à vous pourchasser dans les bureaux ou à essayer de vous peloter quand personne ne regarde. Il est bien trop fier pour cela.

– Il ne m'a jamais fait la moindre avance, directement ou indirectement.

– Néanmoins vos rapports dépassent le cadre d'une simple relation employeur-employée.

– Je le considère comme un ami, dit-elle prudemment. Mais il n'a jamais été question d'autre chose. De toute évidence, Nancy et lui s'entendent à la perfection.

– Aucune relation n'est parfaite.

Elle lui décocha un coup d'œil malicieux.

– Vous parlez par expérience?

– Malheureusement oui.

– C'est bien ce qu'il m'avait semblé.

– Pour en revenir à Webster et à vous...

– Il n'y a pas de Webster et moi, soutint-elle. Il m'a donné une chance formidable. Je l'aime bien et j'ai beaucoup de respect pour lui. Un point c'est tout.

– Je n'en suis pas convaincu, Cat. » Elle était sur le point de protester, quand il ajouta : « Je ne dis pas que vous mentez. C'est de lui qu'il s'agit. Quelque chose me dérange chez lui.

– C'est un bel homme, distingué, imposant. Il a une carrière exceptionnelle, énormément de pouvoir. Une puissante autorité émane de lui.

– Attendez une minute, dit-il d'un ton irrité. Seriez-vous en train d'insinuer que je suis jaloux de lui?

– C'est à vous de me le dire.

– C'est tout le contraire, mon cœur. C'était lui qui était jaloux de moi ce soir parce que je vous accompagnais.

– Vous dites n'importe quoi!

– Bon, d'accord. Je dis n'importe quoi. Il n'empêche que Webster a quelque chose à cacher, je vous assure.

Ils étaient dans l'impasse. Cat refusait d'admettre ce qu'elle pensait : que Bill avait eu ce soir un comportement bizarre et déconcertant. Elle avait besoin de temps pour essayer de comprendre.

Quant à Alex, il ne voulait pas la laisser tranquille.

– Pourquoi croyez-vous qu'il ait réagi d'une manière aussi étrange quand vous avez vu la photo de Carla?

– Parce que si notre ressemblance explique qu'il m'ait remarquée au départ, il était gêné. Et cela se comprend. Ce côté sentimental cadre mal avec l'image d'un président de chaîne intraitable, une image qu'il cultive soigneusement.

– C'est possible.

Elle frappa le volant de son poing.

– Faut-il toujours que vous ayez raison? Ne vous arrive-t-il jamais de dire quelque chose comme : “ Je n'avais jamais envisagé la chose sous cet angle-là. J'ai peut-être tort. ”

– Pas cette fois-ci, en tout cas, répliqua-t-il avec fermeté. Il y a quelque chose qui sonne faux chez Webster. Je le sens. L'image qu'il donne est trop parfaite. Sa vie ressemble à une illustration d'un conte de fées contemporain. Il y a un petit démon camouflé quelque part et je le cherche.

– Vous reprenez vos habitudes de flic, on dirait.

– Probablement. L'instinct. Ce sont des habitudes difficiles à perdre. Je me méfie toujours un peu de tout le monde.

– Pourquoi?

– Parce que l'homme est méfiant de nature. Et parce que tout le monde a quelque chose à cacher.

– Un secret, vous voulez dire?

En dépit du ton mutin de Cat, Alex ne se départit pas de son sérieux.

– Un secret, exactement. Nous avons tous quelque chose que nous préférons garder sous clé.

– Pas moi. Ma vie est connue comme le loup blanc! On m'a sondée et radiographiée de toutes parts. Ils m'ont ouvert la poitrine, littéralement, pour fouiller à l'intérieur. Si j'avais quoi que ce soit à cacher, on l'aurait découvert il y a longtemps.

Il secoua la tête.

– Vous avez un secret vous aussi, Cat, insista-t-il. Peut-être si noir et si profond qu'il demeure enfoui dans votre inconscient, et vous ne savez pas vous-même ce dont il s'agit. Vous ne voulez pas vous l'avouer parce que vous redoutez d'y faire face. Nous ensevelissons les aspects les plus laids de notre personnalité au plus profond de nous-mêmes de peur de devoir les affronter. Quand je dis “ nous ”, j'entends tout le monde.

– Seigneur! Je suis vraiment contente de vous avoir demandé de venir ce soir. On s'amuse comme des fous avec vous!

– J'ai essayé de plaisanter avec vous plus tôt, lui rappela-t-il. Vous n'aviez pas l'air d'apprécier mon sens de l'humour.

Elle fronça les sourcils et le gratifia d'un regard désapprobateur.

– J'ai l'impression que vous prenez beaucoup trop au sérieux les cours de psychologie que vous avez dû suivre à l'école de police.

– Peut-être. Mais les romanciers sont aussi psychologues, vous savez. Heure après heure, jour après jour, je trame la vie de gens. J'étudie leurs comportements et je m'efforce de déterminer ce qui se passe dans leur tête. Réfléchissez, dit-il en se tournant vers elle. Vous vous êtes tapé sur le pouce avec un marteau. Qu'est-ce que vous faites ensuite?

– Il y a des chances que je hurle, que je profère des jurons et que je me mette à sautiller dans tous les sens en me tenant le pouce.

– Exactement. Cause et effet. A partir d'un stimulus donné, nous nous comportons tous à peu près de la même manière. D'un autre côté, il nous arrive individuellement des choses uniques dans la vie. Qu'il s'agisse d'accidents ou de coïncidences, nos réactions vis-à-vis de ces événements aussi sont établies par avance. Chacun d'entre nous est programmé différemment selon son sexe, son Q.I., son milieu social, la place qu'il occupait dans la famille, etc. Chacun a ses raisons pour réagir et se comporter de telle ou telle façon. C'est ce que l'on appelle « motivation ». En tant qu'auteur, je dois savoir ce qui incite tel ou tel personnage à réagir d'une certaine manière à une situation particulière.

– Vous étudiez la nature humaine.

– Sous toutes ses formes.

– Et c'est dans la nature de l'homme d'enfouir ses secrets?

– Comme les chiens enterrent leurs os. Sauf que l'envie nous prend rarement de déterrer nos secrets pour les ronger.

– Et vous, Sigmund, quel est votre secret?

– Je ne peux pas vous le dire. C'est un secret.

Elle s'arrêta à un croisement et se tourna vers lui.

– A mon avis, vous en avez plus d'un.

Il ne mordit pas à l'hameçon, mais la contraignit à soutenir son regard.

– Allons-nous coucher ensemble ce soir? demanda-t-il à brûle-pourpoint.

Elle le considéra d'un air songeur jusqu'au moment où le feu passa au vert, le conducteur derrière elle s'étant mis à klaxonner.

– Je ne pense pas, dit-elle en appuyant sur le champignon.

– Pourquoi pas?

– Parce que vous avez tellement parlé de m'analyser qu'à la fin, j'en suis gênée. Serait-ce la première vedette de télévision avec laquelle vous coucheriez? La première greffée du cœur? La première rousse chaussant du trente-sept fillette? Si vous voulez coucher avec moi, n'est-ce pas pour pouvoir emmagasiner une expérience de plus dans votre encyclopédie mentale sur la nature humaine?

Il ne nia pas, et cela l'agaça. Elle aurait voulu qu'il récuse vigoureusement cette accusation. Elle lui jeta un coup d'œil en biais. Il était en train de l'observer en silence, imperturbable. Son mutisme obstiné renforça sa décision.

– Désolé, Alex. Je n'ai pas envie de me reconnaître dans une des scènes de séduction de votre prochain livre.

Il se détourna d'elle et regarda fixement par la fenêtre. Elle vit sa mâchoire se crisper et redouta d'avoir enfoncé le clou un peu trop profondément. Au moins il avait la décence de ne pas chercher à lui mentir quant à ses motivations. Mais elle ne pouvait s'empêcher d'être terriblement déçue.

– Vous me faites passer pour un vrai salopard, dit-il.

– A mon avis, il y a des chances pour que vous en soyez un.

Il tourna brusquement la tête et, voyant qu'elle souriait, se mit à glousser de rire.

– Eh bien, vous avez raison. Pourtant même les salopards ont droit au bénéfice du doute quelquefois.

– Okay. On prend le café chez moi?

– Ouais. Je rentrerai en taxi.

– Café. Rien d'autre.

– Je ne suis pas un animal, vous savez. Je suis capable de réprimer mes pulsions s'il le faut.

Il plaisantait, mais très vite, il retrouva son sérieux.

– J'ai vraiment du plaisir à parler avec vous, Cat.

– S'agit-il d'une nouvelle tactique?

– Non, ce n'est pas du baratin. Je pense ce que je dis. Vous êtes rapide. Intelligente. Ambitieuse. Une chic fille.

– Hum. Rapide. Intelligente. Ambitieuse. Et une chic fille. Je ferais peut-être mieux de renoncer à essayer d'être un sex-symbol et de passer une audition pour *Des chiffres et des lettres* à la place.

Pendant le reste du trajet, ils parlèrent de tout et de rien. Ils riaient toujours d'un incident amusant qui avait eu lieu pendant le dîner quand Cat s'engagea dans sa rue.

Elle freina brusquement.

– Qui est-ce?

Une conduite intérieure foncée était garée en face de chez elle, en partie cachée par l'ombre des chênes de son jardin dont les branches faisaient saillie au-dessus du trottoir.

– Vous connaissez cette voiture? demanda Alex.

Elle secoua la tête.

– Vous attendiez de la compagnie?

– Non.

Elle s'était dit qu'elle n'avait pas à s'inquiéter des deux coupures de journaux qu'on lui avait envoyées anonymement, tout en sachant qu'il serait idiot de les écarter purement et simplement de son esprit. Des désaxés avaient commis d'atroces crimes parce qu'ils faisaient des fixations sur des gens célèbres.

Elle avait multiplié les précautions, s'assurant que ses portes et fenêtres étaient bien fermées à clé, parcourant le parking des yeux avant de quitter un immeuble, jetant un coup d'œil à la banquette arrière de sa voiture avant de s'y engouffrer. Non pas qu'elle eût cédé à la paranoïa, mais mieux valait être trop prudente que pas assez.

– Hé, qu'est-ce qu'il y a? s'exclama Alex. Vous avez l'air morte de trouille!

– Je ne suis pas morte de trouille. C'est juste...

– Arrêtez de me mentir. Vous êtes à deux doigts de bouffer votre volant. Je vois battre votre pouls au creux de votre gorge. Que se passe-t-il?

– Rien.

– Cat!

– Rien.

– Menteuse. Garez-vous.

– Je...

– Tout de suite.

Elle se rangea le long du trottoir en laissant tourner le moteur.

– Eteignez vos phares. Ne bougez pas d'ici.

Il ouvrit sa portière et sortit.

– Alex? Où allez-vous? Alex!

Ignorant ses cris, il traversa en courant la pelouse de ses voisins en direction de sa maison. Très vite, il disparut dans les ombres.

Son angoisse initiale s'était dissipée. Elle avait eu peur, effectivement, mais un instant seulement. Sa réaction de tout à l'heure lui paraissait absurde. Il pouvait fort bien s'agir de quelqu'un en visite chez des voisins.

Elle se mit à pianoter sur son volant avec impatience. Du calme. Reprends tes esprits. Reste tranquille, fais la morte, marmonna-t-elle avec dépit. Elle n'avait besoin de personne pour la sauver.

Quelques secondes plus tard, elle sortait de sa voiture. Suivant le même itinéraire qu'Alex, elle courut sur la pointe des pieds en restant à couvert sous les arbres. Plus elle se rapprochait de chez elle, plus elle se sentait ridicule. Si vraiment elle avait affaire à un ennemi, se serait-il garé juste en face de chez elle, annonçant ainsi sa présence?

D'un autre côté, comment expliquer cette sensation bizarre qu'elle avait d'être surveillée depuis quelque temps? Ces fichues enveloppes blanches et ces mises en garde mystérieuses étaient en train de lui faire perdre les pédales. Elle avait toujours méprisé la lâcheté. Il n'était pas dans sa nature d'être fébrile, d'imaginer des croque-mitaines se tapissant dans les ombres, prêts à lui sauter dessus.

Pourtant, sa nervosité aussi allait croissant à mesure qu'elle se rapprochait de la maison. En dehors de la faible lueur de la lampe sous le porche, il faisait nuit noire. Pas un bruit; rien ne bougeait.

Soudain, elle entendit des voix, venant de derrière la maison. Un cri. Un grognement. Des bruits de bagarre. Bientôt, deux silhouettes surgirent de l'obscurité. Alex se démenait avec un autre homme qu'il traînait pour ainsi dire par terre en direction du jardin de devant.

– Je l'ai trouvé en train d'essayer de s'introduire chez vous par la porte de derrière, dit-il.

– Lâchez-moi, salopard, fit l'autre homme.

– Pas question.

Alex le plaqua au sol, face contre terre, et s'accroupit au-dessus de lui, en lui plantant un genou dans le creux du dos. Il logea sa main droite entre ses omoplates.

– Si vous bougez, je vous casse le bras, brailla-t-il d'un ton menaçant. Cat, allez téléphoner à la police.

Comme électrisée, elle s'élança dans l'allée, mais faillit trébucher sur les marches en entendant son nom prononcé à nouveau, cette fois-ci par une voix vibrante d'indignation et de douleur, mais néanmoins familière.

– Cat, pour l'amour du Ciel, dis à ce connard de me lâcher.

Elle vit volte-face, les yeux écarquillés par la surprise.

– *Dean?*

CHAPITRE 23

Cat tamponna l'éraflure sur la joue de Dean Spicer avec de l'eau oxygénée. Le cardiologue fit la grimace et jura tout bas. Assis à califourchon sur une chaise, Alex réprima à grand-peine un sourire.

Ils étaient tous les trois assis autour de la table de la cuisine. C'était exactement le genre de cuisine qu'Alex lui aurait attribuée si elle avait été l'un de ses personnages.

Elle était toute blanche et égayée par des touches de couleur – un coquelicot de Georgia O'Keeffe sur le mur, des violettes en fleur sur le rebord de la fenêtre, et une curieuse théière noir et blanc qui faisait songer à une vache de race Holstein.

– Ça va comme ça, grommela Dean en repoussant les mains de Cat. Aurais-tu quelque chose à boire?

– De l'alcool, tu veux dire? Non.

– Et de l'aspirine?» Elle secoua la tête avec embarras. Il soupira. « Evidemment, tu ne pouvais pas prévoir qu'un de tes visiteurs se ferait tabasser. » Fusillant Alex du regard, il ajouta : « Vous pourriez au moins vous excuser.

– Je ne vois pas pourquoi je m'excuserais. J'ai réagi normalement compte tenu du fait que je vous ai surpris en train de crocheter une serrure.

Certes, il avait un peu malmené Spicer avant de découvrir qu'il avait affaire à un ami, mais il ne lui avait pas vraiment fait mal. Seul son amour-propre était blessé, et Alex n'arrivait pas à éprouver de la compassion pour si peu.

– Vous n'aviez pas à rôder dans le noir et à essayer de vous introduire ici par effraction, insista-t-il.

– Vous auriez dû me demander qui j'étais avant de me sauter dessus.

– C'est comme ça qu'on se fait descendre, ricana Alex. On ne s'approche pas d'un criminel en lui demandant poliment de vous montrer ses papiers. On commence par le maîtriser. Les questions viennent ensuite. Vous ne tiendriez pas le coup dix minutes dans la rue en vous y prenant autrement.

– Je ne veux pas le savoir. Contrairement à vous, je ne viens pas de la rue!

Alex se leva si vite de sa chaise que celle-ci bascula en arrière.

– Vous pouvez vous estimer heureux que Cat vous ait reconnu. J'étais sur le point de vous défoncer le portrait pour m'avoir traité de connard.

– Allons, arrêtez! s'exclama Cat. Faites la paix, voulez-vous? Une erreur a été commise, mais c'est le genre de choses dont vous rirez dans quelques semaines.

Alex doutait que Spicer ou lui trouverait un jour cet épisode comique, mais il préféra ne pas insister. Cat était déjà sur les nerfs. Il redressa sa chaise et se rassit. Spicer et lui continuèrent à se toiser d'un œil mauvais.

Tout en rebouchant la bouteille d'eau oxygénée et en la mettant de côté, Cat réprimanda gentiment son visiteur inattendu.

– Si tu m'avais prévenue de ton arrivée, nous aurions pu éviter cela.

– Je voulais te faire une surprise.

– Pour une surprise, c'était une surprise! dit-elle avec gaieté.

Trop de gaieté. Son sourire paraissait forcé. Alex devina qu'elle n'était pas très contente de voir le docteur Spicer qu'elle lui avait présenté comme étant un ami. Il n'avait pas besoin qu'on lui explique qu'il avait dû représenter autre chose pour elle. D'une voix fluette et tendue, elle demanda courtoisement à Dean comment s'était passé son vol.

– Est-ce qu'ils vous ont donné quelque chose à manger dans l'avion? Veux-tu que je te prépare quelque chose?

– Je n'ai pas touché à mon plateau-repas, mais j'ai déjà eu les honneurs de ta cuisine. Merci quand même.

– Un café?

– Non merci, pas pour moi.

– Moi non plus.

– Eh bien dans ce cas, si nous allions au salon.

Comme ni l'un ni l'autre n'avaient bougé, elle retourna s'asseoir à la table de la cuisine.

– J'ai du mal à croire que tu sois venu à San Antonio, ajouta-t-elle. Je pensais que jamais on ne te verrait dans un trou pareil.

– D'après ce que j'en ai vu jusqu'à présent, j'avais raison d'avoir une piètre opinion de cet endroit.

– Merci beaucoup!

Elle avait feint d'être froissée, mais il la prit au sérieux.

– Tu m'as mal compris. Je trouve ta maison très agréable. » Il jeta un regard critique autour de la cuisine. « Evidemment, comparée à ta maison de Malibu...

– Il y a une pénurie de maisons donnant sur la mer à San Antonio.

Elle rit nerveusement de sa plaisanterie qui n'avait pas eu l'heur de les faire sourire, ni l'un ni l'autre. Ils la laissèrent mener la conversation toute seule.

– Quand t'es-tu décidé à faire le voyage, Dean?

– Au dernier moment. Je n'avais que quelques rendez-vous au cours des prochains jours. C'était facile de les reporter et de prendre un petit congé.

– En tout état de cause, je suis ravie que tu sois là.

Elle mentait et Alex le savait. Spicer aussi d'ailleurs.

– En fait, tu as parfaitement bien choisi ton moment, dit-elle avec un enjouement contraint. Nous revenons d'un dîner chez les Webster.

Spicer répondit par un vague bougonnement.

– Nancy organise une collecte de fonds pour *Cat's Kids.*

– Comme c'est gentil!

– Tout le gratin de San Antonio était là.

– Il n'y a sûrement pas de quoi en faire un plat!

Alex admira la maîtrise que Cat déployait en ignorant cette plaisanterie offensante. Elle parvint même à garder le sourire.

– Ces dames étaient tout excitées de rencontrer Alex.

– Vous êtes flic, c'est ça? demanda Spicer en se tournant vers lui.

– Je l'étais.

Nouveau grognement dédaigneux.

– Alex écrit des romans policiers maintenant. Il commence à être connu. Peut-être as-tu lu un de ses livres?

Spicer la dévisagea comme si cette idée était parfaitement impensable.

– Non.

– Vous devriez peut-être le faire, suggéra Alex d'un ton morne.

– Et pour quelle raison?

– Vous pourriez apprendre quelque chose d'utile. Par exemple, à vous défendre.

Spicer se leva d'un bond, chancela légèrement et dut se rattraper au dossier de sa chaise pour éviter de piquer du nez. Alex réprima un sourire satisfait.

Cat s'était dressée pour aider le cardiologue à se rasseoir. Dès qu'il fut réinstallé, elle mit les poings sur ses hanches et s'exclama d'un ton furibond :

– Bon, j'en ai assez de vous deux! J'essaie de jouer les arbitres et c'est un rôle qui ne me convient pas du tout. Rompez les hostilités maintenant. Vous vous comportez comme des idiots. Et tout ça pour rien.

– Pour rien, c'est vite dit! souligna Spicer en désignant l'égratignure qui lui barrait la joue.

– Il va nous briser le cœur, marmonna Alex.

– Vous avez bien failli me le briser, rétorqua Spicer d'un ton dédaigneux. Du reste, vous m'avez menacé de me casser le bras.

– Dean...

– Parce que je vous ai pris pour un cambrioleur. Alors que vous rampiez dans l'obscurité comme un imbécile et...

– Alex...

Il s'était levé.

– Ne vous donnez pas cette peine, Cat. Ça n'a aucune importance. Il me semble que j'entends mon taxi.

– Vous en avez déjà appelé un?

– Pendant que vous étiez allée chercher votre trousse de premiers secours.

– Oh, je pensais que vous resteriez un moment pour bavarder avec nous.

– Non, je ne voudrais pas priver votre invité de votre compagnie. Ce fut un plaisir, docteur.

Spicer le foudroya du regard.

– Je vous raccompagne, Alex, marmonna Cat, cherchant à couvrir sa grossièreté.

Ils traversèrent la maison pour gagner la porte d'entrée. Elle avait retiré ses hauts talons et marchait sans bruit sur le parquet tandis que les pas d'Alex faisaient craquer le bois.

Les pièces étaient spacieuses et judicieusement éclairées par des lampes disposées ici et là qui projetaient une douce lumière sur des photographies encadrées, des magazines, des bols de pétales séchés agréablement parfumés. Les sofas et les fauteuils étaient vastes, bien rembourrés, et couverts de coussins. Le décor était simple, doux, accueillant.

– Vous aviez raison. Votre taxi est arrivé, dit-elle après avoir ouvert la porte.

Il était garé le long du trottoir derrière la voiture de location de Dean.

– Merci encore de m'avoir accompagnée à cette soirée, fit-elle à mi-voix en se tournant vers lui.

– Merci de m'avoir invité.

Si elle avait eu un peu de jugeote, elle en serait restée là et lui aurait souhaité bonne nuit. Mais en riant bêtement, elle ajouta :

– Notre soirée s'est terminée d'une manière on ne peut plus inattendue, n'est-ce pas?

– Effectivement.

– C'était tout de même plus excitant qu'une tasse de café.

– Mais beaucoup moins qu'une partie de jambes en l'air.

Elle secoua la tête.

– Faut-il toujours que vous soyez aussi rustre?

– Et vous aussi sainte nitouche? Vous savez aussi bien que moi que sans lui, nous aurions fini au lit.

– Je vous avais déjà dit non.

– Reste à savoir si vous le pensiez.

Elle baissa la tête. Il lui saisit doucement le menton et la força à lever les yeux vers lui.

– Nous ne sommes plus des enfants, Cat. Nous savons tous les deux ce que nous faisons, alors cessez de me raconter des histoires, d'accord? Depuis que je vous ai vue la première fois sur le pas de porte d'Irène et de Charlie, j'ai envie de vous. Vous le savez pertinemment et il en est de même pour vous. Tout ce que nous nous sommes dit, tout ce que nous avons fait depuis lors, n'a été qu'un prélude.

Elle jeta un coup d'œil nerveux en direction de la cuisine, ce qui agaça Alex.

– J'ai compris le message. Bonne nuit, Cat.

Il se glissa dehors et avait déjà parcouru la moitié de l'allée lorsqu'il jeta un coup d'œil par-dessus son épaule. Elle était toujours là, sur le seuil, sa silhouette se découpant sur l'entrée éclairée. Elle tenait le chambranle d'une main, comme si en se retournant il avait interrompu un geste de supplication.

Parce qu'elle avait l'air songeur et un peu triste, parce qu'il enrageait encore à cause de l'arrivée intempestive de son ancien amant, ou bien encore parce qu'il était vraiment le salopard qu'il avait reconnu être, il ignora sa conscience et le bon sens et revint sur ses pas, couvrant en une fraction de seconde la distance qui le séparait d'elle.

Sans un mot, il la saisit par la nuque et glissa ses doigts dans ses cheveux. De son autre bras, il lui encercla la taille et l'attira contre lui. Il l'embrassa avec fougue et rage, en un élan possessif, presque violent.

Puis, aussi brusquement qu'il avait commencé à l'embrasser, il cessa.

Elle le regarda fixement, les lèvres humides légèrement écartées par la surprise. Il l'abandonna ainsi, abasourdie, tout excitée, prête à l'embrasser de nouveau et à davantage encore. Et lorsqu'il repartit dans l'allée d'un pas alerte, il était encore plus furieux qu'auparavant.

Il en voulait à Spicer, à elle, à lui-même. A tout le monde. Absolument tout le monde.

– Depuis combien de temps est-ce que ça dure?

Dean ne perdit pas une minute. A peine avait-elle franchi la porte de la cuisine, il attaqua de front le sujet qu'elle avait espéré éviter.

– De quoi parles-tu?

– Ne fais pas l'innocente, Cat. De cette histoire avec ce flic-écrivain.

Son ton impérieux exigeait une réponse.

– Il n'y a pas d'*histoire* entre Alex et moi.

Elle lui raconta le quiproquo qui avait eu lieu chez les Walters.

– Depuis cette curieuse rencontre, nous nous sommes revus quelquefois. En tout bien tout honneur, je t'assure.

Dean émit un grognement sceptique.

Parce qu'elle avait menti alors que ses lèvres palpitaient encore sous l'effet du baiser d'Alex, elle passa à l'offensive.

– Ecoute, Dean, je suis contente que tu sois venu me voir, mais qui t'a permis de faire irruption chez moi en mon absence?

– Je ne pensais pas que tu prendrais ça mal. J'ai déjà essayé de te l'expliquer, à toi et à ce Néanderthal. Voyant que tu n'étais pas là, j'ai décidé de m'introduire à l'intérieur pour t'attendre. Je ne comprends pas pourquoi cela te met dans un état pareil. J'avais les clés de ta maison de Malibu. Où est la différence?

– La différence, c'est que je t'avais donné les clés de Malibu, je savais que tu les avais.

Elle se rendit compte que sa voix trahissait sa colère et s'efforça de se reprendre.

– Tu aurais dû me prévenir de ton arrivée. Je n'aime pas les surprises. Je te l'ai déjà dit cent fois.

– Dans ce cas, ton horreur des surprises est bien l'une des seules choses qui n'aient pas changé chez toi depuis ta venue ici.

Il se leva brusquement et commença à arpenter la pièce sans la quitter un seul instant du regard, comme s'il cherchait à la voir sous tous les angles.

– J'ignore ce qui a provoqué une telle mutation, si ce sont tes sorties avec ce truand ou ton travail. Mais le fait est que tu n'es plus la même.

– En quoi ai-je changé?

– Tu es tendue. Nerveuse. On dirait que tu es sur le point de grimper au mur.

– Je ne vois pas de quoi tu veux parler.

Elle voyait très bien et cela l'agaçait que ce fût aussi évident.

– Je m'en suis aperçu dès l'instant où je t'ai vue. Je ne sais pas ce qui se passe, mais... » Tout à coup, il changea d'expression. « Oh mon Dieu, est-ce que tu te sens bien? Serait-ce ton cœur? Quelque chose ne va pas? Aurais-tu des signes de rejet? »

Elle leva les mains en un geste rassurant.

– Non, Dean.

Elle secoua la tête, et adoucit volontairement son expression dans l'espoir de le tranquilliser.

– Je me sens parfaitement bien. Je continue à m'en émerveiller. Chaque jour, je découvre quelque chose que je peux faire et qui m'était jadis impossible. Même après tout ce temps, j'ai toujours une impression de nouveauté.

– Ne commets pas d'imprudences, dit-il de son ton sérieux de médecin. Je suis soulagé de savoir que tout va bien, mais si tu as le moindre signe de rejet, appelle-moi sur-le-champ.

– Je te le promets.

– Je sais que cela t'irrite que j'insiste de la sorte, mais il faut bien que quelqu'un te rappelle de temps à autre que tu n'es pas tout à fait comme tout le monde.

– Je *suis* comme tout le monde. Je refuse qu'on me materne.

Il resta sourd à ses protestations.

– Tu travailles trop dur.

– J'adore travailler. Je me suis jetée à corps perdu dans *Cat's Kids.*

– Est-ce la raison pour laquelle tu es proche de l'hystérie?

Elle avait envie de lui montrer les mystérieuses coupures de journaux, d'avoir son avis. Mais, connaissant Dean, il insisterait probablement pour qu'elle téléphone à la police. Ce qui reviendrait à reconnaître qu'elle était en danger. Or elle essayait toujours de se convaincre que ces mises en garde voilées n'avaient aucune importance.

– Si je te parais agitée, c'est peut-être parce que le dîner de ce soir n'était pas simplement une soirée d'agrément. Il fallait que j'impressionne des tas de gens, et c'est épuisant. J'ai beaucoup de préoccupations en ce moment, reconnut-elle. J'adore mon travail et les gamins, mais un programme de ce genre pose une foultitude de problèmes, liés à la production ou à la bureaucratie. Les démarches administratives sont un vrai casse-tête. A la fin de la journée, j'ai l'impression de jongler avec dix boules à la fois en n'ayant qu'un seul bras.

– Rien ne t'empêche de laisser tomber.

Elle sourit en secouant la tête.

– En dépit de toutes ses difficultés, j'adore ce travail. Quand un gamin trouve des parents qui vont lui changer la vie, transformer un cauchemar en rêve, crois-moi, on est récompensé de ses efforts. Non, Dean, il n'est pas question que je laisse tomber.

– Si ton boulot te satisfait, alors ce doit être autre chose. » Il plongea son regard dans le sien. « Serait-ce ce Pierce qui te met les nerfs en boule?

– Tu y tiens!

– Où en est votre relation exactement?

Elle était dans l'incapacité de lui répondre honnêtement, car en vérité, elle mourait d'envie de voir leurs liens se renforcer.

– Il est intelligent et passionnant, répondit-elle. Il s'exprime bien mais s'ouvre peu, si tu vois ce que je veux dire. C'est un être extrêmement complexe. Plus je le découvre, plus j'ai l'impression de mal le connaître. Il m'intrigue.

– Cat, gémit-il, écoute-toi! C'est un macho séduisant au langage ordurier, qui t'*intrigue.* Tu ne comprends donc pas?

– C'est un mauvais garçon auquel aucune femme ne résiste, dit-elle à voix basse, ayant eu le temps d'arriver elle-même à cette conclusion.

– Puisque tu le reconnais toi-même, pourquoi persistes-tu ? » Il secoua la tête, incrédule. « Qu'est-ce que tu peux bien lui trouver ? C'est une brute. Ça se voit au premier coup d'œil. As-tu remarqué cette cicatrice qu'il a en travers du sourcil ? Dieu sait comment...

– C'est un délinquant qui l'a frappé avec une bouteille.

– Oh, alors toi aussi tu l'as remarquée !

Il continua à la harceler, la bombardant de questions.

– A-t-il d'autres cicatrices ? Les as-tu toutes vues ? As-tu déjà couché avec lui ?

– Ça ne te regarde pas !

– Ce qui veut dire que oui.

– Ce qui veut dire que ce n'est pas ton affaire ! Je n'ai plus à te rendre de comptes sur ma vie sociale ou intime. » Pour épargner à son orgueil meurtri un coup supplémentaire, elle baissa le ton d'un cran. « Je ne veux pas que nous nous disputions, Dean. Je t'en prie, comprends-moi.

– Je te comprends parfaitement. Tu penses avoir trouvé la passion et la fougue qui manquaient selon toi à notre relation. Tu veux lier ton sort à cette brute portant un jean moulant qui te fait perdre la tête.

– Oui, admit-elle d'un ton plein de défi. Pour ce qui est du jean, c'est négociable, mais perdre la tête, je raffole.

– Seigneur ! Cat... On croirait entendre... une adolescente.

– Je sais que tu me trouves sotte et trop idéaliste.

– Je ne te le fais pas dire ! Je suis pragmatique de nature. Je ne crois pas à l'idéal. La vie est une succession de réalités, généralement pas très folichonnes.

– Personne ne sait ça mieux que moi, Dean, lui rappela-t-elle. C'est la raison pour laquelle je refuse de me contenter de peu, surtout s'il s'agit de la relation la plus importante de ma vie. L'amitié et la camaraderie sont vitales, mais si je tombe amoureuse, je veux tout le tralala. Du romantisme. Des picotements.

– Et tu crois que cet Alex est capable de te donner ça ?

– Il est trop tôt pour le savoir. Du reste, là n'est pas la question.

– Foutaise ! Si je n'étais pas là, ne serait-il pas en train de te faire des picotements à l'heure qu'il est ?

Cat garda le silence un long moment. Pour finir, lorsqu'elle comprit qu'il ne céderait pas, elle marmonna :

– Honnêtement, je l'ignore. Peut-être.

Puis, se souvenant du baiser d'Alex à l'instant de son départ, elle ajouta à voix basse :

– Probablement.

Dean arracha sa veste du dossier de sa chaise.

– Tu ferais peut-être bien de l'appeler pour lui dire de revenir.

– Tu ne vas pas t'en aller comme ça, s'exclama-t-elle en lui tendant la main alors que déjà, il fonçait sur la porte. Ne pars pas fâché. Ne me punis pas de ne pas être follement amoureuse de toi. Tu restes mon meilleur ami. J'ai besoin de toi d'une manière très spéciale. Je ne veux pas que quoi que ce soit fasse obstacle à notre amitié... Dean!

Il ne ralentit même pas le pas, et sortit en laissant la porte claquer derrière lui. Les pneus de sa voiture crissèrent furieusement quand il démarra.

CHAPITRE 24

George Murphy était d'une humeur massacrante en remontant le trottoir défoncé en direction de la bicoque délabrée. Chaque fois qu'il se hissait sur le porche, les planches pourries menaçaient de céder sous son poids. La peinture bleue de la porte d'entrée était passée et tout écaillée. Lorsqu'il tira brusquement sur la poignée, les gonds grincèrent lamentablement.

Le salon empestait l'huile rance et la marijuana. Il écarta d'un coup de pied un lapin en peluche et jura en se prenant les pieds dans un petit camion. Parodiant Ward Cleaver, il chanta à tue-tête : « Chérie, je suis là. »

Elle émergea de la chambre, les yeux bouffis. Bien que ce fût le milieu de la journée, elle portait une chemise de nuit légère en coton. Elle passa sa langue sur ses lèvres sèches.

– Qu'est-ce que tu fais là?

– Comment, qu'est-ce que je fais là? J'habite ici que je sache!

– Quand est-ce qu'ils t'ont relâché?

– Y a une heure à peu près. Ils avaient pas de preuves, alors ils pouvaient pas me garder.

Cela avait été une sale affaire d'inculpation pour détention de drogue, forgée de toutes pièces par deux flics qui n'aimaient pas sa fiole et voulaient à tout prix l'enquiquiner. Il n'y avait pas de quoi en faire un plat, si ce n'était qu'en prison, il ne pouvait pas faire ce qu'il avait envie de faire. Pour l'heure, il crevait d'envie de se taper une bonne bière et une bonne femme.

Il la regarda avec méfiance. Elle avait l'air nerveuse.

– Qu'est-ce que t'as? demanda-t-il. T'es pas contente de me voir?

Il plissa les yeux d'un air soupçonneux, puis brusquement fixa son attention sur la porte de la chambre.

– Salopard. S'y a un mec là-dedans, je te bute.

– Il n'y a pas...

Il l'écarta sans ménagement et fit irruption dans la petite chambre qui sentait le renfermé. Couché sur le côté, au milieu des draps froissés, un petit garçon dormait, les genoux repliés contre la poitrine, un pouce dans la bouche.

Murphy se sentit ridicule de lui avoir révélé sa jalousie. Pour sauver la face, il alla jeter un coup d'œil dans la salle de bain, où il ne trouva évidemment personne.

– Ils l'ont ramené? s'exclama-t-il en regagnant la chambre, pointant son doigt en direction de l'enfant endormi.

Elle hocha la tête.

– Ce matin. Ça fait deux nuits que je pleure. Je pouvais pas travailler. J'arrivais à rien faire à part penser à Michael. J'étais tellement contente de le revoir. Je croyais qu'ils l'avaient pris pour de bon ce coup-ci. » Au bord des larmes, elle avala sa salive avec peine. « L'assistante sociale m'a dit que si... si y'avait encore des problèmes, ils le reprendraient pour toujours. C'est notre dernière chance. » Elle le regarda d'un air implorant, les yeux brillants de larmes. « Je t'en supplie, ne fais rien qui risque...

– Va me chercher une bière.

Elle hésita, jetant un coup d'œil inquiet en direction du gamin.

Murphy lui administra une petite tape sur la tempe.

– T'as entendu ce que je t'ai dit? Va me chercher une bière, répéta-t-il en détachant ses mots. T'es sourde ou quoi?

Elle fila à la cuisine et revint rapidement avec une canette de bière.

– C'est la dernière. J'irai en chercher d'autres dès que Michael sera réveillé. Tant que j'y suis, j'en profiterai pour acheter à dîner. Qu'est-ce que tu voudrais manger?

Il émit un grognement de satisfaction. Cette docilité lui allait déjà mieux. Quelquefois la garce montait sur ses grands chevaux et il fallait lui rappeler qui était le maître de maison.

– En tout cas, je veux plus de cette merde que t'as fait la semaine dernière.

– C'était du *pollo guisado.* Un ragoût mexicain.

– On n'arrivait même pas à savoir ce qu'il y avait dedans.

– Je ferai des frites ce soir, si tu veux.

Il rota, exhalant une odeur de bière et de mauvaise haleine. Cette servilité commençait à lui porter sur les nerfs. Les femmes devraient naître muettes, se dit-il.

– Et puis je ferai des hamburgers. Avec des oignons. Comme tu les aimes.

Murphy n'écoutait plus. Il écrasa sa canette de bière vide entre ses mains et la jeta n'importe où, puis se mit à fouiller fébrilement parmi le capharnaüm qui traînait sur le buffet.

– Qu'est-ce t'en as fait?

– Je t'en prie, non. Tu ne peux pas. Pas ici. Si l'assistante sociale revenait...

Il tomba sur une boîte en plastique transparent compartimentée, contenant des douzaines de perles de différentes tailles, formes et couleurs qu'il envoya valser par terre. En poussant un petit cri d'impuissance, elle regarda ses perles s'éparpiller sur le linoléum fendillé.

Il lui saisit les bras et se mit à la secouer vigoureusement.

– Laisse tomber ces putains de perles. Qu'est-ce t'as fait de ma came?

Elle eut un moment d'indécision, mais l'étincelle de rébellion qui brillait dans son regard eut vite fait de vaciller.

– Dans le tiroir du bas.

– Sors-la-moi.

Quand elle se pencha, sa chemise de nuit se tendit sur ses hanches. Il lui pelota les fesses, en en pressant les rondeurs de ses doigts puissants.

– Après plusieurs jours en prison, même ton gros derrière finit par être sexy.

Elle se redressa, mais il maintint ses mains en place et commença à remonter sa chemise de nuit.

– Non. S'il te plaît, murmura-t-elle à l'adresse de son reflet dans la glace. Michael pourrait se réveiller.

– Ferme-la et prépare-moi quelques lignes.

Voyant qu'elle allait protester, il lui pinça violemment l'arrière de la cuisse.

– Et tout de suite!

Elle ouvrit le sac en plastique en tremblant, déversa une petite quantité de cocaïne et fit deux lignes bien nettes sur un miroir ébréché avec une carte à jouer. Il se pencha et les sniffa avec une courte paille, avant de frotter ce qui restait sur ses gencives. L'effet fut immédiat et puissant.

– Ah! Je me sens déjà mieux.

Il soupira. Déployant sa main au milieu de son dos, il la força à se pencher en avant par-dessus le buffet et déboutonna son pantalon.

– Pas maintenant!

– Ta gueule!

Il essaya de glisser la main entre ses cuisses, mais elle les maintint fermement serrées l'une contre l'autre. Il la frappa de nouveau sur la tempe, plus fort cette fois, et elle cria.

– Ecarte les jambes et boucle-la, grommela-t-il.

– Je veux pas qu'on le fasse comme ça.

– Très bien, fit-il d'une voix suave, qui cadrait mal avec son visage laid aux traits tordus. Il enroula une poignée de ses cheveux autour de sa main et la força à se retourner. En lui faisant plier les genoux, il essaya de l'obliger à prendre son sexe dans sa bouche.

– Si tu ne veux pas qu'on fasse ça comme ça, alors on va s'y prendre autrement. Tu vois comme je suis gentil! Tu préfères ça, hein?» Il lui tira les cheveux plus fort. « Et si jamais tu me fais mal, je t'arrache toute la tignasse par la racine.

– D'accord, d'accord. Je vais faire ça bien.

Des larmes de douleur et d'humiliation inondaient son visage lorsqu'elle tourna son regard vers le petit enfant endormi.

– Mais pas ici... Dans la pièce à côté.

– Moi, j'aime bien cette pièce-ci.

– Pas ici, je t'en prie. Le bébé, sanglota-t-elle.

– Merde alors! Qu'est-ce que t'es laide quand tu chiales comme ça.

– J'arrêterai de pleurer. Je te promets. Mais ne me force pas à...

– Le gamin dort à poings fermés, chuchota-t-il, mais je peux le réveiller. Au fond, j'y pense, ça pourrait être très instructif pour lui.

Il fit mine d'aller vers le lit.

Elle se cramponna à ses jambes.

– Non, non, supplia-t-elle en un souffle.

– Alors mets-toi au boulot.

Son plaisir consistait en grande partie à la regarder d'en haut pendant qu'elle s'activait avidement. En désespoir de cause, elle s'efforçait d'en finir au plus vite.

Mais il était bien plus futé que cette salope. Il avait compris sa tactique et s'efforçait de tenir le coup le plus longtemps possible. Quand il n'en put plus, il brailla comme un chacal.

Miraculeusement, Michael ne s'était pas réveillé.

Après le dîner, il s'installa devant la télé. C'était l'heure des nouvelles sur toutes les chaînes. Il zappa, en attendant que toutes ces conneries soient finies jusqu'au moment où Vanna White, la voluptueuse présentatrice de la *Roue de la Fortun*e, apparut sur l'écran.

Une rousse mignonne sur une autre chaîne attira son attention. Il l'avait déjà vue avant, mais ne lui avait pas vraiment prêté attention. La gueule était pas mal, mais elle était plate comme une limande. Derrière elle, sur sa droite, on voyait la photo d'un gamin. Elle parlait avec animation en regardant la caméra.

– ... a été négligé. Ses parents étaient des drogués l'un et l'autre. Il aura probablement de la peine à s'attacher, mais il a tout le potentiel nécessaire pour devenir un enfant sain, vif, et stable sur le plan émotionnel. Dans une bonne famille susceptible de l'entourer d'affection et de conseils, il...

Murphy écoutait avec un intérêt croissant. Quand elle eut achevé son récit et rendu l'antenne au présentateur godiche, Murphy fixa son attention sur le gamin qui jouait dans un coin de la pièce avec son lapin en peluche tout crade.

Ce mioche lui pompait l'air. Il ne faisait pas beaucoup de bruit, et il avait appris à ses dépens à ne pas marcher sur les plates-bandes de Murphy. Mais il n'empêche qu'il faisait continuellement obstacle à ce que lui avait envie de faire : baiser, sniffer, tout ça.

Il fallait qu'il surveille tout ce qu'il faisait dans la maison. A cause du gamin, elle était tout le temps après lui. Fais pas ça, Michael pourrait te voir. Ne parle pas comme ça, Michael pourrait t'entendre. Il en avait marre de ces reproches incessants. C'est vrai quoi ! Y'avait de quoi vous rendre dingue.

Et cette foutue assistante sociale qui n'arrêtait pas de fourrer son long nez maigre dans ses affaires ! C'était probablement elle qui avait envoyé les flics la dernière fois qu'il avait malmené sa gonzesse. Il l'avait un peu secouée, d'accord ! Mais elle le méritait. Il était rentré à la maison et elle était pas là ! Quand finalement elle s'était pointée, elle avait refusé de lui dire où elle était allée. Qu'était-il supposé faire ? Il ne pouvait pas laisser passer ça, tout de même. Il n'aurait jamais dû accepter qu'elle fasse ce boulot avec les perles. Ça lui donnait beaucoup trop d'indépendance.

En attendant, son principal problème, c'était le marmot. A chaque fois qu'elle déconnait, c'était à cause de lui. La vie serait tout de même beaucoup plus agréable sans ce petit morpion.

Adoption, avait dit la rousse. Pas forcément pour des orphelins, mais aussi pour les parents qui en avaient ras le bol de leur mioche et qui voulaient s'en débarrasser. On brade les gamins maintenant ! Quelle excellente idée !

Il lui jeta un coup d'œil. Elle continuait à enfiler ses perles. Elle perdrait la boule si on lui retirait Michael pour de bon. Mais tôt ou tard, elle s'en remettrait. Quel choix aurait-elle ? Peut-être qu'elle ne serait pas si fâchée que ça si elle savait que Michael avait été adopté par une bonne famille. Une bonne famille ! Laissez-moi rigoler.

Murphy engloutit le reste de sa bière tandis que Vanna faisait tourner sa roue, mais c'était à la rousse qu'il pensait. Il y avait de fortes chances pour qu'elle soit la solution à son problème.

En tout cas, ça valait la peine d'y réfléchir.

CHAPITRE 25

– Cat!
– Oh mon Dieu! » Elle sursauta et posa instinctivement la main sur son cœur qui battait à tout rompre. « J'ignorais qu'il y avait quelqu'un. »
Elle avait pensé que le studio de télévision plongé dans l'obscurité serait désert.
– Il n'y a personne, à part moi. Je vous attendais.
Alex s'extirpa du fauteuil du présentateur et s'approcha d'elle d'une démarche nonchalante. La peur avait cloué Cat sur place.
Dans le noir, les caméras s'apparentaient à des créatures vivantes sorties d'un autre monde, avec leurs myriades de câbles entortillés autour d'elles et serpentant sur le sol en béton tels des cordons ombilicaux électroniques. Les écrans des moniteurs faisaient songer à des yeux aveugles et fixes. A cette heure tardive, lorsqu'il ne remplissait plus ses fonctions de haute technologie, l'équipement du studio prenait des allures cauchemardesques.
Jusqu'à récemment, une idée aussi saugrenue ne lui serait jamais venue à l'esprit. Depuis quelque temps, toutefois, elle voyait des fantômes partout.
– Comment saviez-vous où me trouver? demanda-t-elle.
– On m'a dit que vous preniez généralement un raccourci qui passe par ce studio quand vous quittez les lieux.
– Qui vous a dit ça? Et d'abord, comment avez-vous fait pour accéder jusqu'ici?
– J'ai réussi à convaincre le garde de me laisser entrer.
– Ils ne sont pas censés laisser passer qui que ce soit d'extérieur à la maison.
– Le vieux Bob m'a fait une fleur.

– Le vieux Bob?

– Nous en sommes déjà à nous appeler par nos prénoms. Quand je lui ai dit que j'étais un ancien policier, il s'est montré très accommodant. Il faisait partie de la police de San Antonio avant de prendre sa retraite et de devenir gardien.

– Cette vieille camaraderie doit vous être très utile quelquefois.

– Ça ouvre des portes, fit-il en haussant les épaules. Vous avez froid?

Les bras croisés sur sa poitrine, elle serrait ses coudes inconsciemment.

– Oui, un peu, je crois. Je ne m'en étais pas aperçue.

– Ou bien est-ce que vous tremblez à cause de ce qui s'est passé ici cet après-midi?

– Comment êtes-vous au courant? demanda-t-elle en plongeant son regard dans le sien.

– J'étais là.

– Vous étiez là? Pourquoi?

– J'étais venu vous voir. Je suis arrivé juste après la première voiture de pompiers. Dans la confusion, j'ai réussi à convaincre le vieux Bob de me laisser passer, mais je n'ai pas pu parvenir jusqu'ici. L'accès du studio était interdit. Il n'y a rien eu à faire.

« Un des vigiles en faction m'a expliqué la situation. Je lui ai dit que j'étais un ami à vous et j'ai demandé à vous voir, mais il avait reçu des consignes très strictes.

Elle regrettait de ne pas avoir su qu'Alex était dans la maison. Tout le monde s'était montré plein de sollicitude à son égard, mais elle aurait été contente de l'avoir à ses côtés pour la soutenir sur le moment.

– Ce sont des accidents qui arrivent!

– Etes-vous sûre que c'était un accident?

Son petit rire nerveux tendait à prouver qu'elle était loin d'en être convaincue.

– Bien sûr que c'était un accident! Il s'est trouvé par hasard que j'étais assise dans ce fauteuil quand le projecteur est tombé.

– Montrez-moi où ça s'est passé.

Il la suivit jusqu'au bureau, derrière lequel quatre fauteuils pivotants étaient alignés. Deux destinés aux présentateurs, un troisième pour Monsieur Météo qui bavardait traditionnellement avec le présentateur avant de se rendre au « centre météo », situé à l'autre bout du studio. Quant au dernier fauteuil, il était réservé au journaliste sportif.

– Comme vous le savez, je suis rarement sur le plateau pendant l'émission. Mes apparitions sont tournées à l'avance. Quand on enregistre, je m'assois généralement là, dit-elle, en posant les mains sur le dossier du fauteuil du journaliste sportif. J'en étais à peu près à la moitié de mon texte d'introduction quand l'incident s'est produit.

Elle pointa son index en l'air. Le projecteur cassé avait déjà été remplacé par un neuf.

– C'est le troisième à gauche, expliqua-t-elle à Alex.
– Il est tombé de la grille et s'est écrasé sur le bureau? demanda-t-il.
– Ici.
Les marques récentes étaient clairement visibles sur le formica. Une entaille en forme de croissant au bord du bureau, comme si un géant avait mordu dedans.
– J'ai eu de la chance que ça ne me tombe pas sur le crâne, dit-elle en effleurant le sillon dentelé. Le projecteur est tombé à quelques centimètres de ma tête. J'ai failli le recevoir sur les genoux. Ça a fait un sacré bruit, entre le verre cassé et le métal froissé.
Elle esquissa avec peine un pâle sourire.
– Inutile de vous dire que j'ai dû reprendre tout à zéro.
– Vous a-t-on donné la moindre explication?
– En quelques minutes, le studio s'est rempli. Bill était en réunion avec des représentants. Il est arrivé en trombe. Quelqu'un a appelé police-secours. C'est la raison pour laquelle le camion des pompiers était là. Ainsi qu'une ambulance, bien qu'il n'y eût aucune victime, ce qui est un vrai miracle.
« Au bout d'un moment, la police et les gardiens ont fait sortir tout le monde pour que l'on puisse nettoyer. Bill était déchaîné. Il est allé trouver les éclairagistes en exigeant des explications.
– Et alors?
– Ils n'ont pas pu lui en donner. Bill a menacé de les licencier en bloc, mais je l'en ai dissuadé. On ne pourra jamais savoir qui a commis la négligence à l'origine de cette chute. Il me semblait donc injuste de punir toute l'équipe.
– Ont-ils inspecté le projecteur en question?
– Oui. Le boulon était mal serré apparemment.
– Ce qui prouve qu'il s'agissait bien d'une négligence.
– Peut-être, à moins qu'il ne se soit dévissé tout seul.
– Dévissé tout seul?
– Quelque chose comme ça, fit-elle d'un ton brusque.
Elle en avait assez de son scepticisme qui l'effrayait d'autant plus qu'il coïncidait avec le sien.
– Hum!
– Je déteste quand vous faites ça!
– Quand je fais quoi?
– Ce « hum! » Sous-entendant que ce que je viens de dire...
– Est bidon.
– Alors, que s'est-il passé à votre avis?
– Je pense que vous avez eu la peur de votre vie et que ce n'était pas un accident.
Elle croisa de nouveau les bras sur sa poitrine en un geste de protection inconscient.

– C'est de la folie! Qui voudrait du mal à Kurt?
– Kurt?
– Le journaliste sportif.
– Kurt n'était pas sur le plateau quand le projecteur est tombé. C'est vous qui occupiez sa place.
– Vous voulez dire qu'on l'avait traficoté de manière à ce qu'il tombe juste au moment où j'étais là?
– Oui, et c'est ce que vous pensez vous aussi.
– Avez-vous la prétention de deviner tout ce que je pense?
– Ce n'est pas difficile en l'occurrence, vu que vous avez l'air totalement démonté.

Sachant qu'il serait inutile de nier, elle décida de se faire l'avocat du diable.

– En imaginant que vous ayez raison, pourquoi me voudrait-on du mal?
– C'est à vous de me le dire.
– Mais je n'en sais rien, moi!
– Vous avez tout de même une petite idée. » Il posa un doigt sur ses lèvres pour l'empêcher de protester. « J'ai senti que quelque chose n'allait pas l'autre soir quand vous avez découvert cette voiture inconnue garée devant chez vous.
– J'étais un peu inquiète. N'importe qui l'aurait été.
– Vous étiez exagérément inquiète, insista-t-il. Comme si vous vous attendiez à avoir des ennuis. Même avant cet épisode ce soir-là, vous étiez un paquet de nerfs. Pouvez-vous m'expliquer pourquoi?
– Non.
– Menteuse.

Se sentant épuisée tout à coup, elle baissa la tête et se mit à se masser les tempes.

– Vous avez gagné, Alex. Je déclare forfait. Je n'ai pas la moindre envie de me quereller avec vous ce soir.
– Pourquoi refusez-vous de me dire ce qui vous tracasse?
– Parce que... » Elle hésita. « Parce que je veux rentrer chez moi et aller me coucher.

Sur ce, elle se dirigea vers la sortie. Alex lui emboîta le pas.

– Votre petit ami est-il toujours chez vous?
– Ce n'est pas mon petit ami.

Il s'arrêta.

Elle s'immobilisa à son tour, fit volte-face et le regarda droit dans les yeux.

– Il l'a été. Il ne l'est plus.
– Je vois.

Ils choisirent tacitement de ne pas poursuivre cette discussion sur

Dean et continuèrent leur chemin jusqu'au hall de l'immeuble, où ils s'arrêtèrent un bref instant pour dire au revoir au vieux Bob.

Ce dernier gratifia Alex d'un sourire jusqu'aux oreilles.

– Merci pour l'autographe. » Un exemplaire d'un de ses livres était ouvert sur le bureau de la réception. « J'adore ce genre de livres.

– Amusez-vous bien, lança Alex à l'adresse de son nouvel admirateur, tout en tenant la lourde porte métallique pour Cat.

– Vous l'avez soudoyé, l'accusa-t-elle.

– C'était une tactique à laquelle j'avais prévu d'avoir recours en dernier ressort au cas où les histoires du bon vieux temps ne produiraient pas l'effet escompté.

– Comment saviez-vous que je serais là ce soir? Il est rare que je travaille aussi tard.

Le parking était pour ainsi dire vide. Même l'équipe du dernier bulletin d'informations du soir avait quitté les lieux.

– Comme vous n'étiez pas chez vous, je me suis dit qu'il y avait des chances pour que vous soyez là. J'ai deviné juste.

– Vous êtes allé chez moi d'abord?

– Pour risquer de retomber nez à nez avec Spicer? Hors de question. J'ai téléphoné. Personne n'a répondu.

– Pour quelle raison vouliez-vous me voir?

– Je voulais connaître votre version de l'accident.

– Mais avant ça. Pourquoi êtes-vous venu au studio cet après-midi?

Ils avaient atteint sa voiture. Il s'accouda sur le toit et lui fit face.

– Pour m'excuser personnellement d'avoir malmené votre... euh, Spicer.

– Je ne pense pas que vous lui ayez fait très mal, dit-elle. Il était plus embarrassé qu'autre chose, à mon avis.

Alex paraissait sur le point de dire quelque chose. Comme il gardait le silence, elle ouvrit sa portière.

– J'accepte vos excuses, Alex. Bonne nuit.

– Ecoutez, Cat. C'est une vraie lavette, ce type. Qu'est-ce que vous lui trouvez?

– Eh bien, pour commencer, il m'a sauvé la vie, lui rétorqua-t-elle.

– Et vous vous sentez redevable vis-à-vis de lui.

– Je n'ai pas dit ça!

– Jusqu'à quel point? insista-t-il.

– Taisez-vous, Alex. » Elle essaya de crier, mais sa voix se brisa. « Taisez-vous et... laissez-moi tranquille. Je vous ai déjà dit que je n'avais pas envie de me bagarrer ce soir. Je... aujourd'hui... Vous...

Mortifiée, elle éclata en sanglots.

– Oh et puis flûte! fit-il en la prenant dans ses bras.

Elle voulut résister mais n'avait plus la force physique ou émotionnelle nécessaire. Il la serra contre lui pendant qu'elle pleurait. Au bout de quelques minutes, elle releva la tête, accepta le mouchoir qu'il lui tendait et se moucha.

– Cet accident vous a effrayée davantage que vous ne voulez l'admettre, Cat.

– Non, non, se défendit-elle en secouant la tête. Ce n'est pas à cause de ça que je pleure. C'est autre chose.

– De quoi s'agit-il?

– Je n'ai vraiment pas envie d'en parler maintenant.

– Ce que vous pouvez être têtue!

Il l'écarta doucement et referma sa portière à clé. Puis il la fit pivoter sur elle-même et la poussa dans la direction opposée.

– Venez!

– Où m'emmenez-vous? Je veux rentrer chez moi.

– Je ne voudrais pas être méchant, mais vous feriez peur à un épouvantail. Je veux être sûr que vous mangerez quelque chose.

– Je n'ai pas faim.

Il refusa de se laisser fléchir. Une demi-heure plus tard, ils arrivaient chez lui après être passés dans un Kentucky Fried Chicken. Plutôt que de mettre la table, il décida qu'ils mangeraient sur des plateaux au salon. Il s'installa dans un coin du sofa, Cat s'étant assise par terre devant la table basse.

– Il faut reconnaître que c'est bon, marmonna-t-elle, la bouche pleine. Sur le plan alimentaire, vous enfreignez les règles les plus élémentaires, Alex. Poulet frit et frites!

– Les flics se nourrissent exclusivement de *fast food.* Je vous mets au défi d'en trouver un qui aime le tofu, les yaourts et le germe de blé.

Elle rit en brandissant sa cuiller en plastique pleine de purée de pommes de terre additionnée de jus. Alex, lui, ne riait pas. Il était en train d'étudier son visage avec attention.

– Qu'est-ce qu'il y a? demanda-t-elle, mal à l'aise.

Il cilla des paupières en s'extirpant d'un état de transe momentané.

– J'étais en train de songer à quel point vous étiez d'humeur changeante. C'est loin d'être mon cas. Mes mauvaises humeurs durent des jours, des semaines, parfois même des mois si je n'arrive pas à écrire. Vous, vous pleurez un bon coup et vous êtes comme purifiée. Les hommes devraient sans doute apprendre à pleurer.

– Ne vous fiez pas à mon appétit. Mon corps exigeait la nourriture dont je l'ai privé depuis quelque trente-six heures, mais je suis toujours aussi déprimée.

– Pour quelle raison? Spicer est parti brusquement?

– Oui, mais Dean n'a rien à voir là-dedans. » Elle prit un biscuit déjà entamé et en brisa un petit morceau qu'elle fit rouler entre ses doigts.

« Chantal, la petite fille à qui on a greffé un rein récemment, est morte ce matin.

Il marmonna une obscénité, serra ses mains l'une contre l'autre, puis s'en couvrit le bas du visage.

– Je suis désolé, Cat.

– Moi aussi.

– Que s'est-il passé ?

– Tout s'est fait très vite, Dieu merci. Elle a eu un rejet. Arrêt complet des fonctions rénales. Tout est allé de travers. Elle est morte. » Elle se débarrassa des miettes de biscuit qu'elle avait sur les mains. « C'est un coup terrible pour ses parents adoptifs. Pour Sherry aussi. Jeff a pleuré comme un bébé en apprenant la nouvelle. Toute l'équipe de tournage est terrassée de chagrin. Elle était devenue notre... fétiche, un exemple édifiant de la manière dont un enfant déshérité peut retrouver un avenir qui lui sourit.

– Elle peut très bien demeurer votre fétiche.

– Alex, elle est morte.

– Je ne vois pas...

– Je me suis intimement mêlée de la vie de ces gens, l'interrompit-elle en haussant la voix. Je les ai poussés à aimer Chantal. J'ai poussé Chantal à les aimer. Ils l'ont prise chez eux, pour subir en définitive une épreuve terrible et souffrir avec elle. Et que leur reste-t-il après ces affreux tourments ? » Elle émit un geignement de dégoût. « Des funérailles télévisées, voilà ce qui leur reste. Des journalistes rôdant autour du petit cercueil de Chantal et les harcelant pour leur soutirer un commentaire. Leur détresse est devenue un événement médiatique. Tout ça à cause de moi. » Elle mit les coudes sur la table et enfouit son visage dans ses mains. « J'étais en train de travailler fébrilement dans mon bureau ce soir pour essayer d'oublier un moment la mort de Chantal, mais j'étais incapable de penser à autre chose qu'à la tragédie que j'ai imposée à ces pauvres gens.

– Vous croyez vraiment qu'ils avaient besoin de vous pour apprendre à aimer cette enfant ? fit-il en secouant la tête. Vous me semblez avoir une bien haute opinion de votre influence sur les gens.

Elle releva la tête et le fusilla du regard.

– Vous ne les avez pas forcés à la prendre, Cat, poursuivit-il d'une voix plus calme, plus chaleureuse. Ils n'attendaient que cela. Ils se sont soumis à une longue formation pour pouvoir satisfaire aux critères exigés. Ils voulaient Chantal.

– Vivante. Ils voulaient une petite fille bien vivante, et non pas une tombe sur laquelle aller se recueillir pendant les vacances. Ils voulaient partager son enfance, la regarder grandir.

– Malheureusement, quand on adopte un enfant, c'est sans garantie à vie. Il en va de même pour tous les enfants. Parfois, ils meurent et l'on n'y peut rien.

– Je vous en prie, épargnez-moi votre logique à quatre sous. Vous ne vous imaginez tout de même pas que je vais me sentir mieux après ça!

– Non. Pour la bonne raison que vous prenez plaisir à vous apitoyer sur vous-même!

– Tout ce que je sais, c'est que si je n'avais pas été là, ces pauvres gens ne seraient pas en deuil ce soir, dit-elle en s'emportant.

– Vous l'ont-ils dit ouvertement?

– Evidemment que non.

– Vous ont-ils dit : " Mlle Delaney, pourquoi diable nous avez-vous fait vivre une histoire pareille? Nous étions parfaitement heureux jusqu'au moment où vous êtes apparue dans notre vie pour nous fourguer cette gamine malade. "

– Ne soyez pas ridicule. Ils m'ont appelée pour me dire...

Elle s'interrompit. Alex se pencha en avant.

– Pour vous dire quoi, Cat? Continuez. Que vous ont-ils dit au téléphone?

Elle s'éclaircit la gorge et détourna le regard.

– Ils m'ont remerciée de leur avoir confié Chantal.

– Sans doute parce que le moment qu'ils ont passé avec elle a été l'une des périodes les plus gratifiantes de leur existence.

Elle renifla et hocha brusquement la tête.

– Ils m'ont dit que ça avait été une véritable bénédiction pour eux.

– Alors pourquoi est-ce que vous persistez à remettre en question tout ce que vous faites? *Cat's Kids* est une excellente entreprise. Ce qui est arrivé à Chantal est affreusement triste, mais au moins elle était entourée au moment où elle en avait le plus besoin. Vrai ou faux?

– C'est vrai.

– Si c'était à refaire, croyez-vous que vous vous y prendriez autrement? Déferiez-vous ce que vous avez fait? Leur enlèveriez-vous ce temps qu'ils ont passé ensemble? Laisseriez-vous Chantal mourir toute seule et sans amour, en privant ce couple de ce qu'ils ont eux-mêmes qualifié de bénédiction?

Elle inclina la tête, rendant sa réponse presque inaudible.

– Non.

– Alors?

– Vous avez raison. Evidemment, admit-elle en souriant tristement. Cette tragédie m'a mise sens dessus dessous, voilà tout. Le doute m'a assaillie et j'avais besoin d'un point de vue objectif pour écarter mes appréhensions. J'avais aussi besoin de pleurer un bon coup, acheva-t-elle en se tamponnant les yeux avec sa serviette. Merci, Alex.

Il dissipa sa gratitude d'un geste.

La lumière provenant de la cuisine éclairait ses cheveux noirs et mettait ses traits en relief. Dean avait dit qu'il avait l'air d'une brute. Il avait incontestablement quelque chose d'un peu fruste. Il était capable d'infliger de la souffrance, cela ne faisait aucun doute.

Mais de la souffrance, il en avait éprouvé lui aussi. Sinon comment l'aurait-il comprise aussi bien? Son regard d'acier et sa bouche dure en témoignaient. En peu de mots, il pouvait blesser au vif.

En tout aussi peu de mots, il pouvait manifester de la compassion et de la gentillesse. Il n'était pas tendre de nature, mais savait faire preuve de douceur. Il savait aussi être un ami fiable quand cela était nécessaire.

– Où en est votre livre? demanda-t-elle, comblant le silence pesant qui s'était installé entre eux.

– J'avance comme un escargot, bien que j'aie eu quelques jours très productifs.

– Tant mieux.

Après ce piètre échange, ils avaient épuisé le sujet. Il refusait d'en parler davantage et elle ne s'attendait plus à ce qu'il le fasse. Mais ce n'était pas parce que la conversation était en panne qu'ils cessèrent de communiquer. Ils se regardaient fixement et le silence abondait en messages tacites.

Au bout d'un moment, il retira le plateau qu'elle avait sur les genoux et le posa sur la table. Il s'assit par terre à côté d'elle, glissa une main derrière sa nuque et l'attira à lui jusqu'à ce que leurs lèvres se touchent presque.

– Nous sommes allés aussi loin que nous le pouvions avec nos habits sur le dos.

CHAPITRE 26

Ses angoisses se dispersèrent comme la neige fond au soleil, la laissant libre de se concentrer sur ses baisers. Plus rien ne comptait, hormis le moment présent. Elle avait besoin de l'énergie d'Alex, de sa vigueur, de l'appétit effréné qu'il avait d'elle. Elle avait envie de lui. Pourquoi jouer les effarouchées?

Elle noua les bras autour de sa nuque. Leurs lèvres s'unirent et ils s'agenouillèrent face à face. Ses mains, déjà, la caressaient avidement; elle se cambra. Il lui souffla une obscénité à l'oreille, poussé par un élan d'un érotisme tel qu'elle se frotta voluptueusement contre lui pour le forcer à répéter.

Ils continuèrent à s'embrasser pendant qu'il lui enlevait son chemisier. Cat tira sur la chemise d'Alex pour l'extraire de son pantalon, puis promena ses doigts sur sa poitrine ferme, couverte d'une douce toison. Il la lâcha juste le temps d'enlever sa chemise à la hâte et de la jeter de côté, puis il l'enserra de nouveau dans ses bras et reprit possession de sa bouche.

– C'est pas vrai! chuchota-t-il d'une voix rauque après avoir glissé les mains sous sa jupe.

– Simple truc de Stanislavski, répondit-elle en un souffle. Chaque fois que les scènes que je tournais dans *Passages* exigeaient du sex-appeal, je mettais un porte-jarretelles et des bas pour me mettre dans l'humeur. C'est devenu une habitude.

Il caressa ses cuisses nues au-dessus de la ligne des bas.

– C'est du fantasme pur!

– Comme ce que l'on trouve dans vos livres.

– Beaucoup mieux!

Il lui enleva sa jupe, puis sa culotte. Elle s'allongea sur le tapis. Avec son soutien-gorge qui lui couvrait à peine les seins, son porte-jarretelles en satin ajusté autour des hanches, ses jambes gainées de soie, c'était une pose pour le moins impudique. Elle était elle-même choquée par son manque de pudeur.

Les yeux d'Alex ne la quittèrent pas une seconde tandis qu'il débouclait méthodiquement sa ceinture et déboutonnait son pantalon. Il se débarrassa prestement de ce dernier, ainsi que de son slip. A la vue de son corps nu, puissamment viril, Cat eut le souffle coupé. Il avait un ventre plat et dur, de longues jambes minces. Il était musclé, sans l'être trop. Des veines faisaient saillie sur ses bras et ses mains.

Sans gêne, elle le dévora des yeux, des pieds à la tête, en passant par son sexe orgueilleux.

Il s'étendit près d'elle, embrassa ses seins à travers la dentelle, avant d'écarter celle-ci pour taquiner ses mamelons du bout de la langue. Puis il releva la tête et plongea son regard dans le sien, tandis que son pouce continuait à jouer avec la pointe d'un de ses seins fièrement dressée.

– Je pourrais écrire cette scène des milliers de fois sans jamais trouver le ton juste, dit-il en regardant sa peau réagir à ses ardeurs. Les nuances d'un corps de femme sont indescriptibles.

Il ploya la nuque et prit l'un de ses mamelons entre ses lèvres. Electrisée, elle courba l'échine, tendant vers lui sa poitrine à demi couverte en un mouvement provocateur. Sa langue continua à la découvrir avec voracité.

Ses mains allèrent errer sur son ventre, puis à l'extérieur de ses cuisses. Elle tendit les mains vers lui, le caressa, et il se mit à gémir. Leurs lèvres se cherchèrent à nouveau et ils s'embrassèrent goulûment.

– Ne te refrène pas, Alex, chuchota-t-elle d'un ton pressant. Inutile de me ménager.

– Je n'en ai pas du tout l'intention.

– Je veux sentir que je suis une femme et que j'ai affaire à un homme. Je veux que tu me prennes. Que tu me...

– Baises.

Il prit ses genoux en coupe et lui écarta les jambes. Mais au lieu de glisser la main entre ses cuisses, comme elle s'y attendait, il baissa la tête et alla l'explorer de sa langue.

Très vite, elle sentit l'orgasme monter en elle. Haletante, en nage, elle retint son cri.

La peau d'Alex était moite elle aussi quand il se coucha sur elle, en allongeant les bras contre son corps. Les yeux fermés, le visage tendu, il se fraya un chemin en elle. Elle eut la sensation de l'engloutir tout entier et elle regarda, fascinée, ses traits déformés par le plaisir tandis que ses hanches commençaient leur va-et-vient rythmé. Lentement, il s'enfonça en elle, toujours plus profondément.

Elle qui s'imaginait avoir déjà connu le nirvana sentit de nouveaux picotements la parcourir de toutes parts sous l'effet de ses poussées régulières. Elle s'abandonna totalement au plaisir.

A un moment donné, il glissa les mains sous ses hanches pour les basculer en avant tout en la serrant contre lui. Il semblait concentrer toute son attention sur chaque mouvement en avant, en arrière. Peu à peu, la cadence s'accéléra. Sa respiration devint saccadée. Soudain, ses bras cédèrent sous lui et il s'abattit sur elle. A ce stade, toutefois, Cat était déjà lancée dans les spirales d'un deuxième orgasme.

Quand ce fut son tour, il fut secoué des pieds à la tête, tous ses muscles se tendant tel un arc, tandis qu'il émettait des sons rauques, brefs, pareils à des sanglots.

Il leur fallut un long moment pour retrouver leurs esprits, mais Cat aurait pu rester allongée là pour toujours, à glisser paresseusement ses doigts dans les cheveux ébouriffés d'Alex, se délectant du goût salé des gouttelettes qui coulaient de son front sur ses lèvres. Il gisait sur elle, pesant, repu, mais peu lui importait d'avoir à supporter son poids. Elle éprouva une certaine fierté en le voyant épuisé.

Il connaissait les techniques de l'amour et de la satisfaction mutuelle. Il les décrivait dans ses livres. Il n'y avait donc rien d'étonnant à ce qu'il fût un amant habile et passionné.

Mais il était aussi sensuel qu'exigeant, suscitant chez elle des réactions inconscientes, purement animales, sur lesquelles elle n'avait pas le moindre contrôle.

Leurs esprits s'étaient unis en même temps que leurs corps. Parfaitement à l'écoute de leurs désirs respectifs, ils s'étaient comblés réciproquement. C'était la raison pour laquelle elle chérissait tant cet instant de repos, de paix, où leurs souffles et leurs sueurs se mêlaient intimement comme s'ils émanaient d'un seul corps.

Il devait sentir cette proximité lui aussi. Car l'un des gestes les plus tendres qu'il eut peut-être, juste avant de se retirer d'elle, fut de déposer un tendre baiser entre ses seins à l'endroit où la cicatrice avait été auparavant.

Elle s'éveilla la première. Sachant qu'il n'aimait pas se lever de bonne heure, elle resta sans bouger pour le laisser dormir. Ses cheveux en désordre paraissaient d'un noir d'encre sur l'oreiller blanc. Des petits poils noirs commençaient à poindre sur son menton et le long de sa mâchoire. Il avait quelques cheveux blancs sur les tempes, qu'elle remarqua pour la première fois. Il fronçait légèrement les sourcils en dormant, ce qui prouvait qu'il n'était jamais totalement en paix avec lui-même. Même dans son sommeil, des pensées ténébreuses assombrissaient son esprit.

Le réveil posé sur la table de chevet lui indiquait qu'elle avait traîné suffisamment longtemps. Elle déposa un baiser sur son épaule nue et se glissa sans bruit hors du lit. En bas, elle s'habilla, rassemblant ses vêtements éparpillés ici et là. Puis elle appela un taxi en chuchotant dans l'appareil.

Pendant qu'elle attendait son arrivée, elle nettoya les vestiges du dîner. Sur le chemin de la cuisine, elle passa sans s'arrêter devant la pièce interdite d'accès, résolue à ne pas enfreindre ses ordres. Elle jeta les détritus, rinça les verres et se servit une bonne rasade de jus d'orange, qu'elle trouva dans le frigidaire.

Adossée au comptoir, tandis qu'elle buvait à petites gorgées, elle caressa l'idée d'ouvrir malgré tout cette porte et de jeter un coup d'œil à l'intérieur. L'obstination d'Alex avait eu un effet inverse, attisant sa curiosité au lieu de la satisfaire.

Durant la nuit, elle avait eu tout loisir d'explorer son corps sans qu'il soit question d'interdits. Ils avaient partagé l'expérience la plus intime qui fût entre deux êtres. Certainement, maintenant que leur relation en était arrivée là, il ne lui en voudrait pas de vouloir découvrir cette autre facette de lui-même.

Et s'il s'y opposait malgré tout? Cela valait-il la peine de prendre le risque? Non, décida-t-elle. Elle ne lui désobéirait pas. Elle attendrait qu'il l'invite lui-même à visiter son domaine secret.

Le taxi finit par arriver et elle quitta l'appartement sans qu'il se fût réveillé. Elle alla récupérer sa voiture dans le parking de WWSA et rentra chez elle, où elle se doucha, s'habilla et s'efforça d'établir un programme pour la journée. Mais elle ne cessait de repenser à la nuit qui venait de s'écouler. Des souvenirs érotiques lui occupaient l'esprit, laissant peu de place pour le reste.

Son euphorie devait être flagrante car Jeff lui en fit la remarque dès qu'elle eut franchi la porte du bureau.

– Que se passe-t-il? Vous avez gagné à la loterie?

Elle rit et accepta avec reconnaissance la tasse de café qu'il lui tendait.

– Pourquoi dites-vous ça?

– Parce que vous rayonnez littéralement ce matin. Vous êtes resplendissante. Moi qui pensais vous trouver défaite à cause de la mort de Chantal.

Son sourire vacilla.

– Je suis encore profondément affectée, naturellement, mais moins pessimiste que je ne l'étais hier. Un ami m'a rappelé combien il est merveilleux d'être en vie.

– L'ami en question ne serait-il pas un romancier plutôt beau mec? demanda-t-il en lui adressant un clin d'œil.

– C'est vrai qu'il est plutôt beau mec, n'est-ce pas? fit-elle en gloussant de rire.

– Il avait fière allure quand il a débarqué ici hier.

– Vous l'avez vu?

– Avec son jean, ses bottes.

Elle grimaça un sourire.

– C'est mon homme!

– Il a ce côté négligé, ce laisser-aller, auxquels les femmes ne résistent pas.

Si Dean avait critiqué l'apparence d'Alex, elle avait manifestement la faveur de Jeff.

– Vous ne m'aviez pas dit que vous l'aviez vu.

– Vous étiez en plein branle-bas de combat. » Il se tiraillait le lobe de l'oreille d'un air gêné. « J'avoue que j'étais un peu intimidé de me trouver en sa présence. Ça m'a coupé tous mes effets. J'ai lu ses livres, et je savais que vous le connaissiez bien sûr. Mais je ne pensais pas avoir le plaisir de le rencontrer un jour.

– Je regrette que vous ne m'ayez pas prévenue de son arrivée.

– Vous étiez entourée d'une nuée de policiers. M. Webster était sur le pied de guerre. Plus tard, vous aviez l'air tellement bouleversée que je n'ai pas voulu vous importuner. Mais si j'ai bien compris, M. Pierce a fini par vous trouver hier soir, acheva-t-il en la dévisageant d'un œil espiègle. A en juger d'après votre sourire béat, je crois deviner que vous avez eu une soirée, euh... thérapeutique.

– Ça ne vous regarde pas, riposta-t-elle en rougissant.

Jeff n'était pas dupe. Il lui adressa un grand sourire.

– Bon. J'espère que vous en avez profité pour vous débarrasser de toutes vos tensions. Vous vous êtes mené la vie dure ces derniers temps. En fait... » Son sourire s'effaça et il se gratta la gorge. « Puis-je vous parler franchement, moins comme un assistant que comme un ami?

Cat lui fit signe de s'asseoir d'un hochement de tête. Il pinça les plis de son pantalon et s'installa face à elle.

– J'espère que je ne... C'est...

– Dites-moi ce que vous avez sur le cœur, Jeff.

– Eh bien, depuis quelques semaines, vous me semblez... distraite. Vous continuez à faire un travail formidable, comprenez-moi bien, s'empressa-t-il d'ajouter. Quelle que soit la source de vos tracas, vous ne les avez certainement pas laissé porter atteinte à votre travail. Vous êtes toujours aussi fabuleuse. C'est juste... J'ai l'impression que quelque chose vous obsède. A part Alex Pierce, j'entends.

Son malaise était-il donc si évident? Plusieurs de ses proches lui avaient fait des remarques à ce sujet : Dean, Alex et maintenant Jeff. Rien n'entamerait sa bonne humeur aujourd'hui, et elle était contente d'avoir enfin l'occasion de parler de ces lettres qu'elle avait reçues. Elle voulait entendre Jeff lui confirmer qu'elle avait affaire à un désaxé et n'avait aucune raison de s'inquiéter.

– Vous êtes très observateur, Jeff. Effectivement, je suis un peu perturbée ces temps-ci.

Elle sortit les deux enveloppes de son sac et les lui tendit. Depuis plusieurs jours, elle les gardait sur elle, peut-être avec l'espoir inconscient qu'à un moment ou à un autre, l'occasion lui serait donnée de les montrer à quelqu'un.

– Jetez un coup d'œil, dit-elle. Et dites-moi ce que vous en pensez... Honnêtement.

Après avoir comparé les deux enveloppes identiques, il en sortit les coupures de journaux.

– Seigneur! chuchota-t-il après les avoir lues à deux reprises. Ils sont tous les deux morts dans des accidents bizarres et c'étaient des greffés du cœur l'un et l'autre.

– Curieuse coïncidence, vous ne trouvez pas?

– C'est le moins que l'on puisse dire. Mais qu'est-ce que ça veut dire? Avez-vous la moindre idée de l'identité de leur expéditeur?

– Non.

– Je passe au peigne fin tout votre courrier. Je ne me souviens pas d'avoir vu ces lettres. Il est vrai que vous en recevez tellement qu'elles auraient pu m'échapper. A moins qu'elles ne vous soient parvenues à l'époque où Mélia travaillait encore avec nous?

– Je les ai reçues chez moi.

Il la regarda d'un air consterné.

– Comment... a-t-on pu se procurer votre adresse personnelle?

Elle haussa les épaules.

– C'est l'une des choses qui me troublent.

Jeff examina les enveloppes avec attention et relut les deux articles. Cat suivit le mouvement de ses yeux le long des lignes. Sa réaction initiale et ses premiers commentaires n'étaient guère encourageants. Elle avait espéré qu'il lui dirait sans détour de ne pas s'inquiéter.

– Les avez-vous montrées à qui que ce soit d'autre? demanda-t-il après sa deuxième lecture. M. Webster? La police?

– Non.

– Vous feriez peut-être mieux!

– Je ne veux pas jouer les alarmistes.

– Personne ne vous accuserait de ça.

– Je n'en sais rien, Jeff, dit-elle en soupirant. Je ne veux pas crier au loup et attirer l'attention sur quelque chose qui n'a probablement pas la moindre importance.

Il esquissa péniblement un sourire rassurant en lui rendant ses enveloppes.

– Vous avez probablement raison, dit-il. Je suis sûr que vous n'avez aucun souci à vous faire. Il y a vraiment des gens qui n'ont rien à faire, hein?

– Je ne vous le fais pas dire! Ils essaient de pimenter leur existence en se mêlant de celle des gens célèbres. Ils vivent par procuration en quelque sorte.

– Exactement. Mais... » Il hésita. « Si vous en recevez une troisième, je crois que vous devriez envisager d'en toucher un mot à la police. On se fiche de ce qu'ils pensent. S'ils vous prennent pour une hystérique, c'est leur problème.

– C'est exactement ce qu'ils se diront, je le crains.

– Vous pourriez au moins consulter les gardiens en faction ici à la chaîne. Insistez auprès d'eux pour qu'ils ne laissent entrer personne qui soit extérieur à la maison.

– Ce qui exclurait d'office environ les trois quarts des gens qui travaillent pour WWSA, souligna-t-elle.

– C'est juste, reconnut-il avec un sourire.

Puis, très vite, il retrouva son sérieux.

– Faites attention à vous, Cat. Il y a beaucoup de cinglés dans ce bas monde.

– Je sais.

Elle remit les enveloppes dans son sac qu'elle ferma brusquement, mettant du même coup un terme à la conversation et reprenant son rôle de chef.

– J'ai besoin de connaître tous les détails concernant les funérailles de Chantal.

– L'enterrement a lieu vendredi à deux heures. Ah oui, juste pour que vous soyez au courant, Ron Truitt a téléphoné tout à l'heure. Il veut une déclaration.

– J'espère que vous lui avez dit d'aller se faire voir.

– Pas en des termes aussi précis, mais c'était à peu près le contenu de mon message. Je lui ai dit que vous étiez indisponible et que vous le resteriez.

– Merci. Si je lui avais répondu personnellement, je ne pense pas que j'aurais été aussi diplomate. Ce type est un vrai chacal, assoiffé de sang frais.

Désireuse de ne pas s'appesantir sur le journaliste carnivore, elle changea de sujet.

– Commandez une couronne de fleurs de la part de WWSA. Je veux envoyer quelque chose de plus personnel, mais je prendrai des dispositions moi-même à cet égard.

Jeff quitta le bureau de Cat avec des instructions précises : contacter Sherry et mettre en place l'horaire des tournages pour les prochains jours. Ces doutes de la veille quant à la validité de *Cat's Kids* lui semblaient ridicules à présent. Ils avaient perdu Chantal, mais il y avait encore tant d'enfants à problèmes qui avaient besoin d'eux.

Quels que soient les obstacles qu'elle rencontrerait – qu'ils émanent de l'administration, d'une presse pernicieuse ou d'elle-même –, elle ne devait jamais abandonner la partie. Ce programme la dépassait largement. Alex l'avait aidée à mettre les choses en perspective. Par rapport à tout le reste, ses revers personnels étaient insignifiants.

Juste avant midi, Jeff revint pour lui apporter un message.

– Votre romancier préféré a téléphoné.

Son cœur fit un bond dans sa poitrine et elle tendit aussitôt la main vers le téléphone.

– Quelle ligne?

– Il a raccroché malheureusement. Il m'a chargé de vous dire qu'il était pressé et qu'il n'avait pas le temps de vous parler. Mais il a laissé un message.

Aussi nerveux qu'un messager porteur de mauvaises nouvelles à l'intention d'une reine colérique, Jeff lui tendit son bloc-notes.

– Il téléphonait de l'aéroport. Il a dit que son vol avait déjà été annoncé.

– Son vol? » Sa bonne humeur s'envola d'un seul coup et elle sombra brutalement dans la déprime. « Il s'en va? Il quitte la ville? Où va-t-il? Pour combien de temps? »

Tout était écrit noir sur blanc, mais Jeff lui transmit le message verbalement.

– Il a simplement dit qu'il partait pour quelques jours et qu'il vous rappellerait dès son retour.

– C'est tout?

Jeff hocha la tête.

Elle essaya de rester stoïque, de garder un visage impassible, une voix neutre. Ce n'était pas facile.

– Merci, Jeff.

Obséquieux, il sortit du bureau à reculons et referma la porte derrière lui.

Cat plia soigneusement le message, et fixa son regard sur le petit carré de papier comme s'il pouvait lui apporter l'explication qui lui manquait. Peine perdue!

Elle était effondrée. Elle avait espéré qu'ils dîneraient ensemble ce soir. Il n'y avait que quelques heures qu'elle l'avait quitté, et déjà elle mourait d'envie de le revoir.

Elle s'en voulait de cette faiblesse. Lui ne semblait pas particulièrement pressé de la revoir. Elle était assise là, accablée de chagrin, pareille à une jeune fille sans cavalier pour aller au bal, alors que le bel oiseau s'était envolé. Littéralement.

Son découragement se changea brusquement en colère. Pourquoi avait-il quitté la ville aussi précipitamment? Pour son travail ou le plaisir? Qu'était-il arrivé de si important pour qu'il file aussi vite, sans même prendre le temps de lui dire au revoir?

CHAPITRE 27

Alex n'aimait pas particulièrement New York, bien qu'il fût fasciné par cette ville de contrastes et de superlatifs, d'abîmes de désespoir, de crasse et de misère, de sommets de prestige, de richesse et de luxe. Ses réactions étaient toujours extrêmes, jamais mitigées. En l'espace de quelques secondes, il était capable de passer de l'envoûtement au dégoût le plus profond.

Il dînait avec son agent dans un petit restaurant de quartier du West Side. Au tout début de ses relations avec Arnold Villella, Alex avait eu droit à des repas scandaleusement onéreux aux *Four Seasons* ou bien encore au *Cirque.*

– Si je ne peux même pas prononcer le nom du plat que je souhaite commander ou si j'en ignore l'origine, je suis incapable de le manger, avait-il décrété à son agent.

Arnold l'avait traité de philistin, mais par la suite, il l'avait laissé libre de choisir le restaurant lui-même.

De temps en temps, s'ils avaient quelque chose à fêter, Alex autorisait Villella à lui offrir un hamburger au *21*, ouvert tard le soir. Mais le *Café d'Oswald,* tenu par le robuste immigrant hongrois en personne, était devenu son bistrot favori. Les sandwichs au rosbif se composaient d'un amoncellement de fines tranches de bœuf saignant merveilleusement tendre agrémentées de moutarde foncée, granuleuse et si forte qu'elle vous picotait les yeux.

Ce soir-là, il dévora gloutonnement son sandwich tandis que Villella mangeait du bout des dents son goulache servi dans un bol.

– Vous avez l'air affamé, constata l'agent. Ils ne vous ont donc rien donné à manger dans l'avion?

– Je crois que si. Je ne me souviens plus très bien.

Il ne se rappelait pour ainsi dire rien du court vol de San Antonio à Dallas-Fort Worth, de la brève escale, puis du vol non-stop jusqu'à La Guardia, ni du trajet en taxi qui l'avait conduit à Manhattan, ni de quoi que ce soit depuis la veille au soir.

Des visions érotiques sublimes, torrides, renversantes, frénétiques, déchaînées, tendres, lubriques, à couper le souffle, semaient la zizanie dans son esprit.

Il repoussa son assiette, et commanda un café au serveur venu la récupérer. Il en avait déjà bu la moitié lorsqu'il s'aperçut qu'il y avait cinq bonnes minutes que son agent et lui n'avaient pas échangé un mot.

Arnold avait attendu patiemment en silence. Quand il avait affaire à des éditeurs parcimonieux, il avait l'instinct d'un barracuda. Avec ses auteurs, en revanche, il se faisait tour à tour pourvoyeur, tyran, ou père confesseur, selon les besoins.

Villella avait accepté de représenter Alex avant même que ce dernier eût publié une seule ligne. La plupart des agents auxquels il s'était adressé lui avaient renvoyé son premier manuscrit sans avoir pris la peine de le lire, leur politique consistant à ne recruter que des écrivains ayant déjà fait leurs preuves. C'était le cercle vicieux du monde de l'édition. Impossible de se faire publier sans un agent. Inutile de se mettre en quête d'un agent si l'on n'avait jamais rien publié.

Mais Villella l'avait appelé à Houston un certain vendredi matin pendant un orage. Alex avait la gueule de bois, et Arnold avait dû répéter plusieurs fois son message avant qu'il l'entendît en dépit de la tempête qui faisait rage dehors, ainsi qu'à l'intérieur de son crâne.

– Votre écriture me semble prometteuse. Vous avez un style cru, mais très particulier. J'aimerais vous représenter si cela vous intéresse.

Alex avait sauté dans le premier avion pour New York afin de rencontrer la seule personne de la planète qui trouvait son écriture prometteuse! Villella avait l'esprit agile et curieux. Il avait des opinions arrêtées et ne mâchait pas ses mots. Mais il n'était pas méchant.

Lorsqu'il avait découvert le problème d'alcool d'Alex, Arnold s'était bien gardé de se mêler de ce qui ne le regardait pas, se contentant de lui dire qu'il avait connu un bon nombre d'écrivains de talent eux-mêmes alcooliques.

– L'alcool a peut-être renforcé leur imagination, mais il a ruiné leur carrière, incontestablement.

Dès son retour à Houston, Alex avait entamé une cure de désintoxication. Tandis qu'il travaillait à la révision de son manuscrit, il avait la sensation que les mots lui sortaient par les pores de la peau en même temps que les poisons de l'alcool qui lui avaient embrumé le cerveau.

Arnold avait ainsi acquis sa confiance absolue. Il était le seul être au monde auquel Alex se confiait, le seul qui pût le critiquer ouvertement sans qu'il en prît ombrage. L'agent connaissait pour ainsi dire tout de sa vie; pourtant, il n'avait jamais émis le moindre jugement sur lui ou sur les méfaits qu'il avait pu commettre.

– Désolé, Arnie. Je ne suis pas d'une compagnie très agréable ce soir.

– J'attendrai. Je suis patient.

– Vous attendrez quoi?

– Que vous me disiez pourquoi vous avez pris l'avion pour venir ici à l'improviste en me demandant de me libérer pour dîner.

– J'espère que vous n'aviez rien prévu.

– Si, mais je peux toujours jongler avec mon emploi du temps lorsqu'il s'agit de satisfaire mon principal client.

– Je parie que vous dites la même chose à tous vos clients.

– Evidemment, riposta Arnold en toute honnêteté. Vous êtes tous des gamins exigeants.

– Je suis sûr que je suis encore plus indiscipliné que les autres.

Arnold était trop courtois pour l'admettre, mais il leva les mains, paumes tournées vers l'extérieur, en une réponse tacite, mais explicite.

– Comment va l'écriture?

– Ça va.

– Si mal que ça, hein?

Alex rit avec dépit.

– Je m'efforce de rester objectif et je ne cesse de me répéter que je n'en suis qu'au premier jet.

– Cela n'a évidemment rien à voir avec la mouture finale.

– J'espère que non, mon Dieu! » Il hésita puis, avec une timidité qui ne lui ressemblait guère, il ajouta : « En dépit des passages nébuleux, je pense que ça risque d'être bon, Arnie.

– Je suis sûr que ça sera excellent. L'intrigue est beaucoup plus complexe et hardie que celle de vos deux livres précédents. Nous en ferons un best-seller, je n'ai aucun doute là-dessus.

– Si je ne déconne pas en route!

– Pourquoi serait-ce le cas? Détendez-vous. Amusez-vous. Ça viendra tout seul.

– On parle de quoi là? De mon livre ou de sexe? plaisanta Alex.

– Je parle de votre livre. Et vous, de quoi parlez-vous?

La question d'Arnold, pleine d'intuition, fit disparaître le sourire d'Alex. Il fit signe au serveur de lui apporter un autre café. Une fois servi, il serra les mains autour de sa tasse fumante.

– Vous m'avez l'air au bord de l'hystérie! observa Arnold. Qu'est-ce qui ne va pas? Vous n'êtes pas en train de replonger dans la dépression, j'espère?

– Non.

– Plus de passages à vide?

– Non. Dieu merci, non!

Arnold faisait référence à ces heures, parfois même des journées entières, où Alex avait sombré dans les vapeurs de l'alcool. Lorsqu'il reprenait conscience, il était incapable de rendre compte de ce qui s'était passé pendant la période où il était « parti ». Il ne se souvenait d'absolument rien, ni de ce qu'il avait fait, ni d'où il était allé, et c'était proprement terrifiant.

– Cela n'a rien à voir avec l'alcool. Je ne bois pas.

Alex lut le soulagement sur le visage de son agent, bien que ce dernier n'en fût probablement même pas conscient.

– Dans ce cas, si ce n'est pas votre livre qui vous angoisse, si vous ne vous bagarrez pas avec la bouteille, alors de quoi s'agit-il?

– J'ai passé la nuit avec une femme.

Villella cilla des yeux, presque imperceptiblement, et Alex devina aisément la raison de sa surprise. Arnold savait tout de ses exploits sexuels. Ou presque.

– Cette fois-ci, c'est différent, marmonna-t-il en jetant des coups d'œil à la ronde d'un air gêné.

– Oh? » Arnold paraissait avoir retrouvé son optimisme tout à coup. « Cette dame aurait-elle puisé dans autre chose que votre stock de testostérones?

– Oui. Enfin non, se corrigea-t-il en bougonnant.

– C'est oui ou non?

– C'est loin d'être une traînée. Ce n'était pas simplement un bon coup. Elle est... Merde, je n'arrive pas à trouver les mots.

Villella posa sagement ses petites mains l'une sur l'autre au bord de la table, tout ouïe. Alex continua à s'agiter sur sa chaise.

– Cela ne vous ressemble guère, nota finalement l'agent.

– Sans blague!

– Je vois que vous êtes profondément affecté. On ne peut pas dire que vous soyez jovial et bon enfant de nature, mais je sens chez vous un désespoir profond comme je n'en avais pas perçu depuis la première fois que vous êtes venu me voir. Qu'y a-t-il? Elle ne veut pas de vous?

Des images de Cat surgirent dans son esprit : un sourire charmeur, un regard aguichant, une invite discrète. Douce et sensuelle. Sauvage et fantaisiste. Réservée et vorace à la fois. Ses moindres caresses avaient suscité des gémissements de plaisir qui faisaient encore écho dans sa tête.

– Si, si, elle veut bien de moi, répondit-il d'une voix râpeuse comme du papier de verre.

– Alors je ne vois pas pourquoi cette passion naissante serait autre chose qu'agréable et saine.

– C'est à cause de son nom...

– Son nom. Que voulez-vous dire?

– C'est Cat Delaney, Arnie. J'ai couché avec Cat Delaney.

Arnold le dévisagea, sidéré.

– Bon sang, Alex. A quoi pensez-vous? Je croyais que vous aviez eu votre compte de gros titres. Et pourtant vous choisissez une femme qui attire les journalistes comme un aimant. Une femme qui...

– Je sais, répliqua Alex, l'interrompant avec agacement. Je sais que c'est dingue.

– Pas seulement dingue, mon vieux. C'est aussi extrêmement dangereux.

CHAPITRE 28

Cat avait vraiment de la peine à garder son sang-froid.

Quand elle vit Alex garé devant chez elle en arrivant dans sa rue, elle faillit appuyer sur le champignon. Il la rejoignit alors qu'elle avait déjà presque atteint sa porte d'entrée. Elle avait eu le temps de retrouver un peu de dignité et le salua froidement.

– Tu as fait bon voyage?

– Comme ci, comme ça.

– Où étais-tu?

– New York.

– C'était comment?

– Comme New York.

– Tu es parti sur un coup de tête, on dirait?

– Une affaire pressante.

– Bien sûr. L'édition est connue pour ses urgences, persifla-t-elle.

Elle ouvrit la porte, entra puis se retourna pour lui faire face, bloquant le passage, exactement comme lorsqu'il était venu la voir chez elle pour la première fois.

Après la nuit qu'ils avaient passée ensemble, elle avait éprouvé cette sensation de vertige propre aux amours naissantes. Lui avait choisi de filer à l'autre bout du pays. Si une urgence l'avait empêché de lui parler avant de partir, il aurait au moins pu l'appeler au cours de ces derniers jours. Or il n'en avait rien fait.

Pour l'heure, il était loin d'afficher la folle allégresse de Gene Kelly dans *Chantons sous la pluie.* Des indices de mauvais augure prouvaient qu'il n'avait pas ressenti les mêmes désirs qu'elle depuis leur séparation.

Il paraissait fatigué et hagard. Il avait des cernes sous les yeux, comme s'il n'avait pas fermé l'œil depuis trois jours. Elle se fit violence pour ne pas nouer les bras autour de son cou et le serrer contre elle jusqu'à ce que ce regard hanté, malheureux disparût.

– Tu es allée à l'enterrement de la petite fille? demanda-t-il.

– Comment pourrais-tu le savoir?

– J'ai téléphoné à la chaîne. On m'a dit que tu étais allée à un enterrement et que tu ne serais pas de retour de la journée. C'était dur?

– Très dur. Pendant toute la cérémonie, je n'ai pas arrêté de penser au jour où Chantal est devenue leur fille légitime. Tout le monde était tellement heureux. Ils avaient organisé un barbecue dans le jardin pour la présenter à leur famille et à leurs amis. Ils étaient tous réunis de nouveau aujourd'hui. » Elle soupira tristement. « Mais cette fois-ci, il n'y avait ni ballons ni serpentins. Ce n'était pas vraiment la même chose. » Elle regarda un moment droit devant elle, perdue dans ses pensées, avant de fixer son attention sur lui. « Quel bon vent t'amène, Alex?

– Il faut que nous parlions.

A son ton et son expression lugubres, elle sut tout de suite qu'elle n'avait pas la moindre envie d'entendre ce qu'il avait à dire.

– Est-ce que l'on ne pourrait pas reporter ça à un autre jour? Je suis incapable de recevoir qui que ce soit aujourd'hui. Cet enterrement m'a achevée. J'aimerais mieux que nous parlions une autre fois.

– Le moment sera toujours mal choisi pour ce que j'ai à te dire.

Elle ne voyait qu'un seul problème aussi impérieux et funeste. Sa robe de deuil lui fit tout à coup l'effet d'une cotte de mailles. Elle se sentait affreusement opprimée.

– Laisse-moi deviner, dit-elle. Tu as oublié de me préciser un tout petit détail l'autre soir, avant que nous couchions ensemble. Tu es marié.

– Non, je ne suis pas marié. Mais je n'en dirai pas plus tant que nous serons debout sous ce porche.

Il passa à côté d'elle et entra comme s'il était chez lui.

A peine la porte refermée, elle attaqua.

– Bon, si tu n'es pas marié, alors ton ex...

– Je n'ai jamais été marié.

– Hum. C'est encore pire que je croyais. De quand date ton dernier test sanguin?

Les mains sur les hanches, il la foudroya du regard.

– Pour qui me prends-tu?

S'il n'avait pas d'épouse cachée quelque part, ni d'ex-femme le pourchassant pour avoir sa pension alimentaire, s'il n'était pas porteur d'un virus mortel, il ne restait plus qu'une seule option. Il se préparait à l'envoyer sur les roses.

Il était hors de question qu'elle lui accorde cette satisfaction-là. Elle se redressa fièrement, rejetant ses cheveux en arrière, et passa sans attendre à l'offensive.

– Ecoute, Alex, je crois que je sais ce que tu vas me dire. Laisse-moi t'épargner cette peine, d'accord?

« J'étais un peu ébranlée l'autre soir et j'avais besoin qu'on me remonte le moral. Tu m'as remonté le moral. Nous sommes des adultes et nous savons ce que nous faisons. Nous nous sommes protégés comme il convient. Nous nous entendons très bien... sur le plan sexuel.

Elle marqua une pause pour prendre une grande inspiration et s'aperçut avec horreur qu'elle tremblait.

– Mais tu ne veux pas d'une relation à long terme, poursuivit-elle. Tu ne veux pas t'engager. Tu tiens à rester libre. » En déployant les bras, elle ajouta : « Ecoute, ça tombe bien. Justement, moi aussi. »

Elle enleva ses boucles d'oreille et envoya promener ses escarpins pour se donner une contenance, pensant que ces gestes simples, ordinaires, rendaient sa désinvolture plus convaincante.

– Alors cesse d'avoir l'air aussi coupable, comme si tu avais maculé de boue mon tapis d'Orient. Je n'ai pas du tout l'intention de taper du pied ni de t'imposer mes exigences. Je n'ai pas de papa pour t'emmener de force à l'église en te menaçant de son fusil de chasse. Loin de moi l'idée de me couper les veines, ou de te pourchasser avec un couteau de boucher. Nous ne sommes pas en train de tourner *Liaison fatale.* » Elle réussit à ébaucher un sourire aussi glacial que feint. « Alors, détends-toi, veux-tu?

– Assieds-toi, Cat.

– Pourquoi? Aurais-je oublié une des répliques de ton monologue soigneusement mis au point?

– S'il te plaît.

En déposant ses boucles d'oreille au passage sur la table de l'entrée, elle le conduisit au salon où elle alluma une petite lampe. Puis elle alla se blottir dans un coin du canapé, en repliant les jambes sous elle. Elle prit un coussin qu'elle serra contre sa poitrine, comme un enfant l'aurait fait avec son ours, pour se protéger et se réconforter.

Alex s'installa sur le pouf, face au canapé, les jambes écartées, regardant fixement le sol entre ses pieds. On aurait dit un prisonnier surveillant la construction de son gibet depuis la fenêtre de sa cellule.

Accoudé sur ses genoux, il appuya ses pouces contre ses yeux, gardant plusieurs minutes d'affilée sa pose de condamné avant de baisser finalement les mains et de la regarder.

– J'ai eu envie de toi dès l'instant où je t'ai vue, déclara-t-il de but en blanc.

Elle prit du recul mentalement et analysa sa déclaration sous tous les angles. C'était très romantique en apparence, mais elle ne pouvait se fier à une telle simplicité.

– Je devrais être flattée, je suppose, dit-elle, mais j'attends la chute du couperet. De quoi s'agit-il, Alex? Je t'ai déçu?

– Ne sois pas ridicule!

Il se releva brusquement et commença à arpenter la pièce. Encore un mauvais signe. Les hommes faisaient toujours les cent pas quand ils avaient une sale nouvelle à annoncer.

Il s'arrêta brutalement et se tourna vers elle.

– C'est très encombré là-dedans, dit-il en se tapotant la tempe. Il s'est passé des tas de choses avant que je quitte la police de Houston.

– Pour ce qui est de ton problème d'alcool, je suis déjà au courant.

– Ça c'était l'effet, et non pas la cause. Je n'ai pas encore tout résolu. Je m'y efforce, mais ce serait injuste de...

– Cesse de te retrancher derrière ces lieux communs bidon à propos d'injustice, veux-tu! s'exclama-t-elle. Viens-en aux faits!

– D'accord. Nous y voilà. Je ne peux pas m'engager dans une vraie histoire d'amour pour le moment. J'ai pensé qu'il valait mieux que tu le saches avant qu'on aille trop loin.

Elle resta un long moment pelotonnée contre ses coussins, serrant l'oreiller contre sa poitrine. Tout à coup, elle le jeta de côté et se leva. Ses talons résonnèrent sur le parquet tandis qu'elle se dirigeait droit sur la porte d'entrée qu'elle ouvrit en grand.

Alex soupira en se passant la main dans les cheveux.

– Tu es furax!

– Faux. Pour être furax, il faudrait déjà que cela me fasse quelque chose.

– Alors pourquoi veux-tu que je m'en aille?

– Parce qu'il n'y a pas assez de place dans cette pièce pour toi, moi et ton ego à la Don Quichotte. Vous devez partir tous les deux. Et tout de suite.

– Ferme la porte.

Elle la claqua.

– Comment as-tu pu t'imaginer que je serais effondrée? Que notre petite partie de jambes en l'air de l'autre jour avait compté davantage pour moi que pour toi? Qu'est-ce qui te fait penser que je voulais une « vraie histoire d'amour » avec toi?

– Je n'ai jamais dit...

– Eh ben dis donc, tu en aurais des choses à apprendre aux soi-disant tombeurs d'Hollywood! Je n'ai jamais rencontré quelqu'un d'aussi prétentieux que toi. Avec ton travail en cours que tu gardes sous clé comme s'il s'agissait d'un trésor national, lâcha-t-elle d'un ton méprisant. Ce serait vraiment quelque chose si ton engin pouvait enfler autant tes chevilles.

– Hilarant!

– Pas du tout. C'est triste à en mourir au contraire.

– Je ne veux pas que tu attendes de moi ce que je ne peux t'apporter, voilà tout, dit-il, perdant patience.

– Dans ce cas, tu as ce que tu voulais, parce que j'attendais moins que rien de toi. C'était un coup d'un soir. On s'est amusés comme des petits fous. Un point, c'est tout.

– Tu dis n'importe quoi! s'exclama-t-il avec emphase.

– T'as pris ton pied. J'ai pris mon pied.

– Plusieurs fois.

Elle vit rouge et continua sur sa lancée.

– On a eu tous les deux ce qu'on voulait. Fin de l'histoire.

– C'est totalement faux et tu le sais aussi bien que moi! » hurla-t-il. Si cela n'avait pas compté pour moi, je ne serais pas là à essayer de m'expliquer et tu ne serais pas sur le point d'exploser.

– Parce que d'habitude, tu leur fais l'amour et tu te tires sans prévenir, c'est ça, hein?

– Oui.

Elle cilla des paupières en posant la main sur sa poitrine.

– Dans ce cas, je suis honorée de votre considération à mon égard, monsieur Pierce. Vraiment, très honorée, répéta-t-elle en imitant l'accent du Sud.

– Arrête un peu, Cat.

– Va te faire foutre, Alex.

Frustré, il la fusilla du regard et jura à voix basse.

– On ne serait pas en train de se quereller si... si...

– Cesse de bégayer et dis-moi les choses franchement. C'est un peu tard pour jouer les diplomates. Si quoi?

Il se rapprocha d'elle, la dominant de toute sa taille.

– Si ça n'avait pas été un tel pied, comme tu dis! chuchota-t-il d'une voix langoureuse.

La colère faisait déjà battre son cœur à cent à l'heure. L'inflexion de sa voix le fit palpiter davantage tout en mettant ses sens en éveil. Elle avait envie de lui arracher les yeux et de s'abattre contre sa poitrine en même temps.

– Tu ne manques pas d'air en tout cas! fit-elle en s'éloignant de lui.

Dès qu'elle fut à une distance respectable, elle se retourna.

– Tu t'attends peut-être à ce que je me pâme quand tu me susurres des cochonneries à l'oreille? Pour qui te prends-tu, un des héros de tes romans de gare?

– J'ai bien peur qu'Arnie ait vraiment tout faux! fit-il en tapant la paume de sa main de son poing.

– Ton agent? Qu'est-ce qu'il a à voir là-dedans?

– Il m'avait conseillé de jouer franc jeu avec toi, de mettre cartes sur table, en m'assurant que c'était le meilleur moyen de régler le problème.

– Tu as demandé conseil à ton agent pour savoir comment régler ton problème avec moi? s'écria-t-elle d'une voix rendue aiguë par la fureur et l'incrédulité. Considérez votre “ problème ” comme réglé, monsieur Pierce. Je ferai même votre discours d'adieu pour vous.

« Ne m'appelle pas, ne viens pas chez moi, dit-elle en pointant son index sur sa poitrine, n'essaie pas de me voir ou de me contacter. Tu n'es qu'un sale con. Tu ne vaux pas un dixième de ce que tu crois valoir. Je ne veux plus jamais te voir.

Elle prit une profonde inspiration avant de clôturer son discours en tirant une dernière volée de balles. « Tu as bien tout compris, espèce d'enfoiré ? »

CHAPITRE 29

La mer était haute, mais Cat était assise à une distance respectueuse des vagues frangées d'écume, les bras noués autour des jambes, le menton sur ses genoux. Elle regardait fixement l'horizon auquel le soleil venait de se rendre après une lutte spectaculaire. Une lueur vermillon embrasait encore le ciel, bien qu'elle cédât progressivement le pas à un vibrant indigo.

Sentant une présence derrière elle, Cat se retourna et fut surprise de voir Dean qui approchait à grands pas. Il se laissa tomber sur le sable à côté d'elle.

– Comment savais-tu que j'étais là? demanda-t-elle dès qu'elle eut retrouvé l'usage de la parole.

– J'ai appelé ton bureau à San Antonio cet après-midi. Ton assistant m'a dit que tu avais décidé de prendre quelques jours de vacances à Malibu. Avais-tu l'intention de séjourner ici sans m'en faire part?

– Oui, répondit-elle sans détour. On ne peut pas dire qu'on se soit quittés en très bons termes.

Il parut contrarié.

– En fait, si j'ai appelé aujourd'hui, c'était pour m'excuser. Je me suis comporté comme un imbécile l'autre soir chez toi.

– J'ai déjà oublié. Ne t'inquiète pas.

– Tu me pardonneras d'être aussi direct, dit-il en la regardant fixement, mais tu as l'air mal en point. A dire vrai, tu as une mine épouvantable.

– Merci du compliment!

– Qu'est-ce qu'il t'a fait?

– Qui ça?

Comme il gardait le silence, elle finit par se tourner vers lui. Il la dévisageait les sourcils froncés, lui en voulant de faire ainsi l'innocente. Elle reporta son attention sur le va-et-vient des vagues.

– J'ai couché avec lui.

– Je m'en doutais. Alors où est le problème? Y a-t-il une autre femme?

– Il prétend que non. Je n'en ai pas vu en tout cas.

– Peut-être est-il hanté par des relations passées?

– Il m'a déclaré qu'il avait le cerveau encombré, sans spécifier davantage. Je crois que cela tient au fait qu'il a démissionné de la police. Bref, pour dire les choses simplement, il m'a draguée, séduite, mais il semble que l'amour pour lui soit un divertissement.

– Mais tu continues à être attirée par lui?

Cat la Courageuse disait toujours la vérité, aussi brutale fût-elle, même si son amour-propre devait en prendre un coup.

– Je mentirais en te disant le contraire.

– Je vois. » Il fit un pas de plus. « Es-tu amoureuse de lui?

Elle poussa un petit cri aigu, comme si elle s'était piqué le doigt, et appuya son front sur ses genoux.

– Si je comprends bien, c'est oui. Est-ce qu'il le sait?

– Dieu merci non. J'ai joué mon rôle à la perfection. Je l'ai couvert d'insultes et puis je l'ai foutu dehors. Je l'ai même menacé de lui balancer mon Lalique à la figure s'il refusait de partir. Je doute qu'il ait pris ma menace au sérieux, mais il a tout de même fini par s'en aller.

Elle releva la tête et fixa son regard sur les vagues, abîmée dans son chagrin au point qu'elle n'était même pas consciente des larmes qui lui coulaient sur les joues.

– Je suis désolée, Dean. Ça doit être extrêmement pénible pour toi. Je te remercie de m'écouter quand même.

Il effleura le coin de ses lèvres où une larme avait trouvé refuge.

– C'est un imbécile s'il rejette la possibilité d'avoir une relation avec toi. Qu'est-ce qu'il veut de plus?

– Je doute qu'Alex sache ce qu'il veut. C'est un être tourmenté, en quête de quelque chose.

– A moins qu'il ne soit en fuite.

– C'est possible aussi. Ou alors c'est un égoïste invétéré.

Elle avait beau l'affirmer à voix haute, elle n'y croyait pas vraiment. Pendant la nuit qu'ils avaient passée ensemble, Alex s'était montré tendre, passionné, aussi préoccupé de son plaisir à elle que du sien.

Etait-elle en train de se leurrer afin de sauvegarder un semblant de fierté? Probablement. Alex avait un charme désarmant. Il était sûrement capable de prendre ce qu'il voulait chez une femme tout en donnant l'impression de tenir à elle.

Elle planta ses talons dans le sable et fixa son attention sur la pointe de ses baskets tout en revivant mentalement leur première rencontre. Le coup de foudre avait été instantané, explosif, d'une incroyable puissance, comme jamais elle n'en avait connu auparavant.

Elle frissonna rien qu'en y pensant.

– Si on rentrait, suggéra-t-elle. Je commence à avoir froid.

Assis dans la cuisine devant une tasse de café, Dean réorienta la conversation avec infiniment d'intuition :

– Mis à part ton romancier, j'ai la nette impression qu'autre chose te tracasse.

– Je n'ai jamais rien pu te cacher.

– Tu peux simuler de façon convaincante pour les autres, mais moi je vois tout de suite quand tu es préoccupée. Quelque chose n'allait pas le soir où je suis venu te voir à San Antonio. Tu l'as nié, mais je savais que tu mentais. Quand vas-tu te décider à me dire ce qui te ronge, Cat?

Elle sortit trois enveloppes de la poche de son gilet et les lui tendit.

– Tu trouveras peut-être ça intéressant.

Il la regarda avec curiosité, puis ouvrit les enveloppes qu'il secoua l'une après l'autre pour en récupérer le contenu. Après avoir parcouru plusieurs fois chacun des articles, il la dévisagea, perplexe.

– Tu les as reçues chez toi?

– La première et la deuxième sont arrivées à deux semaines d'intervalle. Quant à la troisième, elle m'est parvenue le jour de mon départ.

Dean examina les enveloppes avec attention.

– Je ne vois aucun indice, observa-t-il.

– En dehors du cachet de la poste de San Antonio.

– Trois greffés du cœur dans différentes régions du pays. Trois accidents mortels invraisemblables. Une chute à travers une baie vitrée, une noyade en voiture, une tronçonneuse qui dérape. Mon Dieu, quelle horreur!

– On dirait un film de Brian De Palma, tu ne trouves pas? Frissons garantis!

Dean jeta les coupures de journaux sur le bar avec mépris.

– Tu as affaire à un loufoque doté d'un sens de l'humour particulièrement macabre.

– Probablement.

– Tu n'as pas l'air convaincue.

– Je ne le suis pas.

– Moi non plus, avoua-t-il. Les as-tu montrées à quelqu'un d'autre?

– Oui, à Jeff. Les deux premières seulement. Il n'est pas au courant pour la troisième.

– Quelle a été sa réaction?

– La même que la tienne à peu de chose près : il pense qu'un cinglé me joue un sale tour. Il m'a dit de ne pas m'inquiéter, mais il a tout de même insisté pour que j'en parle à la police si jamais j'en recevais d'autres.

– L'as-tu fait?

– Non, j'ai fait traîner les choses, en espérant trouver une explication entre-temps.

– Je suis sûr qu'il n'y a pas de quoi s'alarmer. Mais on peut toujours craindre que les cinglés qui envoient ce genre de messages anonymes entreprennent autre chose d'encore plus fou.

– J'en suis consciente.

Outre la peur qu'elles lui causaient, ces coupures de journaux avaient fait resurgir en elle des doutes et des ambiguïtés qu'elle occultait depuis longtemps.

– Dean, commença-t-elle d'un ton hésitant, tu me connaissais avant ma greffe, peut-être mieux que quiconque. Tu as vécu toute cette épreuve avec moi. Tu étais là pendant mes moments d'euphorie ainsi que lorsque je sombrais dans le désespoir le plus noir.

« Tu m'as suivie d'aussi près après l'opération, poursuivit-elle. Tu as été à mes côtés tout au long de ma maladie et de ma convalescence. Si quelqu'un peut dresser un portrait psychologique de moi, c'est bien toi.

– Où veux-tu en venir?

– Est-ce que j'ai changé? demanda-t-elle en le regardant droit dans les yeux. Ou plutôt, est-ce que cette greffe a fait de moi quelqu'un d'autre?

– Evidemment. Avant, tu étais mourante. Maintenant, tu ne l'es plus.

– Ce n'est pas ce que je veux dire.

– Je comprends ce que tu veux dire, répondit-il sur un ton aussi agacé que celui de Cat. Tu veux savoir si ta personnalité s'est modifiée à la suite de ton opération. Ce qui nous amène inévitablement à la question suivante : Est-ce possible que les traits de caractère d'un donneur soient transmis au receveur par le truchement du cœur transplanté? C'est bien cela, n'est-ce pas?

Elle hocha la tête.

Dean soupira.

– Tu ne vas pas me faire croire que tu prêtes foi à ces bêtises?

– Est-ce que ce sont vraiment des sottises?

– Evidemment. Bon sang, Cat, sois un peu raisonnable!

– Il arrive parfois des choses bizarres pour lesquelles il n'existe aucune explication logique ou scientifique.

– Pas dans le cas qui nous occupe, renchérit-il avec obstination. Tu es une femme intelligente et tu en sais probablement davantage sur ton anatomie que la plupart des étudiants en première année de médecine. Le cœur est une pompe, un composant mécanique du corps humain. Quand il se met à cafouiller, on peut le réparer, ou à défaut, le remplacer.

« J'ai vu un nombre considérable de cœurs à nu en salle d'opération.

Ils se composent de tissus et non pas de petits casiers où sont stockées les peurs, les aspirations, les passions et les haines de chacun.

« Le concept selon lequel le cœur est le réceptacle de nos émotions et de nos sentiments a certes inspiré de grands poètes, mais cliniquement, ça ne tient pas la route une seconde.

« Cela dit, si ces coupures de journaux t'ont perturbée au point de te donner envie de retrouver la famille de ton donneur, je ferai ce que je pourrai pour toi à cet égard.

– J'ai toujours dit que je ne voulais jamais rien savoir de mon donneur, lui rappela-t-elle.

A l'insu de Dean, la nuit de son opération, Cat avait cependant glané un indice révélateur quant à l'origine de son nouveau cœur. Elle aurait préféré ignorer ce détail, aussi ténu fût-il. Mais tel un caillou dans sa chaussure, il la tracassait en permanence. Récemment, elle s'en était inquiétée d'autant plus.

– Je ferais peut-être bien de revenir sur ma position, dit-elle à contrecœur.

Il se leva et la prit gentiment dans ses bras.

– Je suis sûr que ces accidents sont une coïncidence, aussi invraisemblable que cela puisse paraître. Quelqu'un a fait le rapprochement et te fait une farce cruelle.

– C'est ce que je me suis dit quand j'ai reçu la première lettre, ainsi que la deuxième. Et puis la troisième est arrivée. C'est à ce moment-là que j'ai remarqué quelque chose qui m'avait échappé jusque-là. Il semble que tu ne t'en sois pas aperçue non plus. Je me demande pourtant comment nous avons pu négliger un détail aussi significatif.

Il l'écarta un peu de lui.

– De quoi parles-tu?

– Regarde les dates, Dean. Tous ces accidents ont eu lieu le jour anniversaire de la greffe de chacune des victimes. Or, c'est aussi l'anniversaire de mon opération, ajouta-t-elle calmement, en pesant ses mots.

CHAPITRE 30

Alex regardait fixement l'écran noir de son ordinateur. Le curseur vert clignotant refusait d'avancer. Ce fichu machin n'avait pas bougé depuis des jours – depuis sa dispute avec Cat pour être exact.

Elle s'était bagarrée comme une tigresse, songea-t-il, se souvenant de la manière dont elle avait rugi à son adresse en faisant le gros dos, à deux doigts de lui sauter au visage, toutes griffes dehors. Les femmes de cette trempe avaient horreur qu'on les manipule, et il ne faisait aucun doute qu'il l'avait effrontément manœuvrée pour l'avoir dans son lit. Sa réaction n'avait pas lieu de l'étonner.

Il tourna lentement la tête dans tous les sens pour se détendre avant de poser les doigts sur le clavier, comme s'il allait s'y mettre, pour de vrai cette fois-ci.

Le curseur poursuivait inlassablement ses clignotements stationnaires. On aurait dit qu'il le narguait, lui faisant des clins d'œil malicieux, comme s'il trouvait follement drôle qu'Alex souffrît d'un grave blocage.

Depuis des jours, il essayait d'écrire une scène d'amour – correction : de *baise*. Tout s'était plutôt bien déroulé jusque-là. Il s'en était même vanté auprès d'Arnie. L'intrigue se développait lentement, mais méthodiquement. Il en avait décrit le cadre avec tant de force qu'il entendait presque l'eau qui gouttait dans les égouts sous le dédale des rues. Quant à ses personnages, ils s'étaient laissé naïvement entraîner dans les situations les plus périlleuses.

Jusqu'au moment où brusquement, sans prévenir, ils s'étaient insurgés. Tous, les uns après les autres, ils s'étaient rebiffés en décrétant qu'ils ne joueraient plus le jeu.

Le héros, désormais incapable du moindre acte de bravoure, était devenu une véritable andouille. Le méchant s'était ramolli. Les mouchards avaient perdu leur langue. Les flics totalement incompétents se désintéressaient purement et simplement de l'affaire. Quant à son héroïne...

Alex s'accouda sur le bord de sa table et se mit à labourer sa tignasse des deux mains. C'était elle, son héroïne, qui avait provoqué cette mutinerie. Mécontente tout à coup du rôle qu'il lui avait assigné, la garce avait abandonné en route et refusait de reprendre.

Ce n'était pas une mince affaire, cette gonzesse. Elle avait un parler aussi insolent que son postérieur qu'il avait décrit avec un grand luxe de détails en la présentant à ses lecteurs page quinze. Mais elle était aussi très féminine et vulnérable, beaucoup plus d'ailleurs qu'il ne l'avait voulu au départ. Il la soupçonnait d'avoir pris des libertés avec cet aspect de sa personnalité pendant qu'il ne faisait pas attention. A moins que dans un moment de faiblesse il ne lui eût laissé passer ça. Quoi qu'il en soit, il était trop tard à présent pour redresser la situation.

Le moment était venu pour le héros de la conquérir, seulement la scène de séduction ne se déroulait pas du tout comme il l'avait prévu. Quelque part entre son cerveau et le bout de ses doigts, ses impulsions créatrices avaient déraillé. Une force indépendante de sa volonté en avait modifié le cours.

Le héros était censé lui relever sa jupe, lui arracher sa culotte, faire son affaire en deux temps trois mouvements et se retirer, tandis que la pauvre se répandait en invectives contre lui tout en le menaçant d'envoyer son petit ami, en l'occurrence le méchant, à ses trousses.

Méprisant, sarcastique, le héros devait lui répliquer insulte sur insulte, menace après menace, et l'abandonner dans la chambre d'hôtel minable avec sa culotte déchirée et ses joues enflammées par l'orgasme, témoins tacites de sa naïveté et de sa déchéance.

Seulement, chaque fois qu'Alex essayait d'écrire cette fichue scène, il voyait mentalement les choses sous un tout autre angle. Le héros passait une main tendre sous la jupe de la fille. Au lieu de lui arracher son slip, il glissait ses doigts en dessous et cet attouchement suffisait presque à envoyer le pauvre bougre au septième ciel. Il la caressait jusqu'à ce qu'elle soit tout excitée et à ce moment-là seulement, il faisait glisser avec douceur sa culotte le long de ses jambes.

Une fois en elle, il n'était pas pressé du tout de s'en aller! Elle était très différente de ce qu'il s'était imaginé, bien plus douce, plus tendre, plus aimante. Ignorant totalement les directives d'Alex, son héros faisait traîner les choses en longueur.

Troublé par les émotions qui l'assaillaient contrairement à l'habitude, il se redressait au-dessus d'elle et examinait son visage. Une larme coulait le long de sa joue. Il lui demandait ce qui n'allait pas. Lui faisait-il mal?

Lui faisait-il mal? hurlait une voix à l'intérieur d'Alex. *Mais d'où est-ce que ça sort, ça? Tu n'es pas supposé te préoccuper de savoir si tu lui fais mal ou pas.*

Non, il ne lui faisait pas mal, répondit-elle. Mais il risquait de lui causer de graves ennuis s'il révélait à son petit ami qu'ils avaient fait l'amour. Ce dernier lui ferait mal, ça, il pouvait en être sûr. Il la battait régulièrement, lui avouait-elle. S'imaginait-il qu'elle serait restée avec un minus pareil si elle avait eu le choix? Non. C'étaient les circonstances qui l'obligeaient à rester avec lui.

Foutaises! hurla mentalement Alex. *C'est une pute. Tu ne le vois donc pas, imbécile? Tu es en train de te faire avoir. Elle va te baiser sur toute la ligne, mon pauvre vieux.*

Le héros plongeait alors son regard dans les yeux bleus limpides de la jeune femme, tout en s'enfonçant plus profondément dans sa chaleur soyeuse, humant avec délice le parfum de ses cheveux roux bouclés...

Attends une minute.

Elle est censée être blonde. Blonde oxygénée. C'est ce que tu disais page seize. Que s'est-il passé entre la page seize et la page cent quatre pour qu'elle ait changé de couleur de cheveux et de personnalité? Et depuis quand utilisait-il des adjectifs tels que limpide et soyeux? *Depuis que tu ne maîtrises plus ton livre, enfoiré!*

Le curseur continuait à clignoter obstinément sur place.

Pour finir, Alex repoussa sa chaise et se leva. Ses doigts refusaient de taper sur les touches qui convenaient. Il n'y avait rien à faire. Après tout, cela pouvait arriver à tout le monde. Y compris aux meilleurs auteurs. Les lauréats des prix littéraires eux-mêmes avaient des vides à l'occasion. *Les Raisins de la colère* n'auraient certainement pas été un tel chef-d'œuvre si Steinbeck n'avait pas eu des pannes de temps à autre. Stephen King avait probablement des jours où rien ne venait.

En approchant de la fenêtre, Alex remarqua la bouteille de whisky presque vide sur l'étagère. On aurait dit qu'elle lui faisait un pied de nez.

Folle de rage, Cat brandissait un vase en cristal de plomb qu'elle menaçait de lui balancer à la figure lorsqu'il l'avait vue pour la dernière fois. Reconnaissant que sa fureur était plus que justifiée, à peine sorti de chez elle, il s'était précipité dans une boutique de spiritueux.

La première gorgée avait eu un goût atroce. La deuxième était descendue plus facilement. La troisième encore plus ainsi que la quatrième. Quant aux suivantes, elles ne lui avaient pas laissé le moindre souvenir. Il se rappelait avoir dégobillé misérablement, bien qu'il ne se souvînt pas où.

Il s'était réveillé à l'aube, très mal en point. Son haleine aurait pu terrasser un éléphant. Il était encore tout éméché et se demandait pourquoi diable il se trouvait dans le parking d'un supermarché. Quoi qu'il en soit, il pouvait s'estimer heureux d'être encore en vie et de n'avoir tué personne au volant de sa voiture.

Heureusement, personne n'avait appelé la police pour déclarer la présence d'un ivrogne dormant dans sa voiture près de la rangée des caddies d'un supermarché. On ne l'avait pas non plus assommé pour lui voler son portefeuille ou sa voiture.

Il était rentré chez lui, s'était douché et rasé, avant de prendre aspirine sur aspirine jusqu'à ce que sa tête cesse de lui faire l'effet d'un baril de pétrole contenant un roulement à billes de deux tonnes.

Il avait relu les documents qu'on lui avait donnés lorsqu'il avait quitté la clinique de désintoxication. Au moment de vider le reste du whisky dans les toilettes, il avait décidé de le garder pour ne pas oublier qu'il était un alcoolique repenti, qu'un seul verre pouvait être mortel et qu'il ne trouverait jamais aucune réponse au fond d'une bouteille. Dans le cas contraire, il y avait déjà longtemps qu'il aurait liquidé ses fantômes.

Il avait bu un océan d'alcool dans l'espoir de découvrir les raisons de tous les emmerdements qu'il avait eus dans la vie. Ses prières au Tout-Puissant s'exprimaient généralement sous forme de questions. « Pourquoi avoir choisi de Vous en prendre à moi, Alex Pierce ? Qu'est-ce que je Vous ai fait ? Ou que n'aurais-je pas fait ? » Il s'acquittait consciencieusement de ses impôts, faisait régulièrement des dons à l'Armée du Salut et il était gentil avec les personnes âgées.

Si c'était cet incident du 4 juillet... Il avait dit qu'il était désolé au moins cent fois. Il était bourrelé de remords. Et il avait fait ce qu'il avait pu faire.

Apparemment, toutefois, le Tout-Puissant n'avait pas accepté ses justifications davantage que ses supérieurs à la police. Se sentant rejeté par Dieu en personne, il avait commencé à craquer sous l'effet de tant de pressions. Son caractère s'était assombri, il avait cédé peu à peu au pessimisme le plus noir. En définitive, l'alcool était devenu son seul et unique ami.

A présent, son seul et unique ami, c'était Arnie.

Arnie. Pour l'heure, il aurait bien aimé l'avoir deux minutes en face de lui pour lui tordre le cou. Son agent bien intentionné lui avait conseillé d'être le plus sincère possible avec Cat. Mais regarde où cela t'a mené : elle a failli t'assommer avec un vase. Elles avaient beau dire, les femmes ne tenaient pas vraiment à ce qu'on soit honnête avec elles.

Est-ce que ça n'aurait pas été plus facile pour elle comme pour lui s'il avait continué à coucher avec elle, se gavant de plaisir en laissant le Destin se charger du reste ? Mais alors, comme Arnie n'avait pas manqué de le lui faire remarquer, il aurait vraiment été salaud.

Il appuya le front contre l'encadrement de la fenêtre en jurant. Cette histoire avec Cat lui coupait l'appétit, l'empêchait de dormir, perturbait sa discipline de travail d'ordinaire si stricte, et sapait son inspiration. Il n'osait même pas analyser les raisons pour lesquelles elle avait un tel contrôle sur son esprit. Il se méfiait de ses instincts à présent. Plus il s'efforçait d'élucider la situation, plus elle lui paraissait compliquée.

Une chose était sûre, en tout cas : depuis sa dispute avec Cat, il n'avait pas produit un seul feuillet potable.

Si seulement il n'avait pas été si bon de lui faire l'amour.

Cela n'avait pas seulement été bon. A vrai dire, il n'avait jamais connu ça auparavant.

Voilà ce qu'il ne pouvait pas supporter. Voilà ce qui le tourmentait et ce qui bousillait son roman.

Déterminé à reprendre la situation en main avant d'être obligé de rendre l'avance à son éditeur, il retourna à l'écran vide de son ordinateur et à son curseur clignotant.

Puisque la scène ne voulait pas se dérouler comme il l'avait bâtie à l'origine, il suivrait cette tendance naturelle pour voir où cela le conduirait. Qu'est-ce que ça pouvait bien faire? Il n'était pas en train de graver chaque mot dans la pierre. Il avait toujours la possibilité de mettre les pages au panier. C'était probablement là qu'elles finiraient d'ailleurs.

– Oh et puis flûte! marmonna-t-il en commençant à pianoter à toute allure sur son clavier avec deux doigts.

Au bout d'une heure de frappe continuelle qui passa à la vitesse d'un éclair, il avait écrit cinq pages.

Elles devaient être bonnes, se dit-il avec une ironie désabusée.

A en juger d'après l'état d'excitation dans lequel il était.

CHAPITRE 31

– Vous avez l'air reposé ! constata Sherry en s'asseyant face au bureau de Cat.

– Et comment ! renchérit Jeff en prenant place dans le fauteuil voisin. Vous aviez vraiment besoin de vacances.

– C'était merveilleux, s'exclama Cat. Je n'ai pas arrêté de manger, je faisais la grasse matinée tous les jours au point que c'en était inconvenant. J'ai marché des heures sur la plage. En bref, je me la suis coulée douce.

– Pas tout à fait, remarqua Sherry. En se baladant sur la plage, on se dépense physiquement.

– En réalité, je faisais de l'exercice rien qu'en m'habillant pour aller me promener. La plupart des gens se dévêtent avant d'aller sur la plage. Moi je dois me couvrir de la tête aux pieds.

A cause des remèdes qu'elle prenait, elle était particulièrement exposée aux coups de soleil.

Revenant à des choses plus sérieuses, elle ouvrit la chemise que Jeff avait posée sur son bureau. La photo qui figurait sur le haut de la pile de documents la laissa bouche bée.

– Mon Dieu, ce que cet enfant est beau ! s'exclama-t-elle.

– N'est-ce pas ? fit Sherry. Il s'appelle Michael. Il a trois ans. Cette semaine, les services sociaux l'ont placé temporairement dans une famille.

– Dans quelles circonstances ? demanda Cat.

– Son père est un vrai charmeur, poursuivit Sherry d'un ton sarcastique. George Murphy. Un soi-disant ouvrier de chantier incapable de conserver un boulot en raison de son tempérament explosif. On le soupçonne d'être toxicomane. Il se fait licencier continuellement. Ils vivent du chômage et du peu d'argent que la mère de Michael parvient à grappiller.

– Est-ce qu'il maltraite l'enfant?

– A en croire les voisins, c'est le cas. Ils ont appelé la police un nombre incalculable de fois pour signaler des scènes de violence. Murphy a été arrêté à plusieurs reprises, mais elle n'a jamais porté plainte contre lui. Il la terrifie apparemment.

« Le mois dernier, l'assistante sociale leur a pris Michael pendant plusieurs jours, mais elle a rendu le petit à sa mère lorsque Murphy a été arrêté pour détention de drogues. Malheureusement, il a été libéré presque aussitôt, faute de preuves.

– Il a eu de la chance, remarqua Cat.

– On pourrait le penser. En tout cas, cela ne lui a pas servi de leçon. Ses scènes n'ont fait qu'empirer et se multiplient apparemment. De plus, il semble qu'il s'en prenne davantage à l'enfant qu'à sa mère depuis quelque temps.

« La semaine dernière, Michael est " tombé ". On lui a fait des radios aux urgences, mais on l'a laissé repartir parce qu'il n'avait rien de cassé. Avant-hier, sa mère l'a ramené à l'hôpital. Cette fois-ci, Murphy l'avait projeté contre un mur. Michael était trop assommé pour pleurer. Sa mère craignait qu'il n'eût subi des lésions cérébrales irréversibles.

– Etait-ce le cas?

– Non, il souffrait d'une légère commotion. Les médecins l'ont gardé vingt-quatre heures à l'hôpital, en observation. Les services de protection de l'enfance ont été le chercher hier et l'ont placé dans une famille, comme je vous le disais.

– Comment est-il?

– Il pleure après sa mère, mais en dehors de ça, il se comporte bien. Presque trop bien, même. Il est pour ainsi dire incapable de communiquer. Il a indiqué à sa mère adoptive qu'il voulait une banane avec ses céréales au petit déjeuner, mais il ne savait pas comment cela s'appelait.

– Seigneur! murmura Jeff.

– Le pauvre a été tellement rudoyé par son père qu'il n'ose plus parler, conclut tristement Sherry.

Cat continuait à regarder fixement la photographie. Le gamin avait des cheveux noirs, bouclés, de grands yeux bleus expressifs et des cils interminables. Il avait des lèvres pleines, agrémentées de fossettes de part et d'autre. Il était si mignon qu'on aurait pu le prendre pour une fille, s'il avait été habillé différemment.

Elle aimait tous les gamins, sans discrimination, quels que soient leur race, leur âge et leur sexe. Elle compatissait à toutes leurs peines et tolérait les plus insoumis. Leur comportement était généralement un baromètre précis de la gravité des mauvais traitements qu'ils avaient subis.

Leurs histoires la touchaient, la mettaient en colère; quelquefois, elle avait honte d'être membre de cette race humaine capable d'infliger tant de souffrance à des enfants.

Mais Michael exerçait inexplicablement sur elle un attrait spécial. Elle n'arrivait pas à détacher son regard de la photographie.

– Je tenais à ce que vous voyiez son dossier, disait Sherry, parce que je pense que nous allons le prendre pour *Cat's Kids*. Sa mère est très attachée à lui, semble-t-il, mais Murphy la terrorise. Je crains qu'elle ne soit incapable de lui tenir tête, même pour protéger Michael. Dieu sait ce qu'elle a subi elle-même. J'ai vu le bonhomme, et croyez-moi, il paraît capable des pires violences physiques et morales.

« Quoi qu'il en soit, cette fois-ci, ils sont accusés conjointement de mauvais traitements à l'encontre d'un mineur. Leur avocat surchargé et sous-payé parle déjà de suggérer des négociations entre l'accusation et la défense pour éviter d'avoir à mener l'affaire devant les tribunaux.

– D'après ce que vous m'avez dit, intervint Jeff, il y a de fortes chances pour qu'ils plaident coupables, ce qui leur vaudra une peine légère, tout en perdant la garde de l'enfant.

Cela se produisait fréquemment. Certains parents abandonnaient leur enfant de leur plein gré afin d'obtenir une réduction de peine. Aussi choquant que cela pût paraître, il était quelquefois préférable pour les enfants d'être retirés à vie de la garde de parents qui faisaient aussi peu de cas de leur existence.

– Vous avez probablement raison, Jeff, souligna Sherry. Murphy sautera sûrement sur l'occasion de se débarrasser du mioche. Les prisons étant pleines à craquer, il ne purgera sans doute qu'une fraction de sa peine. Il se pourrait même qu'il ait déjà fait son temps. Il s'en tirerait bien.

– En revanche, pour la mère de Michael, c'est tragique, commenta Cat d'un air songeur.

Si cet enfant avait été le sien, elle aurait été prête à tuer quiconque eût essayé de le lui prendre. Mais elle se gardait bien de juger la pauvre femme. La peur était parfois un puissant aiguillon. L'amour aussi.

– Si elle aime son enfant autant qu'elle le dit, nota-t-elle, elle risque de renoncer à lui pour le protéger de Murphy.

– A terme, ce serait la meilleure solution pour Michael, reconnut Sherry. Nous lui trouverons un foyer chaleureux. En attendant, il a besoin de se mêler à d'autres enfants. Aussi ai-je pensé que ce serait une bonne idée de l'emmener au pique-nique.

– Au pique-nique? s'exclama Cat en relevant brusquement la tête.

Jeff s'éclaircit la gorge en souriant d'un air penaud.

– J'attendais votre retour pour vous annoncer la nouvelle.

Cat, quant à elle, attendait des explications.

– Quand Nancy Webster a une idée, elle n'en démord pas, commença Jeff, comme si cela pouvait constituer une excuse. Elle m'a appelé au moins une douzaine de fois en votre absence. M. Webster ne vous a-t-il pas dit que lorsqu'on confie une mission à son épouse, elle se transforme en rouleau compresseur?

– Quelque chose comme ça, oui.

– Eh bien, il connaît bien sa femme. Mme Webster m'a expliqué que l'organisation d'un gala de charité exigeait des mois de préparation. En attendant, elle a donc décidé d'inviter quelques donateurs potentiels à une mini-collecte. Ce week-end.

– Ce week-end!

– Je lui ai demandé pourquoi on était si pressés, poursuivit-il. Elle m'a répondu qu'il n'y avait rien de prévu en ville ce week-end. Dans les mois à venir, en revanche, toutes les fins de semaine, il se passe quelque chose. C'était maintenant ou jamais.

Cat prit une profonde inspiration.

– Bienvenue à la mine, Miss Delaney! En réalité, vous n'avez pas grand-chose à faire, mis à part faire acte de présence samedi, reprit Jeff plus sérieusement. J'ai déjà prévenu la presse. Sherry a répondu à mon S.O.S. Elle a fait l'essentiel du travail pour ce qui était de rassembler les enfants.

– Y compris ceux qui ont déjà été adoptés? s'enquit Cat. Je crois qu'il est important d'afficher nos succès dans ces circonstances. Surtout à la lumière de la mauvaise réclame que Truitt nous a faite après la mort de Chantal.

– Jeff et moi avons déjà pensé à cela, répondit Sherry. Nous avons convié des familles adoptives, des candidats à l'adoption, tous les gens qui nous semblaient susceptibles d'être intéressés. Mme Webster nous a précisé qu'il n'y avait pas de limites quant au nombre d'invités dès lors que nous lui indiquions un chiffre approximatif d'ici jeudi afin qu'elle puisse prévenir le traiteur.

– Un traiteur? Pour un pique-nique?

– Elle a prévu un barbecue, avec toutes sortes de garnitures, expliqua Jeff. Ainsi que des hot-dogs pour les plus jeunes. Ce sera plus facile à manger pour eux que des travers de porc.

– A l'évidence Nancy n'a rien laissé au hasard, nota Cat avec ironie.

– Y compris pour ce qui est de la déco et de l'orchestre.

– Un orchestre?

– Country & western, venu tout droit d'Austin, spécifia Jeff. Et Willie risque aussi de venir de Luckenbach, bien qu'il n'ait rien promis, ajouta-t-il gaiement.

– Willie Nelson? Vous plaisantez.

– Pas du tout!

– Et elle va réussir à mettre tout ça au point d'ici ce week-end?

– Je vous assure que si Norman Schwarzkopf l'avait consultée, il aurait pu régler la guerre du Golfe en deux fois moins de temps!

Sherry se leva pour partir.

– Je brûle d'impatience. Tous les gens à qui j'ai parlé sont tout aussi excités que moi. Sans compter que j'ai toujours eu un faible pour Willie Nelson, ses tresses, ses perles et tout le tralala.

Quand elle fut partie, Jeff acheva d'informer Cat.

– Vous voyez, vous n'avez rien à faire! conclut-il.

– Et si j'avais prolongé mes vacances de quelques jours? J'aurais tout raté.

– Nancy avait prévu le coup. Elle comptait vous envoyer un jet privé, qui vous aurait ramenée en Californie aussitôt le pique-nique terminé, pour que vous puissiez finir vos vacances en paix.

– L'argent ouvre non seulement des portes, mais le Ciel!

– Je ne vous le fais pas dire.

Après avoir calé sa pile de dossiers sous son bras, Jeff se leva à son tour.

– Vous avez vraiment meilleure mine, Cat. Je ne disais pas cela pour vous flatter.

– Merci. J'ai mis mon temps à profit pour réfléchir, mais surtout, j'ai flemmardé.

Elle hésita à lui faire part de la troisième lettre qu'elle avait reçue, puis décida que dans la mesure où elle s'était confiée à lui au départ, mieux valait le tenir au courant des derniers événements.

– Qui est ce saligaud, à la fin? s'écria-t-il, scandalisé.

– Je n'en sais rien. Dean n'en avait pas la moindre idée non plus.

– En avez-vous parlé à M. Webster?

– Non. Mais je crois que je vais le faire. Si un siphonné fait irruption ici et sème la zizanie dans les locaux de la chaîne, mieux vaut que Bill soit prévenu. La sécurité devrait être au courant.

– Je doute que l'on en arrive là.

– Moi aussi. J'ai l'impression que l'individu auquel j'ai affaire est beaucoup plus subtil.

Elle lui fit part de la coïncidence invraisemblable qu'elle avait constatée concernant les dates.

– C'était comme une énigme qu'il voulait que je résolve.

– Quand vous a-t-on...

– Le quatrième anniversaire de mon opération aura lieu dans quelques semaines.

– Mon Dieu, Cat! La situation se complique. Ces lettres ressemblent de plus en plus à des menaces. Ne pensez-vous pas que le moment soit venu d'en parler à la police?

– Dean me l'a recommandé. Mais tant qu'on n'aura pas pris le coupable sur le fait en train de me filer, que peut faire la police? Nous ignorons tout de son identité.
– Il y a sûrement quelque chose à faire!
– J'y ai beaucoup réfléchi dans l'avion en revenant. Puis-je compter sur vous, Jeff?
– Est-il nécessaire de me poser la question?
– Merci. Ecoutez, je voudrais que vous appeliez les archives de ces différents journaux en leur demandant de nous envoyer une copie de tous leurs articles touchant à la question. Si des textes complémentaires ont été écrits à propos des victimes de ces accidents, je veux les voir.
– Cherchez-vous quelque chose de spécifique?
– Non. Je voudrais simplement savoir si l'on a mené une enquête ou si l'on a fait des recherches quelconques à la suite de ces décès. Ou encore si l'on a publié des portraits des victimes en question. Ce genre de choses.

Il était encore plus beau que dans son souvenir. En le voyant, elle en eut le souffle coupé. Ses cheveux noirs bouclés étaient tout ébouriffés. Il portait un blue-jean et une chemise western. Ses bottes de cow-boy paraissaient neuves.

Cat s'agenouilla devant lui. Son index droit était logé au coin de sa bouche.

– Salut Michael. Je m'appelle Cat. Je suis ravie que tu aies pu venir aujourd'hui.

Sherry tenait le petit garçon par la main.

– Il est content d'être là. Sa mère adoptive me l'a dit.

A l'insu de l'enfant, Sherry secouait tristement la tête, signifiant ainsi que Michael n'arrivait décidément pas à se mêler aux autres enfants. Il semblait totalement déconcerté par la foule bruyante qui l'entourait.

– C'est la dame qui t'a envoyé tes nouveaux habits, Michael, lui dit Sherry. Dis-lui merci.

Le regard de Michael resta obstinément rivé au sol.

– Peu importe, dit Cat. Tu me remercieras tout à l'heure. Je n'ai pas encore mangé de hot-dog. Est-ce que tu en as eu un, toi?

Il leva la tête et la fixa de ses grands yeux bleus inexpressifs, comme s'il n'avait pas compris la question.

– Si on allait en chercher un ensemble? suggéra Cat en lui tendant la main.

Michael la dévisagea un long moment avant de retirer son doigt de sa bouche et de glisser sa main dans la sienne.

Elle sourit à Sherry en lui adressant un clin d'œil.

– On vous retrouve tout à l'heure.

Cat adapta sa démarche au pas traînant de Michael.

– J'aime beaucoup tes bottes, dit-elle. Elles sont rouges comme les miennes. Tu as remarqué?

Elle s'arrêta et désigna ses propres bottes de cow-boy. Elle les avait achetées dans une boutique de Rodeo Drive à Beverly Hills, mais Michael s'en souciait comme d'une guigne.

Il compara leurs chaussures, puis releva la tête et fit une sorte de grimace. Ce n'était pas vraiment un sourire, mais tout de même une réaction notable. Estimant qu'il s'agissait là d'un signe encourageant, elle serra sa main dans la sienne.

– On va être copains. Je le sens déjà.

Le pique-nique avait lieu dans la propriété des Webster. L'orchestre s'était installé sur le belvédère victorien, près du plan d'eau où des canards dociles se gavaient de morceaux de pain que leur lançaient les enfants. L'air embaumait la viande grillée parfumée aux herbes. De quoi vous mettre l'eau à la bouche! Des tables ornées de nappes à pois rouges et blancs avaient été disposées ici et là sous les arbres.

Des jongleurs, des mimes et des clowns évoluaient parmi la foule, distribuant ballons et friandises. Trois footballeurs des Dallas Cow-Boys apposaient leur autographe sur des ballons de football miniatures. Cat remarqua aussi la présence de deux membres de l'équipe de basket-ball des San Antonio Spurs qui dépassaient tout le monde d'une bonne tête.

Une fois servis, Cat et Michael allèrent s'installer à une table. Tout en mangeant son hot-dog, elle ne cessa de jacasser, dans l'espoir de trouver un sujet qui le ferait réagir. Mais il ne dit pas un mot, pas même lorsqu'elle le présenta à Jeff, qui avait toujours beaucoup de succès avec les enfants. Plusieurs se cramponnaient d'ailleurs à lui alors qu'il se dirigeait vers le plan d'eau.

Michael fut invité à aller nourrir les canards avec les autres, mais il se déroba. Cat n'insista pas. Elle remarqua cependant que quelque chose d'autre avait attiré son attention.

Elle suivit son regard. Il paraissait médusé.

– Ah, tu aimes les chevaux, je vois! Voudrais-tu faire un tour de manège?

Il la considéra gravement, mais pour la première fois, elle vit une lueur de curiosité briller dans ses yeux clairs.

– Allons voir ça de plus près.

Elle lui essuya le visage et les mains avec une serviette, puis lui prit la main, qu'il lui confia cette fois-ci sans hésiter, et l'entraîna en direction d'un manège improvisé où quatre poneys tournaient docilement en rond.

Quand ils se furent approchés, Cat sentit que Michael était sur la réserve. Elle résolut de lui laisser le temps de réfléchir avant de se décider. Ils restèrent un long moment à observer les chevaux. Alors qu'un troisième groupe d'enfants mettait pied à terre, Michael leva vers elle un regard interrogateur.

– Es-tu prêt à aller faire un tour, Michael?

Il hocha la tête.

– On y va, cow-boy!

Elle l'entraîna vers l'entrée du manège. Il choisit le plus petit des poneys.

– Moi aussi, c'est celui que je préfère, lui glissa-t-elle à l'oreille sur le ton de la confidence. Il a la plus jolie crinière et la queue la plus longue. Je crois qu'il t'aime beaucoup, lui aussi. J'ai remarqué qu'il t'avait repéré.

Michael sourit timidement, et Cat eut un pincement au cœur.

Un homme en tenue de cow-boy aidait les autres enfants à se mettre en selle, aussi se pencha-t-elle pour hisser Michael sur son poney.

– Vous feriez mieux de me laisser faire. Il est probablement plus lourd qu'il n'en a l'air.

Une paire de mains qu'elle connaissait, et pas seulement de vue, l'écarta de côté. Alex prit Michael dans ses bras avec aisance et le déposa avec légèreté sur sa selle.

– Et c'est parti, Cassidy! Voilà tes rênes. Il faut les tenir comme ça.

Il replia les doigts de Michael autour des lanières de cuir, puis plaça ses deux mains sur le pommeau de la selle.

– Eh, on dirait bien que ce n'est pas la première fois que tu montes à cheval. Tu m'as l'air d'un vrai cow-boy! s'exclama-t-il en administrant une tape amicale dans le dos de l'enfant.

– Tout va bien?

Le responsable du manège venait s'assurer que Michael était bien en selle.

– Michael? Es-tu prêt? demanda Cat en posant la main sur la cuisse du petit garçon.

Les jointures de ses doigts avaient blanchi tant il serrait fort l'arçon, mais il hocha vigoureusement la tête.

– Je vais me mettre juste là, dit-elle en lui désignant un endroit. Je ne te quitte pas des yeux. Je t'attends.

Elle prit son poste derrière la balustrade, sous les yeux de Michael auquel elle adressa un petit signe. Le « cow-boy » fit claquer sa langue et les quatre poneys se mirent en route docilement.

Le visage de Michael exprima tout d'abord une épouvantable terreur, qui passa rapidement. Il jeta nerveusement un coup d'œil à Cat du coin de l'œil, sans oser tourner la tête. Elle lui sourit pour l'encourager et garda les yeux sur lui, y compris lorsque Alex vint se glisser à côté d'elle.

– Mignon, ce gamin!
– Qu'est-ce que tu fais là, Alex?
– On m'a invité.
– C'est une obligation dont tu aurais aisément pu te défaire.
– Je suis venu parce que je voulais apporter ma petite contribution à *Cat's Kids.*
– Oh, s'il te plaît!
– C'est vrai.
– Dans ce cas, pourquoi ne pas avoir envoyé un chèque?
– Parce que je voulais te voir aussi.

Elle se tourna vers lui et pour la première fois le regarda en face. Ce qui fut une erreur. Parce que lui aussi était mignon à croquer. Et l'intensité de son regard provoqua une résurgence de souvenirs aussi merveilleux qu'accablants.

Elle reporta son attention sur Michael et agita la main au moment où il passait devant elle.

– Dans ce cas, tu perds ton temps. As-tu déjà oublié la dernière chose que je t'ai dite?
– Tu m'as dit d'aller me faire foutre.

Elle inclina la tête et émit un petit rire.

– Je ne crois pas m'être exprimée de manière aussi explicite, mais c'était effectivement le message.
– J'ai essayé de te contacter au moins cent fois. Où étais-tu?
– En Californie.
– Tu es allée pleurer sur l'épaule du docteur Je-me-sens-mieux?
– Dean est un ami fidèle.
– Comme c'est touchant!
– Au moins je sais à quoi m'en tenir avec lui.
– Ça, c'est sûr! Moi aussi d'ailleurs. Tu lui es redevable. Et le charlatan en profite largement.
– Dean est loin d'être un charlatan et ma relation avec lui...

Les gens les regardaient, certains avec un sourire entendu. Ceux d'entre eux qui avaient pris part au dîner donné par Nancy pensaient probablement qu'ils avaient une liaison passionnée.

De peur de se donner en spectacle, elle afficha un sourire tout en gardant les yeux sur Michael, qui s'était enhardi au point d'éperonner sa monture, imitant le garçonnet plus âgé qui le précédait.

– Fiche le camp, Alex, lâcha-t-elle entre ses dents. Tu m'as clairement exposé ta position. Je t'ai donné la mienne. On n'a plus rien à se dire.
– J'ai bien peur que ce ne soit pas si facile, Cat. Charlie et Irène Walters meurent d'envie de faire ta connaissance. Ils ne vont pas tarder à arriver. Ils ont juré de ne plus jamais m'adresser la parole si je ne te présentais pas à eux. C'était gentil à toi de leur téléphoner pour les inviter, ajouta-t-il.

– Dans la mesure où notre premier rendez-vous avait mal tourné, j'ai estimé qu'il était de mon devoir de les convier personnellement.

– Il paraît que l'agence des services sociaux les a appelés pour convenir d'une date en vue d'une autre entrevue. Est-ce à toi qu'ils le doivent aussi ?

– Sherry avait estimé qu'ils étaient des candidats idéaux et elle a été très déçue quand je lui ai raconté ma mésaventure. Je suis sûre que c'est elle qui a donné suite.

– Mais tu as dû lui en toucher un mot?

Elle haussa les épaules.

– Merci.

Elle se tourna vers lui, réprimant à grand-peine sa colère.

– Ce n'est pas à toi de me remercier. Ce n'est pas pour toi que je l'ai fait, mais pour les Walters. Comme tu me l'as fait remarquer le matin de notre rencontre, je n'ai pas à les juger d'après leurs amis. Je serai ravie de les rencontrer quand ils arriveront, mais inutile de t'incruster. A présent, si tu veux bien m'excuser, la promenade est finie et je dois aller chercher Michael.

Sur ce, elle l'écarta de son chemin et entra dans le manège.

CHAPITRE 32

Alex la laissa partir. Il comprenait sa position, surtout devant tout ce monde. Elle représentait *Cat's Kids.* Tout ce qu'elle disait, tout ce qu'elle faisait risquait d'avoir un impact sur le programme. Il ne voulait pas être responsable d'une mauvaise presse, aussi fit-il semblant d'être disposé à clore la conversation. Il réussit même à esquisser un sourire, au profit des éventuels regards indiscrets.

A peine Cat avait-elle quitté le manège en compagnie de Michael, que Nancy Webster la fit venir au belvédère où une foule s'était rassemblée. Alex apprit la nouvelle lui aussi : Willie Nelson venait d'arriver.

La célèbre star chanta plusieurs de ses succès. En tant qu'hôtesse d'honneur, Cat resta sur l'estrade avec les musiciens durant tout le concert, tenant Michael sur ses genoux; elle l'incita même à taper dans ses mains en rythme avec la musique. Il était toujours dans ses bras quand elle s'approcha du micro pour prononcer quelques paroles de bienvenue, après quoi elle exhorta les convives à contribuer dans la mesure de leurs moyens à alléger les épreuves de l'enfance en danger.

A la suite du bref concert, Cat alla s'entretenir avec la star du country & western. Chaque fois qu'il la voyait rire, Alex sentait son estomac se crisper sous l'effet d'une jalousie qui ne lui ressemblait guère. Finalement, Nelson s'en alla avec ses acolytes dépenaillés qui lui faisaient l'effet d'une équipe de forage en off shore après un séjour de deux semaines sur une plate-forme, bien qu'il reconnût que son jugement manquait peut-être un peu d'objectivité.

Alex remarqua que Michael se tenait l'entrejambe d'une main tout en se balançant d'un pied sur l'autre. Juste à ce moment-là, Cat se pencha vers lui et lui chuchota quelque chose à l'oreille. Le gamin hocha la tête vivement. Main dans la main, ils se dirigèrent vers la maison et disparurent à l'intérieur.

Alex les y suivit. Loin de la foule, Cat et lui avaient peut-être des chances d'arriver à s'entendre. A défaut, il essaierait au moins de la convaincre de le retrouver quelque part un peu plus tard. Elle croyait sans doute que leur brève relation avait atteint son terme. Ce en quoi elle se trompait.

Il entra dans le salon des Webster d'un air dégagé, en feignant de s'intéresser à la collection de figurines Hummel de Nancy, avec l'espoir d'intercepter Cat quand elle émergerait des toilettes situées sous l'escalier, en compagnie de Michael.

Il jura à voix basse en découvrant que Bill Webster l'avait devancé.

Du salon, il entendit la voix chaleureuse de leur hôte.

– Cat? Je suis ravi de tomber sur vous. Je ne vous ai pour ainsi dire pas vue de la soirée.

– Bonjour, Bill. Je vous présente Michael. Il avait un besoin urgent et il y avait une longue file d'attente dans les toilettes extérieures. J'espère que vous ne nous en voulez pas de nous être introduits chez vous sans demander la permission.

– Bien sûr que non. Quand un jeune homme est pressé, il est pressé, dit-il en gloussant de rire. Que pensez-vous des festivités jusqu'à maintenant?

– C'est merveilleux, répondit-elle. Je me demande bien comment Nancy a fait pour tout organiser en si peu de temps.

– Et encore, ce n'est rien comparé au grand gala que nous donnerons au printemps!

– Je n'arrive même pas à imaginer!

Alex, lui, imaginait très bien Cat en train de faire une de ses drôles de petites grimaces. Pourtant, il n'y avait pas la moindre trace d'humour dans sa voix lorsqu'elle reprit la parole.

– Bill, il faut que je vous parle de quelque chose d'important. Lundi matin, à la première heure. Cela ne prendra que cinq minutes.

– Vous me faites peur, Cat, d'autant plus que vous revenez tout juste de Californie. J'espère que vous ne songez pas à nous quitter pour retourner à *Passages?*

– Il n'en est pas question.

– Ah bon! Tant mieux. Dans ce cas, dites-moi ce qui vous tracasse.

– Cela peut attendre lundi.

– Désolé, Cat. Je dois me rendre à une réunion de diffuseurs à Saint Louis. Je pars demain soir et je ne serai pas de retour au bureau avant jeudi.

– Oh, dans ce cas, il faudra attendre votre retour.

– Ne vous gênez pas avec moi. Si vraiment il s'agit de quelque chose de grave...

– Tout le problème est là. Je n'en sais rien. C'est la raison pour laquelle je souhaitais avoir votre avis.

– J'ai cinq minutes tout de suite, proposa-t-il. Allons dans mon étude. Nous y serons plus tranquilles.

– Je ne voudrais pas que Michael rate quoi que ce soit.

– Il n'aura qu'à jouer avec mes leurres.

– Entendu. Je ne crois vraiment pas que cette affaire puisse attendre la semaine prochaine.

Alex entendit la porte du bureau se refermer. Il regagna le vaste hall et jeta furtivement un coup d'œil alentour. Personne en vue. Il s'engagea dans le couloir à pas de loup et s'approcha de la porte close. En tendant l'oreille, il parvenait tout juste à les entendre.

– Les originaux sont chez moi, dans un tiroir, disait Cat. Je porte ces copies sur moi. Lisez-les et dites-moi ce que vous en pensez.

Webster sombra dans le silence. Alex entendit Cat parler au petit garçon à voix basse. Elle essayait manifestement de l'intéresser à la collection d'appeaux de Bill.

– Mon Dieu! s'exclama finalement Webster. Quand les avez-vous reçues?

– Il y a plusieurs semaines de cela. Qu'en pensez-vous?

– Ma première impression est que vous avez affaire à un dérangé.

Alex fronça les sourcils.

– Jeff a fait des recherches pour moi, reprit-elle. Il y a eu un autre bref article à propos de l'accident en Floride. Personne n'a fait le lien entre ces différentes tragédies. Tous ces décès ont été déclarés accidentels, ce qui m'incite à penser que je fais une montagne de rien. Si la police n'a rien vu de louche, pourquoi aurais-je des soupçons? Quoi qu'il en soit, cette histoire me perturbe beaucoup, comme vous pouvez l'imaginer. J'ai pensé que vous devriez être au courant, dans la mesure où s'il arrivait quelque chose, la chaîne pourrait être mise en péril, ainsi que la sécurité de tout le monde.

– Croyez-vous que ce fêlé risque de s'en prendre à vous directement?

Alex n'entendit pas la réponse qui fut couverte par une voix féminine prononçant son nom sous la forme d'une question. Il fit volte-face brusquement. Nancy Webster venait d'apparaître sur le seuil.

Il sourit d'un air désinvolte pour dissimuler son évidente indiscrétion.

– Bonjour Nancy.

– Vous n'auriez pas vu Cat par hasard?

– Si, je l'ai vue entrer dans la maison et je l'ai suivie jusqu'ici. Je crois bien qu'elle a amené le petit Michael ici pour le conduire aux toilettes. C'est chose faite apparemment, car il m'a semblé entendre sa voix derrière cette porte. J'étais sur le point de frapper.

Nancy passa devant lui et fit irruption dans le bureau de son mari, sans se donner la peine de frapper.

– Bill? Cat? Que se passe-t-il?

La porte était suffisamment ouverte pour qu'Alex aperçoive Bill assis dans un grand fauteuil en cuir marron. Des appeaux en forme de canard étaient rangés à la queue leu leu sur le sofa devant lui; Michael les faisait avancer sur le cuir lisse. Quant à Cat, elle s'était installée par terre sur le tapis aux pieds de Webster.

Ce dernier fourra à la hâte dans la poche de sa veste les papiers qu'il tenait à la main. Il paraissait à la fois surpris et fâché.

– Qu'y a-t-il, ma chérie?

On aurait dit que Nancy avait reçu un sac de ciment mouillé en pleine figure. La scène qu'ils avaient sous les yeux avait quelque chose d'intime et de douillet. Alex était bien placé pour savoir qu'il ne s'était rien passé d'ambigu entre eux, mais il était réduit au silence.

– Les feux d'artifice ne vont pas tarder à commencer, répondit Nancy avec un sourire glacial. Je ne voulais pas que vous manquiez ça.

– C'est gentil de nous prévenir.

Webster se leva et tendit la main à Cat. Elle se redressa sans son aide et prit le gamin dans ses bras.

– Viens, Michael. Il ne faut surtout pas que l'on rate les feux d'artifice.

En voyant Alex debout derrière Nancy, elle comprit intuitivement qu'il avait surpris sa conversation avec Webster. Son sourire s'effaça aussitôt.

Elle emmena Michael dehors. Elle poussa des oh! et des ah! jusqu'au bouquet final, pour le bénéfice de l'enfant, mais le cœur n'y était pas. Nancy se cramponnait possessivement au bras de son époux; ses commentaires enthousiastes sonnaient tout aussi faux. Webster était tellement absorbé dans ses pensées qu'il ne semblait même pas conscient du spectacle qui se déroulait sous ses yeux.

Quant à Alex, il ne vit rien du tout. Tandis que des gerbes éblouissantes explosaient dans le ciel, son regard dur était fixé sur Cat Delaney.

Pour la deuxième fois ce soir-là, Nancy trouva Bill enfermé dans son bureau. Il était tard. Tout le monde était parti. L'équipe chargée du nettoyage devait arriver de bonne heure le lendemain pour emporter les détritus et remettre la propriété en ordre.

En la voyant entrer, il leva son verre de whisky on the rocks additionné d'eau.

– Tu as fait les choses en grand, comme d'habitude. Je te félicite. Tu bois un verre avec moi pour fêter ça?

– Non merci.

Il n'avait pas lésiné sur l'alcool apparemment et n'avait certainement pas besoin d'un autre verre. Il avait les joues en feu et les yeux injectés de sang. Il s'enivrait rarement, de sorte que lorsque cela le prenait, on s'en apercevait vite.

– Je suis épuisée, dit-elle, en lui tendant la main. Allons nous coucher.

Il ignora son geste.

– Vas-y la première. Je te rejoins tout de suite. Je prends encore un tout petit verre.

Il rajouta une rasade de scotch dans son verre et avala une gorgée en faisant la grimace. Il ne buvait pas pour le plaisir!

Nancy alla s'asseoir sur le sofa en face de lui.

– Qu'est-ce qui ne va pas, Bill?

– J'ai soif.

– Arrête, veux-tu! s'écria-t-elle d'un ton sec. Cesse de me prendre pour une idiote.

Il parut sur le point de riposter, puis se ravisa. Fermant les yeux, il pressa son verre contre son front et le fit rouler, comme s'il voulait faire disparaître les rides que l'inquiétude y avait creusées.

– J'ai vu ton expression quand tu m'as découvert ici avec Cat, dit-il. Je ne devrais pas avoir à me justifier, mais je vais le faire quand même. Nous parlions d'une affaire privée.

– C'est bien ce que je craignais!

– Ce n'est pas ce que tu crois, Nancy. Fais-moi un peu confiance, bon Dieu! Elle ressemble beaucoup trop à Carla pour que je songe à faire d'elle ma maîtresse.

– Dans ce cas, essaierais-tu de remplacer Carla par elle?

Il la dévisagea d'un air glacial, les brumes de l'alcool s'étant brusquement dissipées dans son regard.

– Tu penses vraiment ce que tu dis?

Elle baissa les yeux et regarda fixement son alliance qu'elle faisait tourner autour de son doigt.

– Je ne sais plus que penser. Tout est différent entre nous depuis que nous avons perdu Carla. Au lieu de remonter progressivement la pente, j'ai l'impression que nous coulons inexorablement. Quoi que je fasse, il semble que je ne puisse rien faire pour l'empêcher. Je redoute de toucher le fond parce que j'ignore ce qui nous y attend.

Elle releva la tête et le regarda d'un air implorant.

– Pourquoi ne communiques-tu plus avec moi, Bill?

– Qu'est-ce que tu racontes?

– Moins souvent en tout cas. Et quand nous parlons, ce n'est plus comme avant. Je sens très bien la différence. Je veux savoir ce qui fait obstacle entre nous. Si tu n'as pas de liaison avec Cat, alors que se passe-t-il?

– Combien de fois faut-il que je te le dise? *Il ne se passe rien.* J'ai beaucoup de responsabilités. Quand je rentre à la maison tard le soir, je suis fatigué. Je ne peux pas faire l'amour sur commande. Désolé.

Son sarcasme la mit hors d'elle. Elle se leva brusquement et se dirigea vers la porte. Parvenue sur le seuil, elle se retourna.

– Te parler ce soir serait une perte de temps parce que tu es ivre. Ce qui prouve bien que quelque chose ne va pas. Je ne sais pas ce que c'est, mais n'essaie pas de me faire croire que je me trompe.

« Carla était une fille merveilleuse. Nous l'aimerons toujours. Tu es proche de tous tes enfants, mais vous aviez une relation particulière, tous les deux. Quand elle est morte, je sais que tu as eu l'impression qu'une partie de toi s'en allait avec elle. Si je pouvais te la rendre, Bill, crois-moi, je le ferais. » Elle déploya les bras en un geste d'impuissance. « Mais je ne peux pas. Et je refuse de perdre davantage que ce dont j'ai déjà été privée. Toute ma vie tourne autour de l'amour que j'ai pour toi. J'ai la ferme intention de te garder et de restaurer notre amour. Et crois-moi, je ferai ce qu'il faudra pour y parvenir. »

Cat dormit très mal cette nuit-là.

Elle ne parvenait pas à se sortir Michael de la tête. C'était un enfant si perturbé sur le plan social et émotionnel qu'il faudrait se donner énormément de mal pour qu'il s'ouvre aux autres. Pourtant, avec l'amour de parents adoptifs dévoués et patients, c'était chose possible et la gratification à en attendre justifierait amplement les efforts nécessaires. Elle sentait qu'il y avait en lui un petit garçon plein de vie qui ne demandait qu'à s'épanouir.

Michael n'était pas le seul à hanter ses pensées. La présence d'Alex au pique-nique avait ébranlé toutes les belles résolutions qu'elle avait prises en Californie. C'était horrifiant de penser qu'elle mourait d'envie d'être avec lui.

Ses amis Irène et Charlie Walters étaient effectivement des gens charmants. Elle était certaine qu'une fois toutes les formalités remplies, ils feraient d'excellents parents pour l'un de ses protégés.

A n'importe quel autre moment, elle aurait été ravie de les rencontrer et de passer davantage de temps en leur compagnie. Mais les présentations avaient eu lieu juste après les feux d'artifice. Elle avait encore à l'esprit l'expression de Nancy Webster lorsqu'elle avait ouvert la porte de l'étude et trouvé Bill et elle en tête-à-tête. A l'évidence, cette dernière s'était méprise sur la nature de leur conversation en privé.

Tous ces soucis, outre son harceleur – comme elle l'appelait, à défaut d'un terme plus précis –, pesaient lourdement sur son moral. En quête de distractions, elle passa le dimanche après-midi à faire des courses, avant d'aller au cinéma dans la soirée.

Le lundi, Jeff et elle s'occupèrent d'écrire des lettres de remerciements à tous ceux qui avaient apporté leur contribution à *Cat's Kids* lors du pique-nique.

Le lendemain, ils tournèrent une vidéo sur une petite fille de cinq ans, atteinte de surdité, et qui venait de perdre ses parents dans un accident.

Ce soir-là, en rentrant chez elle, Cat trouva parmi son courrier une enveloppe par trop familière. Elle était identique aux trois autres. Le contenu, en revanche, était différent.

A l'intérieur, elle découvrit une feuille de papier blanc sur laquelle était rédigée, dans un style journalistique, l'histoire d'une ex-vedette de feuilleton, greffée du cœur : Cat Delaney. Plusieurs paragraphes rendaient compte en détail de toutes les œuvres qu'elle avait accomplies dans sa vie, y compris *Cat's Kids.*

C'était une notice nécrologique.

CHAPITRE 33

– C'est bizarre, je vous l'accorde, mais ça n'a rien de criminel, si vous voyez ce que je veux dire?

L'inspecteur Bud Hunsaker de la police de San Antonio portait un pantalon à carreaux en polyester et des bottes de cow-boy en lézard noir avec des surpiqûres blanches. Sa chemise blanche sans manches bâillait sur son gros ventre sanglé par sa ceinture en cuir repoussé. Sa courte cravate à système était de guinguois. Il avait l'embonpoint, le teint et le souffle court d'un homme qui allait tout droit à la crise cardiaque.

Depuis que Cat était entrée dans son bureau, il rongeait un cigare éteint, humide de salive, et dialoguait avec ses genoux, à en juger d'après la direction de son regard.

Il posa ses avant-bras grassouillets sur le bureau et se pencha en avant.

– Dites-moi, comment il est ce Doug Speer? En vrai, je veux dire. Cette manière qu'il a de se tromper chaque fois dans son bulletin météo et de se rattraper par une plaisanterie, ça me fait rigoler.

– Doug Speer travaille pour une autre chaîne, répondit-elle avec un sourire glacial. Je ne le connais pas.

– Ah oui, c'est vrai. Je les confonds toujours, les journalistes de la météo.

– Pourrions-nous en revenir à ceci, monsieur l'inspecteur, s'il vous plaît? dit-elle en tapant d'un air impérieux le petit paquet de lettres qu'elle avait apporté et qui se trouvait à présent sur le bureau près du coude du policier.

Il fit rouler son cigare d'un coin à l'autre de ses grosses lèvres charnues, tachées de tabac.

– Mademoiselle Delaney, une dame comme vous, célèbre et tout, un personnage public en quelque sorte, doit bien s'attendre à des harcèlements de ce genre.

– Je vous l'accorde, monsieur l'inspecteur. Quand je jouais dans *Passages,* je recevais beaucoup de courrier, y compris des propositions de mariage. Un certain monsieur m'a même écrit cent fois.

– Vous voyez!

En souriant d'un air satisfait, il s'adossa contre son fauteuil grinçant comme si elle l'avait devancé dans ses explications.

– Mais une proposition de mariage n'a rien de menaçant en soi. Pas plus que des lettres vantant mes talents ou critiquant vertement ma prestation. Comparativement à cela, ces lettres-ci sont des menaces voilées, incontestablement. En particulier la dernière. » Elle sépara le faux avis de décès du reste de la pile. « Alors, que comptez-vous faire? »

Visiblement mal à l'aise, il s'agita dans son fauteuil qui gémit lamentablement. Il prit la feuille tapée à la machine et relut la notice nécrologique fabriquée de toutes pièces. Cat n'était pas dupe; il n'y attribuait pas le moindre intérêt. L'inspecteur se moquait d'elle. Son opinion était faite. Il faudrait une menace de mort directe pour le faire changer d'idée.

Il renifla bruyamment et se racla la gorge.

– Si vous voulez mon avis, mademoiselle Delaney, c'est un loufoque qui cherche à vous embêter.

– Eh bien, il a réussi son coup, car je suis sacrément embêtée. J'étais parvenue à cette conclusion-là toute seule. Si je suis venue vous voir, inspecteur, c'est pour que vous me trouviez ce loufoque et que vous mettiez un terme à ses harcèlements.

– C'est pas aussi facile que ça en a l'air.

– Ça n'a pas l'air facile du tout, riposta-t-elle. Si ça l'était, je m'en serais occupée moi-même. La police a les moyens de faire face à ce genre de situations. Les particuliers, eux, ne les ont pas.

– D'après vous, comment devrait-on s'y prendre?

– Je n'en sais fichtrement rien, s'exclama-t-elle, exaspérée. Le cachet ne vous permet-il pas de retrouver l'endroit d'où ces lettres ont été postées? Ne pourriez-vous identifier la machine à écrire? La marque de papier? Les empreintes digitales sur le papier?

Il pouffa de rire en lui faisant un clin d'œil.

– Vous avez vu trop de films policiers à la télé!

Elle avait une folle envie de le talonner jusqu'à ce qu'il lève son derrière imposant de sa chaise pour se lancer à la poursuite du maniaque. Mais jouer les hystériques aurait pour seul effet de confirmer l'opinion qu'il s'était déjà faite : à savoir qu'elle faisait tout un cinéma pour pas grand-chose.

Plutôt que de donner libre cours à sa mauvaise humeur, elle répliqua avec un calme déconcertant :

– Cessez de me traiter avec condescendance, inspecteur.
Son sourire mielleux pâlit.
– Attendez une minute. Je n'étais pas...
– Un peu plus et vous vous mettiez à me tapoter la tête. » Elle se leva et se pencha vers lui. « Je suis une personne adulte et responsable, capable de raisonner et de faire des déductions toute seule, pour la bonne raison que j'ai un cerveau en plus d'une paire de jambes bien galbées. Je ne souffre pas de tensions prémenstruelles et je n'ai pas de vapeurs non plus. Les différences qui nous séparent sont si nombreuses qu'elles rempliraient une encyclopédie si l'on en dressait la liste, mais la plus insignifiante d'entre elles est que je porte une jupe et vous un pantalon.
« A présent, vous posez ce cigare dégoûtant et vous vous décidez à prendre mon problème au sérieux, ou alors je vous court-circuite et je m'en vais me plaindre à votre supérieur, poursuivit-elle en abattant sa main sur la table. Il doit bien y avoir moyen de capturer ce loufoque, comme vous dites.
Il était devenu écarlate. Elle le tenait et il le savait. Il tendit le cou en tiraillant sur son col trop serré, rectifia l'angle de sa cravate, retira le cigare de sa bouche et le rangea dans le tiroir devant lui. Puis il lui demanda poliment de s'asseoir en essayant de sourire.
– Connaîtriez-vous quelqu'un qui pourrait vous en vouloir?
– Non. A moins...
Elle hésita à exprimer ses soupçons parce qu'elle n'avait pas la moindre preuve.
– A moins que quoi...?
– Il s'agit d'une employée de WWSA. Une jeune femme. Elle m'a prise en grippe depuis que je travaille pour la chaîne.
Elle lui fit part de sa relation turbulente avec Mélia King.
– Elle a fini par m'avouer qu'elle avait jeté mes médicaments, mais je ne pense pas qu'elle aurait été capable de traficoter un projecteur de manière à ce qu'il me tombe dessus au moment opportun. On l'a réintégrée dans le personnel quelque temps après que je l'eus licenciée et elle semble contente de son nouveau poste. Je la vois tous les jours. Nous n'avons pas grand-chose à nous dire. Elle ne peut pas me voir en peinture, mais je suis à peu près certaine que ses ressentiments à mon égard n'ont strictement rien à voir avec le fait que j'ai subi une greffe du cœur.
– Elle est moche?
– Excusez-moi?
– A quoi est-ce qu'elle ressemble? Il se pourrait qu'elle soit jalouse.
Cat secoua la tête.
– Elle est ravissante et tous les hommes sont à genoux devant elle.
– Elle n'était peut-être pas très contente d'avoir de la concurrence.
Une lueur de concupiscence passa dans ses yeux. Cat se figea et le

fusilla du regard. Il grommela quelque chose et remua son arrière-train pour tâcher de trouver une position plus confortable. Puis il reprit le faux avis mortuaire.

– Le style est plutôt, euh... raffiné.

– Je l'ai remarqué, moi aussi. Cela ne ressemble guère au jargon journalistique auquel nous sommes habitués.

– La cause du décès n'est pas indiquée.

– Parce que cela me mettrait sur le qui-vive. Je saurais à quoi m'attendre.

– Personne ne vous a importunée? Pas de menaces? Pas de rôdeur autour de votre maison? Rien de tout ça?

– Pas encore.

Hunsaker grogna quelque chose d'évasif, en tiraillant sur sa lèvre inférieure, puis il expira bruyamment. Pour gagner du temps, il relut encore une fois les coupures de journaux. Avant de reprendre la parole, il s'éclaircit la gorge d'un air important.

– Ça vient des quatre coins du pays. Il s'est donné du mal, le saligaud!

– Ce qui le rend d'autant plus effrayant, à mon avis, répondit-elle. Il est obsédé par le sort de ces transplantés apparemment. Qu'il soit responsable de leur mort ou non, il s'est mis en quatre pour les suivre à la trace.

– Pensez-vous vraiment qu'il faille lui attribuer ces soi-disant accidents? demanda-t-il d'un ton qui prouvait qu'il ne croyait pas à cette théorie.

Cat n'était pas sûre d'y croire elle-même, mais elle évita de lui répondre directement.

– La correspondance entre les dates de ces décès et celles des greffes, y compris la mienne, me semble importante. C'est trop bizarre pour qu'il puisse s'agir d'un simple hasard.

Il tiraillа une fois de plus sa lèvre inférieure d'un air pensif.

– Connaissez-vous la famille de votre donneur?

– Pensez-vous qu'il puisse y avoir un rapport?

– C'est une piste comme une autre. Que savez-vous de votre donneur?

– Rien du tout. Jusqu'à tout récemment, je ne voulais rien savoir. Mais hier j'ai contacté la banque d'organes qui m'a procuré mon cœur pour lui demander si la famille de mon donneur s'était renseignée sur moi. Ils sont en train de vérifier les archives de l'organisme qui s'est chargé du prélèvement. Il faudra probablement attendre plusieurs jours avant d'avoir une réponse. Si aucune demande de renseignements n'a été effectuée à mon sujet, nous saurons que nous faisons fausse route.

– Comment ça?

– C'est le règlement. L'identité des donneurs et des receveurs est strictement confidentielle à moins que les deux parties ne cherchent à se connaître mutuellement. Dans ces circonstances seulement, l'organisme leur fournit des informations. C'est aux particuliers qu'il appartient de prendre contact, s'ils le souhaitent.

– C'est le seul moyen de savoir qui a reçu tel ou tel cœur?

– A moins que l'on ne soit capable de se brancher sur l'ordinateur central en Virginie pour connaître le numéro de RUPO.

– Pardon?

Elle entreprit alors de lui expliquer ce que Dean lui avait appris récemment.

– Le RUPO – Réseau uni de partage d'organes. Juste après le prélèvement, on attribue à chaque donneur d'organe ou de tissus un numéro codé indiquant précisément la date et l'heure à laquelle le prélèvement a été effectué et accepté par une banque d'organes. Ce dispositif de surveillance contribue à éviter la vente d'organes sur le marché noir.

Il se frotta vigoureusement la figure.

– Ben dis donc! Il doit être futé, votre gars!

– C'est ce que je m'efforce de vous dire depuis un moment.

Plus ils multipliaient les hypothèses, plus elle avait peur.

– Revenons-en au point de départ, inspecteur. Que comptez-vous faire pour le trouver avant qu'il ne me trouve, moi?

– A dire vrai, mademoiselle Delaney, je ne peux pas vraiment faire grand-chose.

– Tant que je ne serai pas morte dans un accident bizarre, c'est ça?

– Calmez-vous, je vous en prie.

– Je suis parfaitement calme.» Elle se leva pour partir. «Malheureusement pour moi, vous l'êtes aussi.

Plus rapide qu'elle ne l'aurait cru capable de l'être, il fit le tour de son bureau et se planta devant la porte de son bureau pour en bloquer l'issue.

– C'est troublant, je le reconnais. Mais à ce stade, votre vie ne me paraît pas en danger. Aucun crime n'a été commis. Nous ne savons même pas s'il y avait quoi que ce soit de louche dans ces autres décès, n'est-ce pas?

– Non, répondit-elle avec brusquerie.

– Mais je ne voudrais pas que vous repartiez en pensant que je ne vous prends pas au sérieux. Qu'est-ce que vous dites de ça? Si je mettais une voiture de patrouille en faction dans votre rue pendant les semaines à venir, pour qu'on ait un œil sur votre maison?

Elle baissa la tête et se frotta les tempes en riant doucement... Il ne comprenait décidément rien. Son harceleur était bien trop habile pour se faire prendre par une voiture de patrouille en maraude.

– Merci beaucoup, inspecteur. Je vous suis reconnaissante de tout ce que vous pouvez faire pour moi.

– Je suis là pour ça. » Son sourire s'élargit, et sa poitrine aussi du même coup. « Quelqu'un essaie de vous faire peur, c'est probablement ça. On veut vous filer la trouille, vous voyez ce que je veux dire?

Pressée de partir, elle acquiesça.

Convaincu d'avoir réglé son problème, il lui ouvrit galamment la porte.

– Téléphonez-moi si vous avez besoin de moi, d'accord?

D'accord. J'appellerai. Et vous ferez quoi? pensa-t-elle cyniquement.

– Merci de m'avoir reçue si vite, inspecteur.

– Vous êtes encore plus jolie en chair et en os qu'à la télé, vous savez.

– Merci.

– Euh, avant de partir, je me demandais... ce n'est pas tous les jours que je reçois une vedette dans mon bureau. Ça vous ennuierait de me donner un autographe pour ma femme? Ça lui ferait drôlement plaisir. Elle s'appelle Doris. Vous voulez bien? Vous pouvez marquer mon nom aussi, si c'est pas trop vous demander.

CHAPITRE 34

– Mais qu'est-ce que tu fabriques?
– Je fais griller du bacon.
A l'aide d'une fourchette à défaut d'une pince en bois qu'elle avait cherchée en vain dans les tiroirs de la cuisine, Cat extirpa une tranche de bacon grésillant de la poêle.
Après son entrevue exaspérante au commissariat, elle était rentrée chez elle se changer. Trop contrariée pour travailler, elle avait appelé Jeff en lui disant qu'elle ne viendrait pas. Elle avait besoin d'un jour de congé pour réfléchir.
Elle avait cogité près d'une heure sur ce qu'il convenait de faire ensuite. Avant même d'avoir fini d'échafauder un plan, elle s'était retrouvée dans l'allée d'un supermarché en train de pousser un caddie rempli de victuailles destinées à régaler un homme qu'elle prétendait mépriser.
– J'espère que tu l'aimes croustillant, dit-elle en déposant la tranche de bacon sur du papier absorbant avec les autres. Comment veux-tu que je te prépare tes œufs?
– Comment es-tu rentrée?
– Par la porte d'entrée. C'était ouvert.
– Oh! fit-il en se grattant la tête. J'ai dû oublier de vérifier avant d'aller me coucher.
– Probablement. Au plat ou brouillés?
N'ayant pas obtenu de réponse, elle jeta un coup d'œil par-dessus son épaule. Il avait exactement la même allure que le jour où elle l'avait rencontré, si ce n'était que ce matin, il portait un boxer-short au lieu d'un jean. Elle essaya d'ignorer le sex-appeal de ce grand corps élancé, à peine sorti du lit, emplissant l'embrasure de la porte de toute sa virilité.

– Au plat ou brouillés? répéta-t-elle. Je les réussis généralement mieux brouillés.

Il mit les mains sur ses hanches que son short couvrait à peine.

– Y a-t-il une raison particulière pour que tu me prépares mon petit déjeuner ce matin?

– Oui. Dès que tu auras mis un pantalon et que tu te seras installé à table pour manger, je t'expliquerai.

Il sortit de la cuisine d'un pas tranquille en secouant la tête, abasourdi. Lorsqu'il réapparut, vêtu d'un Levi's usé jusqu'à la corde et d'un T-shirt blanc, le petit déjeuner était prêt. Elle servit le café, posa les assiettes fumantes sur la table et s'assit en lui désignant la chaise en face de la sienne.

Enjambant le dossier, il s'assit à califourchon, ses genoux faisant saillie de part et d'autre. Négligeant temporairement son assiette, il but son café à petites gorgées tout en la dévisageant à travers la fumée qui montait de sa tasse. Autre rappel du matin de leur rencontre.

– Tout cela a-t-il un rapport avec le fait que ce soit dit-on par l'intermédiaire de son estomac que l'on gagne le cœur d'un homme?

– Cette théorie date un peu. Depuis, les femmes ont potassé leur Kama Sutra!

Il gloussa, puis éclata franchement de rire avant d'engloutir une grosse bouchée d'œufs brouillés. Il enfourna ensuite une tranche de bacon avant d'avaler son jus d'orange d'un coup.

– Il y a longtemps que tu n'as pas mangé? demanda-t-elle.

– Je crois que j'ai commandé une pizza hier, répondit-il après un moment de réflexion. Mais c'était peut-être avant-hier.

– Tu t'absorbes dans ton travail, à ce que je vois!

– Hum. Est-ce qu'il y a encore des toasts?

Elle remit deux tranches dans le grille-pain. En attendant qu'elles soient grillées, elle lui servit une autre tasse de café. Il lui saisit le poignet au passage et la regarda en penchant la tête en arrière.

– Tu t'es senti pousser des ailes de ménagère ce matin, Cat?

– Pas vraiment.

– Ferais-tu acte de charité dans ce cas?

– Je doute que tu le mérites.

– Tu veux faire la paix alors?

– Ne rêve pas!

– Il va falloir que je paie, c'est ça?

– Exact.

– Tu penses que j'ai de quoi?

– Si tu ne veux pas que j'arrose tes bijoux de famille de café brûlant, je te conseille de me lâcher le poignet.

Il la libéra aussitôt. Elle remit la carafe de café sur la plaque chauffante et récupéra au passage les deux tranches de pain grillé qu'elle expédia dans son assiette sans cérémonie.

– Alors on n'est toujours pas copains, commenta-t-il en étendant une épaisse couche de beurre sur son toast.

– Non.

– Dans ce cas, il est évidemment hors de question que nous soyons amants.

En le voyant planter ses dents blanches dans sa tartine généreusement garnie, elle eut un pincement au cœur. Elle porta son assiette dans l'évier, la rinça et la déposa dans le lave-vaisselle. Pendant qu'il finissait son déjeuner, elle rangea la cuisine. Il porta son assiette dans l'évier à son tour et se servit une troisième tasse de café avant de reprendre sa place.

Cat était en train de nettoyer la table couverte de miettes avec une éponge mouillée quand il la saisit par la taille et l'attira à lui. Il pressa son visage contre sa poitrine, y déposant des baisers à travers son chemisier, la mordillant ici et là, en poussant des grognements affectueux. Elle resta de glace, les mains tendues à la hauteur de ses épaules, se gardant bien de le toucher. Finalement, il releva la tête.

– Ce n'est pas agréable?

– C'est très agréable au contraire. Tu es très habile. Mais je ne suis pas là pour ça.

Il relâcha son emprise et son expression se durcit brusquement.

– Si tu n'es pas venue ici pour faire la paix...

– Effectivement, ce n'est pas pour cela que je suis venue.

– Alors pourquoi?

– J'y arrive.

– Dépêche-toi. Si tu ne veux pas jouer, j'ai du travail à faire.

Indifférente à son accès de mauvaise humeur, elle se lava les mains et se servit une autre tasse de café avant de le rejoindre à la table en apportant son sac à main avec elle. Elle en sortit les copies des coupures de journaux et de l'avis mortuaire truqué qu'elle lui tendit sans un mot.

– Ce sont les documents top secrets que tu montrais à Webster l'autre soir, n'est-ce pas?

– Tu écoutais aux portes. C'est bien ce que je pensais.

– Une vieille habitude qui remonte à l'époque où j'étais flic.

– Ou de la grossièreté pure et simple.

– Possible, reconnut-il en haussant les épaules. Nancy Webster a vraiment cru que son mari et toi aviez un petit tête-à-tête intime.

– Ce qui est faux, comme tu le sais.

– Dans ce cas, pourquoi ne pas avoir dissipé ses soupçons? Pourquoi ne pas lui avoir dit la vérité?

– Parce que moins nous serons nombreux à être au courant, mieux ce sera.

Il prit les documents qu'elle lui avait remis et commença à lire. Lorsqu'il entama la lecture du deuxième article, il se mit à frotter la cicatrice qui lui barrait le sourcil d'un air pensif. Entre le deuxième et le troisième, il lui jeta un coup d'œil interrogateur.

Une fois qu'il eut parcouru la notice nécrologique, il jura entre ses dents et repoussa sa chaise qui racla le sol. En allongeant les jambes, le dos voûté, il posa le paquet de lettres sur son estomac et les relut attentivement les unes après les autres.

Après quoi, il se redressa, jeta les feuilles en vrac sur la table et la dévisagea.

– Tu as gardé les originaux?

– Ainsi que les enveloppes.

– Tu as dit à Webster qu'elles t'étaient parvenues au cours des dernières semaines.

– C'est exact.

– Et tu n'as pas jugé bon de m'en avertir?

– J'ai estimé que cela ne te regardait pas.

Il jura.

– C'était une riposte facile, je le reconnais. En fait, je n'en ai parlé à personne avant de recevoir la troisième.

– Qui est au courant? A part Spicer. Je suis sûr que tu les as montrées à ton cher Dean.

– Je les ai montrées à Jeff d'abord, répondit-elle, ignorant sa remarque sarcastique. Et puis ensuite à Bill.

– Parce que la sécurité de la chaîne risquait d'être compromise dans cette affaire, dit-il. Je t'ai entendue lui dire ça aussi. Qui d'autre encore?

– Personne. Le faux avis mortuaire est arrivé hier. C'est la goutte qui a fait déborder le vase. Ce matin à huit heures, j'avais un rendez-vous avec un inspecteur de police. » Elle fronça les sourcils. « Pour ce que ça m'a servi! ajouta-t-elle d'un ton amer. J'aurais fait meilleur usage de mon temps en prenant un bain moussant.

– Qu'est-ce qu'il t'a dit?

Elle lui relata pour ainsi dire mot pour mot sa conversation avec l'inspecteur Hunsaker.

– Ma vie est peut-être en danger, mais il était bien trop occupé à reluquer mes jambes pour s'en soucier. Bref, il a essayé de m'apaiser en me faisant tout un baratin à propos des risques que l'on encourt en étant une vedette de la télévision. Comme si je ne le savais pas! Il sentait le cigare, l'after-shave bon marché et la phallocratie à plein nez.

« J'ai fini par lui clore le bec, mais le résultat des courses, c'est que tant qu'il ne me sera rien arrivé, la police ne peut pas grand-chose pour moi en dehors de poster une voiture de patrouille dans ma rue quelques nuits par semaine. Crois-moi si tu veux!

– Malheureusement, je n'ai aucun mal à te croire. » Il la considéra un long moment. « Voilà pourquoi tu étais un paquet de nerfs le soir où l'on a surpris Spicer en train de rôder autour de ta maison. Et tu ne t'es guère calmée depuis.

Cat se mordit les lèvres. Elle frotta les paumes humides de ses mains sur son jean, le long de ses cuisses, pour les sécher. Maintenant qu'elle lui avait préparé son petit déjeuner et raconté son histoire, elle se sentait nerveuse. Il lisait trop bien dans ses pensées.

Il n'avait pas bougé et son regard auquel rien ne semblait échapper était rivé sur son visage.

– Qu'attends-tu de moi, Cat?

– De l'aide.

– Tu voudrais que moi, je t'aide? s'exclama-t-il, railleur.

– Tu es la seule personne que je connaisse à même de comprendre un esprit criminel. » Il plissa les yeux. « Tu as déjà eu affaire à des assassins. Tu as étudié le cas d'innombrables repris de justice. Tu connais le profil psychologique d'un individu capable de faire ce genre de choses. J'ai besoin de ton avis. S'agit-il d'un farceur ou d'un psychopathe? Dois-je prendre cette affaire au sérieux ou ne pas en faire cas? J'ai peur, Alex, ajouta-t-elle, renonçant à ses derniers vestiges de fierté.

– Je vois ça, répondit-il en la regardant calmement. Tu es une cible facile.

Elle se passa nerveusement la main dans les cheveux.

– Je sais, mais je refuse de m'enfermer dans ma tour d'ivoire en devenant prisonnière de mon succès. Il peut arriver qu'un admirateur perde la boule et succombe à l'obsession. La plupart se contentent heureusement de vous traquer pour avoir un autographe. D'autres sont prêts à tuer. J'ai assisté à l'enterrement d'une jeune actrice abattue chez elle par un de ses fans qui prétendait l'aimer. » Elle secoua tristement la tête. « Tu verras, Alex. Plus on est connu, moins on a de vie privée et plus on court de risques.

– Les écrivains vivent davantage dans l'anonymat que les vedettes de la télévision.

Elle hocha la tête en signe d'assentiment, mais resta songeuse.

– Je suis contente d'être quelqu'un de célèbre. Je mentirais en disant le contraire. Mais je le paie cher.

– Est-ce la première fois que ce genre de choses t'arrive?

Elle lui répéta grosso modo ce qu'elle avait dit à Hunsaker à propos du courrier qu'elle recevait du temps de *Passages*.

– J'ai appris à faire la différence entre le courrier de mes admirateurs, ou de mes détracteurs, et les lettres provenant de gens manifestement dérangés. Certaines donnent la chair de poule, mais dans l'ensemble, j'ai appris à les ignorer. Je n'ai jamais été aussi perturbée que cette fois-ci. Je suis peut-être un peu bête, je dramatise peut-être, mais...

– Il n'y a rien de franchement menaçant dans ces lettres, nota-t-il d'une voix douce.

– Peut-être que j'aurais moins peur si c'était le cas, répondit-elle. Mais telles quelles, ces lettres me glacent le sang. Comment se défendre contre l'inconnu? Je ne vois pas le danger, mais je le sens. Mon imagination me joue peut-être des tours, mais ces temps-ci, quand je sors dans la rue, je jette continuellement des coups d'œil par-dessus mon épaule. Je me sens...

– Traquée.

– Oui.

Il évalua sa réaction contenue avant de reprendre :

– Qu'est-ce que tout cela veut dire d'après toi, Cat?

– C'est plutôt à toi de me donner ton avis! Je suis venue pour cela. En échange de ces fichus œufs au bacon.

– J'en ai mangé des pires.

– Merci.

Il croisa les mains et les pressa contre sa bouche. Cat garda le silence, lui laissant le temps de remettre de l'ordre dans ses pensées. Il ne s'était pas moqué d'elle quoiqu'en un sens elle eût préféré. Elle avait tellement envie qu'il lui dise qu'elle se faisait du souci inutilement.

– Voici comment je vois les choses, dit-il au bout d'un moment. Mais ce ne sont que des conjectures.

– Je comprends.

– En imaginant le pire...

Elle hocha la tête.

– Le nombre de coïncidences dans cette affaire est digne du livre des records!

– Je suis bien d'accord avec toi.

– Analysées séparément, les causes de ces décès sont inhabituelles, certes, mais crédibles. Mises ensemble, toutefois, cela commence à sentir mauvais.

Elle prit une profonde inspiration.

– Continue.

– Etant donné le temps et la distance en considération, la personne qui t'a envoyé ces coupures de journaux n'est probablement pas tombée dessus par hasard.

– Il était au courant de ces décès.

– Il se pourrait même qu'il en soit responsable. Si l'on peut établir qu'il s'agissait d'homicides, et non pas d'accidents.

– Dans ce cas... à quoi avons-nous affaire?

– S'il est en cause – et à ce stade, il s'agit encore d'une simple hypothèse, il ne s'agit pas d'un tueur en série ordinaire. Il ne choisit pas ses victimes au hasard. C'est le sort qui s'est chargé de les sélectionner pour lui. En revanche, il se donne beaucoup de mal pour les retrouver et les zigouiller selon des méthodes ingénieuses.

– Quel est son mobile?

– C'est simple, Cat.

– Le cœur du donneur, souffla-t-elle d'une voix rauque, se sentant brusquement oppressée.

Alex venait d'exprimer ce qu'elle craignait le plus d'entendre. Son hypothèse coïncidait parfaitement avec la sienne.

– Ces trois greffés du cœur ont été opérés le même jour que toi, dit-il. Notre psychopathe connaissait un des donneurs et pour une raison ou pour une autre, il ne supporte pas que son cœur continue à battre. A l'évidence, il ignore l'identité du receveur, aussi élimine-t-il toutes les possibilités. Il liquide l'un après l'autre tous les transplantés qui ont reçu un cœur ce jour-là, sachant que tôt ou tard, il finira par trucider le bon.

– Mais pourquoi?

– Pour arrêter le cœur.

– Ça, j'ai compris, mais pourquoi? S'il était proche du donneur à ce point, il y a de fortes chances pour que ce soit lui qui ait donné son aval pour la transplantation. Pourquoi aurait-il changé d'avis tout à coup?

– Dieu seul le sait. Peut-être s'est-il réveillé un beau matin en se disant : “ Oh mon Dieu! Qu'ai-je fait? ” Les familles des donneurs sont forcées de prendre leur décision à la hâte et dans les pires conditions. Il se peut qu'il se soit senti obligé de faire ce don d'organe. Et puis cela a commencé à le hanter et il est arrivé un moment où son sentiment de culpabilité était trop fort. As-tu jamais lu *Le Cœur révélateur* d'Edgar Poe?

– Ce cœur-ci n'est pas enterré. Il bat encore.

– Mais à l'instar du personnage de la nouvelle, ton ami harceleur l'entend probablement à chaque instant de la journée. Ça le hante et ça le rend dingue. Il ne peut plus le supporter et veut faire taire ce cœur pour toujours.

– S'il te plaît... gémit-elle.

Il tendit le bras pour lui effleurer la main.

– Il est possible que nous fassions totalement fausse route, Cat. Tu m'as demandé mon avis. Je te le donne. J'espère que je me trompe.

– Mais tu ne le penses pas.

Il n'ajouta rien. C'était inutile. Elle lut la confirmation dans son regard.

– Histoire de pousser le raisonnement jusqu'au bout, imaginons que nous ayons raison jusqu'ici. Comment s'est-il débrouillé pour retrouver tous ces gens, y compris toi?

Elle répéta les explications qu'elle avait fournies à Hunsaker un peu plus tôt, à propos des numéros codés du RUPO.

Une fois encore, Alex prit le temps d'analyser la question.

– Les greffes du cœur continuent à faire l'objet d'articles dans la presse. Il se pourrait qu'il ait fait des recoupements entre différents indices glanés ici et là. Qui sait? Jusqu'à ce que tu connaisses l'identité de ce type, il est impossible de savoir comment il opère.

– Il doit avoir les moyens en tout cas, observa-t-elle.

– Pourquoi dis-tu cela?

– Parce que dans les quatre années qui viennent de s'écouler, il a sillonné le pays en tous sens.

– As-tu jamais entendu parler du stop? Ou des passagers clandestins dans les trains de marchandises? Il disposait d'un an entre deux meurtres. Peut-être faisait-il des petits boulots ici et là pour gagner sa vie tout en s'acheminant vers sa prochaine cible.

– Je n'avais pas pensé à ça, dit-elle, consternée. Ça pourrait être n'importe qui. Un homme d'affaires voyageant exclusivement en première classe ou un vagabond. Dans un cas comme dans l'autre, il est rusé et habile. Il s'adapte. Un vrai caméléon! Sinon comment pourrait-il s'approcher suffisamment de ses victimes pour les assassiner sans attirer les soupçons?

– Comme cette vieille dame en Floride qui a passé à travers une baie vitrée. En imaginant qu'il l'ait poussée, il a bien fallu qu'il s'introduise chez elle d'une manière ou d'une autre.

– Il s'est peut-être fait passer pour un réparateur quelconque, suggéra Cat.

– Crois-tu vraiment qu'elle arroserait ses plantes pendant qu'un réparateur travaille chez elle?

– C'est possible.

– Mais peu probable. Je l'imagine plutôt en train de demander à quelqu'un qu'elle connaît et en qui elle a confiance de lui tenir l'escabeau pendant qu'elle grimpe.

Cat frissonna.

– Ce doit être un vrai monstre!

– Mais ce n'est pas un tueur fou. Bien au contraire. Il se maîtrise parfaitement, il est totalement absorbé dans sa mission, poussé par un désir de revanche, sa foi, ou je ne sais quel autre motif.

– C'est intéressant, n'est-ce pas? Ce qui pousse les gens à agir comme ils le font. » Elle le regarda d'un air soupçonneux. « Parfois leurs motivations n'ont absolument aucun sens. Ils se soucient comme d'une guigne de la manière dont leurs actions affectent les autres, dès lors qu'ils assouvissent leurs désirs. »

Ses paroles étaient à double sens. Alex le comprit instantanément.

– Tu continues à penser que je suis le dernier des salauds.

– Sans le moindre doute, répondit-elle avec autant de conviction que s'il s'était agi de soutenir la lutte contre la faim dans le monde.

– Reconnais au moins que j'ai été honnête avec toi?
– Je suis sûre que ton honnêteté elle-même servait tes intérêts.
– Fais un effort, Cat, s'il te plaît! Essaie un peu de comprendre tout de même!
– Je comprends parfaitement. Tu crevais d'envie de faire l'amour et j'ai cédé.
– Je n'avais pas besoin de toi pour tirer un coup! hurla-t-il.
– Dans ce cas, tu n'avais qu'à aller voir ailleurs! Pourquoi tout ce cinéma, Alex? Je suis tombée de haut et tu m'as fait ça délibérément.
Il faillit rétorquer, puis se ravisa et jura tout bas en se passant la main dans les cheveux.
– Coupable, dit-il finalement. Il est vrai que je t'ai fait croire volontairement que l'impossible était possible.
– Pourquoi est-ce impossible?
Il garda obstinément le silence, les lèvres serrées.
– Pourquoi, Alex? répéta-t-elle. Qu'est-ce qui te ronge?
– Je ne peux pas en parler.
– Essaie quand même.
– Crois-moi, Cat, tu ne veux pas le savoir.
– En tout cas, ce n'est certainement pas grâce au sexe que tu te sentiras mieux.
Il haussa les sourcils d'une manière éloquente.
– L'un de nous deux a une mauvaise mémoire. J'ai le souvenir de m'être senti non pas mieux, mais divinement bien.
– Je ne dis pas physiquement, riposta-t-elle. Bien sûr que cela fait du bien physiquement. Les femmes ont du mal à comprendre comment les hommes envisagent la chose. Moi ça m'échappe en tout cas. Vous êtes incapables de faire la distinction entre le physique et l'émotionnel. Tant que ça fait du bien là-bas en bas, rien d'autre ne compte pour vous. Les femmes...
– Il se pourrait que ce soit une femme! s'exclama-t-il brusquement, secoué de tremblements comme si on lui avait tiré dessus.
– Qu'est-ce que tu dis?
– C'est peut-être une femme qui te harcèle.
– Mélia.
– Pardon?
Cat avait prononcé son nom à voix haute sans s'en rendre compte. Il était trop tard à présent. Il allait lui demander des explications.
– C'est une femme avec laquelle j'ai travaillé. Nous nous sommes affrontées à plusieurs occasions.
Pour la deuxième fois ce matin-là, elle relata les difficultés qu'elle avait eues avec Mélia King.
– Je crois que je l'ai aperçue, dit Alex. Une vraie bombe sexuelle! Des

gros nichons, de longs cheveux noirs, des lèvres sensuelles, des jambes à n'en plus finir!

– Tu as l'œil! répliqua-t-elle sèchement.

– Il est difficile de passer à côté d'elle sans la voir.

– Elle est méprisante et hargneuse, mais je l'imagine mal en tueuse.

– Tout le monde est suspect, Cat. Et tout le monde est capable de tuer.

– Je refuse de le croire.

– J'ai arrêté un jour une gamine de treize ans qui avait zigouillé sa mère dans son sommeil. Motif? Celle-ci l'avait interdit de sorties parce qu'elle avait mis de l'ombre à paupières. C'était une petite fille toute douce avec des appareils dentaires et un poster de Mickey Mouse dans sa chambre. Les assassins existent sous toutes les formes et dans toutes les tailles. Celui-ci est une fine mouche.

– Si assassin il y a!

Il jeta un rapide coup d'œil sur les trois coupures de journal.

– Il faudrait avertir le ministère de la Justice.

Voilà qui était rassurant. Il devait penser que cette affaire était encore plus sérieuse qu'il ne le lui avait laissé entendre.

– A quoi bon?

– Pour qu'une enquête soit ouverte sur ces différents décès.

– Il faudra du temps et une masse de paperasserie, non?

– Lorsque le gouvernement fédéral s'en mêle, il ne faut pas s'attendre à ce que ça aille vite.

– En attendant, l'anniversaire de ma greffe est dans un mois à peine. » Elle essaya de sourire. « J'ai la nette impression que je suis la suivante sur la liste.

Alex prit l'avis mortuaire et le relut une fois encore attentivement.

– Il veut se faire prendre. Sinon, il ne t'aurait pas envoyé tout ça. Tous ces meurtres ont un objectif, mais il n'agit pas instinctivement, ni pour le plaisir. Il ira jusqu'au bout de son entreprise, aussi tordue soit-elle. En même temps il sait que c'est mal. Il ne demande qu'à être arrêté.

– J'espère simplement que nous pourrons l'arrêter à temps.

– " Nous? "

– Je ne peux pas régler ça toute seule, Alex. Je n'ai ni les relations ni l'expérience requises. Toi si.

– Le petit déjeuner me coûte de plus en plus cher à chaque minute qui passe. Et si je dis non? ajouta-t-il en penchant la tête de côté.

– Je ne pense pas que tu refuseras parce qu'au fond de toi, tu n'as jamais cessé d'être flic. Tu as fait vœu de protéger et de servir tes concitoyens. Je doute que cet engagement-là ait pris fin le jour où tu as rendu ton insigne. Si j'étais une inconnue, tu ne m'enverrais pas promener. Et si je meurs mystérieusement, tu ne te le pardonneras jamais.

Il siffla.

– Tu joues un sale jeu, dis-moi !

– J'ai bien appris ma leçon. » Avec une honnêteté caractéristique, elle ajouta : « Tu es la dernière personne à qui j'ai envie de demander une faveur. Ce n'était pas facile pour moi de venir ce matin, je t'assure. Si j'avais pu faire autrement, crois-moi, je l'aurais fait. Malheureusement, à part toi, je ne vois pas très bien à qui je pourrais m'adresser.

Il lui fallut un peu moins de dix secondes pour méditer sa réponse.

– Okay. Je ferai ce que je peux. Par où faut-il commencer à ton avis ?

– Ici même. Au Texas.

A l'évidence, il ne s'était pas attendu à une réponse aussi catégorique.

– Pourquoi ?

– Je ne l'ai jamais dit à personne, commença-t-elle d'un ton hésitant. J'ai un indice concernant l'origine de mon cœur. La nuit de mon opération, j'ai entendu une infirmière dire qu'il provenait du Texas. C'est peut-être ce qui m'a attirée ici d'ailleurs, ajouta-t-elle avec désinvolture, comme si l'idée venait juste de surgir dans son esprit.

– Tu me lances une foule d'hameçons plus appétissants les uns que les autres et je ne peux pas m'empêcher de mordre. Comment dois-je interpréter ce que tu viens de dire ? Tu serais venue au Texas parce que ton donneur vivait ici ?

Elle secoua la tête avec agacement.

– Dean estime que ce genre de transfert spirituel est impossible.

– Et toi, qu'en penses-tu ?

– Je suis d'accord avec lui.

Il haussa les sourcils. Le manque de conviction de Cat n'était pas passé inaperçu.

– Mais on pourrait en débattre pendant des heures, pas vrai ?

– Nous en reparlerons peut-être un jour. Pour le moment, j'ai besoin de trouver mon harceleur. Cette allusion au Texas est le seul indice dont je dispose pour le moment.

– Bon. La procédure normale veut que l'on démarre avec ce que l'on a.

– Encore une chose, Alex. J'ai fait des démarches pour savoir si la famille de mon donneur avait essayé de me contacter.

– Ah bon ? s'exclama-t-il, surpris. Je croyais que tu avais résolu de ne pas le faire ? Ne m'as-tu pas dit que tu ne voulais rien savoir de ton donneur ?

– Je n'ai plus le choix. Ils sont en train de vérifier les archives. Je te dirai ce que cela a donné, si tant est que cela donne quelque chose.

– Bon. En attendant, je commence par le Texas et j'élargirai progressivement le champ de mes recherches. Par ailleurs, je vais voir si je peux dénicher autre chose concernant ces morts soi-disant accidentelles. Peut-être existe-t-il un autre dénominateur commun au-delà du fait que les victimes aient été des greffés du cœur. Mais je ne te promets rien.

– Je te remercie d'avance de ce que tu pourras faire pour moi. » Elle se leva et fit un signe en direction du réfrigérateur. « J'ai mis ce qui restait de mes achats dans le frigidaire. Bon appétit.

Il la suivit jusqu'à la porte d'entrée.

– Attends un peu avant de t'en aller.

– Nous avons conclu notre affaire.

– Mais pas réglé notre dispute.

– Il n'y a pas de dispute, Alex. Nous sommes d'accord sur le fait que tu es un salaud, et tu sais à présent ce que je pense des coucheries sans lendemain.

– Ce n'était pas...

– Tout de même, il y a une chose que je trouve bizarre, l'interrompit-elle. Pourquoi t'es-tu expliqué si vite? Tu aurais pu me faire marcher indéfiniment. Pourquoi avoir tout gâché pour toi? Aurais-tu souffert d'une crise de conscience aiguë? Arnie t'a-t-il menacé de retenir tes droits d'auteur si tu n'étais pas un gentil petit garçon?

Au lieu de répondre à cette question caustique, il lui saisit le menton.

– Tu connais ce vieil adage : “ Méfie-toi de tes souhaits? ” Et bien sûr que je souhaitais coucher avec toi. Je souhaitais que ce soit le grand pied. Ç'a été le cas. Ça a même dépassé toutes mes espérances. Du coup, j'ai pris peur. Je n'ai pas su faire face. » Son pouce effleura la commissure de ses lèvres. « Et je ne sais toujours pas comment faire. »

CHAPITRE 35

– Voilà où nous en sommes! Je tenais à ce que vous soyez informés.

Cat avait tout raconté à Jeff Doyle et Bill Webster et elle attendait leurs réactions. Le bureau de Bill était tranquille; il y régnait une atmosphère sereine loin du tohu-bohu de la salle de rédaction.

Jeff et elle étaient assis côte à côte sur le canapé en cuir beurre-frais. Le directeur de la chaîne leur faisait face dans un fauteuil assorti. Sa position détendue était trompeuse. Il était manifestement très agacé par ce que Cat venait de leur relater.

– Cet inspecteur...

– Hunsaker.

– ... il vous a dit que vous vous faisiez du souci pour rien?

– A peu de chose près, oui. Surtout après que la banque d'organes m'eut informée que la famille de mon donneur n'avait jamais essayé de retrouver ma trace.

Le résultat de cette enquête l'avait réjouie et déçue à la fois. Elle se félicitait de ne pas être forcée de connaître l'identité de son donneur, mais renonçait avec regret à la possibilité de découvrir quelque chose sur son harceleur.

– L'indifférence de l'inspecteur Hunsaker est exaspérante, poursuivit-elle. Mais lorsque j'en ai fait part à Alex, il n'a pas été surpris. A moins qu'un crime n'ait été commis, la police ne peut pas faire grand-chose. En imaginant que nous sachions à qui nous avons affaire, ce qui n'est pas le cas, sous quel prétexte serait-il arrêté? Nous n'avons aucun mobile.

– On doit pouvoir faire quelque chose tout de même, insista Jeff.

– Nous faisons ce que nous pouvons, leur assura-t-elle. Alex a gardé des relations au sein de la police de Houston, d'anciens collègues qui se chargent de vérifier les fichiers informatiques pour lui, ce genre de choses. Il dispose de ressources qu'un citoyen ordinaire tel que moi ne pourrait avoir. » Elle esquissa un sourire. « Quelquefois il omet de dire qu'il ne fait plus partie de la police. Les gens lui parlent encore. Il peut être très intimidant.

– Avez-vous confiance en lui? demanda Bill.

Elle le dévisagea d'un air sévère.

– Pourquoi ne lui ferais-je pas confiance?

Il désigna l'enveloppe de papier kraft qui contenait les copies des articles, de l'avis de décès et des enveloppes.

– N'est-ce pas là une raison suffisante de se méfier de tout étranger surgissant inopinément dans votre vie?

– Alex Pierce n'est pas vraiment un étranger pour qui que ce soit, souligna Jeff.

– Que savez-vous de lui, Cat? persista Bill. En dehors de ce qui saute aux yeux, à savoir qu'il est bel homme.

– Vos insinuations me choquent, Bill. Un beau visage ne suffit pas à me rendre gaga. Je ne suis pas aveuglée par le désir.

– Ne vous énervez pas! répondit-il d'un ton apaisant. Je voulais simplement dire...

– ... que les femmes ont tendance à penser avec leur cœur au lieu de faire marcher leurs méninges. Selon vous, les membres du sexe faible n'ont pas suffisamment de jugeote pour reconnaître un loup déguisé en brebis.

Elle se leva brusquement et s'approcha de la fenêtre. Elle regarda un moment les voitures filer à toute allure sur la voie express voisine, prenant le temps de calmer ses nerfs avant de se retourner.

– Je suis désolée, Bill. Vous vous faites du souci pour moi et moi, je vous saute à la gorge.

Il écarta ses excuses d'un geste.

– Vous avez toutes les raisons d'être énervée, Cat. Ces ennuis vous ont-ils affectée sur le plan physique?

– En dehors de quelques nuits blanches, non.

– Nous pourrions suspendre la diffusion de *Cat's Kids* pendant quelques semaines si vous le souhaitez, jusqu'à ce que l'on ait élucidé cette affaire.

– Je suis sûr que Sherry comprendrait, ajouta Jeff, abondant dans le sens de Bill.

– Il n'en est pas question. Je ne changerai rien à ma vie. Mon emploi du temps reste le même. Je refuse de laisser ce fêlé bousiller mon existence.

– Mais le stress pourrait mettre votre santé en danger...

– Je me sens en pleine forme. Mon cœur fonctionne à merveille. Je vous le promets, dit-elle en posant la main sur sa poitrine. Nous allons nous efforcer de résoudre ce problème avant qu'il ne s'envenime, mais ma vie privée reste telle quelle. Aussi vous saurais-je gré de garder vos opinions sur Alex pour vous. J'ai besoin de son aide. Un point, c'est tout.

Mal à l'aise, elle se dirigea vers la desserte où la secrétaire de Bill avait déposé une cafetière et des tasses.

– Quelqu'un voudrait-il un café?

Ils refusèrent l'un et l'autre.

Cat s'en servit une tasse, prenant son temps tout en se remémorant inconsciemment les derniers moments qu'elle avait passés avec Alex sur le pas de sa porte, lorsqu'il lui avait déclaré de but en blanc qu'il continuait à avoir envie d'elle. Il avait essayé de l'embrasser, mais elle avait pris la fuite avant que le désir ne s'empare d'elle et ne lui embrouille l'esprit. Bill n'était pas si loin du compte au fond. Cela expliquait sans doute qu'elle eût réagi avec tant de véhémence.

En se retournant pour leur faire face, elle fit un effort pour chasser Alex de son esprit.

– Il semble que quelqu'un ait décidé de faire taire mon palpitant! s'exclama-t-elle avec un enjouement forcé.

– Je ne pense pas que cette histoire donne matière à plaisanter, lança Jeff en fronçant les sourcils en une grimace sévère qui s'accordait mal avec son visage de gamin.

– Je suis bien de votre avis, Jeff, fit Bill en se frottant les mains tel un général sur le point de dévoiler sa stratégie à ses soldats.

« Je vais faire passer une circulaire établissant que personne ne doit être admis dans l'immeuble sans montrer patte blanche. Cat, à partir de maintenant, vous aurez quelqu'un pour vous escorter dans le parking à chaque allée et venue.

– Bill, c'est...

– Inutile de protester. Jeff, quand vous partez en tournage, assurez-vous que vous emmenez toujours un vigile avec vous. Vous n'aurez qu'à lui trouver une petite place dans le camion de la production.

– Je n'ai pas besoin d'un chaperon, je vous assure.

– Bonne idée, monsieur Webster, répondit Jeff, ignorant la remarque de Cat.

Elle soupira et leva les yeux au ciel, mais Bill était déterminé.

Elle se rebiffa cependant quand il proposa de poster une sentinelle devant chez elle vingt-quatre heures sur vingt-quatre.

– C'est hors de question!

– Ce sera aux frais de la compagnie, lui dit-il. Vous nous êtes précieuse et nous n'épargnerons rien pour vous protéger.

– Je ne suis pas un objet d'art! protesta-t-elle. Je m'oppose formellement à la présence d'un gorille en costume bon marché devant chez moi. Je refuse de vivre comme une prisonnière dans ma propre maison. Si vous insistez, je prendrai une chambre d'hôtel et personne ne saura où je suis. Je ne plaisante pas, Bill. Ce cinglé a déjà suffisamment d'emprise sur ma vie comme ça.

Une âpre discussion s'ensuivit. En définitive, Webster dut céder à contrecœur. Quelques minutes plus tard, Jeff et Cat quittaient le bureau de la direction.

– Il essaie de vous protéger, Cat, remarqua Jeff dans l'ascenseur qui les conduisait au rez-de-chaussée.

– Sa sollicitude me touche, mais ne perdons pas le sens des proportions tout de même. Inutile d'exagérer les choses. L'inspecteur Hunsaker a probablement raison. J'ai amplifié cette histoire à force d'y réfléchir et mon hystérie est devenue collective.

– Vous n'avez jamais été hystérique de votre vie, dit-il en sortant de l'ascenseur derrière elle.

Ils tournèrent à droite, en direction de la salle de rédaction.

– Hystérie est peut-être un mot un peu fort. Il n'empêche que j'ai pris peur pour quelques malheureuses lettres.

– M. Pierce n'a pas eu l'air de trouver que ce n'était rien.

– Il est romancier. J'aurais sans doute mieux fait de ne pas lui en parler. Il a une imagination fertile. Il concocte tous les jours des scènes de folie et de chaos. A partir de quelques vagues idées qu'il a enjolivées, il a créé un scénario qui ferait un film à suspense formidable.

– Bonne idée! Je vais m'empresser de l'écrire et de l'envoyer à Hollywood.

Ils firent volte-face simultanément en entendant la voix d'Alex.

– Mais seulement si tu promets de jouer le rôle principal, ajouta-t-il gentiment à l'adresse de Cat. Salut Jeff.

Ils étaient surpris de le voir l'un et l'autre. Cat se ressaisit la première.

– Je ne m'attendais vraiment pas à te trouver ici.

Ils avaient parlé plusieurs fois au téléphone depuis le matin où elle lui avait préparé son petit déjeuner, mais ils ne s'étaient pas revus. Il était parti pour Houston quelques jours auparavant et ne l'avait pas avertie de son retour.

– J'ai découvert quelque chose qui vaut à mon avis la peine d'être examiné d'un peu plus près. J'ai un rendez-vous avec un type à ce sujet cet après-midi. Il se peut que je fasse fausse route, mais j'ai promis de te tenir au courant si je dénichais quoi que ce soit.

Elle se tourna vers Jeff.

– Notre emploi du temps est-il chargé cet après-midi?

– Pas trop, non, répondit-il sans quitter Alex des yeux.

– Pouvons-nous reporter ce qui est prévu? demanda-t-elle.

Jeff hocha la tête.

– Attends un peu, Cat, intervint Alex. Ne change rien à ton programme. C'est inutile.

– Bien au contraire. J'ai la ferme intention de t'accompagner.

– Ce n'est pas une bonne idée. Si j'apprends quoi que ce soit, je t'avertirai aussitôt.

– Ce n'est pas suffisant. Je ne supporterai pas d'attendre. Je viens avec toi. C'est décidé.

– Tu ne vas guère t'amuser et cela risque d'être dangereux.

– Pas plus que de rester là à attendre qu'un cinglé vienne me zigouiller. J'arrive tout de suite. Juste le temps de prendre mes médicaments. Attends-moi.

Elle partit en direction de son bureau, puis se retourna.

– Si tu pars sans moi, Alex, tu me le paieras!

Abandonnant Alex près de la réception de la salle de rédaction, Jeff alla prendre les messages de Cat auprès de la secrétaire intérimaire et les lui porta dans son bureau.

– Sherry a téléphoné.

– A quel sujet? demanda-t-elle en rangeant ses remèdes dans le tiroir qu'elle referma soigneusement à clé.

– Ça ne va pas vous plaire.

Elle releva brusquement la tête. Jeff posa le message sur le bureau en fronçant les sourcils.

– On a remis Michael sous la garde de ses parents.

– Bonté divine!

– Leur avocat a réussi à convaincre le procureur d'abandonner les poursuites. Une fois encore, George Murphy a échappé de justesse à la prison.

Elle se remémora le doux visage de l'enfant et un mélange de colère et d'angoisse l'assaillit au souvenir des sévices physiques et moraux qu'il avait subis.

– Que va-t-il falloir faire pour le tirer de là? Comment l'assistante sociale a-t-elle pu accepter une chose pareille?

– Sherry a promis de veiller personnellement sur cette affaire. Le moindre signe de violence et ils peuvent dire adieu au gamin!

– Elle ne peut pas les avoir à l'œil vingt-quatre heures sur vingt-quatre, répliqua Cat d'un air sombre.

– Sachez tout de même que d'après l'assistante sociale, Michael s'est jeté dans les bras de sa mère dès qu'il l'a vue. Celle-ci l'a serré contre elle en pleurant et en le couvrant de baisers. Ils étaient fous de joie de se revoir.

– J'espère qu'il s'en sortira sans trop de traumatismes. Les enfants sont tous exceptionnels, mais chez Michael, il y a quelque chose...

Sa voix se brisa. Lorsqu'elle reprit ses esprits, elle se rendit compte que plusieurs minutes avaient dû s'écouler. Elle cligna des yeux et accommoda son regard sur Jeff.

– Autre chose?

– Le docteur Spicer a téléphoné de Los Angeles. Il souhaiterait que vous le rappeliez le plus tôt possible.

– Je lui téléphonerai ce soir.

– Vous feriez mieux de le faire tout de suite. La secrétaire m'a dit qu'il avait l'air très inquiet.

– Bon, dans ce cas, demandez à la secrétaire de le rappeler sur-le-champ. Entre-temps, ayez l'œil sur Alex. Ne le laissez pas partir sans moi, même s'il faut l'attacher à une chaise.

Pendant qu'elle attendait, elle sépara le dossier de Michael du reste de la pile entassée sur son bureau. Elle avait toujours les yeux rivés sur la photographie quand la secrétaire lui fit savoir que le docteur Spicer était en ligne.

– Salut! dit-elle avec une gaieté feinte. Je suis ravie de t'entendre.

– Comment vas-tu?

– Très bien.

– Ça n'a pas l'air.

– Je viens d'avoir une contrariété.

Elle lui raconta en deux mots l'histoire de Michael.

– Les avocats ont probablement réglé l'affaire en éclusant des bières, sans se préoccuper le moins du monde du sort de l'enfant. » Elle referma le dossier. « Bref, passons à autre chose. Tu es la voix de la raison dans un monde de fous.

– Ne tire pas de conclusions trop hâtives!

– Oh oh! Encore des mauvaises nouvelles? Je ne crois pas que je pourrai en supporter davantage aujourd'hui. Cela peut-il attendre?

– Il vaudrait mieux pas.

– Alors, dis-moi ce qu'il en est. Dépêche-toi. Je n'ai pas beaucoup de temps. J'étais sur le point de sortir.

– C'est à propos d'Alex Pierce.

Son cœur fit un bond dans sa poitrine.

– Ah bon? De quoi s'agit-il?

– Heureusement que tu ne le vois plus! Je voulais juste m'assurer que tu ne lui avais pas parlé de ces coupures de journaux.

Elle hésita un moment avant de lui avouer calmement la vérité :

– En réalité, c'est déjà fait. Il a même entrepris des recherches pour moi.

– Tu plaisantes!

– J'ai pensé qu'avec ses antécédents dans la police...

– Tu ne peux pas lui faire confiance, Cat.

Elle rechignait à l'idée de se soumettre une fois de plus à cette conversation puérile. La méfiance de Dean se fondait à quatre-vingt-dix pour cent sur la jalousie.

– J'avais besoin d'un avis de spécialiste, alors j'ai oublié ma fierté et je me suis adressée à lui. Il a accepté de m'aider à trouver mon correspondant avant que je meure dans je ne sais quel accident atroce.

– Ecoute-moi bien, Cat, reprit-il en baissant la voix, prenant un ton confidentiel. J'ai procédé à une petite enquête sur le passé de M. Pierce. Ils ont oublié pas mal de choses concernant sa biographie sur la jaquette de ses livres.

– Tu as fait une enquête! Mais pour quelle raison?

– Ne te fâche pas.

– Je ne suis pas fâchée. Je suis outrée. Je ne suis plus une gamine, Dean, et tu n'es pas mon tuteur.

– Eh bien, tu ferais mieux d'en avoir un! Tu as couché avec ce type alors que tu ignorais tout de lui.

– Je savais au moins que je voulais coucher avec lui! lui rétorqua-t-elle.

Après un long silence hostile, il ajouta :

– Il y a une autre chose que tu devrais savoir. Une chose que tu seras sans doute bien inspirée de prendre en considération la prochaine fois qu'il essaiera de te séduire. » Il marqua une nouvelle pause, ménageant son effet. « Alex est un tueur, Cat. »

CHAPITRE 36

Alex conduisait vite mais bien, manœuvrant sa voiture de sport avec habileté d'une voie encombrée à l'autre. Le tableau de bord étroit, les sièges baquets profonds leur imposaient un certain degré d'intimité. La conscience aiguë de sa présence lui faisait l'effet d'une démangeaison ; plus elle y prêtait attention, plus cela devenait irritant.

– Tu es bien silencieuse, remarqua-t-il tout en dépassant un poids lourd.

– J'ai donné ma langue au chat, dit-elle.

– Adorable !

– Hum !

– Quelque chose ne va pas ?

– En dehors du fait qu'un loufoque s'ingénie à faire taire mon cœur ? Non, rien. » Elle soupira en écartant quelques mèches rebelles de son visage. « Je ne me sens pas d'humeur à tenir une conversation, voilà tout.

– C'est comme tu veux.

Il posa son poignet droit sur le volant et concentra son attention sur la route. Cat s'en voulait de bouder ainsi. Après la terrible nouvelle que Dean lui avait annoncée plus tôt, elle était sortie précipitamment de son bureau pour trouver Alex en train de flirter avec Mélia.

– C'est la fille en question, n'est-ce pas ? lui avait-il demandé alors qu'ils se dirigeaient vers la sortie.

– Effectivement.

– Elle a l'air inoffensif.

Cat l'avait regardé d'un sale œil.

– Oh ! c'est une grande charmeuse. Mais n'oublie pas que c'est elle qui a jeté mes remèdes dans une benne avec les vestiges de son Big Mac.

– Ce n'est sûrement pas un ange! Mais j'ai du mal à l'imaginer en tueuse. As-tu une idée de l'endroit où elle travaillait avant?

– Non.

– Que sais-tu de son passé?

– Rien du tout.

– Je vais tâcher de me renseigner.

Ben voyons! avait-elle pensé.

Outre la peur qui la rongeait, elle était dévorée par la jalousie. A la lumière de ce que Dean lui avait révélé à propos d'Alex, comment pouvait-elle encore prendre à cœur son attitude vis-à-vis de Mélia? Son jugement était faussé.

Ils roulèrent un moment en silence.

– Tu ne m'as toujours pas dit où nous allions, dit-elle finalement.

– Dans une petite ville à l'ouest d'Austin. Au milieu des collines. Tu connais ce coin-là?» Elle secoua la tête. «C'est très beau. Ça te plaira.

– On n'est pas là pour faire du tourisme.

– Ce serait plus agréable, pour toi comme pour moi.

Parvenus aux abords d'Austin par l'A35, ils quittèrent l'autoroute pour s'engager sur une route nationale qui contournait la ville. Une demi-heure plus tard, ils traversaient une charmante petite ville baptisée Wimberly. Depuis quelques dizaines d'années, la vie paisible de cette bourgade et les magnifiques paysages environnants avaient drainé une pléthore d'artisans. En fin de semaine, le marché aux puces attirait une foule qui triplait la population. Dès que les touristes s'en allaient, cependant, les commerçants rentraient leurs pots de fleurs et la quiétude revenait.

Au-delà des limites de la ville, Alex prit une route de campagne qui grimpait en haut d'une falaise surplombant le fleuve Blanco.

– Qu'est-ce que c'est que ces arbres qui poussent au bord de l'eau? demanda-t-elle.

– Des cyprès.

– Ah oui, c'est vrai. Quel panorama!

– A un moment donné j'ai songé à acheter un bout de terrain par ici pour me faire construire une maison.

– Pourquoi ne pas l'avoir fait?

– J'ai manqué d'initiative, je crois.

La route devenait de plus en plus étroite et cahoteuse. La voiture soulevait un nuage de poussière mêlée de gravillons dans son sillage. Ils arrivèrent finalement devant une cabane située un peu à l'écart de la route, au milieu d'un bosquet de pacaniers. Perchée tout en haut de la falaise, elle surplombait d'une vingtaine de mètres le lit du fleuve où l'eau se faufilait en gargouillant entre les rochers.

L'affreuse bicoque détonnait dans le paysage magnifique. Ses parois en tôle ondulée étaient couvertes de rouille. Sur la face nord, on avait peint une tête de mort grossière. Un drapeau de la Confédération poussiéreux, en lambeaux, pendait lamentablement dans l'air, faute de vent. Il n'y avait pas une seule fenêtre, pas de nom à la porte, mais une enseigne au néon vantant les mérites d'une bière clignotait au-dessus de l'entrée à peine visible. Deux camions et une Harley-Davidson étaient garés devant.

Cat était sur le point de faire une plaisanterie à propos de ce bâtiment minable quand Alex s'engagea dans le parking. Le gravier craqua sous les roues de la voiture lorsqu'il s'immobilisa à côté de la moto.

– Tu plaisantes!

– Tu te tais!

Il tendit le bras devant elle et appuya sur le fermoir de la boîte à gants. Celle-ci s'ouvrit brusquement avec un déclic et Cat faillit recevoir un revolver à canon court sur les genoux. Alex le rattrapa au vol, ouvrit le cylindre pour s'assurer qu'il était chargé, puis le referma prestement.

– Je t'ai prévenue qu'on ne venait pas ici pour s'amuser, dit-il. Mais on peut rebrousser chemin si tu veux.

Elle jeta un coup d'œil méfiant en direction de l'entrée, mais très vite, son regard revint se poser sur lui.

– Pas question! Si quelqu'un là-dedans peut nous aider à élucider cette affaire, je veux entendre ce qu'il a à dire.

– Très bien. Mais il faut à tout prix que tu tiennes ta langue et que tu joues le jeu, quoi qu'il arrive. Sinon, si jamais tu ouvres le bec, nous serons plusieurs à risquer notre peau. Pigé?

Elle avait horreur qu'on lui parle sur ce ton. Bouillant de rage, elle ouvrit sa portière brusquement.

Il lui saisit le bras.

– Pigé?

– J'ai pigé, répondit-elle sur le même ton.

Ils approchèrent côte à côte de l'entrée peu engageante.

– Si j'avais su, j'aurais mis une tenue plus appropriée, souffla-t-elle avant d'entrer. Du cuir et des chaînes, par exemple.

– La prochaine fois. » Il tira la porte. « Si tu pouvais simuler la nervosité, cela pourrait nous aider.

– Simuler?

Il faisait pour ainsi dire nuit à l'intérieur du bar et il y régnait une chaleur humide presque tangible. Pendant quelques secondes, elle ne vit rien. En revanche, les yeux d'Alex avaient dû s'adapter immédiatement parce qu'il la poussa dans un box le long du mur et la planta là pour se rendre au comptoir.

L'établissement était tenu par un homme obèse au regard méchant, arborant une grosse barbe noire et frisée qui lui tombait sur la poitrine.

Ses bras croisés sur sa bedaine faisaient songer à des branches d'arbres velues. Il mâchonnait une allumette tout en suivant un tournoi de bowling, les yeux rivés sur un téléviseur noir et blanc suspendu dans un coin, au-dessus du bar.

– Deux bières, commanda Alex. Ce que vous avez à la pression.

L'homme le dévisagea quelques secondes d'un air parfaitement indifférent. Puis il jeta un coup d'œil au bout du bar en direction de deux clients penchés sur leurs bières, comme s'il souhaitait avoir leur avis. Pour finir, il cracha son allumette par terre, attrapa deux bocks par le manche d'une main tout en tournant le robinet de l'autre.

Alex le remercia, paya et rejoignit Cat.

– Fais semblant de boire, chuchota-t-il en se glissant à côté d'elle.

– Ils vont bien voir que nous ne buvons pas.

– Ils savent que nous ne sommes pas là pour ça.

– Dans ce cas, ils en savent plus que moi. Qu'est-ce qu'on fait ici exactement?

– Pour le moment, on attend.

Il mit le bras autour de ses épaules et l'attira contre lui, comme s'ils se bécotaient. Ses lèvres lui effleurèrent l'oreille.

– Il ne t'arrivera rien. Je te le promets, chuchota-t-il.

Elle hocha la tête tout en jetant un regard inquiet en direction des deux autres consommateurs. Ils s'étaient retournés à demi sur leurs tabourets et les regardaient fixement en échangeant des commentaires à voix basse.

Cat remarqua tout à coup la présence d'un troisième homme planté devant un jeu vidéo à l'autre extrémité du bar. Il leur tournait le dos. Il était maigre, ses fesses disparaissant dans le fond de son jean crasseux. Il avait de longs cheveux raides et gras qui lui tombaient entre les omoplates. Il donnait l'impression de jouer par désœuvrement plutôt que pour le plaisir.

Lorsque sa dernière fusée eut explosé avec un sifflement strident, il fit volte-face et but une gorgée de bière avant de se diriger vers le comptoir d'une démarche nonchalante. Il les observa d'un air curieux avant de se laisser tomber sur un tabouret et de tourner son attention vers le tournoi de bowling.

– Combien de temps... chuchota-t-elle.

– Chut!

– Je veux savoir.

– Je t'ai dit de te taire et de me laisser faire! hurla-t-il.

Les cris d'Alex la surprirent à tel point qu'elle en fut réduite au silence et resta là, bouche bée. Il jura entre ses dents tout en jetant des coups d'œil nerveux par-dessus son épaule en direction des autres clients et du barman. Puis il avala une gorgée de bière et s'extirpa du box en la mettant en garde du regard.

Cat le suivit des yeux tandis qu'il s'approchait furtivement de l'amateur de jeux vidéo. Il commanda deux autres bières et prit place sur le tabouret voisin.

– Euh, excusez-moi, vous ne seriez pas Petey, par hasard? l'entendit-elle demander à voix basse.

L'autre ne daigna même pas détacher son regard de l'écran.

– Qu'est-ce que ça peut te faire, connard?

Alex se pencha vers lui et lui murmura quelque chose d'inaudible.

– Tu me prends pour un con ou quoi? Merde alors! répliqua-t-il en ricanant.

Il se tourna vers les deux clients à l'autre bout du bar et leva les yeux au ciel. Le barman gloussa.

– Va te faire foutre! ajouta Petey en pointant le menton en direction de la porte.

– Ecoute, j'ai...

Petey fit volte-face.

– Fous le camp, mec, t'as compris! rugit-il tel un lynx auquel on aurait marché sur la queue. Tu sens la flicaille à plein nez!

– Tu me prends pour un flic! s'exclama Alex.

– Tu pourrais être la fée Carabosse, pour ce que j'en ai à foutre! On n'a rien à faire ensemble.

Sur ce, il se tourna de nouveau vers la télévision.

Alex se mit à se frotter les mains sur son pantalon d'un air désespéré.

– Dixie m'avait pourtant dit...

Petey virevolta brusquement, ses cheveux effleurant presque la joue d'Alex.

– Tu connais Dixie! Pourquoi tu l'as pas dit plus tôt, bordel? T'es son...

– Neveu.

– Sans blague!

Petey fit signe au barman.

– Donne-m'en encore une.

Il attendit d'être servi, puis fit signe à Alex de prendre les deux autres bières. Ils gagnèrent le box. Petey se glissa à côté de Cat.

– Salut, la Rouquine!

Il engloutit une lampée de bière tout en la reluquant.

– C'est ta copine? demanda-t-il à Alex.

– Ouais.

Cat garda le silence pendant que ses deux compagnons se racontaient des histoires à propos d'oncle Dixie. Ils baissèrent le ton progressivement au point que Cat s'en rendit à peine compte jusqu'au moment où Alex dit :

– Merci d'avoir accepté de me voir.

– S'ils découvrent que vous n'êtes pas celui que vous prétendez être, je suis foutu.

– Je sais, répondit Alex d'un air sombre. Mais c'est important. Sinon je n'aurais pas demandé à oncle Dixie de m'arranger ça.

– L'un de vous aurait-il la gentillesse de me dire ce qui se passe? souffla-t-elle.

– Reste cool, mon chou, répliqua Petey en lui effleurant la joue.

Elle lui tapa sur la main. Il rit et agita ses doigts tachés de nicotine comme s'il s'était brûlé.

– Comme je dis toujours, tête chaude, sang chaud!

– Calme-toi, tu veux! s'exclama Alex, d'une voix suffisamment forte pour que les autres puissent l'entendre.

Entre-temps, deux autres consommateurs avaient fait leur apparition, un homme aux allures de bûcheron et à la mine patibulaire et une femme qui avait l'air encore plus agressif que lui. Elle était en train d'échanger des insultes obscènes avec le barman, au grand amusement du reste de la clientèle.

– Dixie vous a mis au courant du motif de ma visite? demanda Alex à mi-voix.

Petey hocha la tête.

– Je m'en souviens comme si c'était hier, répondit-il. Encore mieux même! C'est le genre de trucs qu'on n'oublie pas facilement, vous savez! Il y a près de quatre ans, un des membres de not'bande est passé sous un camion. Il a été comme qui dirait décapité.

Cat émit un petit cri. Petey la dévisagea, puis son regard se reporta sur Alex.

– Vous êtes sûr qu'elle est cool? s'enquit-il d'un ton inquiet.

– Pas de problèmes. Continuez.

– Il se faisait appeler Sparky. J'ignore quel était son vrai nom. Un mec sérieux. Il lisait tout le temps des bouquins. De la poésie, de la philosophie, ce genre de trucs. Il avait fait plein d'études. Il venait de quelque part dans l'Est, je crois. Milieu aisé, je dirais. Il avait des manières, si vous voyez ce que je veux dire?

– Qu'est-ce qu'il faisait dans cette bande?

– Son papa et sa maman l'avaient peut-être jeté. Ou bien il avait surpris sa vieille au lit avec sa petite amie. Qu'est-ce que j'en sais, moi? » Il haussa ses épaules osseuses. « Bref, il a changé de nom, il est venu au Texas et il est tombé sur nous. Il était sympa. Tout le monde l'aimait bien. Sauf Cyc. Cyc et lui, ils se sont pris en grippe tout de suite.

– Cyc? demanda Cat.

– C'était le chef de la bande. Y s'faisait appeler Cyclope parce qu'il avait un œil de verre.

– Pourquoi est-ce qu'ils se chamaillaient tellement, Sparky et lui? demanda Alex.

– A cause d'une gonzesse, évidemment. Elle s'appelait Kismet. C'était la nana de Cyc jusqu'au jour où Sparky s'est pointé. Ils se sont super bien entendus tout de suite. Je crois que c'était sérieux, eux deux. Ils aimaient bien baiser évidemment, mais je pense que ça allait plus loin que ça. Ces trucs-là, ça se sent, vous savez? Bref, Cyc était fou de rage.

« Ce qui est drôle, ajouta-t-il en baissant encore la voix, c'est que Cyc soupçonnait Sparky d'être un stup. Il consommait peu, vous voyez ce que je veux dire. Un joint de temps à autre, mais pas de drogues dures.

– Etait-il de la brigade?

– Pas que je sache.

– Comment l'accident est-il arrivé?

– Cyc avait fait une avance à Kismet. Sparky s'est jeté sur lui. Ils se sont bagarrés. C'est Sparky qui a gagné, il a embarqué Kismet sur sa moto et ils ont filé. Mais Cyc leur a donné la chasse. Une sacrée poursuite! Sparky roulait à 150 au moins quand il a percuté un camion. En tout cas, je vous jure que c'était pas beau à voir!

Il secoua tristement la tête sans que ses cheveux gras bougent d'un millimètre.

– Il les avait suivis dans les collines. On pensait que Cyc serait le premier à se ramasser. Mais c'était compter sans le camion. On a retrouvé Sparky tout écrabouillé sur la route.

Cat frissonna mais garda le silence.

– Les ambulanciers ont récupéré les morceaux et les ont embarqués dans leur bagnole. On est tous allés à l'hôpital. Pour lui sauver la vie, Sparky avait poussé Kismet de la moto juste avant la collision. Elle était blessée, plusieurs os cassés, et totalement dans le cirage. Quant à Cyc, il avait réussi à éviter le camion, mais sa moto s'est dérobée sous lui. Il était amoché lui aussi, mais conscient.

« Dans la salle d'attente des urgences, un mec est venu nous trouver à propos de Sparky pour une histoire de don d'organe. Il voulait savoir comment faire pour contacter sa famille. On lui a répondu que d'après nous, il n'en avait pas de famille. Il a dit quelque chose à propos de je ne sais pas quoi de présumé... qui les autorisait soi-disant à prélever les organes.

– Consentement présumé, souffla Cat.

– Oui, c'est ça. Mais il fallait que l'un de nous lui donne le feu vert. On s'est dit que comme c'était Cyc le chef, c'était à lui de décider. Il a dit : “ Pas de problème. Prenez-lui son cœur et donnez-le à bouffer aux chiens, pour ce que j'en ai à faire. ” » Je crois bien qu'ils l'ont pris.

Assoiffé après ce long monologue, Petey engloutit sa bière bruyamment avant de reprendre son récit.

– Kismet est restée plusieurs jours dans le coaltar. Quand elle est revenue à elle, elle est devenue folle. D'abord parce que Sparky avait passé l'arme à gauche, ensuite parce que Cyc les avait autorisés à le mutiler avant qu'il soit enterré. Cyc n'arrêtait pas de lui dire qu'il n'avait plus de tête, alors qu'est-ce que ça pouvait bien faire? Ça la rendait dingue quand même.

– Qu'est-il advenu d'elle?

Il secoua la tête.

– On s'est tous dispersés après ça. On n'avait plus le cœur à être ensemble.

Il rit, dévoilant une rangée de dents jaunes et pointues qui lui donnait l'apparence d'un gentil rat. Puis il posa sur Alex un regard appuyé.

– J'ai suivi mon petit bonhomme de chemin, vous savez? » Alex hocha la tête. « Bon, alors vous allez me dire pourquoi cette histoire vous intéresse?

– Elle a eu une greffe du cœur.

Petey la dévisagea, médusé.

– Sans déconner? C'est génial. Vous croyez que vous avez le cœur de Sparky?

Cat n'avait pas même besoin d'y réfléchir à deux fois.

– Non. Je suis certaine que non.

CHAPITRE 37

– Je croyais que tu ne savais rien sur ton donneur! s'exclama Alex.
– C'est vrai. Mais même sans le rapport de l'organisme, j'aurais su que Sparky n'était pas mon donneur. » Elle se tourna vers Petey, qui les écoutait attentivement, le dos voûté. « Je n'ai pas le cœur de votre ami. Voyez-vous, mis à part le rhésus, la taille joue un rôle essentiel pour une transplantation. » Elle brandit son poing serré. « J'ai besoin d'un cœur de cette grosseur-là. Je suis trop menue pour avoir reçu le cœur d'un homme adulte. »

Petey grimaça un sourire, découvrant une nouvelle fois sa denture jaunâtre et irrégulière.

– Sparky n'était pas adulte.
– Pardon?
– Figure-toi que j'ai pris cette question en considération avant de suivre cette piste! grommela Alex. Répétez-lui ce que vous avez dit à l'oncle Dixie.
– Sparky était un nabot, reprit-il. Un vrai avorton! Il aurait pas été plus petit si on lui avait scié les jambes à la hauteur des genoux. Tout le monde se fichait de lui à cause de sa taille, Cyclope surtout. Derrière son dos, il disait toujours qu'il ne voyait pas comment un riquiqui comme Sparky pouvait rendre Kismet heureuse. En fait, Sparky était monté comme un cheval de course. Ce qui lui manquait en taille, il l'avait dans son froc.
– Quelle taille faisait-il?
– Au moins vingt-trois centimètres, répondit-il, parfaitement sérieux.
– En hauteur, je veux dire! répliqua-t-elle en secouant la tête.
– Oh, un mètre cinquante-huit, un mètre soixante à tout casser.
– Corpulent?

– Oh non! Vous n'écoutez donc jamais ce que l'on dit, ma petite dame?

– Rarement! intervint Alex.

– C'était un rachot, je vous dis. Mais il était rapide et drôlement costaud. Il savait se défendre dans une bagarre, ajouta-t-il en se grattant l'aisselle d'un air pensif. Il a rétamé Cyclope. C'est tout? demanda-t-il en jetant un coup d'œil par-dessus l'épaule d'Alex. Faudrait clore le débat, si vous voyez ce que je veux dire.

– Merci, mon vieux.

– Je ferais n'importe quoi pour oncle Dixie.

Incrédule, Cat regarda Alex échanger plusieurs billets pliés contre un sachet en plastique rempli d'une poudre blanche. Il glissa celui-ci dans sa veste, puis se leva et l'entraîna vers la porte.

– Ça vous ennuie si je finis vos bières? lança Petey en guise d'adieu.

Le soleil avait disparu derrière les arbres au sommet des collines voisines. La lumière était magnifique en cette fin de journée, surtout après la pénombre qui régnait à l'intérieur du bar. Cat respira profondément pour libérer ses narines de l'odeur d'alcool, de tabac et de crasse.

Elle s'installa dans la voiture et baissa la vitre, encore avide d'air frais. Alex se glissa derrière le volant. Il roula quelques minutes en silence avant de s'arrêter à un croisement.

Abasourdie, elle le vit sortir le sachet en plastique de sa poche, y pratiquer un petit trou avec l'ongle de son pouce et y introduire un doigt. Après quoi, il frotta la poudre blanche contre ses gencives.

– Qu'est-ce que tu as à me regarder comme ça? s'exclama-t-il en lui jetant un coup d'œil en biais. Tu ne vas me dire que ça te choque. Tu viens d'Hollywood, oui ou non?

– Je connaissais des tas de gens qui se droguaient de temps en temps pour le plaisir, mais je me suis toujours arrangée pour les éviter.

– Tu ne veux pas faire la fête avec moi?

– Non merci, fit-elle, en serrant les mâchoires.

– Tu es sûre? J'ai pensé que plus tard, quand nous serons de retour chez toi, tu pourrais nous faire une petite tasse de thé.

– De thé?

– Ouais. On pourrait le sucrer avec ça.

Il déversa une petite quantité de poudre sur ses genoux, qu'elle fixa avec une vive appréhension avant de reporter son regard sur lui. Il lui fit un clin d'œil. Elle trempa le doigt dans la substance blanche et goûta : c'était du sucre en poudre.

– C'est malin! marmonna-t-elle en époussetant sa jupe.

En gloussant, il passa les quatre premières vitesses les unes après les autres.

– Petey appartient à la brigade des stupéfiants. C'est un agent double.

Depuis des années. Je ne serais pas surpris qu'il soit accro lui-même, mais il refuse de vendre la camelote à un flic, même un ancien flic.

– Comment l'as-tu déniché?

– Je me suis plongé dans les certificats de décès et j'ai découvert plusieurs morts tragiques survenues au Texas dans les douze heures qui ont précédé ton opération. Cet accident de moto me paraissait un bon point de départ. En creusant un peu, je me suis aperçu que la victime avait effectivement été un donneur d'organe.

« Après cela, j'ai demandé à un ancien collègue de la police de Houston de vérifier si un organisme tel que la brigade antiterroriste ou bien encore les stups n'aurait pas infiltré une bande de motards locale au cours des cinq dernières années. A force de fureter à droite, à gauche, il a fini par dénicher l'oncle Dixie, le distributeur de Petey officiellement, bien qu'il s'agisse en réalité du nom de code d'une unité spéciale de la brigade des stupéfiants opérant à Austin. J'ai réussi à joindre le chef de l'unité en question. Quand je lui ai demandé de m'organiser une rencontre avec Petey, il n'était pas très chaud, mais il a fini par accepter à cause de mon passé de flic. J'ai pris de gros risques en t'emmenant avec moi. J'espère que tu sauras tenir ta langue.

Elle le fusilla du regard.

– Ton entrevue avec Petey n'avait rien à voir avec la drogue. Pourquoi avoir joué ce numéro? Et pourquoi dans un endroit pareil?

– Si nous nous étions rencontrés ailleurs, en imaginant que quelqu'un ait vu Petey en train de parler avec un mec régulier comme moi, nous aurions aussitôt éveillé les soupçons. Il ne peut pas se le permettre. Il risquerait de perdre sa crédibilité, ainsi que ses contacts, sans parler de la vie! Mieux valait que j'aie l'air d'un nullard qui s'aventure sur ses plates-bandes.

– Tu avais vraiment l'air d'un nullard.

– Merci beaucoup. Tu as faim?

Cinq minutes plus tard, ils étaient assis l'un en face de l'autre devant une table recouverte d'une toile cirée à carreaux bleus et blancs au milieu de laquelle trônaient du ketchup et du Tabasco, ainsi qu'une variété de sauces pour steaks, outre une salière, un poivrier et un sucrier. Le juke-box beuglait une chanson de Tanya Tucker. Dans la cuisine, leurs steaks grillaient dans de la graisse brûlante.

Cat reprit la conversation là où ils l'avaient laissée.

– Tu t'adaptes aisément, n'est-ce pas, Alex?

Elle pressa une rondelle de citron dans son verre d'eau fraîche, si gros que sa main n'en faisait pas le tour.

– Dans la profession que j'exerçais autrefois, j'avais tout intérêt à réfléchir vite.

– Te serais-tu servi de ton arme aujourd'hui si cela avait été nécessaire?

– Pour sauver nos peaux? Evidemment.

– T'es-tu jamais trouvé dans la nécessité de tirer sur quelqu'un? demanda-t-elle d'un ton qu'elle aurait voulu plus désinvolte.

Il la dévisagea un long moment avant de répondre :

– Quand on est flic, on croit qu'on est formé pour faire face à n'importe quoi. Mais c'est faux. Quand tu te trouves dans une situation inattendue, tu fais au mieux.

Elle comprit qu'il n'irait pas plus loin. Elle laissa le sujet en suspens pendant qu'il remuait son thé glacé. Ce fut lui qui rompit le silence.

– Où as-tu fais tes études?

– D'art dramatique, tu veux dire?

– Je sais que tu es orpheline et que tu as été placée dans des familles. Au-delà de cela, j'ignore tout de ta vie jusqu'au jour où tu as décroché un rôle dans *Passages.* Où as-tu grandi?

Elle le laissa détourner le cours de la conversation en se disant qu'en lui parlant de son passé, elle l'inciterait peut-être à se montrer un peu plus éloquent sur le sien. La révélation que Dean lui avait faite plus tôt l'avait perturbée, mais elle ne pensait pas que c'était aussi grave qu'il l'avait laissé entendre. Elle voulait connaître la version d'Alex quant aux événements qui s'étaient déroulés ce fameux 4 juillet, mais elle savait pertinemment qu'il refuserait d'en parler si elle le lui demandait. S'il se décidait un jour à lui relater la chose, il choisirait lui-même le moment.

– J'ai grandi dans le Sud, en fait. Je t'assure, ajouta-t-elle, en voyant son air étonné. En Alabama, pour être précise. Après des années de cours de diction, j'ai fini par me débarrasser de mon accent.

– Comment étais-tu enfant?

– Rouquine et toute maigrichonne.

– A part ça.

Elle prit son couteau et se mit à suivre le pourtour des carrés de la nappe avec la lame à dents de scie.

– Ce n'est pas très joli à entendre!

– Je doute que cela me gâche l'appétit.

– N'en sois pas si sûr, dit-elle en riant nerveusement.

Elle commença alors à lui parler de sa maladie.

– J'ai réussi à vaincre le cancer, mais je suis tout de même restée mal en point pendant un an ou deux. Un jour, je me sentais tellement affaiblie que l'infirmière de l'école a proposé de me reconduire à la maison. La voiture de mon père était dans l'allée, ce qui m'a étonnée puisque l'on était au milieu de la journée. Je suis entrée...

Une serveuse leur apporta leurs salades.

– Je suis entrée par la porte de derrière, m'attendant à trouver mes parents dans la cuisine. Mais tout était tranquille. Plus tard, je me suis souvenue de l'étrange silence qui régnait dans la maison, mais sur le moment, je n'y ai guère réfléchi et je me suis mise à leur recherche.

Ses tempes commencèrent à palpiter tandis qu'elle suivait mentalement la frêle petite fille aux joues pâles, à la chevelure rousse désordonnée, aux jambes maigrichonnes sortant d'un short trop large, des tennis bleu marine toutes neuves aux pieds, marchant sans bruit dans le couloir où des photographies d'elle bébé lui souriaient dans des cadres bon marché.

– Ils étaient dans la chambre.

Alex remua sur sa chaise, mal à l'aise. Elle sentit qu'il s'accoudait sur la table et se penchait en avant, mais elle garda les yeux baissés sur la nappe à carreaux. Elle déplaça la lame du couteau le long d'un angle droit bleu avec la concentration d'un enfant s'efforçant désespérément de ne pas colorier en dehors des lignes.

– Ils étaient au lit. Je pensais qu'ils faisaient la sieste même si ce n'était pas dimanche. Il me fallut plusieurs secondes pour réaliser ce que c'était que tout ce truc rouge. Dès que j'eus compris, je paniquai et me ruai chez les voisins en hurlant qu'il était arrivé quelque chose de terrible à mon papa et à ma maman.

– Bon Dieu! chuchota Alex. Que s'était-il passé? Un cambriolage?

Elle reposa le couteau sur la table.

– Non. Papa s'était tiré une balle dans la tête après avoir abattu ma mère.

Elle leva les yeux et le regarda avec cet air provocant qu'elle avait jadis face aux assistantes sociales, le mettant pour ainsi dire au défi de s'apitoyer sur son sort.

– J'ai passé les huit années suivantes dans une succession de familles de passage jusqu'au moment où j'ai pu me prendre en charge moi-même.

– Comment t'es-tu débrouillée?

– Pour quoi?

– Pour l'école. L'argent.

– Ta salade est en train de se flétrir.

– Continue.

Il planta sa fourchette dans une feuille de salade dégoulinante de vinaigrette, mais attendit qu'elle eût repris son récit pour la porter à sa bouche.

– Après le lycée, j'ai trouvé un emploi de secrétaire dans une grosse usine. Mais je n'avais aucune chance de progresser. Les promotions étaient basées sur l'ancienneté, et non pas sur le mérite. C'était tout aussi injuste que le système de l'adoption.

– Qu'est-ce qui n'allait pas?

– Qu'est-ce qui allait, tu veux dire!

Elle posa sa fourchette et agita les mains devant son visage, comme si elle cherchait à effacer les propos qu'elle venait de tenir.

– Oublie ce que je viens de dire. C'était une généralisation hâtive. La plupart des parents adoptifs sont des gens généreux et dévoués. C'est le concept qui a besoin d'être revu.

– Cela vaut tout de même mieux que les orphelinats!

– C'est vrai. » Elle décida qu'elle en avait assez de sa salade et repoussa son assiette. « Mais l'enfant placé dans un foyer temporaire sait parfaitement à quoi s'en tenir, surtout s'il a déjà un certain âge. C'est une vraie famille, et ça c'est bien. Mais il n'est jamais vraiment chez lui. On l'autorise à vivre là, mais pour un temps seulement. Il est là en visite en quelque sorte, jusqu'au jour où on le juge trop vieux, où il fait quelque chose de mal, ou bien encore les circonstances changent et on l'expédie ailleurs.

« Pour lui, en attendant, le message est clair : personne ne t'aime suffisamment pour t'avoir auprès de lui ou d'elle en permanence. Très vite, il en vient à penser qu'il n'est pas digne d'être aimé et commence à se conformer à la piètre opinion que les gens ont de lui, qu'elle soit réelle ou imaginaire. Par un mécanisme de défense, il finit par rejeter les gens et les occasions qui se présentent avant de courir le risque d'être repoussé lui-même.

– D'accord, mais ça c'est une analyse d'adulte.

– Tu as raison. Tant que j'étais dans ce système, je ne me rendais pas compte que j'avais ma part de responsabilités dans ce qui m'arrivait. J'étais juste une petite fille seule qui se sentait mal aimée, indésirable et prête à tout pour attirer l'attention.

Elle rit tristement.

– J'ai fait quelques coups pendables. J'avais horreur qu'on me fasse la charité, poursuivit-elle en fronçant les sourcils. Or il y a des gens, parfois bien intentionnés je le reconnais, qui n'ont pas la moindre idée de la manière d'élever un enfant.

« Je m'empresse d'ajouter que cela s'applique aussi aux parents naturels. Ils ne se rendent pas toujours compte des ravages qu'ils font. Un mot, un regard, une attitude répétitive suffit parfois à ruiner l'amour-propre d'un gamin. Des gens auxquels il ne viendrait jamais à l'idée d'infliger des sévices physiques peuvent provoquer des dégâts irréparables dans l'esprit de leur enfant.

– Par exemple?

– Je pourrais t'ennuyer pendant des heures avec ça!

– Je ne m'ennuie pas du tout!

Elle scruta son visage d'un air soupçonneux.

– Tu prends des notes mentalement, n'est-ce pas? Tout cela resurgira un jour ou l'autre dans un roman. Est-ce que je me trompe? Les malheurs de Cat Delaney. Crois-moi, Alex, la vérité est bien pire que tout ce que tu pourras imaginer.

– Je le sais, Cat. Mon expérience dans la police m'en a appris passablement à ce sujet. Continue. Ce que tu me dis restera strictement entre nous.

– Je me souviens d'un Noël en particulier, reprit-elle après un temps de réflexion. J'avais treize ans et à cet âge, j'avais déjà une assez bonne idée de la manière dont le système fonctionnait. Je savais que je ne devais pas trop attendre de la vie. Il y avait une autre petite fille orpheline dans la famille où j'étais. Elle devait avoir dans les sept ans. Le couple avait une fillette du même âge.

« Elles voulaient toutes les deux une poupée Barbie pour Noël. Elles ne parlaient que de ça. Pour gagner les faveurs du père Noël, elles obéissaient au doigt et à l'œil, mangeaient leurs légumes sans ronchonner, allaient se coucher à l'heure. Le matin de Noël, la petite fille légitime trouva au pied de l'arbre une magnifique Barbie blonde, resplendissante dans sa robe de bal rose avec ses hauts talons assortis.

« Quant à l'autre gamine, elle reçut une fausse Barbie bon marché. Une bien médiocre imitation! N'était-ce pas la preuve qu'elle n'était pas tout à fait l'égale de l'autre, qu'elle n'était pas digne d'avoir la poupée authentique? Le père Noël lui-même était de cet avis!

« Et moi je me disais pourquoi – pourquoi faire du mal à un enfant de cette façon? Quelle pouvait bien être la différence de prix entre les deux poupées? Quelques misérables dollars? Le prix d'un rôti? L'image que la petite avait d'elle-même ne valait-elle pas davantage?

« Je ne suis vraiment pas en position de juger parce que je n'ai pas d'enfant moi-même. Le métier de parent est sans doute le plus ardu qui soit. Mais ce n'est pas si dur de comprendre combien on peut souffrir d'une pareille négligence de la part du père Noël.

Elle soupira.

– Des exemples comme celui-là, j'en ai vu des tas. Ces injustices me mettaient toujours dans des colères folles. En grandissant, toutefois, je me suis rendu compte que le monde des adultes était tout aussi injuste.

On venait de leur enlever les assiettes à salade et de leur servir leurs steaks.

– Seigneur! s'exclama-t-elle. Il y a de quoi nourrir un régiment!

La viande était tendre à souhait. Alex en découpa un morceau.

– Qu'as-tu fait après avoir renoncé à ton emploi de secrétaire? On est loin d'un rôle principal dans un feuilleton.

– J'avais besoin de poursuivre mes études, bien sûr. J'avais beau économiser sou par sou, je n'avais toujours pas les moyens d'aller à l'université. Pour finir, je me suis inscrite à un concours de beauté.

La fourchette d'Alex s'immobilisa à mi-chemin entre son assiette et ses lèvres.

– Un concours de beauté?

– Cela t'étonne? dit-elle, vexée.

– Je me serais plutôt attendu à ce que tu me dises que ce genre de spectacle était une forme d'exploitation sexiste.

– A ce stade de ma vie, j'étais prête à me faire exploiter pour courir la chance d'obtenir une bourse d'études de vingt mille dollars. J'ai investi dans le soutien-gorge à balconnet le plus judicieux qui soit et j'ai ajouté mon nom à une longue liste de candidates pleines d'espoir. Tu me passes la corbeille de pain, s'il te plaît.

Le pain était moelleux, encore tiède et fondait dans la bouche.

– Il y a de quoi se damner! gémit-elle en fermant les yeux et en léchant le beurre qu'elle avait sur les lèvres.

– Je pourrais en dire autant de ton visage en ce moment!

CHAPITRE 38

Les yeux d'Alex étaient rivés sur sa bouche.
– Te rends-tu compte qu'il y a quelque chose de charnel dans tout ce que tu fais?
– Te rends-tu compte que tu as l'esprit mal tourné?
– Cela ne fait aucun doute. » Il plongea son regard dans le sien. « Tu respires la sensualité, Cat. C'est la raison pour laquelle tous les hommes que tu rencontres tombent amoureux de toi. »
Sa déclaration était plus troublante que flatteuse.
– C'est complètement faux.
– Je peux t'en citer trois. Non, quatre.
– Qui ça?
– Dean Spicer.
Elle haussa les épaules avec désinvolture.
– Depuis que j'ai quitté la Californie, nous ne sommes plus qu'amis.
– Parce que tu en as décidé ainsi, mais il est toujours amoureux de toi. Ensuite il y a Bill Webster.
– Là tu es loin du compte. Bill adore sa femme.
– Elle est du même avis que moi en tout cas.
Cat repoussa cette insinuation en secouant vigoureusement la tête.
– Tu te fourvoies, Alex. Et si Nancy s'imagine qu'il y a autre chose que de l'amitié et un respect mutuel entre son mari et moi, elle se trompe elle aussi. Qui d'autre? Non pas que je croie un mot de ce que tu me dis, mais je suis curieuse.
– Jeff Doyle.
Elle éclata de rire.
– S'il n'était pas homosexuel, il s'enticherait de toi, insista-t-il. Dans les circonstances, il se contente de te vouer un véritable culte.

– Tu donnes vraiment à plein dans la fiction! Et qui est le numéro quatre?

Son regard perçant fut une réponse suffisante.

– Tu ne t'imagines tout de même pas que je vais gober ça?

– Non.

– Tant mieux. Parce que c'est de la foutaise, et nous le savons l'un et l'autre. C'est juste que tu aimerais bien coucher de nouveau avec moi.

– Quelles sont mes chances?

– Nulles.

Il fit la grimace, indiquant par là qu'il n'en croyait pas un mot.

– Alors finalement, est-ce que tu as gagné?

– Quoi donc? Oh, le concours de beauté, tu veux dire? Non.

– Trop mince?

– Trop bête.

– C'est toute une histoire, n'est-ce pas?

Elle hocha la tête.

– Durant les préliminaires, nous étions priées de nous mêler aux juges. Parmi eux se trouvait un personnage mielleux soi-disant photographe qui avait plutôt une tête de maquignon. Il était tellement zélé et déterminé à mettre les concurrentes à l'aise qu'il n'arrêtait pas de nous tripoter. Il avait les mains sacrément baladeuses. Ce genre de pelotages est repoussant. Cela fait le même effet que lorsqu'on marche sur une limace.

« L'une après l'autre, il venait nous trouver en nous chuchotant à l'oreille : “ Tu as tout ce qu'il faut pour gagner, mon chou. ” Par la suite, en échangeant nos impressions, nous en sommes arrivées à la conclusion que c'était un imbécile et un beau salopard. Plus nous nous rapprochions du grand jour, plus il s'enhardissait et plus ses manières devenaient familières.

« Ses jeux de mains cessèrent vite de nous amuser, mais aucune des filles ne voulait le trahir de peur de mettre ses chances en péril. Le vieux cochon le savait très bien, évidemment. Il nous faisait du chantage sexuel et s'en tirait à bon compte. Pour finir, j'ai décidé...

– Laisse-moi deviner, l'interrompit Alex. Tu as entrepris de redresser les torts.

– Oui. J'ai estimé qu'il fallait dénoncer les manigances de ce vicelard. Pendant la répétition en costume, il m'a coincée et s'est mis à me parler de mes atouts en m'expliquant comment il pouvait m'aider à en tirer profit au maximum. J'ai fait semblant de marcher dans la combine, d'être débordante de gratitude et avide d'en entendre davantage. Il m'a suggéré de le retrouver dans sa chambre un peu plus tard, en promettant de me donner davantage de détails.

« Nous sommes convenus d'une heure. Avant d'aller au rendez-vous, j'ai laissé un message de sa part à la présidente du comité d'organisation disant qu'il avait besoin de la voir le plus tôt possible.

– Tu lui as tendu un piège.

– Oui. Malheureusement, cela s'est retourné contre moi. La présidente est arrivée juste à temps pour le trouver en train d'essayer de m'enlever mon chemisier de force. Il a inversé les rôles, soutenant que j'étais venue le voir de mon plein gré pour lui offrir mon corps blanc comme neige en échange d'une bonne note.

« Je suggérai à la bonne dame que si elle refusait de prêter foi à ma version des faits, elle n'avait qu'à s'adresser aux autres filles qui confirmeraient mes dires. Ce qu'elle fit. Mais elles se défilèrent toutes.

« Je suppose que ce diadème ridicule valait davantage à leurs yeux que la vérité. On me traita de traînée en m'accusant d'avoir mis en péril l'intégrité du concours, et je fus disqualifiée.

– J'imagine qu'ils ont dû t'entendre!

– En fait, j'ai été plutôt laconique. Si je me souviens bien, je me suis contentée de dire : " Qu'ils aillent se faire voir. Je deviendrai actrice à la place. "

Pendant la fin du repas et le trajet du retour jusqu'à San Antonio, elle lui raconta le reste de sa vie. Après le fiasco du concours de beauté, elle avait vendu tout ce qu'elle possédait, hormis quelques vêtements, et s'était acheté un aller simple pour Los Angeles.

Elle avait travaillé au rayon parfumerie d'un grand magasin, où elle gagnait juste assez d'argent pour se payer des cours d'art dramatique et se loger dans un appartement infesté de cafards. Dès qu'elle avait pu se le permettre, elle s'était fait faire un book et avait commencé à démarcher les agences.

– Pour finir, un agent m'a appelée alors que je ne m'y attendais plus en se déclarant prêt à me représenter. Au départ, j'ai même pensé que c'était un canular.

– Je connais ça. » Ils étaient parvenus dans les faubourgs de San Antonio. Alex prit la bretelle de sortie de l'autoroute. « J'ai eu exactement la même impression la première fois qu'Arnie Villella m'a téléphoné. Quel a été ton tout premier rôle?

– Une publicité pour la télévision. Je devais étaler de la cire qui ne jaunissait pas sur un sol en vinyle. Elle est passée sur toutes les chaînes nationales pendant un an. Les droits de rediffusion étaient assez élevés. Après cela, j'ai tourné plusieurs autres réclames, j'ai travaillé dans des salons interprofessionnels, acceptant tout ce qui me tombait sous la main, des aspirateurs aux Honda, et puis j'ai fait quelques apparitions fugitives dans des pièces de théâtre. Un jour mon agent a appris que le réalisateur de *Passages* cherchait une actrice et j'ai passé une audition pour le rôle de Laura Madison. Tu connais la suite.

Il s'arrêta à un croisement et se tourna vers elle.

– Où va-t-on?

– A la télévision. J'ai laissé ma voiture là-bas.

Il la considéra d'un air entendu.

– Tu es sûre?

Elle avait parfaitement compris la question et si elle avait laissé sa libido prendre des décisions à sa place, le choix aurait été vite fait.

– Oui, je suis sûre.

Tandis qu'ils se dirigeaient vers la chaîne, Alex la mit au courant des progrès qu'il avait faits lors de son voyage à Houston.

– Les gens du ministère de la Justice m'ont promis sans grand enthousiasme d'effectuer des vérifications sur les décès soi-disant accidentels des trois greffés du cœur. Le préposé à qui j'ai eu affaire paraissait pressé et indifférent.

– Ce qui signifie que nous devons nous débrouiller tout seuls.

– Sans doute. Apparemment, il n'envisageait même pas de demander aux banques d'organes de lui fournir des informations confidentielles, les numéros de RUPO, ce genre de choses. Pas tant que l'on n'aurait pas déterminé qu'il s'agissait bel et bien de crimes, m'a-t-il dit. C'est la raison pour laquelle je me suis rabattu sur les certificats de décès.

– Merci, Alex. Tu as fait merveille étant donné le peu d'indices dont tu disposais. Jamais je n'aurais pu retrouver la trace de Petey toute seule.

– Compte tenu de ce qu'il nous a révélé sur la taille de Sparky, cela vaut la peine de pousser nos recherches un peu plus loin, tu ne crois pas?

– Absolument.

– Je vais essayer de retrouver la trace du reste de la bande, bien qu'ils soient tous dispersés. Cela ne donnera probablement rien. Il faudrait déjà que j'arrive à mettre la main sur l'un d'entre eux. Quand j'en aurai trouvé un, si j'en trouve un, reste à savoir s'il s'intéressait suffisamment à Sparky pour se préoccuper du destinataire de son cœur. Les chances sont minces.

– Cette femme dont Petey a parlé. Kismet? Si seulement nous pouvions la retrouver. Elle sait sans doute quelque chose.

– Oui, mais je suis sûr que Kismet est un nom d'emprunt.

– Je doute que les parents de Cyclope l'aient baptisé ainsi!

– Je doute qu'il ait été baptisé!

Cat regardait la route défiler sous ses yeux d'un air morne. Comme l'avait dit Alex, il y avait peu de chances qu'ils réussissent à identifier son harceleur à temps pour empêcher le pire. Mais elle continuerait à explorer toutes les voies possibles. Il n'était pas question qu'elle reste plantée là à attendre qu'il lui arrive un accident fatal.

– Alex, tu m'as dit tout à l'heure que tu avais relevé plusieurs cas de morts tragiques susceptibles d'avoir donné lieu à des dons d'organes. Parle-moi des autres?

– D'abord un carambolage sur la voie express de Houston, en pleine heure de pointe. Il y a eu plusieurs victimes, mais je ne sais pas encore s'il se trouvait des donneurs d'organes parmi elles. J'ai quelqu'un qui fait des recherches pour moi à ce sujet. Il est garçon de salle dans un grand hôpital.

« L'autre possibilité touche à une affaire que je connaissais déjà. Je ne m'étais pas rendu compte que la date coïncidait avec celle de ta greffe, jusqu'à ce que je me replonge dedans.

Elle l'exhorta à continuer.

– Cette histoire a fait la une des journaux nationaux pendant des mois. Elle a tout de suite éveillé mon intérêt de romancier parce qu'il ne s'agissait pas d'un meurtre ordinaire. Ça s'est passé à Fort Worth. Paul Reyes a découvert sa femme, Judy, au lit avec son amant. Reyes lui a réduit la tête en bouillie avec une batte de base-ball, mais les ambulanciers ont réussi à maintenir son cœur en activité jusqu'à leur arrivée à l'hôpital où elle a été déclarée en coma dépassé. Pendant ce temps-là, Reyes était placé en détention préventive. Depuis sa cellule, il a donné son aval pour un prélèvement d'organes.

– A-t-il fait de la prison ensuite?

– Non. C'est ça qui est dingue. Son avocat a demandé que l'affaire soit renvoyée devant une autre juridiction. En définitive, le jugement a eu lieu à Houston où il a été acquitté.

– Comment est-ce possible?

– En théorie, le cœur de Mme Reyes a été prélevé avant qu'il cesse de battre. Il ne l'a pas vraiment tuée. Le procureur a commis l'erreur de tabler sur meurtre avec préméditation au lieu d'homicide involontaire. L'avocat de la défense a bien manœuvré et le procès s'est soldé par un acquittement.

– Ils auraient au moins pu le coincer pour tentative de meurtre ou coups et blessures?

– Cela revenait à le juger deux fois pour le même délit. Impossible. Depuis le procès, Reyes a disparu de la circulation. On n'a plus jamais entendu parler de lui.

Cat était tout excitée.

– Cela concorde, non? Paul Reyes en veut encore à son épouse adultère et ne pense qu'à arrêter son cœur.

– Cette idée m'a traversé l'esprit. Je l'ai observé au moment où le verdict a été prononcé. Une lueur sinistre brillait dans son regard de possédé. Je suis persuadé qu'il avait pleinement l'intention de tuer Judy, son seul regret étant qu'on l'eût privé de ce plaisir.

– Les gens ne disparaissent pas sans laisser de trace tout de même. Quelqu'un doit savoir où il se trouve.

– J'ai contacté sa famille dans l'espoir d'en trouver un dans le lot qui serait disposé à me parler, mais au sein de la communauté mexicaine, les familles ont tendance à serrer les rangs pour se protéger des étrangers. Sans compter qu'ils sont au bord de l'hystérie dès que l'on évoque l'idée d'une transplantation d'organe.

Cat hocha la tête, lui signifiant qu'elle comprenait.

– Les cultures hispaniques rejettent traditionnellement cette pratique. Elles estiment qu'un corps doit être enseveli intact, faute de quoi le défunt ne trouvera jamais la paix de l'âme dans l'au-delà. Nous avions plusieurs Latino-Américains parmi la population de greffés du cœur en Californie. Ils s'efforcent de briser cette barrière culturelle, mais ils ont de la peine. La décision de Reyes a dû choquer sa famille ainsi que celle de sa femme.

– Quoi qu'il en soit, je vais continuer à chercher de ce côté-là.

– Mon groupe sanguin correspond-il au sien?

– Oui.

– Il se pourrait donc que j'ai son cœur.

– C'est possible, en effet. Mais il faut prendre en compte le facteur temps.

Dans le parking de la chaîne, Alex se gara à la place voisine de celle de Cat. Après avoir éteint le moteur, il allongea le bras le long du siège derrière elle en se tournant à demi.

– Reyes l'a attaquée au milieu de l'après-midi. Ta greffe a eu lieu de bonne heure le lendemain matin.

– Mais combien de temps le cœur de Judy Reyes a-t-il continué à battre avant qu'elle soit déclarée en coma dépassé? Des heures peut-être, non? Ce qui rend les choses plus plausibles.

– Mais ce ne sont que des suppositions!

Déçue par son manque d'enthousiasme, elle ajouta :

– Cette possibilité est assez prometteuse tout de même. Pourquoi es-tu aussi négatif?

– Ce sont des faits que nous cherchons, et non pas des possibilités. Ne tire pas de conclusions trop hâtives parce qu'elles te conviennent. Tout cela demande une enquête méthodique.

– Dans ce cas ne traînons pas, dit-elle en tapotant le cadran de sa montre. La date anniversaire de ma greffe approche à grands pas.

– J'en suis parfaitement conscient, Cat. As-tu peur?

Elle ne voyait pas l'intérêt de faire semblant.

– Un maniaque menace très subtilement, mais tout aussi sûrement, de me tuer. Evidemment que j'ai peur.

– Alors viens t'installer chez moi jusqu'à ce que nous mettions la main sur lui.

– Comment peux-tu avoir le culot de me proposer une chose pareille? N'y comptez pas, monsieur Pierce, ajouta-t-elle en détachant ses mots.

– Pourquoi pas?

– Parce que je n'ai pas envie.

– Menteuse.

Cat vit rouge. Elle reconnaissait avoir certains défauts, mais pas celui-là. Elle méprisait les mensonges comme les menteurs. Il n'aurait pas pu trouver pire insulte.

– Tu as vraiment une haute opinion de tes capacités sexuelles, hein! Nous autres pauvres femmes fragiles tremblons à la pensée d'en être privées. C'est ce que tu penses, n'est-ce pas? » Elle eut un rire dédaigneux. « C'est probablement l'arrogance de son imbécile de mari qui a poussé Judy Reyes à prendre un amant. »

Rapide comme l'éclair, il sortit le revolver de la poche intérieure de sa veste et le pointa sur sa tempe.

CHAPITRE 39

Cat crut qu'il lui avait tiré dessus jusqu'au moment où elle se rendit compte que les trois petits coups secs ne provenaient pas du revolver, mais que quelqu'un avait frappé à la vitre.

Elle tourna brusquement la tête et vit un vigile scrutant l'intérieur de la voiture, le nez collé contre la vitre embuée. Elle s'empressa de baisser le carreau.

– Oh, mademoiselle Delaney, c'est vous! s'exclama-t-il d'un ton à la fois surpris et soulagé. Ce véhicule inconnu garé à côté du vôtre. J'ai pensé qu'il valait mieux jeter un coup d'œil. Tout va bien?

– Tout va bien, merci.

– M. Webster en personne nous a donné l'ordre d'avoir l'œil sur tout ce qui nous paraissait suspect.

Son regard se porta sur Alex. Avait-il rangé le revolver?

– Vous êtes un ami de Mlle Delaney?

– Oui, répondit-elle, devançant Alex. Il m'a raccompagnée ici pour que je puisse récupérer ma voiture.

– Nous en avions presque fini, lança Alex qui n'était pas du genre à se laisser marcher sur les pieds. Vous pouvez nous laisser?

– Tout va bien, je vous assure, intervint Cat, en espérant que son sourire avait l'air authentique. Nous bavardions. Je ne vais pas tarder à m'en aller.

– Bon, d'accord.

Le gardien remonta sa ceinture et son étui de revolver d'un air suffisant, comme s'il voulait rappeler à Alex, ou à lui-même, qu'il était armé et dangereux.

Dans les studios, on plaisantait continuellement au sujet des vigiles en disant qu'ils n'avaient qu'une seule balle à eux tous et en disposaient chacun à leur tour. Son arme n'était probablement même pas chargée.

En revanche, celle d'Alex l'était.

– Je serai juste là-bas, mademoiselle Delaney, si jamais vous avez besoin de quelque chose. » Il décocha un regard d'avertissement à l'adresse d'Alex avant de s'éloigner d'une démarche chaloupée.

Cat remonta sa vitre. Si elle avait réussi à être aimable avec le garde, face à Alex, elle laissa libre cours à sa colère.

– Tu es cinglé ? Comment oses-tu braquer un revolver chargé sur moi ? Tu m'as fichu une de ces trouilles !

– Ce n'était pas toi que je visais. J'essayais de te protéger.

– De quoi ?

– D'une silhouette que j'ai vue sortir de l'ombre et s'approcher de la vitre. J'ignorais que c'était un vigile.

– Tu aurais pu attendre de savoir ce qu'il en était avant de sortir ton arme.

– Ce qui est un moyen assuré de se faire descendre. En attendant, on donne à l'adversaire le temps de dégainer le premier.

– Ta méthode est nettement préférable, indiscutablement. On tire d'abord et on pose les questions ensuite. N'est-ce pas précisément ce que tu as fait ce fameux 4 juillet où tu as abattu un homme à Houston ?

Ses paroles hargneuses résonnèrent à l'intérieur de la voiture. Un silence alarmant s'ensuivit, entrecoupé seulement par le souffle haletant de sa respiration.

Les traits d'Alex se durcirent et ses yeux se mirent à jeter des étincelles.

– Qui t'a parlé de ça ?

Cat regretta instantanément son éclat.

– Alex, je...

– *Qui ?*

– Dean. C'est lui qui me l'a dit. Cet après-midi.

– Je parie que ce salopard a trouvé ça très excitant, marmonna-t-il. Il t'a donné tous les détails macabres, je présume ?

– Non, il a été plutôt bref en fait.

Alex émit un grognement méprisant.

– J'aimerais connaître ta version des faits.

– Une autre fois, si tu veux bien.

Il tendit le bras devant elle et ouvrit sa portière en la poussant avec une force telle qu'elle faillit se refermer d'elle-même.

– Je suis désolé, Alex. Je n'aurais pas dû parler de ça. Pas de cette manière en tout cas.

– Trop tard, dit-il sèchement. Le mal est fait. Tu ferais mieux d'y aller.

Elle hésita, mais il était manifestement hors de lui et pas d'humeur à se défendre. Elle s'extirpa de la voiture et referma la portière derrière elle. Il fit ronfler son moteur et sortit du parking en trombe, la laissant seule.

Cat se réveilla en sursaut d'un sommeil profond mais agité. Avant qu'elle ait le temps de crier, il lui mit la main sur la bouche.

– C'est moi, chuchota-t-il d'une voix rauque qu'elle reconnut instantanément. J'ai besoin de... ce... J'ai besoin de toi.

Il s'allongea à côté d'elle, la couvrant à demi de son corps.

– N'aie pas peur, Cat? Tu n'as pas peur, n'est-ce pas?

Elle secoua la tête.

Il retira délicatement la main qui la bâillonnait et la remplaça par ses lèvres. Il l'embrassa doucement d'abord, puis avec passion.

Ses lèvres quittèrent finalement les siennes pour aller se poser au creux de sa gorge.

– Ne me renvoie pas.

Il déboucla sa ceinture, déboutonna son pantalon et lui prit la main et la glissa à l'intérieur.

– C'est dur cette nuit. Je n'en peux plus, bébé.

Il guida ses gestes et elle le laissa faire, massant voluptueusement son sexe.

Il gémit et nicha son visage contre sa poitrine, à travers sa chemise de nuit.

– Tu as envie de moi. Je le sais. Hein, Cat? Dis-moi que tu as envie de moi? chuchota-t-il d'un ton implorant.

Elle murmura une vague protestation qui n'avait rien de convaincant. Un bruissement de tissus se fit entendre tandis qu'elle s'extirpait de dessous les couvertures en battant des jambes. Elle écarta sa chemise avec fièvre et sentit la chaleur de sa peau contre ses doigts, ses lèvres. Quand il fut enfin nu et allongé sur elle, elle l'enveloppa dans ses bras, accueillante.

Il froissa sa chemise de nuit entre ses mains, la remontant centimètre par centimètre avant de la faire glisser au-dessus de sa tête et de la jeter au pied du lit. Ses mains déployées parcoururent son torse, du cou jusqu'aux hanches, en en explorant avidement les contours. Puis il pressa son visage contre son ventre; elle étreignit sa tête et noua les jambes autour de ses hanches.

Il lui embrassa le nombril et alla frotter sa joue contre sa toison soyeuse. Sa langue s'aventura dans son sillon. Elle se cambra irrésistiblement, plantant les talons sur le matelas, serrant les jambes autour de son cou.

Sa main s'insinua alors entre ses cuisses et il glissa deux doigts en elle. Elle poussa un petit cri mêlant surprise et plaisir.

– Attends! chuchota-t-il. Pas maintenant. Je veux être en toi d'abord.

Mais elle était au bord de l'extase et ses doigts continuaient à la caresser avec habileté. Elle lutta contre la passion qui montait en elle jusqu'au moment où ce ne fut plus possible.

Il dut détecter précisément l'instant de son abandon parce qu'il se souleva prestement pour s'enfoncer en elle au moment où les premières ondes de plaisir l'envahissaient. Elle sentit ses parois se resserrer autour de lui comme un poing serré.

– Oh oui!

Quelques instants plus tard, repu, il gisait pesamment sur elle, leurs corps intimement soudés, leurs sueurs se mêlant l'une à l'autre.

Au bout d'un moment, il s'agenouilla. Elle ne voulait pas qu'il parte. En se redressant à demi, elle enfouit ses lèvres dans la laine soyeuse qui tapissait son abdomen, juste en dessous du nombril.

Il fourragea ses cheveux et se laissa tomber en arrière sur le lit en l'entraînant avec lui. Elle se pencha sur lui et couvrit son ventre et sa poitrine de petits baisers, tout en lui taquinant le bout des seins de la pointe de sa langue jusqu'à ce qu'ils durcissent.

Sa main vagabonda vers son ventre; elle s'aperçut qu'il était de nouveau en érection. Elle se mit à califourchon sur lui et resta dressée au-dessus de lui un long moment, intensifiant leur désir, avant de descendre progressivement sur son sexe raidi. Il l'observa entre ses paupières mi-closes tandis qu'elle commençait à s'activer, la poitrine en avant, ses seins hauts et orgueilleux.

Sans la quitter des yeux, il humecta la pointe de ses doigts de salive et saisit l'un de ses mamelons. Il devint dur comme un petit caillou qu'il se mit à presser doucement entre le pouce et l'index.

Son autre main se glissa dans sa toison et reprit ses cajoleries. Electrisée, elle rejeta la tête en arrière, tout en accélérant le mouvement de ses hanches. Il continua ses caresses, effleurant à peine le petit bouton glissant du bout du doigt.

Des décharges la traversèrent de part en part. Elle le prit tout entier en elle. Il lui saisit les fesses et la plaqua contre lui tandis qu'ils jouissaient à l'unisson.

Puis elle s'abattit sur sa poitrine, haletante, son cœur palpitant contre le sien. Il la prit dans ses bras comme un enfant et l'étreignit, en lui murmurant des mots d'amour, ses lèvres effleurant ses cheveux. Mais son pouls battait si fort qu'elle n'arrivait pas à distinguer ce qu'il lui disait.

En se réveillant, elle s'aperçut qu'elle avait la tête au pied du lit. Elle reposait sous un coin de drap et de couverture, mais le reste de la literie était entortillé au milieu du matelas en un tas informe.

Elle se mit sur son séant, écarta ses cheveux de ses yeux et regarda autour d'elle dans la chambre que les lueurs grises et diaphanes de l'aube éclairaient à peine. Pas un bruit dans la maison. Elle se savait seule.

Quelque part entre l'extase et le sommeil, Alex était parti.

Ou bien avait-elle rêvé?

Non, leur interlude érotique avait été on ne peut plus réel. Son corps en portait encore les empreintes douces-amères.

CHAPITRE 40

Trois jours s'écoulèrent avant qu'elle ne le revoie. Il ne se donna même pas la peine de téléphoner. Maintes fois au cours de ces trois journées, elle pensa que le stress des dernières semaines avait peut-être sérieusement ébranlé sa santé mentale. Se pouvait-il qu'elle eût rêvé qu'il s'était introduit chez elle, puis dans son lit pour l'entraîner dans une aventure érotique comme elle n'en avait jamais connu de sa vie?

Cependant il suffisait qu'elle examine de près ses émotions ainsi que son corps pour savoir que son imagination n'y était pour rien.

S'il restait le moindre doute dans son esprit, il se dissipa instantanément lorsque Alex passa tout à coup la tête par la portière du camion de production où Jeff et elle étaient en train de mettre la dernière main aux préparatifs d'un tournage.

Il tapota sur le côté du camion. Elle leva les yeux du dossier dans lequel elle était plongée. Jeff se retourna à demi.

– Monsieur Pierce, s'exclama-t-il, manifestement étonné. Bonjour.

Alex marmonna une vague salutation en retour, sans quitter Cat du regard.

Sa réaction en le voyant fut un vrai cliché au point que c'en était comique. Elle perdit tous ses moyens, se liquéfia. Elle lâcha son stylo-plume qui roula sur le classeur qu'elle tenait sur les genoux et tomba quelque part par terre.

– Je vais...

Au diapason avec l'embarras du moment, Jeff bafouilla une excuse avant de sauter prestement à bas du camion, les laissant seuls.

Alex ne l'avait pas quittée des yeux. Il portait un jean et une chemise en batiste froissée, aux manches remontées jusqu'aux coudes. Il faisait très chaud ce jour-là, il n'y avait pas un brin de vent, mais il était échevelé.

– Salut Alex. Qu'est-ce qui nous vaut le plaisir de ta visite?

Il jeta un coup d'œil par-dessus son épaule en direction de l'équipe de tournage occupée à installer le matériel vidéo sur le terrain de jeux voisin. Le cadreur parlait de prises de vues avec Jeff. L'assistant de production vérifiait les micros. Quant au vigile, dont Bill leur avait imposé la présence, il fumait une cigarette, adossé à un mur.

– Je ne t'ai jamais vue travailler, dit-il en se retournant vers elle. Pas pendant un tournage en tout cas.

– Ce n'est pas aussi prestigieux qu'on pourrait le croire en regardant la télévision.

– J'aimerais bien rester un moment si cela ne t'ennuie pas.

Ainsi ils allaient éluder la question. Parfait! S'il tenait à faire semblant que la partie de débauche n'avait pas eu lieu, très bien. Cela valait sans doute mieux. Il était venu la trouver au milieu de la nuit, désespéré, la suppliant de le soulager mentalement et physiquement, ce qui prouvait au moins qu'il avait des faiblesses comme tout le monde. Elle ne lui avait pas opposé la moindre résistance, ce qui prouvait qu'elle était vulnérable.

Ils avaient affiché l'un et l'autre un manque total de maîtrise et de bon sens. Elle ne pouvait lui en vouloir de s'être servi d'elle sans se blâmer elle-même de s'être laissé utiliser si facilement. A quoi bon ouvrir le débat? Pourquoi ne feraient-ils pas comme s'il ne s'était rien passé en s'épargnant de la sorte tout embarras?

En outre, elle n'était pas certaine de pouvoir parler ouvertement en pleine lumière de ce qu'ils avaient fait dans l'obscurité! Elle se sentit rougir rien que d'y penser.

– Reste si tu veux. Mais tu te lasseras probablement bien avant que nous ayons fini.

– J'en doute.

Jeff approchait d'un pas hésitant.

– Euh... Cat! Sherry vient d'arriver avec Joseph.

– Je vous rejoins tout de suite.

Elle remit ses tennis à la hâte et en noua les lacets. Alex l'aida à descendre du camion. En présence de Sherry, de Jeff et de l'équipe de production, elle feignit la désinvolture, mais ses genoux flageoleaient depuis l'apparition d'Alex.

Joseph eut vite fait de lui faire oublier sa présence. Bien qu'âgé de sept ans, il n'en paraissait pas plus de quatre, sa croissance étant retardée par une maladie qui le handicapait de surcroît. Il avait des attelles aux jambes bien qu'il parvînt à marcher seul. Il avait de grandes oreilles et portait des lunettes aux verres si épais que ses yeux paraissaient plus gros qu'ils ne l'étaient en réalité.

Il adressa à Cat un sourire rayonnant tout en s'avançant vers elle cahin-caha.

– Je suis venu pour passer à la télé, annonça-t-il fièrement.

Sherry Parks éclata de rire.

– Je crois que je ferais mieux de vous mettre en garde, Cat. C'est un comique-né. Faites attention! Il risque fort de vous voler la vedette.

– Je suis ravie de te revoir, Joseph.

Ils s'étaient rencontrés au pique-nique de Nancy Webster. Elle fixa son regard sur lui en plissant les yeux et grommela d'un ton menaçant :

– Si je te surprends en train de me faire de la concurrence, c'en est fini de toi, Joseph, je te préviens. N'oublie pas, la star, c'est moi!

– D'accord, fit Joseph en gloussant de rire. Est-ce que c'est lui qui fait marcher la caméra? demanda-t-il en désignant Alex.

– Non, lui il ne fait qu'observer. Joseph, je te présente M. Pierce. Il écrit des livres.

– Des livres? C'est pas vrai!

– Ravi de faire ta connaissance, Joseph, dit Alex en lui serrant la main comme s'il avait affaire à un adulte.

– Vous êtes vachement grand!

– Pas vraiment! C'est à cause de mes bottes. » Alex leva un pied en exhibant son talon. « Sans elles, je ne mesure qu'un mètre soixante-cinq. »

Joseph éclata d'un rire pétillant comme du champagne. Cat prit note mentalement de le faire rire pendant l'interview. Qui y résisterait?

Elle fit rapidement les présentations, puis Jeff annonça que le moment était venu de commencer. Elle prit Joseph par la main.

– N'oublie pas. Les meilleures répliques sont toutes pour moi.

Ils s'installèrent côte à côte sur le carrousel et l'assistant leur mit des micros sans fil. Il avait été décidé qu'ils enregistreraient d'abord l'interview. Elle bavarda avec l'enfant de choses et d'autres pendant quelques minutes jusqu'à ce qu'il eût oublié la présence de la caméra et fût complètement à l'aise.

– Est-ce que tu aimerais être adopté, Joseph?

– Oh oui, surtout si je peux avoir des frères et sœurs.

– C'est tout à fait possible.

– Ce serait vraiment génial.

Ses réponses étaient plus désarmantes et touchantes les unes que les autres. Ils refilmèrent l'interview en contrechamp, de sorte qu'au montage, on pût prendre des plans selon deux angles différents, ce qui donnerait l'impression que le film avait été tourné avec un minimum de deux caméras.

Puis Joseph et elle déambulèrent parmi les chênes couverts de mousse espagnole, suivis du cameraman tenant cette fois-ci sa caméra à l'épaule.

Quand Jeff annonça qu'ils avaient suffisamment de métrage, Alex s'approcha et frappa la paume de sa main contre celle de Joseph.

– Si un jour tu te décides à te lancer dans le show business, je veux absolument que tu sois mon agent. D'accord?

Joseph était aux anges.

Cat s'agenouilla et le serra dans ses bras.

– Espérons que tout ira bien, okay?

– Okay. Mais ne vous inquiétez pas, Cat. Si jamais je ne suis pas adopté, je ne vous en voudrai pas.

Elle sentit sa gorge se serrer. Son père avait fichu le camp avant sa naissance. Sa mère était droguée et souffrait de dépression chronique; on l'avait retiré de sa garde à l'âge de trois ans. Depuis lors, il avait été brinquebalé de famille en famille. Il méritait tant d'être aimé; sa personnalité si attachante et son sens de l'humour constituaient des atouts indiscutables. Elle regretta d'avoir à le rendre à la garde de Sherry et agita la main jusqu'à ce que la voiture eût disparu de sa vue.

Alex s'essuya le front avec sa manche.

– Tu as raison. Ce n'est pas aussi glorieux ni facile que cela le paraît. Deux heures de boulot pour une émission de deux minutes?

– Sans compter tout le travail de post-production, précisa Jeff. Et le temps d'enregistrement serait deux fois plus long si Cat n'était pas une pro. Il est rare que l'on soit obligé de refaire une prise avec elle.

Elle esquissa une révérence coquette.

– Vous venez? leur cria l'assistant depuis le camion.

L'équipement était déjà chargé. Le cameraman avait pris place derrière le volant; il faisait ronfler le moteur et avait poussé l'air conditionné au maximum. Le gardien écrasait sa dernière cigarette, prêt à monter à l'arrière. Il n'avait même pas contesté la présence d'Alex sur les lieux. Bill gaspillait son argent en prenant toutes ces précautions, se dit-elle.

Jeff se dirigea aussitôt vers le camion, mais Cat resta en arrière. Elle considéra Alex d'un air espiègle.

– Tu n'es pas venu ici par une chaleur pareille rien que pour me regarder, si?

– C'était intéressant.

Elle mit les mains sur ses hanches.

– Tu es un peu vieux pour jouer les explorateurs. Allez, monsieur Pierce. Dites-moi. De quoi s'agit-il?

– J'ai trouvé Cyclope.

Il était accroupi à côté de sa Harley en train de remplacer une bougie. Elle n'avait pas vraiment besoin d'un réglage; il bricolait pour éviter d'avoir à penser à ses problèmes. Si le reste de sa vie avait roulé aussi bien que sa bécane, il aurait été un homme heureux. Sa Harley était bien la seule chose sur laquelle il pouvait compter pour lui obéir au doigt et à l'œil, sans discuter. Dès qu'il était dessus, c'était le bonheur!

On ne pouvait pas en dire autant de Kismet!

Il lui jeta un regard malveillant par-dessus son épaule. Elle était assise dans un gros fauteuil mou en vinyle jaune qu'elle avait traîné sous un cèdre rabougri pour avoir un peu d'ombre.

Il y avait quelques années, elle était la gonzesse la plus sexy à des kilomètres à la ronde. Tous les mecs qu'il connaissait l'enviaient. Elle avait un tempérament fougueux et farouche. Rien ne lui faisait peur. Pas même lui.

Mince alors! En ce temps-là, s'il faisait quelque chose qui ne lui plaisait pas, elle se jetait sur lui, le griffant et le mordant parfois jusqu'au sang. Ils se chamaillaient jusqu'à ce que la bagarre se change en baise, ce qui ne loupait jamais. Rien ne l'excitait plus que la violence. Plus il y allait fort, plus elle trouvait ça bien. Elle ruait, haletait et poussait des cris de sauvage quand elle prenait son pied.

A présent, c'était tout juste si ses yeux noirs jadis pleins d'étincelles reflétaient la lumière. Son regard était comme mort. Et puis elle baisait comme un cadavre, le tolérant sans participer.

Elle n'était plus la même physiquement. Elle dissimulait son tatouage et s'efforçait de dompter sa chevelure. Il ne se souvenait même plus de la dernière fois où il l'avait vue porter une tenue qui mettait ses formes en valeur. Elle s'exprimait différemment aussi.

Il passait sa vie à essayer de ressusciter la Kismet d'avant. Elle était devenue un défi de tous les instants. La harpie se terrait en elle, quelque part. Derrière cette expression morne, la vraie Kismet ricanait toujours à la face du monde. Il en était persuadé; il lui suffisait de trouver le moyen de la débusquer.

Valait-elle vraiment la peine de s'embêter?

Sûrement que non. Il l'aurait plaquée depuis belle lurette, sauf que c'était exactement ce qu'elle voulait. Elle serait ravie qu'il la flanque dehors. Pour cette seule raison, il projetait de la garder ad vitam æternam. Il l'avait laissée échapper une fois, et elle l'avait couvert de ridicule.

Quoique c'était bien lui qui avait ri le dernier, non?

Une fois Sparky sorti de leurs vies, tout avait repris comme avant. Enfin pas tout à fait. Elle n'avait plus jamais été la même. La plupart du temps, elle regardait à travers lui, comme s'il n'était pas là. La peur était bien la seule chose qui semblait vaincre son indifférence. Quand il lui flanquait la trouille, elle devenait comme de la guimauve.

Lui faire peur était devenu son passe-temps favori.

Il se releva et s'essuya les mains sur un vieux chiffon rouge.

– Rentre dans la maison, ordonna-t-il.
Elle sursauta. Encore un truc qui le rendait dingue. Ces rêvasseries continuelles. Elle avait un monde à elle qui lui était inaccessible.
– Il fait trop chaud dedans, Cyc, dit-elle. Je préfère rester ici. Il y a une petite brise.
– Rentre, je te dis.
– Pour quoi faire?
– Qu'est-ce que tu crois? dit-il en chantonnant avec sarcasme.
Il s'approcha d'elle et la saisit par le bras qu'il faillit lui déboîter en la forçant à se mettre debout. Elle poussa un hurlement.
Juste à ce moment, une voiture se rangea à côté de la Harley et s'arrêta. Un homme en descendit et les regarda par-dessus le toit.
Cyc lui lâcha aussitôt le bras.
– Qui c'est celui-là?
– J'en sais rien.
Le type, grand et mince, s'avança dans leur direction. Il avait un regard calculateur et une méchante grimace déformait sa bouche. Un flic! Cyclope était capable de repérer la flicaille à des kilomètres. Le mec avait probablement un flingue au creux de son dos sous son K-way.
– Qui êtes-vous et qu'est-ce que vous voulez? demanda-t-il en se tournant agressivement vers son visiteur.
– Je cherche un gars du nom de Cyclope. C'est vous?
Cyc croisa ses bras tatoués sur sa poitrine. Un petit sourire narquois aux lèvres, il pencha la tête de côté, en faisant tinter la croix argentée qui lui pendait à l'oreille.
– Et si c'était moi?
Ignorant sa question, l'homme regarda par-dessus son épaule.
– Etes-vous Kismet?
– Oui.
– Ta gueule, aboya Cyc. T'as pas à lui parler.
Il foudroya son visiteur du regard, sachant intuitivement qu'il était venu pour lui causer des ennuis.
– Qui êtes-vous à la fin?
– Alex Pierce.
– Ça me dit rien du tout.
– Ça ne m'étonne pas. J'ai amené quelqu'un qui voudrait vous parler.
Il retourna à la voiture et ouvrit la portière du côté du passager où il eut une brève conversation avec quelqu'un avant de s'écarter pour aider la personne en question à sortir. Les rayons déclinants du soleil illuminèrent sa chevelure, lui permettant de l'identifier immédiatement.
– Jésus, Marie, Joseph! s'exclama-t-il, perdant du même coup une partie de son aplomb.
Le type ne s'écarta jamais de plus d'un centimètre de la rousse tandis

qu'ils approchaient. Elle manifestait nettement moins de prudence. Elle avait du punch, la nénette. Minuscule d'accord, mais du punch. Ça se voyait tout de suite.

– Je m'appelle Cat Delaney.

– Je sais qui vous êtes, fit-il. Vous êtes venue pour le môme?

Kismet se leva d'un bond, lâchant le plateau couvert de perles qu'elle avait sur les genoux. Celles-ci s'éparpillèrent dans la poussière, étincelantes au soleil.

– Non! Je ne vous laisserai pas le reprendre! hurla-t-elle.

– Maman?

Cyc fit volte-face. Le gamin se tenait derrière la moustiquaire de la porte d'entrée, un doigt logé au coin de sa bouche. Il les fixait de ses grands yeux effarouchés. Quand il vous zieutait comme ça, pensa Cyc, ça donnait froid dans le dos.

Il était sur le point de lui ordonner de rentrer dans la maison quand la rousse poussa un cri qui le fit tressaillir.

– Michael!

CHAPITRE 41

Cat regardait fixement l'enfant comme si elle avait eu une apparition. Michael sortit de la maison comme un ouragan et se précipita vers sa mère en enfouissant son visage dans sa jupe.

– Vous êtes la maman de Michael? » demanda Cat d'une voix blanche. La femme hocha la tête avec lassitude. Cat se tourna alors vers le motard. « Dans ce cas, vous devez être George Murphy.

– C'est bien pour ça que vous êtes là, non? Pour embarquer notre gamin pour le faire passer à la télé et qu'on l'adopte.

Kismet se mit à gémir. Cat tendit la main vers elle.

– Non, je ne suis pas ici à cause de Michael.

Cyclope fronça les sourcils.

– Si vous n'êtes pas venue pour le prendre, alors qu'est-ce que vous fichez ici?

Comme Sherry le lui avait signalé, Michael et sa mère avaient l'air de s'aimer tendrement. Le petit la regardait en souriant timidement, mais il continuait à se cramponner aux jambes de sa mère.

Cat se tourna finalement vers Cyclope et le toisa des pieds à la tête.

– Est-ce vous qui m'envoyez ces lettres de menace? Si c'est vous, je suis ici pour vous avertir que j'ai prévenu la police. Si je reçois encore...

– Ecoute, garce...

– Faites attention à ce que vous dites, mon petit gars », s'exclama Alex sans hausser la voix, mais d'un ton suffisamment intimidant pour clouer le bec au motard. Il avait laissé ces surprenants événements se dérouler sans intervenir, mais Cat savait que rien ne lui avait échappé. « Inutile d'être grossier! ajouta-t-il. Contentez-vous de répondre à la question qu'on vous a posée. Lui avez-vous envoyé des coupures de journaux, oui ou non?

– De quoi vous parlez, bordel? grommela Cyc. Je ne sais rien sur vos foutues coupures de journaux. Si vous ne foutez pas le camp...

– Vous étiez ami avec un dénommé Sparky, coupa Cat.

Kismet émit une plainte douloureuse.

– Sparky? répéta-t-elle en un souffle. Pourquoi parlez-vous de Sparky?

– Ferme ta gueule, tu veux! hurla Cyc avant de reporter sur Cat son œil solitaire et hostile. Si c'est ce nabot que vous cherchez, vous n'avez pas de bol, ma petite dame. Ça fait des années qu'il est mort!

– Je le sais très bien.

– Alors pourquoi est-ce que vous venez m'emmerder?

– Vous avez donné votre accord pour que l'on prélève son cœur en vue d'une transplantation. J'ai eu une greffe quelques heures après son décès. Il est possible que j'aie reçu son cœur.

Kismet émit un cri avant de se couvrir la bouche du revers de la main. Des larmes emplirent ses yeux.

– Je sais que vous étiez très proches, lui dit Cat d'une voix douce.

Kismet hocha la tête.

– C'est de l'histoire ancienne, reprit Cyc. Qu'est-ce que vous me voulez à la fin?

Ce fut Alex qui répondit.

– Trois personnes ont eu une greffe du cœur le même jour que Mademoiselle Delaney. Elles sont mortes toutes les trois. Nous pensons qu'elles ont été assassinées par un membre de la famille du donneur qui aurait changé d'avis entre-temps.

– Et celui qui est responsable de ces meurtres m'a clairement laissé entendre que je serais sa prochaine victime, ajouta Cat.

– Ah bon! Je suis désolé pour vous! s'exclama Cyc d'un ton railleur.

Alex fit un pas menaçant vers lui, mais Cat le retint au passage en le saisissant par la manche.

– Je ne pense pas qu'ils soient au courant, Alex.

– Il t'a reconnue sur-le-champ. Je l'ai vu sur son visage.

– Elle passe à la télé, bordel! hurla Cyclope. Vous me prenez pour un imbécile qui voit pas clair?

– J'aurais plutôt tendance à vous prendre pour un sale con! lui rétorqua Alex.

– Calmez-vous, tous les deux! Vous faites peur à Michael », intervint Cat. Puis se tournant vers Kismet : « Avez-vous jamais essayé de contacter le receveur du cœur de Sparky?

– Oui, j'ai essayé.

Cyc fit volte-face et la fusilla du regard.

– De quoi tu parles?

Kismet poursuivit en s'adressant directement à Cat, comme si de rien n'était :

– A peu près un an après l'accident, je suis allée à l'hôpital où Sparky est mort. Ils m'ont dit d'appeler la banque de... euh...

– La banque d'organes?

– Je crois que c'est ça, oui. Ils m'ont donné le numéro de téléphone.

Cyc fondit droit sur elle.

– Tu vas fermer ta grande gueule! T'as rien à leur dire. Et puis d'abord j'étais où, moi, pendant que t'allais à l'hôpital en catimini?

Elle continua à l'ignorer.

– J'ai appelé le numéro qu'ils m'ont donné. La dame qui m'a répondu était gentille, mais comme je n'étais pas de la famille de Sparky, elle n'a rien voulu me dire. Je l'ai suppliée. Je voulais savoir si...

– Je t'ai dit de la fermer! aboya Cyclope en la giflant.

Cat n'aurait pas pu arrêter Alex si elle l'avait voulu. Il se rua sur Cyc, le saisit à la gorge et le projeta contre le mur de la maison.

– Si tu la touches encore une fois, je te fais boucler, ordure! lâcha-t-il d'un ton glacial sans se départir de son calme. Mais avant ça, je vais te filer une trempe dont tu te souviendras. Tu l'as bien cherché! Je vais t'arracher l'œil qu'il te reste et je te verserai de l'acide dans l'orbite. Quand j'en aurai fini avec toi, tu seras effectivement un imbécile qui ne voit pas clair, comme tu dis si bien. Et tu les supplieras de t'enfermer pour longtemps pour être sûr que je ne puisse pas mettre la main sur toi.

– Retire tes sales mains de ma figure, enfoiré! » grogna Cyc. Il était évident qu'il souffrait. Le genou d'Alex lui écrasait l'entrejambe. « Je ne lui ferai pas de mal. »

A ce moment, Cat remarqua Michael. Il s'agrippait toujours à sa mère, tenant le tissu de sa jupe serré dans ses deux petits poings.

– Alex, le gamin!

Ses mots eurent l'effet d'un coup de baguette magique : Alex relâcha aussitôt son emprise. Il recula de quelques pas et revint se planter à côté de Cat, mais il restait tendu, prêt à l'attaque.

Durant l'empoignade, Kismet était restée imperturbable, comme indifférente à la violence. Cat en conclut qu'elle devait avoir l'habitude de ce genre d'emportements dont elle était probablement elle-même la victime plus souvent qu'à son tour.

– Kismet, reprit-elle, savez-vous quoi que ce soit sur le cœur de Sparky? Où on l'a envoyé, je ne sais pas, quelque chose?

Elle secoua la tête, jeta un coup d'œil à Cyc, avant de regarder fixement par terre.

Cat aurait voulu essayer de lui soutirer davantage d'informations, mais elle redoutait de provoquer la colère de Cyc, dont Kismet et l'enfant feraient assurément les frais plus tard. Se tournant vers le motard sans se donner la peine de dissimuler son mépris, elle demanda :

– Allez-vous les laisser tranquilles?

– Pourquoi est-ce que je les laisserais pas tranquilles?

– Parce qu'à plusieurs reprises, vous les avez envoyés à l'hôpital, répondit-elle avec dédain. Vous êtes pitoyable, vous savez? Vous n'êtes qu'une brute qui bat une femme et un enfant sans défense dans le seul but de se prouver sa virilité.

Cette fois-ci, ce fut Alex qui la mit en garde, en l'apostrophant à voix basse, presque sans bouger les lèvres.

– Cat!

Cyc serra les poings.

– On ne sait rien sur votre cœur, ou celui de Sparky, ni sur votre foutu courrier, fit-il d'une voix rageuse. On ne sait rien non plus sur ces meurtres. Alors je vous conseille de foutre le camp d'ici avant que je m'énerve vraiment.

– Viens! lui dit Alex en la saisissant par le bras.

Elle se laissa entraîner jusqu'à la voiture. Alex démarra en trombe, pressé de s'en aller.

– Je n'arrive pas à y croire. Depuis le début, ils figuraient dans mes dossiers! s'exclama-t-elle, abasourdie. Cyclope et Kismet. Comment les as-tu dénichés?

– L'oncle Dixie tient ses archives bien à jour. Murphy a une foison de délits à son actif. Plusieurs commissariats du Texas l'ont à l'œil. La police de San Antonio avait un dossier comportant son adresse actuelle.

– Quand Michael a apparu sur le seuil... » Elle était encore sous le choc. « Il est si doux et sans défense. Quand je pense qu'il vit avec cette brute! C'est insupportable.

– Et la femme, comment la juges-tu?

– Je crois qu'elle aime énormément le petit. Mais elle vit dans la terreur de Cyclope.

– Quand il l'a giflée...

– J'aurais voulu que tu le réduises en miettes!

Il détourna le regard de la route juste le temps de lui jeter un coup d'œil surpris.

– Cela m'étonne de toi! N'est-ce pas toi qui m'accusais de tirer en premier et de poser les questions ensuite? Qu'est-ce que tu préfères en définitive? Il faudrait te décider.

– Ne commence pas, Alex! J'ai eu plus que ma part d'altercations pour aujourd'hui. J'ai besoin de m'isoler un peu dans mon coin avant de passer au round suivant.

– Tu dois être fatiguée! C'est bien la première fois que tu te soumets aussi facilement.

Kismet et Cyclope vivaient dans une bourgade située au sud-est de San Antonio, à une demi-heure environ du centre-ville. Pendant presque tout le trajet du retour, Cat regarda fixement droit devant elle sans rien voir. Lorsqu'ils arrivèrent aux abords de la ville, la nuit tombait. Les premières lumières commençaient à apparaître aux fenêtres des maisons et des immeubles de bureaux, et restaurants et cinémas avaient allumé leurs enseignes au néon.

– Si seulement mon seul problème était de déterminer quel film j'avais envie de voir ce soir, dit-elle.

– Tu as le cafard, dis-moi!

– C'est mon droit, tu ne trouves pas? Nous avons retrouvé la piste de Cyclope, mais toujours rien concernant mon harceleur.

– Tu ne penses pas que ce soit Giorgio?

– Et toi?

– J'aimerais bien que ce soit lui, mais j'en doute.

– Pourquoi dis-tu cela?

– Je voudrais que ce soit lui parce que j'adorerais régler son compte à ce salopard. C'est un criminel en puissance. Tôt ou tard, il se retrouvera dans la prison d'Huntsville pour un bon petit bout de temps. J'aimerais autant que ce soit avant qu'il fasse vraiment du mal à quelqu'un, à Michael en particulier.

« Deuzio, je voudrais que tout cela soit fini pour toi. Je voudrais que tu puisses dormir sur tes deux oreilles sans avoir à t'inquiéter de savoir si tu seras encore en vie demain.

– Eh bien! Merci de me remonter le moral! Et pourquoi ne penses-tu pas qu'il soit coupable? ajouta-t-elle au bout d'un moment.

– Pour commencer, il est trop bête. Nous avons affaire à un plan compliqué, bien monté et exécuté avec talent par quelqu'un qui ne manque pas d'intelligence ni de patience. Cyclope n'a ni l'une ni l'autre.

– Tu as probablement raison, mais faisons-nous l'avocat du diable, veux-tu, et imaginons que ce soit malgré tout une vague possibilité. Cyclope vit au jour le jour, de sorte que cela ne lui poserait aucun problème de se déplacer pendant des périodes de temps indéterminées.

– Avec Kismet et Michael à la traîne?

– C'est vrai, tu as raison. En outre, nous avons déjà déterminé que mon harceleur approchait ses victimes de très près. Il faudrait être fou pour se laisser aborder par un énergumène comme lui!

– Mais il y a Kismet! Peut-être sert-elle d'appât. Elle s'attire la confiance des victimes, peut-être même leur pitié. Et Cyclope se charge de les liquider.

Cat écarta cette hypothèse en secouant énergiquement la tête.

– Je ne pense pas que son effacement soit du cinéma. Je doute qu'elle soit complice. En outre, Petey nous a dit qu'elle était amoureuse de Sparky. Pour quelle raison chercherait-elle à arrêter son cœur? J'ai eu l'impression qu'elle était encore amoureuse de lui. Pas toi?

– Oui. Et cela ne plaît pas du tout à Cyclope.

– Il était donc jaloux de Sparky quand il était vivant...

– Et il se pourrait qu'il le soit encore. Kismet en pince toujours pour Sparky alors qu'il est mort il y a des années, poursuivit Alex, complétant sa pensée.

– Il ne s'est pas encore débarrassé de son rival.

– Sa petite amie est toujours accrochée à cet avorton qui le surpassait non seulement au lit mais aussi à la lutte au couteau. Il veut se venger en zigouillant celui ou celle qui aurait le cœur de Sparky.

Elle le regarda intensément, comme s'ils venaient de découvrir un remède miracle pour le cancer. Mais son exaltation fut de courte durée.

– Cela ne nous dit pas comment il se serait insinué dans la vie de ses trois victimes. Cyclope n'est pas vraiment du genre à passer inaperçu. Si quelqu'un proche de lui meurt mystérieusement, il y a de fortes chances pour qu'on le soupçonne. » Elle soupira. « Seigneur, qui aurait pensé qu'en me faisant greffer un cœur, je me retrouverais avec un psychopathe à mes trousses? Et tu veux que je te dise quelque chose de drôle! Drôle dans le sens paradoxal du terme, ajouta-t-elle en se mettant la main sur la poitrine. J'ai toujours refusé que l'on me traite d'une manière spéciale sous prétexte que j'étais une greffée du cœur.

– Cela fait tout de même de toi quelqu'un d'unique, lui rappela-t-il d'une voix douce.

– Mais je n'ai jamais demandé de traitement préférentiel. Je veux que les gens oublient que le cœur qui bat dans ma poitrine n'est pas celui que j'avais à l'origine. Or il semble que ce soit la seule chose à laquelle les gens pensent quand ils sont avec moi.

Cette fois-ci, le gardien en faction dans le parking de WWSA reconnut la voiture d'Alex. Il leur adressa un petit signe amical lorsqu'ils franchirent le portail. Il souriait d'un air coquin comme s'il se figurait être l'un des personnages clés d'une intrigue amoureuse.

Alex coupa le moteur et se tourna vers elle.

– Ce n'est pas du tout à cela que je pense quand je suis avec toi, Cat. Mais alors pas du tout!

Elle résista au charme de sa présence si proche d'elle en blaguant.

– Tu ne vas tout de même pas te mettre à t'extasier sur mes cheveux, mes yeux et mes lèvres!

– Si tu y tiens! Je pourrais aussi donner dans le sensuel et déployer toute mon éloquence pour évoquer les zones érogènes de ton anatomie, ce qui couvre à peu près tout chez toi. Et je parle d'expérience!

C'était pour le moins présomptueux de sa part, mais sa remarque suscita néanmoins une douce réaction tout au fond d'elle. Elle s'efforça pourtant de l'ignorer.

– Garde tes envolées lubriques pour tes romans, Alex! Je serais navrée que tu gaspilles toutes tes répliques impudiques sur moi.

– Je suis sûr que tu aimes beaucoup ça au contraire, fit-il en grimaçant un sourire.
– Quoi donc?
– Les répliques impudiques.
Elle avait un souvenir très vif des mots qu'il lui avait chuchotés à l'oreille quelques nuits auparavant. Avant de céder à la tentation, elle ouvrit sa portière.
– Je te remercie d'avoir retrouvé Cyclope.
– J'ai l'intention de faire quelques recherches supplémentaires à son sujet avant que nous mettions une croix sur lui.
– Si tu découvres quoi que ce soit, fais-le-moi savoir. Bonne nuit, Alex.
– Cat?
Elle le regarda par-dessus son épaule. Il avait l'air de se demander s'il devait exprimer ses pensées ou non.
– Bonne nuit, dit-il finalement, sans rien ajouter.
Ils partirent chacun de leur côté. Cat rentra chez elle en proie à des émotions contradictoires. Il aurait pu se donner un peu plus de peine pour vaincre sa résistance. Elle aurait refusé de toute façon, mais il aurait tout de même pu faire un effort pour la persuader de passer la nuit avec lui.
Elle se prépara à aller se coucher tout en continuant à ruminer. Elle venait de sortir de la douche quand la sonnerie retentit.
Il avait fini par se décider à venir!
Elle gagna la porte d'entrée à grands pas tout en serrant la ceinture de son peignoir. Une onde d'excitation la parcourut tel un courant électrique jusqu'au bout des extrémités nerveuses.
Mais lorsqu'elle jeta un coup d'œil au travers des persiennes, s'attendant à voir Alex, elle eut un choc épouvantable.

CHAPITRE 42

– Que voulez-vous, monsieur Murphy?
– Je veux vous parler, répondit-il. Ouvrez-moi.
Elle eut un rire forcé.
– Il n'en est pas question!
– Si je veux rentrer, rien ne m'arrêtera! Si vous ne voulez pas que je bousille vot'porte, vous feriez mieux d'ouvrir.
– Allez-vous-en ou j'appelle la police.
– Appelez les flics et c'est le gamin qui prendra!

Elle appuya son front contre la porte. Ce serait de la folie de le laisser entrer chez elle au milieu de la nuit, mais comme il le lui avait dit lui-même, ce n'était certainement pas une serrure qui l'arrêterait.

Il avait dû la suivre depuis les bureaux de la télévision. Sinon comment connaissait-il son adresse? A moins qu'il ne lui ait envoyé du courrier depuis deux mois!

Dans un cas comme dans l'autre, pourquoi se demandait-elle s'il fallait le laisser entrer ou non? Pourquoi ne se ruait-elle pas sur le téléphone pour appeler police-secours, en espérant son arrivée à temps avant que Murphy ait pu faire trop de ravages?

Michael. Voilà pourquoi! Elle ne doutait pas un instant que Cyclope mettrait sa menace à exécution. Kismet n'était peut-être pas tout à fait innocente, mais l'enfant, lui, n'avait rien à voir dans cette affaire. Il était peut-être trop tard pour sauver la jeune femme, mais Michael valait la peine de se bagarrer.

Elle déverrouilla la porte et l'ouvrit.

Il avait décidément un physique imposant. Alex avait été terriblement courageux, ou inconscient, de vouloir se mesurer à lui. Elle dut se faire violence pour ne pas prendre la fuite face à la puissance et l'odeur nauséabonde qu'il dégageait quand il l'écarta de son chemin pour pénétrer dans le hall d'entrée en faisant claquer ses semelles. Il tourna la tête en tous sens, évaluant les lieux. Ayant repéré un bol en cristal rempli de fleurs séchées sur la table de l'entrée, il le porta à son nez et renifla.

– Désolée, ça ne se fume pas, remarqua-t-elle.

– Très drôle! fit-il en la gratifiant d'un sourire de reptile.

Il reposa le bol sur la table sans se départir de son sourire.

– Alors c'est comme ça que vivent les stars de la télévision. Chicos! Vachement mieux que la porcherie où on s'entasse avec ma gonzesse et le gamin, hein?

Cat se refusait à admettre l'évidence.

– Que faites-vous ici à cette heure-ci, monsieur Murphy? Qu'y a-t-il de si urgent?

Il entra dans le salon d'une démarche désinvolte et se laissa tomber sur le canapé blanc en plantant les talons de ses bottes sur le pouf assorti.

– Du calme, ma petite dame! Vous êtes venue me voir en premier, vous vous souvenez? C'est vous qui avez commencé, pas moi!

– Commencé quoi?

– Toutes ces conneries à propos de Sparky. Ça faisait des années que ce nabot m'était sorti de la tête. Voilà que vous vous pointez avec votre copain flic dans sa belle bagnole et que vous remettez tout ça sur le tapis!

Il la toisa de la tête aux pieds de son œil unique en ricanant.

– Le derrière de Sparky n'était pas plus haut que le vôtre, tiens!

Cat frissonna. Elle se sentait affreusement vulnérable face à cette brute avec sa robe de chambre pour seule protection. Où était le téléphone le plus proche déjà? Combien de temps lui fallait-il pour composer le numéro de police-secours? Le verrou de sa chambre était-il solide? Elle l'ignorait. Elle n'avait jamais eu à s'en servir.

Elle fit appel à ses talents d'actrice pour dissimuler sa peur.

– Vous vous trompez sur le compte de M. Pierce. Ce n'est pas un flic.

– Vous me prenez vraiment pour un con, ma petite dame! riposta-t-il en pouffant de rire.

– Je m'incline devant vos connaissances supérieures, dit-elle à mi-voix avant de changer de sujet. Par ailleurs, je ne vois pas pourquoi cela vous embête tellement que nous vous ayons posé quelques questions sur votre ami Sparky?

– C'était pas mon ami.

– Qu'est-ce que ça peut vous faire dans ce cas?

– Ça ne me fait rien du tout. Mais ça m'a donné à réfléchir.

Cela avait dû lui demander un effort!

– A propos de quoi?

Il tripotait nerveusement un des boutons argentés de sa veste en cuir.

– Vous pensez que vous avez le cœur de ce minus, pas vrai?

– C'est possible. Mais à moins que vous ne soyez venu me trouver ce soir pour confesser trois meurtres et reconnaître m'avoir envoyé des lettres de menace, je ne vois pas en quoi cela vous concerne. Alors pourquoi ne retirez-vous pas vos pieds sales de là et ne ficheriez-vous pas le camp?

– Vous n'avez pas froid aux yeux, hein, la Rouquine? railla-t-il en lui faisant un clin d'œil. Et vous savez causer! Je me demande si vous baisez aussi bien que vous causez?

Il n'était pas question qu'elle entre dans son sale jeu en le laissant la provoquer ainsi. Elle croisa les bras et prit un air profondément las.

– Il est tard, monsieur Murphy. Soyez gentil, dites-moi ce que vous avez à me dire et déguerpissez.

Il renversa la tête sur les coussins, changea la position de ses pieds sur le pouf et installa son arrière-train plus confortablement sur le canapé. Elle allait devoir brûler ses meubles!

– Le petit bâtard n'est pas de moi.

– Pardon?

– Le môme de Kismet n'est pas de moi, répéta-t-il en grimaçant un sourire sinistre. C'est Sparky qui l'a foutue en cloque!

Ses inquiétudes concernant son mobilier s'évaporèrent instantanément en même temps que sa peur. Oublieuse de la situation, elle s'assit sur le bras d'un fauteuil.

– Vous n'êtes pas le père de Michael?

– Je viens de vous le dire.

– Sparky était son père!

– Ouais. C'est un miracle que Kismet n'ait pas perdu le gamin après l'accident, vu comme elle a été secouée. Ç'aurait été vachement mieux pour moi si elle avait fait une fausse couche, mais le petit monstre s'est accroché. Huit mois après que Sparky ait passé l'arme à gauche, son bâtard est né.

Cat réfléchissait à toute vitesse, anticipant sur ce que Cyclope allait lui dire. Elle n'avait pas vraiment besoin qu'il lui explique la signification de tout cela, mais il le fit quand même.

– Après votre départ, le mioche s'est mis à jacasser à propos d'un pique-nique où il vous a vue. Il a l'air de vous trouver au poil. Vous aussi vous l'aimez bien, on dirait.

Sa boucle d'oreille s'écarta de sa joue comme il penchait la tête de côté, feignant de réfléchir aux mystères de l'existence.

– Je me demande bien pourquoi!

Peut-être était-il plus futé qu'Alex et elle ne l'avaient supposé. L'idée que son intelligence pût équivaloir à sa méchanceté la terrifiait.

– Je ne vois vraiment pas où vous voulez en venir, dit-elle.

Elle mentait.

– Bien sûr que si, riposta-t-il en gloussant. Ce n'est pas par hasard si ce lardon et vous, vous vous entendez comme cul et chemise. Vous avez le cœur de son papa. Vous... euh... comment dire? Vous communiquez avec lui. Comme des âmes sœurs. C'est cette histoire de karma et tout le bataclan.

Il était vrai qu'elle avait eu un choc étrange la première fois qu'elle avait vu une photographie de Michael dans les dossiers de Sherry.

– Je suis loin d'être certaine d'avoir le cœur de Sparky, dit-elle d'une voix rauque.

– Je vous dis que si.

– Vous dites ce que vous voulez! répliqua-t-elle en se levant pour lui signaler que le moment était venu de partir. Mais dites-le ailleurs qu'ici. Maintenant que vous m'avez délivré votre message, je doute que nous ayons autre chose à nous dire.

– C'est là que vous vous gourez! On a encore plein de trucs à se dire au contraire.

– Par exemple?

– On peut parler d'argent.

Elle ne s'était pas du tout attendue à ça.

– Quel argent?

– L'argent que vous me devez.

Elle se rassit lourdement sur le bras du fauteuil et le dévisagea d'un air incrédule.

– Je ne vous suis pas.

– Je vais vous expliquer. Si Sparky n'était pas mort, il aurait eu à se farcir tout ce que je me suis farci. J'ai pris le gamin sous mon aile et je l'ai élevé...

– Par bonté d'âme! coupa-t-elle d'un ton sarcastique.

– Exactement.

Ce fut au tour de Cat de pouffer de rire.

– Vous avez accepté de prendre Michael parce que vous teniez absolument à récupérer Kismet après la mort de Sparky et que le gamin et elle étaient inséparables. Non pas que vous l'aimiez, mais vous ne supportiez pas d'être supplanté par un autre homme. Depuis lors, vous n'avez pas cessé de lui faire payer son infidélité.

Il écarta le pouf d'un coup de pied et se leva d'un bond.

– Cette connasse m'avait supplié de la reprendre!

Cat résista difficilement à l'envie de battre en retraite. Murphy était une brute, et comme tous les gens de son espèce, il trouvait du plaisir à voir la peur dans le regard de ses victimes. Il risquait de lui trancher la gorge, ou de lui arracher le cœur, avec le couteau à gaine qu'il portait à la ceinture, mais elle ne lui donnerait pas la satisfaction de la voir effrayée.

– Je les ai supportés, elle et son petit morveux, pendant quatre foutues années, dit-il. J'estime que cela mérite quelque chose.

– Je doute que vous vouliez ce que vous méritez!

– Ecoutez, garce, lâcha-t-il entre ses dents, en plantant son index sur sa poitrine, sans moi, vous seriez morte. C'est moi qui ai dit à ce toubib qu'il pouvait prendre le cœur de Sparky. Si j'avais dit non, vous ne seriez pas là!

– C'est peut-être vrai. Mais rien n'est moins sûr.

– Je vous dis que si. Et je veux être payé pour vous avoir sauvé la peau.

– Ah! C'est là que l'on se met à parler d'argent.

– Vous commencez enfin à piger.

– Vous voulez que je vous rembourse mon cœur!

Un sourire rusé écarta lentement ses lèvres minces.

– En vous voyant, j'ai tout de suite compris que vous aviez oublié d'être bête! marmonna-t-il en la saisissant violemment par les cheveux.

CHAPITRE 43

Alex était remonté à bloc.

Son fluide créatif ne coulait pas, il bouillonnait littéralement. Ses doigts n'arrivaient pas à suivre la cadence des signaux que lui transmettait son cerveau, mais il supportait cette frustration tant que les mots continuaient à venir.

Il s'était finalement débarrassé du blocage qui lui engourdissait la cervelle depuis des jours. Il était reparti, mieux qu'auparavant. Les phrases surgissaient dans son esprit à la vitesse d'un éclair, il les transférait à mesure dans son ordinateur.

Soudain, le téléphone se mit à sonner.

– Saloperie!

Il essaya de l'ignorer et continua à écrire. A une heure pareille, c'était forcément une erreur. Ou bien Arnie. Arnie appelait pour ainsi dire tous les jours pour lui demander s'il voyait toujours Cat. Quand il lui répondait par l'affirmative – il était incapable de lui mentir –, il avait droit à un laïus sur la meilleure manière de voir tout en noir.

La sonnerie retentit à nouveau.

Ne t'arrête pas, se dit-il. *Finis ta phrase avant qu'elle ne t'échappe. Si tu t'arrêtes maintenant, elle s'en ira pour toujours. Elle disparaîtra dans ce vide infini qui engloutit les mots précis et les phrases pleines d'inspiration au moment où elles surgissent du fond de ton inconscient, juste avant que tu aies le temps de les saisir.*

Quatrième sonnerie.

Fais la sourde oreille. Il y a des semaines que tu attendais une nuit comme celle-là. Tout est en train de se mettre en place magnifiquement. Tu as enfin réussi à défaire ce nœud qui bloquait l'intrigue. Pas tout à fait comme tu t'y attendais, d'accord, mais c'est peut-être plus fort comme ça.

L'action se déroule à une cadence endiablée; les dialogues sont percutants. Ça a du punch!

Surtout, ne décroche pas, imbécile!

Il saisit le combiné d'un geste vif.

– Quoi?

– Alex, est-ce que... est-ce que tu pourrais... Je ne voudrais pas te déranger, mais...

– Cat? Ça ne va pas?

– Pas vraiment, non.

– Donne-moi un quart d'heure.

Il lâcha le combiné et éteignit son ordinateur, non sans avoir sauvegardé le travail sublime qu'il venait d'abattre. Il enfila ses tennis à la hâte, éteignit la lumière, ferma la porte de son bureau à clé et sortit de la maison en courant.

Tom Clancy était sûrement interrompu à tout bout de champ. Il aurait peut-être vendu un million d'exemplaires supplémentaires de *Jeux de guerre* s'il avait pu s'épargner ces petites perturbations de l'existence. Et Danielle Steele avait neuf enfants! Songe au nombre de fois où elle devait être dérangée chaque jour.

Cat ouvrit la porte avant même qu'il eût atteint le seuil.

– Merci d'être venu.

– Tu es blanche comme un linge. Que s'est-il passé? Pourquoi as-tu les cheveux mouillés?

– J'ai pris une douche.

– Tu as pris une douche? Après m'avoir téléphoné avec une voix de mourante, tu prends une douche!

– Arrête de crier! » Elle pointa un index impérieux en direction du salon. « J'ai eu une visite. Cyclope. »

Le motard avait laissé de nettes empreintes de son passage sur le canapé et le pouf. Alex poussa un soupir en se passant la main dans les cheveux.

– Seigneur! Comment est-il entré?

– Je lui ai ouvert la porte.

– Tu lui as *quoi*...?

– Il menaçait de s'en prendre à Michael si je ne lui ouvrais pas.

– Il aurait pu s'en prendre à toi.

– Mais il ne l'a pas fait!

– C'est toi qui cries maintenant. Qu'est-ce qu'il te voulait?

– Allons dans la cuisine, dit-elle. J'ai utilisé tout un atomiseur de désodorisant, mais je sens encore son odeur dans cette pièce.

Elle passa devant. L'eau frémissait dans la bouilloire noir et blanc posée sur la cuisinière. Elle lui demanda s'il voulait une tasse de thé. Une lampée de whisky pur, peut-être, répondit-il, mais du thé, non, merci.

Elle se servit une tasse, ajouta une cuillerée de sucre et s'installa en face de lui à la table de la cuisine. Ses doigts serrés autour de la tasse paraissaient translucides.

– Que voulait-il, Cat?

– De l'argent.

– En échange du cœur de Sparky, c'est ça?

Elle releva brusquement les yeux.

– Comment le sais-tu?

– J'ai lu des histoires de ce genre. Une personne se fait greffer une cornée, un foie ou de la peau. Une fois qu'elle est remise, un membre de la famille du donneur vient lui rendre visite pour lui réclamer des sous.

– C'est vrai, j'en ai entendu parler moi aussi, dit-elle en hochant tristement la tête. C'est d'ailleurs l'une des raisons pour lesquelles il est préférable que donneurs et receveurs restent anonymes. » Elle croisa les bras sur sa poitrine et promena nerveusement ses mains le long de ses épaules. « Mais je ne pensais pas que quelqu'un puisse se montrer vénal à ce point!

– Cyclope, si!

– Il est tellement répugnant. Il m'a touché les cheveux et la poitrine avec ses doigts sales. J'ai eu l'impression qu'il me violait. C'est pour cela que j'ai pris une longue douche bouillante.

Elle porta la tasse à ses lèvres et parvint tout juste à la tenir droite le temps de boire une gorgée. La porcelaine cliqueta lorsqu'elle la reposa dans la soucoupe.

– Je suis désolée de t'embêter une fois de plus, Alex.

– Tu ne m'embêtes pas, dit-il, mentant.

– Je ne savais pas à qui d'autre m'adresser. J'aurais pu téléphoner à l'inspecteur Hunsaker, mais je n'ai pas vraiment confiance en lui.

Alex supposa qu'il devait prendre cela comme un compliment.

– Tu as bien fait de m'appeler. Il ne fallait pas que tu restes seule ce soir. As-tu eu de la peine à le chasser?

– Pas vraiment. Je lui ai donné le change en lui disant que s'il espérait m'extorquer de l'argent, il devrait me liquider d'abord. » Avec un pâle sourire, elle ajouta : « Il m'a dit que cela pouvait très bien s'arranger.

– Il aurait pu te tuer, tu sais!

– Je lui ai fait remarquer que ce serait stupide de sa part s'il voulait me soutirer de l'argent.

C'était un miracle qu'elle s'en soit tirée indemne, songea Alex. En même temps, il était furieux contre elle.

– Tu as voulu jouer au plus fin, n'est-ce pas? Je t'entends d'ici lui débiter des blagues. Pourquoi l'avoir agacé ainsi, pour l'amour du Ciel?

– Que voulais-tu que je fasse? Que je me mette à pleurer et à m'arracher les cheveux en lui montrant que j'avais peur? Il fallait que je songe à

Michael et à Kismet. Il va probablement s'en prendre à eux pour se venger de n'avoir rien obtenu de moi!

– Etait-il énervé lorsqu'il est parti?

– C'est le moins que l'on puisse dire. Il s'était sans doute dit qu'il m'intimiderait suffisamment pour me convaincre de lui faire un chèque tout de suite. Voyant que je refusais, il est devenu fou de rage. Je lui ai clairement laissé entendre que je ne lui donnerais pas un centime.

– Ce à quoi il a répondu...

– Que je le regretterais.

Alex était très inquiet pour Michael et sa mère, mais avant toute chose, il tenait à rassurer Cat.

– Il y réfléchira à deux fois avant de porter de nouveau la main sur Michael. Il y a quelques semaines, il a échappé de justesse à une longue peine d'emprisonnement.

– J'espère que cela suffira à le dissuader, parce que ce ne sont certainement pas les liens du sang qui l'arrêteront. Michael n'est pas son fils.

Elle raconta à Alex ce que Cyclope lui avait confié.

– Cela explique peut-être que j'ai été fascinée par la photographie de Michael avant même de l'avoir rencontré.

Alex se pencha vers elle.

– Que veux-tu dire?

– Rien.

– Allons, Cat. Je suis venu à ta rescousse. Cela ne me donne-t-il pas le droit de connaître le fond du problème?

– C'est ridicule», dit-elle en riant tristement. Puis elle haussa les épaules et se mit à tripoter sa cuiller. Autant de signes révélateurs indiquant qu'elle cherchait à gagner du temps.

Pour finir, elle se lança :

– Depuis l'époque des premières transplantations cardiaques, on s'est posé la question de savoir si certains traits de la personnalité du donneur pouvaient être transmis au receveur.

Alex prit un moment pour avaler cette information, avant de l'encourager d'un geste à continuer.

– Eh bien, c'est ridicule, évidemment», répéta-t-elle d'une voix un peu trop assurée. Elle s'interrompit quelques secondes, le temps de mettre de l'ordre dans ses pensées. « Le cœur humain est un organe. Une machine physiologique. Le cœur en tant que siège des émotions et réceptacle de l'âme est tout autre chose.

– Dans ce cas, pourquoi avoir lié d'office ton attirance pour Michael à la possibilité que son père soit ton donneur?

– Je n'ai pas dit ça!

– Mais si tu l'as dit! Et Cyclope aussi a fait le lien.

– Peu lui importe si j'ai le cœur de Sparky ou non! s'exclama-t-elle avec agacement. La seule chose qui l'intéresse, c'est de récolter des sous. Il déteste Michael parce qu'il représente l'héritage vivant que Sparky a laissé à Kismet. Il l'a punie de lui avoir préféré son rival. Il a fait de sa vie un enfer. Ce n'est pas étonnant qu'elle ait l'air tellement angoissé.

– Ce n'est pas ton problème, Cat.

Elle le regarda comme s'il venait de se soulager sur le drapeau américain.

– Bien sûr que si! Ce sont des êtres humains et ils sont en danger.

– J'admire ton altruisme, mais tu ne peux pas prendre tous les malheurs du monde sur tes frêles épaules.

– Si Cyclope leur fait du mal, je ne le supporterai pas. Et toi? Une vie humaine signifie-t-elle quelque chose pour toi?

Il sentit une bouffée de colère l'envahir.

– Je vais faire comme si je n'avais rien entendu parce que tu es dans tous tes états et que tu ne te rends pas compte de ce que tu dis. Du moins je l'espère. Je ne demande qu'à défoncer le portrait de George Murphy et à l'empêcher pour toujours de remettre la main sur Kismet et Michael. Mais il y a des millions de victimes comme eux dans ce pays, ne l'oublions pas.

– Je sais que je ne peux pas en sauver des millions, mais j'aimerais tout de même faire ce que je peux pour eux deux.

– Tu ne songes pas sérieusement à lui donner de l'argent?

Cette prise de bec l'avait épuisée. Ses épaules s'affaissèrent et elle nicha son menton dans la paume de sa main.

– Je ne suis pas du genre à céder au chantage, répondit-elle, mais Cyclope m'a clairement laissé entendre que si je ne le faisais pas, je le regretterais. D'une manière ou d'une autre.

Elle releva la tête et plongea son regard dans le sien. Pour la première fois depuis qu'ils s'étaient rencontrés, elle avait vraiment l'air d'avoir peur.

– Alex, je veux qu'on arrête tout.

– Qu'on arrête quoi?

– Ces recherches démentielles pour trouver mon harceleur. Il y a près de deux semaines qu'il ne s'est pas manifesté. Je suis persuadée qu'un énergumène doté d'un sens de l'humour particulièrement pervers s'est amusé à me jouer un sale tour, c'est tout. Le faux avis de décès était le bouquet final. Il est parvenu à ses fins, en me rendant à moitié folle. Maintenant son petit jeu est fini.

– En es-tu sûre?

– Non, je n'en suis pas sûre, lui rétorqua-t-elle d'un ton sec. Mais je ne veux plus retourner la moindre pierre. Chaque fois que je le fais, je trouve un horrible ver en dessous. Je n'ose même plus ouvrir mon courrier. Un motard borgne, couvert de tatouages, et nanti de tendances homicides, dont je n'avais jamais entendu parler il y a quelques jours, essaie maintenant de m'extorquer de l'argent et menace de me tuer.

« J'ai peur de mon ombre. Je ne me sens plus en sécurité chez moi. Je n'arrive plus à me concentrer sur mon travail. Je ne peux plus rien avaler et je ne me souviens même plus de la dernière fois où j'ai dormi sans me réveiller en sueur au milieu de la nuit. J'en ai par-dessus la tête de toutes ces conneries.

– Ce n'est pas si simple, Cat. On ne peut pas tout arrêter comme ça.

– Moi si. Et c'est ce que je vais faire.

– Eh bien moi je ne peux pas et je vais continuer, annonça-t-il d'un ton ferme en se levant. On ne peut pas clore une enquête du jour au lendemain pour la simple raison que la teneur des informations que nous récoltons ne te plaît pas.

– Cesse de parler comme un flic, veux-tu! Tu n'en es plus un et il ne s'agit pas d'une enquête en bonne et due forme. Ni de l'intrigue d'un roman. Il s'agit de ma vie!

– Exactement. Et je m'efforce de la protéger. Tant qu'à faire, j'aimerais que tu vives au-delà du quatrième anniversaire de ta greffe.

– Tu n'es pas le seul. » Elle marqua une pause et prit une inspiration profonde et tremblotante. Alex sentit son estomac se nouer. Il savait d'avance qu'il n'avait pas envie d'entendre ce qu'elle allait lui dire. « C'est la raison pour laquelle j'ai décidé de retourner en Californie et de loger chez Dean jusqu'à ce que nous ayons passé cette date, dit-elle d'une seule traite. Tout est arrangé.

– Ah vraiment? Et quand as-tu planifié tout ça? s'exclama-t-il en mettant les mains sur les hanches.

– Avant ton arrivée.

– Je vois. Tu me fais venir de toute urgence, mais je ne suis qu'un soutien temporaire sur lequel t'appuyer jusqu'à ce que tu puisses retrouver le giron de Papa Dean, c'est bien ça, n'est-ce pas? Et c'est toi qui m'accuses de me servir de toi? acheva-t-il sur un ton empreint de dérision.

Il avait voulu l'offenser et il avait fait mouche. Des larmes emplirent ses yeux, mais fidèle à elle-même, elle se ressaisit très vite.

– Je te raccompagne, dit-elle en se levant et en quittant la cuisine d'un air profondément indigné.

Alex la suivit, mais seulement jusqu'à l'entrée où il claqua la porte qu'elle tenait grande ouverte à son intention.

– Il n'est pas question que je te laisse seule ce soir, Cat. » Il tendit les mains pour la faire taire avant qu'elle ait le temps de protester. « Je dormirai dans le salon. » En jetant un coup d'œil au sofa tout crasseux, il ajouta : « J'ai connu pire, crois-moi.

« Tu peux taper des pieds, râler et tempêter autant que tu veux, ce sera une perte d'énergie. Une énergie que tu n'as pas, ça se voit. Tu peux bouder, faire tes bagages, te mettre du vernis aux orteils, ce que tu veux, mais tant que nous ne saurons pas ce que Cyclope a en tête, je ne te quitte pas d'une semelle. »

CHAPITRE 44

Cyc n'en crut pas ses yeux quand il pénétra dans la cuisine le lendemain matin pour prendre son café. Kismet était déjà installée à la table. Il faillit tomber à la renverse en la voyant.

Elle était maquillée comme quand il l'avait rencontrée pour la première fois. Elle n'avait pas lésiné sur la quantité d'eye-liner et d'ombre à paupières; le fard mettait en valeur ses yeux sombres. Le chignon qu'il méprisait tant avait disparu; ses cheveux lui tombaient librement sur les épaules en une masse désordonnée.

Finis les longues jupes et les chemisiers informes comme elle en portait depuis quatre ans. Elle avait remis son jean râpé qui lui moulait les fesses et sa poitrine tatouée était comprimée dans un justaucorps noir échancré.

C'était comme si elle avait été somnambule depuis la mort de Sparky et venait brusquement de se réveiller. Et cette transformation incroyable s'était faite du jour au lendemain!

Ce n'était pas seulement son apparence qui avait changé. Cette expression revêche aussi lui rappelait la Kismet d'antan. Dès qu'il était entré dans la pièce, elle s'était levée pour aller lui servir une tasse de café avec des mouvements rapides, brusques, et cette agitation fébrile qui la caractérisait autrefois. Il l'aurait soupçonnée d'être high si elle n'avait pas juré de ne plus jamais toucher à la drogue après la naissance du môme.

– Tu veux que je te prépare quelque chose à manger? demanda-t-elle.

– Si je veux déjeuner, je te le dirai, okay? lui rétorqua-t-il, méfiant de ce revirement brutal.

– Ça t'écorcherait la gueule d'être aimable!

Elle se servit un autre café et retourna s'asseoir. Elle prit sa cigarette qui se consumait dans le cendrier, en tira une longue bouffée et expédia un nuage de fumée en direction du plafond. Elle avait arrêté de fumer quand elle était enceinte et n'avait jamais repris depuis.

En regardant ses lèvres pleines, fardées, se refermer sur le filtre de sa cigarette, Cyc sentit le désir monter en lui. Il l'avait vue comme ça des milliers de fois – débordante d'énergie et de rage –, mais il y avait sacrément longtemps! Jusqu'à ce moment, il ne s'était pas vraiment rendu compte à quel point son insolence lui avait manqué.

Mais il était méfiant de nature et se laissait rarement tromper par les apparences.

– Quelle mouche t'a piquée? demanda-t-il.

Elle écrasa sa cigarette en la tapotant impatiemment contre le verre ambré.

– Peut-être bien que la trempe que tu m'as filée hier soir m'a remis les idées en place.

– Tu l'avais bien cherchée!

Il l'avait copieusement tabassée pour l'avoir fait passer pour un con devant cette Delaney et son petit ami flic. Les meurtrissures se voyaient à peine sous la couche épaisse de fond de teint.

– J'arrive pas à croire qu'elle a refusé de te donner des ronds!

En buvant une bouteille accompagnée de quelques lignes de coke, il lui avait raconté sa visite infructueuse chez la vedette.

– T'inquiète pas. Elle finira par céder.

– Oui mais quand?

– Dès que j'aurai trouvé un truc, fit-il en ingurgitant une lampée de café.

– Pour qui elle se prend? Sans Sparky, elle serait cuite.

– Elle dit qu'elle a peut-être le cœur de quelqu'un d'autre. Il se peut que ce ne soit pas celui de Sparky.

– Même si c'est pas le sien, il faut qu'elle paie, répliqua Kismet en secouant la tête avec un air plein de défi. On a dû se bagarrer pour survivre depuis quatre ans, alors qu'elle, elle vit comme une reine. C'est pas juste.

– Du pèze, elle nous en filera, t'inquiète pas! Faut juste que je trouve un plan.

– Moi aussi j'ai réfléchi.

– Ah oui! Et à quoi donc? s'exclama-t-il en plissant son bon œil réduit à une fente sinistre.

– Il faut qu'on bouge avant que son copain le flic commence à lui farcir la tête de conneries. Il pourrait tout faire rater.

Elle se leva brusquement de sa chaise, comme si quelque chose l'avait piquée. Remontée par la caféine et la nicotine, elle se mit à faire les cent pas.

Cyc était d'accord avec elle, mais il avait peur de passer pour un faible s'il se conformait trop vite à son point de vue.

– Ne te mêle pas de ça, dit-il avec mauvaise humeur. J'ai la situation bien en main.

Elle virevolta et lui fit face, furibonde.

– Mon cul, oui ! Elle t'a intimidé avec sa jolie gueule et ses grands yeux bleus. Malgré toutes tes menaces, tu es revenu bredouille !

Il se leva d'un bond et la gifla sans ménagement. A son grand étonnement, elle lui rendit la pareille. La paume de sa main lui atterrit sur l'oreille avec un claquement retentissant qui lui endolorit le tympan. Il entendit malgré tout chaque mot qu'elle brailla à son adresse.

– Il n'est plus question que j'encaisse comme j'ai encaissé jusqu'à présent. C'est la dernière fois que tu me frappes, salopard !

Son revirement était excitant, mais il y avait des limites à ce qu'il était prêt à accepter. Entre la furie qu'elle était jadis et la lavette aux yeux de veau qu'elle était devenue, il devait bien y avoir un juste milieu.

– On va bien voir si tu n'encaisses plus !

En la saisissant par le gras des bras, il la poussa contre le comptoir et se plaqua contre elle. Elle se démena comme une diablesse pour se libérer ; il fut bien obligé de la lâcher pour descendre la fermeture éclair de son jean. Pendant qu'elle lui assenait de solides coups de poing sur la tête, il parvint tant bien que mal à l'extraire de son pantalon ajusté et à le lui retirer complètement.

Elle essaya de fuir, mais il la rattrapa par les cheveux et la força à revenir. Il la hissa sur la table et lui écarta les cuisses. Pressant sa poitrine d'une main, il la maintint allongée tout en déboutonnant son jean.

Il grogna de plaisir et de surprise lorsque la main de Kismet se referma étroitement autour de son sexe. Elle entreprit de le sucer avidement, insatiable comme des années auparavant, lorsqu'elle n'en avait jamais assez, quand elle faisait de leurs jeux érotiques un concours de volonté et d'endurance qu'elle remportait la plupart du temps.

Il remonta son justaucorps et s'empara de ses seins, dont il pinça les mamelons. Elle tourna brusquement la tête et lui mordit le bras. Il la gifla de nouveau, se pencha et lui mordilla un sein avant de se mettre à le sucer comme si sa survie en dépendait. Elle gigotait sous lui, lui griffant férocement le dos tout en le couvrant d'insultes.

Il la pénétra avec une force telle que les pieds de la table grattèrent le sol. Il faillit perdre l'équilibre. Elle serra les cuisses autour de ses hanches, croisa les chevilles au bas de son dos et enfonça ses ongles dans la partie charnue de ses fesses.

Il jouit presque instantanément. Elle aussi. Elle rejeta les bras en arrière en envoyant valdinguer les tasses du petit déjeuner et le cendrier. Elle agita fébrilement la tête, ses cheveux battant l'air en tous sens. Ses dents s'enfoncèrent si profondément dans sa lèvre inférieure qu'elles entamèrent la chair. Longtemps après que tout fut fini, sa poitrine continuait à se soulever à une cadence effrénée.

Cyc frotta les paumes calleuses de ses mains contre ses seins.

– Super-nichons! siffla-t-il.

Elle émit un gémissement profond et se remit à s'agiter, cambrant le dos, changeant la position de ses jambes. Elle avait le visage empourpré, la bouche meurtrie et enflée. Une goutte de sang perla sur sa lèvre inférieure. Une mèche de cheveux humide de sueur lui barrait la gorge. Elle l'observait entre ses paupières mi-closes, en souriant d'un air narquois comme autrefois.

– Ta chatte est remplie de pythons, je l'ai toujours dit.

Elle rit voluptueusement, à gorge déployée.

– On va être riches, Cyc. *Riches.*

– Tu l'as dit!

Il essaya de se retirer, mais ses cuisses serrées l'en empêchèrent.

– Où est-ce que tu vas comme ça?

Son pouls s'accéléra. Une seule fois ne suffisait jamais à la Kismet d'avant. Elle était bel et bien de retour.

– Tu as fait des saletés là-bas en bas, chuchota-t-elle, en riant sournoisement. Nettoie.

Sur ce, elle prit sa tête entre ses mains et l'enfouit de force entre ses cuisses.

CHAPITRE 45

Alex frappa à la porte de sa chambre.
– Cat?
– Je suis presque prête. Le taxi est-il déjà là?
– Non, mais Cyclope, lui, est là!
Elle ouvrit la porte d'un coup sec. Alex était en train de vérifier le cylindre de son revolver. La vue de cette arme chargée la fit frissonner.
– Ils sont déjà passés devant la maison une fois et ils ont dû faire le tour du pâté de maisons, l'informa-t-il. Je viens de les voir tourner à l'angle de la rue. Ils approchent.
– *Ils?*
– Kismet et Michael sont sur la moto avec lui.
– Mon Dieu!
– Tu l'as dit! répliqua Alex d'un air sombre. Je te parie qu'il va se servir d'eux comme otages pour tâcher de t'amollir.
Après leur querelle de la veille au soir, Cat s'était retirée dans sa chambre où elle avait fait ses bagages. Puis elle avait éteint les lumières et s'était couchée, sans parvenir à dormir.
Elle l'avait entendu déambuler d'une pièce à l'autre, vérifiant probablement les portes et les fenêtres pour s'assurer que tout était bien fermé. Malgré sa colère, elle était contente qu'il soit resté. Elle se sentait beaucoup plus en sécurité, maintenant qu'il était là pour monter la garde.
En se retrouvant à la cuisine au petit matin, ils s'étaient comportés comme deux étrangers courtois l'un envers l'autre. Il avait préparé le café et offert de lui en servir une tasse; elle l'avait remercié poliment. Il lui avait demandé à quelle heure était son avion et avait proposé de l'accompagner à l'aéroport.
– C'est gentil de ta part, mais j'ai déjà appelé un taxi.

– Très bien, avait-il répondu.

Ensuite elle avait regagné sa chambre pour se doucher et s'habiller. Ils n'avaient pas échangé un mot depuis.

Elle le suivit dans le salon.

– Peut-être ne s'arrêteront-ils pas en voyant ta voiture garée devant la maison, dit-elle, pleine d'espoir.

– Je l'ai mise dans le garage après que tu te sois couchée.

– Oh!

– Tu seras en meilleure posture s'ils pensent que tu es seule. Nous avons la surprise de notre côté.

Elle écarta les lattes d'une des persiennes et suivit des yeux la moto qui approchait lentement de sa maison.

Alex s'était posté devant la fenêtre voisine.

– Retourne dans ta chambre, lui dit-il. Et restes-y le temps que j'évalue la situation.

– Pas question.

– Ce n'est pas le moment de... Whoa! s'exclama-t-il tout à coup. C'est bien Kismet, non?

Cat dut faire abstraction de la tenue et du maquillage de la jeune femme pour en être sûre. Si Kismet n'avait pas eu Michael dans les bras, elle ne l'aurait jamais reconnue.

Elle remontait l'allée d'un air effronté en se déhanchant d'une manière provocante. Hier, un regard aurait suffi à la faire battre en retraite. Aujourd'hui, elle paraissait prête – pour ne pas dire avide – à affronter n'importe quel rival suffisamment téméraire pour oser se mesurer à elle.

Elle sonna trois coups stridents. Cat jeta un rapide coup d'œil à Alex. Il lui fit signe d'ouvrir, puis se cacha prestement de l'autre côté du chambranle.

Cat déverrouilla prudemment la porte et l'entrouvrit.

Elle remarqua instantanément les larmes réprimées qui brillaient dans le regard de Kismet. Elles s'accordaient mal avec le maquillage vulgaire et la démarche assurée avec laquelle elle était montée à l'assaut. Cat vit alors que ses lèvres tremblaient.

– Je vous en prie, chuchota-t-elle. Aidez-moi. S'il vous plaît.

En dépit du portrait peu flatteur que Cat avait brossé de l'inspecteur Hunsaker, Alex était prêt à accorder au policier le bénéfice du doute. Malheureusement, la réalité dépassait ses pires attentes. Dès l'instant où il le vit entrer en se pavanant dans le salon de Cat, Alex le traita mentalement de bouffon. A l'évidence, son ego était aussi gonflé que sa bedaine!

– On dirait que le destin nous a réunis en définitive », dit-il à Cat en la gratifiant d'un sourire jusqu'aux oreilles. Il avait des petits morceaux de tabac aux commissures des lèvres.

– On dirait.

– Ma femme a drôlement apprécié votre autographe.

– Tant mieux. Inspecteur Hunsaker, je vous présente Patricia Holmes et son fils, Michael.

Il adressa un bref hochement de tête à Kismet.

En attendant que la police arrive, Cat était restée dans sa chambre avec Kismet et Michael. Lorsqu'ils en étaient ressortis, le visage de la jeune femme ne portait plus la moindre trace de maquillage. Une barrette retenait ses cheveux sagement en arrière. Elle portait une salopette, probablement le seul article de la garde-robe de Cat suffisamment grand pour elle.

– Et voici Alex Pierce, ajouta Cat en tournant l'inspecteur dans sa direction.

Ils échangèrent une poignée de main.

– Alex est un ancien policier, précisa Cat.

– Ah bon! D'où ça?

– Houston.

– Houston, hein! » Il toisa Alex des pieds à la tête. « Comment ça se fait que vous ne faites plus partie de la police?

– Ça ne vous regarde pas!

– Pas la peine d'être aussi défensif, répliqua Hunsaker, interloqué.

– Ce n'est pas le cas. Je dis les choses comme elles sont, c'est tout.

Hunsaker s'éclaircit bruyamment la gorge et tirailla sur sa ceinture qui avait tendance à glisser.

– Bon, qui est-ce qui va me raconter ce qui s'est passé?

– Alex? suggéra Cat. Tu en as vu plus que nous.

Il résuma les événements de la veille et de la matinée jusqu'aux supplications éplorées de Kismet sur le pas de la porte.

– Cat ne lui a pas posé une seule question. Elle les a tirés à l'intérieur de la maison et s'est empressée de refermer le verrou. Mlle Holmes était terrifiée. Elle a dit que si Cyclope mettait la main sur elle, il la tuerait pour l'avoir trahi. Michael avait très peur lui aussi. Il ne comprenait rien à la situation bien sûr, mais il sentait bien que sa mère paniquait. J'ai suggéré à Cat de les emmener dans sa chambre.

– C'est à ce moment-là que je vous ai appelé, inspecteur, coupa Cat. J'avais peur que Cyclope n'intervienne.

– Je lui ai dit de ne pas s'inquiéter, que je n'hésiterais pas à descendre ce salopard avant qu'il atteigne la chambre s'il le fallait.

Hunsaker tourna son attention vers le revolver posé sur la table.

– Il n'est plus chargé, l'informa calmement Alex.

– Et le motard? demanda Hunsaker. Ce Cyclope, comme vous l'appelez. Qu'a-t-il fait alors?

– Il ne s'attendait pas du tout à ce que Cat fasse entrer Kismet en lui fermant la porte au nez. Il a tout de suite compris que les choses tournaient mal. Il s'est mis à crier depuis la route, exigeant de savoir ce qui se passait. Comme je ne répondais pas, il a commencé à s'énerver.

« Je ne sais pas pourquoi il vous a fallu tant de temps pour venir, Hunsaker, poursuivit Alex. Si vous n'aviez pas traîné, Cyclope serait sous les verrous à l'heure qu'il est pour coups et blessures et tentative d'extortion de fonds.

Ignorant ses critiques, l'inspecteur se tourna vers Cat.

– Il a essayé de vous soutirer de l'argent?

– C'est exact.

Elle lui relata alors la visite de Cyclope la veille au soir.

– M'est avis que c'est le genre d'énergumène auquel il vaut mieux ne pas tenir tête, remarqua-t-il quand elle eut achevé son récit. Pourquoi ne m'avez-vous pas appelé?

– Parce qu'elle m'a appelé, moi, coupa Alex, et j'ai passé le reste de la nuit ici.

Hunsaker avait dû comprendre le sous-entendu. Il se racla la gorge avant de poursuivre :

– Et ce matin? Pourquoi est-ce qu'il est revenu?

– Mlle Holmes l'a convaincu de l'emmener avec lui, ainsi que Michael, pour donner plus de poids à son argument, expliqua Alex. En la voyant disparaître dans la maison, il a dû comprendre instinctivement qu'il s'était fait rouler et qu'il risquait de se faire pincer à coup sûr s'il ne filait pas au plus vite.

– Alors il a filé?

– Oui. Mais seulement après avoir hurlé : " Je te tuerai, Kismet. Toi et ton morveux. " Je ne peux pas citer précisément ses paroles en présence de Michael, mais je n'ai fait qu'omettre quelques adjectifs. Après cela, il a démarré en trombe. Un criminel dangereux rôde à présent dans les parages, ajouta-t-il en guise de reproche déguisé pour le retard de l'inspecteur.

– Avez-vous quelque chose à ajouter? demanda celui-ci en se tournant vers Cat.

– Seulement qu'Alex et moi avons vu M. Murphy frapper Mademoiselle Holmes chez eux hier après-midi.

Tout cela devenait beaucoup trop compliqué pour Hunsaker. Il se gratta la tête.

– Je ne comprends pas très bien pourquoi vous êtes allés là-bas.

– Nous étions sur une piste concernant l'autre affaire dont je vous ai fait part dans votre bureau, dit-elle.

– Ces coupures de journaux, vous voulez dire?

– Oui. J'avais pensé que Cyclope en était peut-être l'auteur.

– Et c'était lui?

Elle se tourna vers Kismet qui secoua vigoureusement la tête.

– J'en doute, reprit Cat. Mais il mérite tout de même qu'on l'enferme. Vous n'avez qu'à prendre des renseignements auprès des services de protection de l'enfance. Ils ont déjà reçu plusieurs plaintes contre lui relatives aux sévices qu'il inflige à l'enfant. Il a été relâché parce qu'il a eu la chance de tomber sur un procureur laxiste.

– Et elle? demanda l'inspecteur en pointant son pouce dans la direction de Kismet.

– Elle était impliquée elle aussi, mais seulement parce qu'elle était incapable de tenir tête à Cyclope par peur de représailles.

– Je peux m'asseoir? s'enquit Hunsaker en désignant le canapé souillé.

– Faites comme chez vous, répondit Cat.

Il posa délicatement son arrière-train au bord du siège et se tourna vers Kismet, assise dans un fauteuil, Michael sur ses genoux. Cat prit place sur le bras du fauteuil, pour faire office de tampon.

– Qu'est-ce que vous avez à dire pour votre défense? demanda Hunsaker.

Kismet jeta un coup d'œil alarmé en direction de Cat, qui lui prit la main et la serra entre les siennes pour l'encourager.

– Répétez-lui ce que vous m'avez dit.

Elle s'essuya les yeux et humecta nerveusement ses lèvres meurtries et tuméfiées.

– Hier après qu'ils soient partis, commença-t-elle en désignant Cat et Alex d'un hochement de tête, il a eu l'idée d'un plan pour lui soutirer de l'argent grâce au cœur de Sparky.

– Qui est ce Sparky?

Alex se chargea de combler les lacunes d'Hunsaker. Celui-ci était suspendu à ses lèvres.

– Mon Dieu, ce que ça peut être compliqué! grommela-t-il en tournant de nouveau son attention vers Kismet. Cyclope voulait de l'argent en échange du cœur de Sparky. Et Sparky est le père naturel de votre gosse, c'est bien ça?

Kismet hocha la tête en caressant les cheveux de son fils. Elle ne l'avait pas lâché depuis qu'ils étaient entrés dans la maison. Personne ne pouvait douter qu'elle lui était toute dévouée.

– Cyc est rentré très tard hier soir. Il était furax parce que Mlle Delaney avait refusé de lui donner de l'argent, expliqua-t-elle à l'inspecteur. Il a dit qu'elle lui avait ri au nez.

Alex était sidéré.

– Tu lui as ri au nez? Tu ne m'avais pas dit ça. Tu es folle?

– Non je ne suis pas folle!

– Silence! ordonna Hunsaker en fusillant Alex du regard. Excusez l'interruption, mademoiselle euh... Holmes. C'est bien ça? Continuez.

– Après ça, il s'est fait quelques lignes et il est devenu vraiment mauvais. J'ai essayé de rester hors de sa portée, mais il a tout de même réussi à me filer une sacrée trempe. Après qu'il se soit endormi, je suis restée réveillée des heures à réfléchir à ce que je devais faire.

Elle avait les larmes aux yeux.

– Mademoiselle Delaney avait l'air tellement gentil. Je l'avais vue à la télé aider ces gamins. Elle avait été si généreuse avec Michael au pique-nique.

– Quel pique-nique?

– C'est sans importance, intervint Alex. Laissez-lui raconter son histoire, voulez-vous?

– Ce n'est pas moi qui l'interromps tout le temps. C'est vous!

Hunsaker fit signe à Kismet de continuer.

– Je ne voulais pas que Cyc embête Mademoiselle Delaney. Et puis j'étais tellement contente de savoir que le cœur de Sparky avait peut-être sauvé la vie de quelqu'un comme elle. La manière dont elle avait résisté à Cyc m'a donné du courage. Alors j'ai décidé de lui tenir tête moi aussi.

– Sauf qu'elle n'avait pas d'argent, pas de moyen de transport et personne à qui s'adresser pour l'aider, ajouta Cat. Si elle avait essayé de fuir, elle n'aurait pas été très loin.

– Et il m'aurait fait du mal, ainsi qu'à Michael, reprit Kismet. Je savais que ma seule chance de m'en sortir était de le doubler. Alors ce matin, j'ai...

Elle avala péniblement sa salive.

Cat passa un bras autour de ses épaules.

– Continuez, Patricia, l'exhorta-t-elle gentiment. Vous avez presque fini.

Kismet hocha la tête.

– Hier soir j'ai donné un somnifère à Michael pour qu'il dorme tard. Ce n'est pas bien, je sais, mais je ne pouvais pas... Je ne voulais pas qu'il voie... J'ai allumé Cyc, vous voyez ce que je veux dire? J'ai dû faire comme si ça me plaisait. Je voulais à tout prix le convaincre que j'étais redevenue ce que j'étais avant de tomber amoureuse de Sparky.

Elle commença à pleurer, incapable de contenir ses larmes plus longtemps.

– Vous avez fait ce qu'il fallait faire, Patricia. Personne ici n'est en position de vous juger.

Le ton doux, compréhensif de Cat parlant à Kismet de femme à femme chassa la présence d'Alex et de Hunsaker de son esprit aussi sûrement que s'ils étaient séparés d'elle par une porte en acier. Kismet avait séduit Cyclope pour sauver sa peau. Peut-être quelques hommes étaient-ils à même de le concevoir. Mais il fallait une femme pour comprendre véritablement l'avilissement que cela représentait.

A cet instant, le simple fait d'être un homme donnait à Alex un sentiment de culpabilité. Il se demandait si Hunsaker ressentait la même chose que lui. Probablement pas. Hunsaker était trop borné pour saisir quelque chose d'aussi abstrait. Il eut au moins la décence de détourner le regard et de garder le silence jusqu'à ce que Kismet ait suffisamment retrouvé ses esprits pour continuer.

– Après cela, j'ai convaincu Cyc de me conduire ici et de me laisser tenter ma chance auprès de Mademoiselle Delaney. Je lui ai expliqué que je comptais me servir de Michael vu qu'elle avait vraiment l'air de tenir à lui. Cyc n'aimait pas mon idée, mais j'ai insisté en lui disant que puisqu'il n'avait rien obtenu d'elle avec des menaces, il devrait me laisser essayer de jouer sur ses sentiments. Pour finir, il a cédé.

Elle serra Michael contre elle.

– Cette marche du trottoir jusqu'à la porte, j'ai cru qu'elle n'en finirait jamais. J'étais morte de peur à l'idée que Cyc puisse deviner mon plan avant que j'atteigne la porte. Je ne sais pas ce que j'aurais fait si vous m'aviez fermé la porte au nez, poursuivit-elle en enveloppant Cat d'un regard empreint de dévotion. Je ne pourrai jamais vous revaloir ça.

– Je voulais simplement que vous soyez en sécurité, loin de cette brute, vous et Michael.

– Est-ce que vous voulez engager des poursuites contre lui? demanda Hunsaker.

– Oui, répondit-elle sans hésiter.

– Vous êtes sûre? Quelquefois, les filles comme vous se dégonflent au dernier moment.

– Elle ne se dégonflera pas, rétorqua Alex d'un ton irrité.

– Et moi non plus, ajouta Cat. Vous pouvez en être sûr! Il a menacé de me tuer, et de les tuer eux aussi, si je ne lui donnais pas d'argent. C'est de l'extorsion de fonds. Je suis prête à témoigner contre lui. Vous pouvez compter sur moi.

– Il faut déjà qu'on le retrouve, souligna Alex à l'adresse de Hunsaker. Entre-temps, nous avons promis à Mlle Holmes et à Michael de leur trouver une cachette sûre.

L'inspecteur se leva d'un bond.

– Y a tout un tas de paperasseries à remplir. Pouvez-vous venir dans mon bureau cet après-midi pour faire vos déclarations?

Ils se mirent d'accord sur une heure.

– On va lancer un avis de recherche pour George Murphy. J'ai une description de lui et de sa Harley. Nous l'épinglerons en un rien de temps.

– Vous ne le trouverez pas, fit Kismet avec une assurance tranquille. Il a des dizaines de planques. Des tas de copains qui sont prêts à le cacher. Vous ne le trouverez pas, je vous dis.

Alex avait bien peur qu'elle eût raison, mais il garda son opinion pour lui. Quand Cyclope serait capturé, si on arrivait un jour à lui mettre la main dessus, ce serait sans doute à cause d'une négligence de sa part et non pas grâce à l'efficacité de la police.

Cela n'empêcha pas Hunsaker de faire des promesses mirobolantes, certifiant que Cyclope serait sous les verrous en un rien de temps.

– Ne vous faites pas de souci. Laissez-nous régler cette affaire, ma petite dame. » Il ébouriffa les cheveux de Michael. « Mignon ce gamin.

– Merci d'être venu, dit Cat tandis qu'il se dirigeait vers la porte d'un pas pesant.

– Alors vous n'avez toujours pas réussi à déterminer qui vous envoyait ces mystérieuses lettres.

– J'ai bien peur que non. C'est ce que nous essayions de savoir lorsque nous sommes tombés dans ce guêpier. Evidemment, je suis contente que les choses se soient passées ainsi. Patricia et Michael ont retrouvé la liberté.

Alex se rendit compte brusquement qu'en signe de respect Cat appelait désormais Patricia par son véritable prénom. Kismet faisait partie du passé.

– En avez-vous reçu de nouvelles depuis que vous êtes venue me voir? demanda Hunsaker.

– Non.

– Vous voyez bien! s'exclama-t-il, manifestement content de lui. Vous ne connaîtrez probablement jamais l'identité de leur auteur. J'étais sûr depuis le début que ce n'était rien du tout.

Alex admira la manière dont Cat parvint à garder son sang-froid en dépit du ton condescendant de l'inspecteur. Elle le remercia chaleureusement d'être venu.

– Oh j'ai oublié de te dire, s'écria-t-il après qu'elle eut raccompagné ce dernier à la porte. Pendant que nous attendions Hunsaker, ton taxi est venu. J'ai donné dix dollars de pourboire au chauffeur et je l'ai renvoyé.

– Oh! Merci. J'avais complètement oublié.

– As-tu toujours l'intention de te rendre en Californie?

– Pas tant que Patricia et Michael ne seront pas en lieu sûr. J'ai téléphoné à Sherry. Elle s'en occupe.

Celle-ci arriva une demi-heure plus tard.

– J'ai trouvé une maison qui vous plaira à tous les deux, je pense, leur annonça-t-elle. Elle est déjà occupée par trois autres femmes et leurs enfants, ainsi qu'une assistante sociale à demeure. Deux des petits ont à peu près le même âge que Michael. Ils pourront jouer ensemble. Vous aurez votre propre chambre, une salle de bain rien que pour vous et autant d'intimité que vous le souhaitez. En revanche, tout le monde mange ensemble et l'on attendra de vous que vous participiez aux tâches ménagères.

Patricia était aux anges. Elle remercia profusément Sherry et pleura sans retenue.

– Je ferai tout ce que l'on voudra, ma part de besognes, ainsi que celles des autres, pourvu que Cyc ne puisse pas nous retrouver.

Quelques instants plus tard, ils étaient tous réunis dans l'entrée pour les adieux.

– Vous serez en sécurité, insista Cat à l'adresse de Patricia. Si vous avez besoin de quoi que ce soit, ou simplement si vous avez envie de parler, appelez-moi. Vous avez bien noté le numéro que je vous ai donné?

– Je l'ai dans ma poche.

Cat prit Michael dans ses bras et le serra contre elle avant de le rendre à sa mère.

– Je viendrai vous rendre visite sans tarder, si vous n'y voyez pas d'inconvénient.

– Oh volontiers! s'exclama Patricia avec enthousiasme. On en serait ravis, n'est-ce pas, Michael?

Il hocha timidement la tête.

– Alors au revoir, dit Cat, des larmes dans la voix. Sherry prendra bien soin de vous.

– Je vous accompagne jusqu'à la voiture, proposa Alex en voyant Patricia hésiter sur le seuil. Vous feriez peut-être bien de faire le tour du pâté de maisons et de prendre un chemin détourné pour vous assurer que vous n'êtes pas suivis, ajouta-t-il en se tournant vers Sherry.

– Dans les situations de ce genre, nous procédons toujours de cette manière, lui répondit-elle avec un sourire.

Il sortit le premier sur le porche, et après avoir scruté les abords de la maison leur fit signe que la voie était libre. Patricia resta un instant en arrière et saisit la main de Cat.

– Vous êtes vraiment quelqu'un de bien, lui dit-elle d'un ton pressant, comme si elle pensait qu'elle n'aurait peut-être plus jamais le courage d'exprimer le fond de sa pensée. Si gentille avec les autres. Sparky était le seul être comme vous que j'ai connu. Vous *devez* avoir son cœur.

CHAPITRE 46

Le travail avait toujours été la panacée pour Cat. Même gravement malade, elle s'était astreinte aux horaires draconiens du tournage de *Passages.* Lorsqu'elle se sentait déprimée, elle s'absorbait dans le boulot. Quand elle était heureuse aussi. Dans la mauvaise passe qu'elle traversait, elle y chercherait un répit.

Elle avait téléphoné à Jeff Doyle pour lui expliquer pourquoi elle ne serait pas au bureau avant le début de l'après-midi.

– Je vous donnerai davantage de détails en arrivant.

Il lui fit tenir sa promesse. Dans la quiétude de son bureau, il écouta son récit, de plus en plus perplexe.

– Mon Dieu, Cat! Ce George Murphy m'a l'air d'un vrai barbare! Il aurait pu vous tuer.

– Eh bien il ne l'a pas fait!

– Pourquoi n'êtes-vous pas allée à Los Angeles comme vous en aviez l'intention? Vous feriez sans doute mieux de quitter la ville pour quelques jours.

– J'ai déjà appelé Dean pour tout annuler.

Partir pour la Californie maintenant eût été de la lâcheté. Comment pouvait-elle filer sur la côte Ouest alors qu'elle avait assuré à Patricia et Michael qu'ils n'avaient plus rien à craindre de Cyclope? Ce n'aurait guère été encourageant pour eux. Elle avait donc décidé qu'au lieu de fuir, elle mettrait les bouchées doubles.

– Prenez congé cet après-midi au moins, lui suggéra Jeff. Nous rattraperons plus tard.

– Non, non, je reste. Ai-je raté quelque chose d'important ce matin? Dites-moi tout et mettons-nous au travail.

Elle passa des coups de fil, dicta une douzaine de lettres et organisa deux tournages pour la semaine suivante avec l'équipe de production.

– Pour le tournage de mercredi, je me suis arrangé avec le vieux cowboy qui était venu avec ses poneys au pique-nique de Nancy Webster, l'informa Jeff. Il adore les gamins et il m'a dit qu'il serait ravi de nous aider gratuitement quand nous le voudrons.

– Merveilleux ! Les enfants ont trouvé cela fabuleux. Surtout Michael.

– Cat, ce que vous avez fait pour sa mère et lui... » Il laissa sa phrase en suspens jusqu'au moment où il remarqua son regard inquisiteur posé sur lui. « C'est vraiment chouette de votre part de vous être occupée d'eux personnellement. » Il hésita avant d'ajouter : « Pensez-vous que vous avez le cœur du papa de Michael ?

– Je l'ignore et je ne veux pas le savoir. J'aurais aidé n'importe qui dans des circonstances similaires. La seule chose qui m'intéresse, c'est qu'ils sont en sécurité et qu'ils vont pouvoir prendre un nouveau départ dans la vie.

Après avoir déposé Patricia et Michael dans leur nouvelle demeure, Sherry l'avait appelée pour lui dire qu'ils avaient été accueillis chaleureusement par les autres familles en difficulté qui avaient trouvé refuge là-bas.

– Patricia s'est déjà proposé de mettre du beurre dans les épinards pour tout le monde en fabriquant des colliers de perles, expliqua-t-elle à Jeff. Elle les écoule auprès d'un vendeur sur le marché. Avec le temps et une petite formation, je suis sûre qu'elle pourrait devenir une artiste de talent.

– Sans vous, elle n'aurait jamais eu cette chance !

Cat se mordillait la lèvre d'un air pensif.

– Si Sparky avait survécu à cet accident, leurs vies auraient sans doute pris un tout autre tournant. Ils se seraient probablement séparés de la bande en apprenant qu'elle était enceinte.

« Ils auraient élevé Michael ensemble avec amour. Elle aurait pu mettre à profit ses dons artistiques. On m'a dit que Sparky était très intelligent, qu'il s'intéressait à la littérature et à la philosophie. Il serait peut-être devenu enseignant ou écrivain.

– Vous idéalisez, Cat ! Les choses ne se seraient probablement pas passées du tout comme ça !

– Quoi qu'il en soit, nous ne le saurons jamais puisque Sparky est mort.

– Et quelqu'un d'autre a survécu grâce à lui, ne l'oublions pas, ajouta-t-il d'une voix douce.

Elle lui jeta un rapide coup d'œil en s'arrachant aux pensées lugubres qui lui embrumaient l'esprit et s'efforça de chasser la boule qu'elle avait dans la gorge.

– Oui, quelqu'un a survécu, dit-elle au bout d'un moment.

En fin d'après-midi, Jeff passa la tête dans l'embrasure de la porte.
– M. Webster vient d'appeler. Il veut nous voir.
– Tout de suite? demanda-t-elle. Je suis dans les papiers jusqu'au cou.
– Il a dit que cela ne pouvait pas attendre. Avez-vous la moindre idée de ce qui a pu le rendre furieux à ce point?
– Il est furieux?
– Fou de rage.
Il y avait plusieurs jours qu'elle n'avait pas vu Bill. Quand sa secrétaire, la mine revêche, les eut introduits dans son bureau, Webster les accueillit sans le moindre signe de cordialité.
– Asseyez-vous, je vous prie.
Une fois qu'ils eurent pris place sur le canapé en cuir, Webster désigna son autre visiteur d'un geste :
– Voici Ronald Truitt, le chroniqueur du *San Antonio Light*, comme vous le savez.
Ainsi ce petit type rondelet au front dégarni n'était autre que Ron Truitt, sa Némésis, le fameux critique sorti tout droit de l'enfer.
Il était en état de manque. Un paquet de Camel dépassait de la poche de sa chemise; il le palpait régulièrement, comme pour s'assurer qu'il était encore là, bien qu'il ne fût pas autorisé à fumer dans la pièce.
Il faisait des efforts désespérés pour avoir l'air décontracté. Sans grand succès. Il croisait et décroisait continuellement les jambes, s'agitait sur son siège et clignait trop souvent des paupières.
Cat fit comme s'il n'était pas là et se tourna vers Bill.
– Que se passe-t-il?
– Par courtoisie professionnelle, M. Truitt est venu m'informer du contenu de l'article qu'il entend faire paraître dans le journal de demain. J'ai pensé que vous étiez en droit d'en être avisés vous aussi.
– Avisés? Cela sonne comme une menace.
– Malheureusement, l'article en question en est une!
– Relative à *Cat's Kids?* demanda Jeff.
– Précisément. » Bill se tourna vers le journaliste pour lui signaler qu'il avait la parole. « Je vous laisse vous expliquer vous-même, monsieur Truitt. Mais avant toute chose, je tiens à préciser que tout ceci doit rester strictement entre nous.
– Bien évidemment.
Truitt se redressa dans son fauteuil et ouvrit son bloc à spirale pour consulter ses notes, ce qui était totalement superflu. Cat vit tout de suite qu'il jouait la comédie.
– En fin de matinée, j'ai reçu un coup de téléphone d'un dénommé Cyclope, commença-t-il.

– Cyclope vous a appelé? s'exclama Cat.

– Alors vous le connaissez? demanda Bill.

– Oui. Son vrai nom est George Murphy et il est recherché par la police. Vous a-t-il dit d'où il appelait?

– Non, répondit Truitt avec un sourire crispé. Mais il m'a dit que vous alliez probablement essayer d'inverser les rôles en le faisant passer pour le méchant.

– Mais c'est lui le méchant! Il a à son actif une liste de délits aussi longue que mon bras, en commençant par des mauvais traitements infligés à un enfant et une tentative d'extorsion de fonds.

– Peut-être, siffla Truitt. Mais il m'a également laissé entendre que vous étiez loin d'être une sainte vous-même.

– Je n'ai jamais prétendu être une sainte, riposta-t-elle d'un ton sec. Le problème n'est pas là. Vous n'avez donc pas d'autre sujet d'article qu'un concours d'insultes entre un motard cocaïnomane recherché par la police et moi?

– Cette affaire est beaucoup plus grave que ce que vous insinuez, intervint Bill. Vous voyez, Cat... » Il marqua une pause avant de lâcher une bombe. « Monsieur Truitt vous accuse d'attentat à la pudeur. »

Elle était trop abasourdie pour parler. Elle considéra Bill bouche bée, avant de reporter son attention sur le journaliste.

– C'est exact, confirma celui-ci. Cyclope m'a dit que vous aviez abusé sexuellement de son beau-fils lors d'un pique-nique chez M. Webster.

– Il n'a pas de beau-fils! s'écria-t-elle d'une voix âpre.

– Un gamin du nom de Michael?

– La maman de Michael et M. Murphy ne sont pas mariés. Il n'est pas son beau-père.

– Enfin bref! Il se demande si son gamin est le seul que vous ayez malmené. Vous avez certainement l'occasion de profiter de tout un tas d'enfants.

– Je rêve! s'exclama-t-elle en riant, incrédule.

Mais personne d'autre ne riait, Webster moins encore que les deux autres.

– Dites quelque chose, Bill! reprit-elle. Vous ne pensez tout de même pas...

– Peu importe ce que je pense...

– Vous n'allez pas publier ça! ajouta-t-elle en se tournant vers Truitt. C'est complètement ridicule. De plus, faute d'une confirmation, vous vous exposez à un colossal procès en diffamation!

– J'ai une confirmation, riposta-t-il avec aplomb.

Cat n'en croyait pas ses oreilles.

– De qui s'agit-il?

– Je ne peux pas vous le dire. La personne a choisi de rester anonyme, mais je peux vous assurer qu'elle est en position de savoir ce dont elle parle.

– La personne en question ne sait strictement rien! cria-t-elle. Comment l'avez-vous dénichée?

– En furetant à droite à gauche, en parlant aux gens.

– Vous êtes sur le point de commettre une grave erreur, monsieur Truitt, reprit-elle plus calmement. Si vous publiez cet article, cela risque de vous coûter cher, ainsi qu'à votre journal. Les gens de mon entourage savent que je fais tout ce que je peux, dans la limite de mes moyens, pour délivrer des enfants souffrant de mauvais traitements, qu'ils soient physiques, sexuels, psychologiques ou émotionnels. Si George Murphy veut me mettre en cause, il ferait mieux de choisir une accusation plus plausible.

– Mais vous êtes dans une position idéale pour gagner la confiance de ces enfants, n'est-ce pas, mademoiselle Delaney? insista Truitt.

– Vos insinuations sont ignobles et je refuse d'y répondre.

Il se recroquevilla au bord de son siège, tel un requin rendu fou par l'odeur du sang, sur le point d'achever sa proie.

– Pourquoi avez-vous abandonné une carrière prestigieuse pour prendre en charge une petite émission locale telle que *Cat's Kids?*

– Parce que j'en avais envie.

– Pourquoi? insista le journaliste.

– Certainement pas pour avoir une ribambelle d'enfants à violer sous la main! hurla-t-elle.

– Cat!

– C'est bien là qu'il veut en venir, n'est-ce pas?

Elle n'aurait pas dû s'en prendre ainsi à Jeff. Il essayait simplement de la calmer. Après une courte pause, le temps de se ressaisir, elle reprit d'une voix plus posée.

– Si j'ai abandonné mon ancienne carrière, c'est parce que je voulais faire quelque chose d'utile du reste de ma vie.

Truitt fit une grimace comique, manifestement sceptique.

– Si je comprends bien, vous avez renoncé à la célébrité et à un cachet colossal pour quatre misérables minutes de diffusion par semaine et un salaire comparativement dérisoire! C'est bien ça?» Il secoua la tête. «Vous ne me ferez pas avaler ça. Personne n'est noble à ce point.»

Cat refusait catégoriquement de discuter de ses motivations avec lui; elles lui étaient personnelles. De surcroît, elle ne devait aucune explication à cet écrivaillon mal intentionné qui empestait le tabac. Elle mourait d'envie de lui balancer ça à la figure, mais au nom de WWSA, elle opta pour une réponse plus diplomatique.

– Vous n'avez pas la moindre preuve pour justifier cette accusation ridicule. Cyclope est loin d'être une source crédible. Il est tout juste capable de s'exprimer.

– J'ai deux sources, l'avez-vous déjà oublié? L'autre est on ne peut plus crédible et sait parfaitement s'exprimer.

– Vos sources se résument à un criminel avéré et à un individu qui n'a même pas le courage de se faire connaître et de m'accuser en face.

– Woodward et Bernstein ont démarré avec moins que ça et ils ont fini par faire sauter tout un gouvernement et à entrer ainsi dans l'histoire.

– Sauf votre respect, monsieur Truitt, vous n'arrivez pas à la cheville d'un Woodward ou d'un Bernstein!

Il se contenta de sourire d'un air narquois, rabattit la couverture de son bloc à spirale et se leva.

– Si je renonce à un papier aussi sensationnel, on m'expulsera de la corporation des journalistes!

– C'est un mensonge! s'exclama Cat. Un mensonge bizarre et sans fondement!

– Puis-je vous citer?

– Non! intervint Webster en se levant à son tour. Ceci est toujours à titre purement confidentiel. Mademoiselle Delaney n'est pas en train de faire une déclaration officielle.

– Bill, je ne crains pas de...

– Je vous en prie, Cat, dit-il en la coupant. Notre service des relations publiques prendra contact avec vous en fin d'après-midi, ajouta-t-il à l'adresse de Truitt en le raccompagnant à la porte.

Après son départ, un silence de mort s'installa dans la pièce. Cat bouillait de colère. Elle fusilla Bill du regard, sans le quitter un instant des yeux tandis qu'il retournait s'asseoir lourdement dans son fauteuil.

– J'attends une explication, Bill, dit-elle en se levant. Pourquoi êtes-vous resté là en silence à l'écouter me couvrir de boue? Pourquoi l'avoir laissé parler?

Il leva les mains en signe de protestation.

– Asseyez-vous, Cat. Maîtrisez-vous. Soyez raisonnable.

Elle se rassit, non sans lâcher d'un ton rageur :

– Me croyez-vous vraiment capable d'un attentat à la pudeur?

– Pour l'amour du Ciel, évidemment que non! Mais je dois prendre en compte les intérêts de notre chaîne.

– Ah, la chaîne! Tant qu'elle est indemne, ma réputation peut être réduite en lambeaux par une meute de chiens enragés, vous n'en avez rien à faire.

Une ombre de tristesse passa sur son visage.

– Nous ne pouvons pas l'empêcher d'écrire son article et de le publier, Cat. La seule chose que nous puissions faire à ce stade, c'est nous préparer à essuyer la tempête que cela ne peut manquer de provoquer. Je vais demander au service des relations publiques de constituer un dossier de références à votre sujet. Ils vous aideront à rédiger une déclaration officielle.

– C'est hors de question! s'exclama-t-elle. Je ne m'abaisserai pas à nier un mensonge aussi haineux. » Ses yeux s'emplirent de larmes. « Comment peut-on me croire capable de faire du mal à un enfant?

– Votre public se refusera à l'admettre, Cat, nota Jeff avec conviction. Il est évident qu'il n'y croira pas une seconde.

– Je suis d'accord avec vous, Jeff, renchérit Bill. Une fois l'article publié, le sujet sera clos. Cela s'arrêtera là. Vos admirateurs sauront à quoi s'en tenir; ils sauront qu'il s'agit ni plus ni moins d'une attaque malveillante de la part de quelqu'un qui vous en veut manifestement pour une raison ou pour une autre.

« Ça passera. Dans quelques semaines, tout sera oublié. » Il marqua une pause avant d'ajouter : « En attendant, je suspends la production et la diffusion de *Cat's Kids.* »

Elle crut qu'elle avait mal entendu. Pendant quelques secondes, ses oreilles bourdonnèrent furieusement.

– Vous... vous n'êtes pas sérieux?

– Je suis désolé. Ma décision est prise.

– Mais cela revient à admettre que je suis coupable! s'écria-t-elle. Bill, je vous implore de n'en rien faire.

– Vous savez que j'approuve votre travail de tout cœur et que vous avez mon plein appui. Votre émission est importante pour la chaîne. Elle a beaucoup apporté à notre communauté. En temps voulu, quand tout sera rentré dans l'ordre, nous reprendrons comme avant.

« Il va sans dire que vous avez tout mon respect et ma considération. Cat, je suis navré de vous décevoir ainsi, croyez-moi. Je suis sûr que vous avez le sentiment que je vous trahis, mais il m'appartient malheureusement en tant que directeur de la chaîne de prendre en compte ce qui est préférable pour tout le monde, vous y comprise.

« Jusqu'à ce que cette déplorable affaire soit parvenue à son terme, je ne pense pas que vous devriez apparaître à l'écran de peur d'en raviver le souvenir.

Sa décision était irrévocable comme en témoignaient sa mine lugubre et son ton péremptoire.

Cat garda les yeux rivés au sol un long moment, puis finalement elle redressa la tête et se leva.

– Très bien, Bill. Je comprends votre position. Vous aurez ma démission avant la fin de la journée.

– Quoi? s'exclama Jeff.

– Cat...

– Ecoutez-moi, vous deux. Si cet article est publié, la réputation de *Cat's Kids* sera entachée à jamais. Je pourrai nier ces accusations monstrueuses jusqu'à n'en plus pouvoir, cela ne servira à rien. Les gens ont tendance à croire le pire, surtout si c'est écrit noir sur blanc. Si les journaux en parlent, c'est que ce doit être vrai, non?

« Bill, vous dites que vous devez prendre en considération les intérêts de la chaîne. Eh bien, moi, je dois prendre en considération les intérêts des enfants. En dépit de ce que M. Truitt ou n'importe qui d'autre peut en penser, ma seule préoccupation en lançant cette émission était d'améliorer leur sort. Et c'est encore le cas aujourd'hui.

« Ce sont déjà des victimes innocentes. Je ne veux pas qu'ils souffrent davantage encore en éliminant ce qui est peut-être leur dernier espoir. Si je disparais de la circulation, vous pourrez rebaptiser l'émission et continuer comme avant. Je vous suggère de vous mettre immédiatement en quête de ma remplaçante.

CHAPITRE 47

– Qu'est-ce que vous voulez?
– J'ai pensé que vous aviez besoin d'un peu de réconfort. J'ai apporté des cheeseburgers.
Jeff brandit un sac en papier blanc pour qu'elle puisse le voir par le judas.
– Bourrés de calories?
– J'ai du mal à porter le sac tellement il est lourd.
– Dans ce cas...
Elle déverrouilla la porte d'entrée. Puis elle sortit sous le porche et agita la main, avant de regagner la maison, Jeff sur ses talons, et de refermer soigneusement à clé.
– Qu'est-ce que c'était que ce geste?
– Avez-vous remarqué la voiture garée devant? C'est un flic qui monte la garde. Tant qu'ils n'auront pas mis la main sur Cyclope, ma maison est sous surveillance vingt-quatre heures sur vingt-quatre.
– C'est une bonne idée.
– Elle est d'Alex. Je me sens parfaitement ridicule avec ces barbouzes autour de moi.
Ils allèrent à la cuisine et commencèrent à déballer la nourriture que Jeff avait apportée.
– Lorsque nous sommes allés au commissariat en début d'après-midi pour faire nos dépositions, Alex a persuadé Hunsaker de poster des sentinelles devant chez moi au cas où Cyclope aurait l'idée de revenir. Mm! C'est drôlement bon, marmonna-t-elle en mordant dans une frite. Merci.
– J'ai pensé que vous n'aviez peut-être pas mangé.
– Ce en quoi vous aviez raison. Mais je ne m'étais même pas rendu compte que j'avais faim.

– Où est passé M. Pierce?

– Comment voulez-vous que je le sache? Je ne le suis pas à la trace et lui non plus.

Elle était sur la défensive et cela se sentait dans sa voix. Alex n'avait même pas daigné téléphoner. Elle le soupçonnait de lui en vouloir de l'avoir appelé à l'aide pour l'éconduire ensuite en faveur de Dean, même si elle avait finalement décidé de ne pas aller en Californie. Son intention était tout autre, mais elle était sûre qu'il avait mal interprété.

En définitive, il avait confié son sort à Hunsaker et s'était désintéressée d'elle. Elle eût donné cher pour connaître son point de vue sur la dernière série d'événements, mais s'était juré de ne pas le contacter. C'était à lui de prendre l'initiative, si initiative il y avait.

– Je pensais qu'il logeait peut-être chez vous ces temps-ci, reprit Jeff.

– Il est resté hier soir, dit-elle en se frottant vigoureusement le front pour tâcher de dissiper la migraine qui semblait l'accabler dès qu'elle essayait de voir clair dans sa relation avec Alex. Cela vous ennuierait-il que nous parlions d'autre chose?

– Pas du tout. Vous n'auriez pas du ketchup par hasard?

– Dans la porte du frigidaire. Mais n'en prenez pas trop. A dater d'aujourd'hui, je suis au chômage.

– Vous n'avez pas vraiment l'intention de donner votre démission, si?

Au départ, le cheeseburger et les frites lui avaient mis l'eau à la bouche. Mais au rappel de l'abandon d'Alex et de l'article de Truitt, elle eut presque la nausée.

– Je ne sais plus quoi faire, Jeff. Tout est si embrouillé. » Elle rit sans conviction. « Les choses n'allaient pas si mal au fond quand mon seul problème consistait à me battre contre une maladie de cœur incurable.

« A présent, ma vie sentimentale est sens dessus dessous. J'ai un motard aux trousses prêt à m'écorcher vive. Ma réputation est sur le point d'être détruite par un journaliste sanguinaire, et je ne peux strictement rien faire pour l'en empêcher. » Elle lui lança un sourire éclatant. « Evidemment, si l'on veut voir les choses du bon côté, il y a de fortes chances pour que le cinglé qui me harcèle depuis des mois surgisse de nulle part et me zigouille dans deux jours, m'épargnant ainsi le reste de mes tribulations.

– Deux jours? Seigneur! Je n'avais pas réalisé.

– Le temps est passé à toute vitesse depuis que j'ai fait la connaissance de Cyclope et de Patricia. Et puis ces anniversaires me tombent toujours dessus tout d'un coup!

– M. Pierce n'en sait toujours pas plus long sur l'expéditeur de ces lettres?

– A un moment donné, nous avions pensé qu'il s'agissait peut-être de Cyclope. Mais après y avoir longuement réfléchi, nous avons abandonné cette piste. Il n'est pas suffisamment intelligent.

– Et Paul Reyes? Y a-t-il du nouveau à son sujet?
Elle avait raconté à Jeff ce qu'Alex avait découvert à propos des trois accidents survenus peu de temps avant son opération. Elle l'avait même envoyé à la bibliothèque faire des recherches sur d'éventuels articles liés à ces épisodes. En conséquence, ils avaient lu tout ce qui avait paru dans la presse sur l'affaire Reyes.
– Alex essaie toujours de mettre la main sur un membre de sa famille qui serait disposé à nous parler.
– Et l'amant?
– L'amant? répéta-t-elle, perplexe. Je ne sais pas.
– A propos du carambolage survenu sur l'autoroute de Houston, vous avez du nouveau?
– Pas que je sache. J'avais presque oublié, à dire vrai.
Son téléphone se mit à sonner. Elle s'excusa et alla répondre.
– Allô?
– Où sont-ils?» Son cœur fit un bond dans sa poitrine.
– Cyclope?
Jeff la dévisagea en écarquillant les yeux. Il lâcha son hamburger et se leva si vite que sa chaise bascula en arrière. « Faut-il que j'aille chercher le flic?» demanda-t-il en chuchotant.
Elle secoua la tête et lui fit signe de se taire. Elle arrivait à peine à entendre la voix de Cyclope par-delà le vacarme qui régnait à l'autre bout du fil.
– Je vous préviens, salope, vous avez intérêt à me dire où ils sont.
– Vous ne les trouverez pas, répondit-elle d'un ton calme et assuré, en dépit de la sueur qui perlait sur son front. Ils sont hors d'atteinte. Vous ne pourrez plus jamais leur faire de mal.
– Qui sait! Vous par contre, je n'aurai pas de peine à vous trouver! Je sais où vous habitez et où vous travaillez. Tout cela ne serait jamais arrivé si vous n'aviez pas fourré votre nez dans mes affaires.
– Inutile d'aller à WWSA. Je n'y travaille plus, grâce à vous!
– Quoi?
– Ne faites pas l'imbécile, même si je sais que c'est beaucoup vous demander! Réflexion faite, vous êtes peut-être plus malin que vous ne prétendez l'être. Il faut avoir l'esprit tordu mais sacrément rusé pour concocter un mensonge comme celui que vous avez fait avaler à M. Truitt.
– Qui ça?
– Le journaliste du *Light*.
– Le quoi? De quoi vous parlez? Eh, on serait pas sur écoute par hasard? Vous êtes en train de me raconter n'importe quoi histoire de me garder le plus longtemps possible sur la ligne, c'est ça, hein?
Il raccrocha aussitôt.
Cat garda le combiné contre son oreille bien qu'il n'y eût plus per-

sonne à l'autre bout du fil. Pour finir, elle raccrocha à son tour tout en continuant à fixer le téléphone d'un air pensif.

– Qu'est-ce qu'il a dit? demanda Jeff.

– Euh, il...

– Vous a-t-il dit où il était? Cat? Qu'est-ce qui ne va pas? Cat?

Il lui fallut un moment pour s'extirper de son hébétement et fixer son attention sur Jeff.

– Il continue à me menacer.

– Vous accuser d'attentat à la pudeur ne lui a donc pas suffi?

– Il prétend qu'il n'est pas au courant. Et bizarrement, j'ai l'impression qu'il dit la vérité.

Jeff secoua la tête, perplexe.

– Je ne comprends plus rien.

– Moi non plus.

– Truitt affirme que Cyclope l'a appelé. Il n'a pas pu inventer un nom pareil.

– Je ne pense pas qu'il l'ait inventé! répondit Cat.

– Alors il ment?

– Non. Quelqu'un d'autre a appelé Truitt, c'est sûr. En se faisant passer pour Cyclope.

Une lueur de compréhension passa dans le regard de Jeff.

– Cela aurait pu être n'importe qui! Y compris le type qui vous a envoyé ces articles.

– Exactement. Il connaît tout de ma vie. J'ai l'impression qu'il vit dans ma peau. Il est au courant de tout ce qui m'arrive pratiquement en même temps que moi, y compris mes démêlés avec Cyclope. A moins que je ne tire des conclusions trop hâtives!

Elle pressa les paumes de ses mains contre ses tempes en poussant un gémissement de frustration.

– Je ne sais plus que penser, ni que faire!

– Ne lâchez pas prise, Cat! s'exclama Jeff avec bienveillance. Soyons logiques. En imaginant que votre harceleur ait fabriqué cette histoire d'attentat à la pudeur de toutes pièces et téléphoné à Truitt, qui serait cette mystérieuse seconde source dont il a parlé? Truitt est ambitieux et sans scrupule, mais à mon avis, il est loin d'être bête.

– Je suis bien d'accord avec vous.

– Je ne pense pas qu'il se mouillerait à moins de disposer d'un autre témoignage pour étayer ses allégations.

Ils en discutèrent longuement jusqu'à ce que la migraine de Cat devînt insupportable. Elle n'avait dormi que quelques heures la nuit d'avant. Depuis son réveil, elle avait dû faire face à l'arrivée imprévue de Patricia, à Truitt et ses maudites nouvelles, à la trahison de Bill, et maintenant Cyclope!

Elle avait l'impression que sa tête farcie de pensées plus préoccupantes les unes que les autres allait éclater.

– On tourne en rond, Jeff, dit-elle finalement. Si vous voulez bien m'excuser, nous en resterons là. Je vais aller me plonger dans un bain bouillant, et puis je vais tâcher de dormir un peu.

– Je veux bien rester auprès de vous cette nuit si vous voulez de la compagnie.

– Merci, vous êtes gentil. Mais j'ai déjà un chien de garde... garé dans la rue.

Sur le seuil, Jeff l'étreignit maladroitement.

– Je vous en prie, Cat, réfléchissez encore un peu avant de démissionner.

– Il est trop tard.

– M. Webster avait déjà quitté son bureau quand vous avez porté votre lettre là-haut. Ce n'est pas officiel tant qu'il n'a pas décacheté l'enveloppe. Attendez de voir l'effet de l'article de Truitt. Ce ne sera peut-être pas aussi grave que nous l'imaginons. Vous ne pouvez pas abandonner *Cat's Kids* comme ça, Cat, insista-t-il. Sans vous, cette émission n'a plus de sens.

– C'est ce que tout le monde disait à propos de Laura Madison et de moi. Le personnage a cessé d'exister et pourtant le feuilleton continue à passer tous les jours à midi.

– Mais cette fois-ci, c'est différent. *Cat's Kids* est la mission de votre vie. C'est trop important, pour vous comme pour nous tous.

Elle essaya de dissiper son inquiétude en blaguant :

– N'essayez pas de me tromper, Doyle. Je sais très bien que c'est votre emploi que vous essayez de protéger !

Elle le regarda s'éloigner dans l'allée et monter dans sa voiture, puis jeta un coup d'œil en direction de la voiture de police banalisée pour s'assurer qu'elle était toujours là. Au premier abord, elle s'était opposée à cette idée de surveillance. A présent, elle se sentait rassurée de savoir qu'elle avait de l'aide à proximité.

Cyclope risquait fort de revenir. Il n'avait rien perdu de sa férocité. En revanche, elle était convaincue qu'il ignorait tout de cette affaire avec Truitt. Cyclope n'était pas du genre à attaquer en douce. Il préférait le couteau aux subterfuges.

Si ce n'était pas lui qui avait appelé Truitt, qui était responsable ? Et comment ce mystérieux interlocuteur avait-il su qu'il pouvait se faire passer pour Cyclope, son ennemi ? Qui était au courant de ses démêlés avec le motard ? Et qui pouvait bien être ce deuxième témoin dont Truitt avait parlé ?

Toujours en quête de réponses, elle s'immergea avec soulagement dans un bain moussant.

CHAPITRE 48

La vigueur de ses coups de reins le faisait grimacer. Son sang bouillait dans ses veines. Il avait le front couvert de sueur et des gouttelettes âcres lui picotaient les yeux.

Il respirait bruyamment comme s'il était en plein marathon, se poussant physiquement jusqu'à la limite, dans l'espoir d'oblitérer la culpabilité qui le tenaillait et de se faire pardonner ses fautes. Il ne se leurrait pas, sachant pertinemment que cela ne s'appelait pas faire l'amour. Il s'agissait plutôt de flagellation.

Il profitait effrontément de sa sensualité. Elle ne disait jamais non. Il pouvait la prendre sans un mot tendre, sans une caresse, et elle ne s'en plaignait jamais. Elle était à son entière disposition. Plus il exigeait, plus elle donnait.

Sa complaisance ne se fondait pas sur l'amour. Ni sur la charité. Elle avait des raisons égoïstes de vouloir le rendre heureux et de continuer à être sa maîtresse. Ils tiraient l'un et l'autre de cette liaison exactement ce qui leur convenait.

Leurs rapports étaient toujours sensuels. Pour ne pas dire lascifs. Plus ils donnaient dans le bestial, plus cela semblait convenir aux circonstances. Ils vivaient une liaison illicite. Ils se savaient en faute. Ils n'avaient rien à perdre en satisfaisant leurs appétits les plus vils et en mettant à exécution leurs fantasmes les plus libidineux.

En passant la main sous elle, il se mit à lui palper les seins. Son ventre plaqué contre ses fesses produisait des petits bruits de succion. Elle n'aimait pas cette position, mais se laissait gouverner par ses pulsions érotiques. Elle cambra le dos, telle une chatte, ses longs ongles peints griffant le drap. Elle le maudit alors même qu'elle commençait à frémir sous l'effet de l'orgasme. En nage, son cœur battant à tout rompre, il jouit en même temps qu'elle. Elle s'effondra sur le lit, le nez dans l'oreiller; il s'affaissa sur elle.

– Pousse-toi, marmonna-t-elle au bout d'un moment. Tu m'écrases.

Il roula sur le dos, les bras en croix, en s'efforçant de reprendre son souffle. Elle gagna le bord du lit à quatre pattes, se leva et enfila une robe de chambre.

– Est-ce que je t'ai fait mal? demanda-t-il.

– Cela fait partie du jeu, non?

– Je sais que tu n'es pas folle de cette position.

– Je suis sûre que les femmes des cavernes trouvaient cela très romantique.

Il scruta son visage, pensant y lire de la dérision. Il se trompait. Elle se permettait rarement de le critiquer.

La sonnerie de la porte retentit, les surprenant l'un et l'autre.

– Je me demande bien qui ça peut être, dit-il en se dressant sur les coudes.

– Je vais aller voir.

– Laisse tomber.

– Impossible. C'est peut-être mon petit frère qui a besoin d'un endroit où crécher.

– Pendant que je suis ici? » s'enquit-il, alarmé. L'idée que quelqu'un puisse le voir dans son appartement le mettait mal à l'aise.

– Ne t'inquiète pas. Il ne pose jamais de questions. Ce que je fais ne regarde que moi.

Elle s'assura que sa robe de chambre était bien fermée avant de descendre l'escalier quatre à quatre pour aller ouvrir.

– Qu'est-ce que vous faites là, bon sang? l'entendit-il s'exclamer.

– Bonjour Mélia. Puis-je entrer?

Ce n'était pas son frère. C'était le frère de personne. C'était Cat.

– Mon Dieu! » grommela-t-il en passant une main tremblante sur son visage empourpré. La sueur qui couvrait son corps après l'effort lui donna froid tout à coup; il frissonna.

– Que voulez-vous? demanda encore Mélia d'un ton hargneux.

– Nous devons éclaircir un certain nombre de choses. Puis-je entrer? répéta Cat.

Il entendit la porte se refermer et imagina les deux femmes face à face.

– Bon, vous êtes entrée! s'exclama Mélia. Maintenant qu'est-ce qu'on fait?

– C'était vous depuis le début, n'est-ce pas? Vous n'avez pas arrêté de me jouer des tours.

– Je ne vois pas du tout de quoi vous voulez parler, s'écria Mélia, hors d'elle. Et puis de quel droit est-ce que vous faites irruption ici au milieu de la nuit pour me raconter des conneries? Enfin, c'est incroyable! Je n'ai jamais rencontré quelqu'un d'aussi paranoïaque de ma vie. Vous avez besoin d'un psychiatre, ma parole!

Cat ne se laissa pas intimider.

– C'était évident depuis le départ, mais je n'ai rien vu jusqu'à ce soir. Et puis tout à coup, pendant que je prenais mon bain, j'ai compris. Eurêka! Ça m'a sauté aux yeux! Votre nom! King.

– Je sais parfaitement comment je m'appelle, répliqua Mélia d'un ton comique.

– Mais ce n'est pas votre vrai nom, n'est-ce pas? poursuivit Cat. Vous vous appeliez autrement à la naissance. Vous vous appeliez Reyes. Vous avez anglicisé votre nom de famille en King.

– Première nouvelle!

– Je suis prête à le parier. Et vous êtes de la famille de Paul Reyes.

– Qui ça?

– Paul Reyes.

– Peut-être. Je ne connais pas toutes les branches de ma famille.

– Celle-là, vous pourriez difficilement l'oublier! Il a fait la une des journaux pendant des semaines après avoir tué sa femme avec une batte de base-ball. Il a été jugé pour meurtre, puis acquitté.

– Ecoutez, je ne comprends pas un traître mot de ce que vous me racontez. Je ne connais personne du nom de Reyes. Alors, soyez gentille, fichez le camp d'ici et laissez-moi dormir.

Cat continua inexorablement sur sa lancée.

– Paul Reyes a donné son accord pour que l'on prélève le cœur de sa femme en vue d'une transplantation.

– Qu'est-ce que vous voulez que ça me fasse?

– Je pense que vous êtes extrêmement concernée au contraire. Et lui aussi. A tel point qu'il est obnubilé par l'idée d'arrêter le cœur de son épouse infidèle. Comment est-ce que vous vous y prenez? Voyons. Vous trouvez les greffés du cœur et vous leur tendez un piège, mais c'est lui qui se charge de les liquider, c'est bien ça?

– Enfin...

– Je suis sûre que c'est vous! cria Cat. Vous aviez accès à tout ce qui transitait par mon bureau. Vous connaissiez tous mes interlocuteurs téléphoniques. Vous étiez au courant de tout ce qui se passait dans ma vie.

– Tout ce que je sais, c'est que vous êtes complètement timbrée! hurla Mélia.

– L'ensemble du personnel de la chaîne était convié au barbecue. Vous m'avez vue là-bas avec Michael. Aujourd'hui, vous avez entendu parler de ma rencontre avec Cyclope. Vous saviez que Truitt ne pouvait pas me voir en peinture, qu'il avait pris l'émission en grippe, et qu'il était à l'affût d'un sujet de scandale me concernant.

« Vous avez chargé quelqu'un de l'appeler, Reyes lui-même probablement. Il s'est fait passer pour Cyclope et lui a raconté cette histoire à dormir debout. Ensuite, quand Truitt a commencé à enquêter sur ces accusations, vous vous êtes empressée de lui apporter la confirmation qu'il cherchait. On n'aurait pas pu trouver pire : une émission soi-disant conçue pour aider les enfants est en fait un foyer de vices et d'attentats à la pudeur.

– Vous avez une sacrée imagination, ma petite dame!

– Et le projecteur qui a failli me tomber sur la tête aussi, je l'ai imaginé peut-être!

– Je n'y étais pour rien!

– Et mes médicaments jetés dans la benne!

– J'étais furieuse contre vous!

– Pourquoi?

– Parce que vous aviez été une vraie garce avec moi!

– Ou parce que vous et votre famille ne pensez qu'à vous débarrasser de moi!

– Je vous ai déjà dit que je ne connaissais personne du nom de Reyes.

– Judy Reyes trompait son mari au grand dam de sa belle-famille. Vous avez décidé de venger leur honneur!

– Mais c'est pas vrai! Je n'arrive pas à y croire!

– Oh si vous y croyez! riposta Cat. Dès que j'ai fait le rapprochement avec votre nom, tout est devenu clair dans mon esprit. Vous n'avez pas cessé de me harceler. Le projecteur, les lettres anonymes, l'histoire rapportée à Truitt. Tout était conçu pour m'affaiblir. Me briser. Me rendre vulnérable.

« Ainsi, le jour où l'on me retrouverait morte – un suicide, pourquoi pas? –, tout le monde dirait : " Elle avait un comportement vraiment bizarre depuis quelque temps, vous savez. En fait, on sentait depuis des mois qu'elle était sur le point de craquer. "

« Dites-moi, Mélia, quel genre de fin me réserviez-vous, Reyes et vous? Aviez-vous l'intention de me renverser en voiture en alléguant un accident? Ou bien comptiez-vous me faire avaler des tranquillisants comme si j'avais fait une overdose? A moins que vous n'ayez prévu un autre accident au studio? Dites-moi tout.

– Arrêtez de crier après moi! s'exclama Mélia d'un ton menaçant. Je ne sais rien de tout ça!

– Menteuse!

– D'accord! Evidemment, pour ce qui est de vos lettres anonymes, je suis au courant, mais ce n'est pas moi qui vous les ai envoyées. Ce n'est pas moi non plus qui ai traficoté ce projecteur. Vous me voyez grimper en haut d'une perche pour le déboulonner? Soyez réaliste, Cat!

– Je suis parfaitement réaliste, enchaîna-t-elle avec emphase. Vous vous êtes fait embaucher chez WWSA peu de temps après qu'on eut annoncé mon arrivée. Vous saviez très bien ce que vous faisiez. Et vous m'avez détestée dès l'instant où vous m'avez vue, poursuivit-elle d'un ton accusateur.

– Ça, je ne le nie pas! Mais cela n'avait strictement rien à voir avec votre fichu cœur!

– De quoi s'agissait-il alors?

– Elle croyait que je m'intéressais à vous!

En levant le regard vers la galerie du premier étage, Cat découvrit Bill Webster qui les observait depuis un moment. Les bras lui en tombèrent. Pas un instant, elle ne le quitta des yeux tandis qu'il descendait l'escalier. Il avait enfilé son pantalon et sa chemise, mais il était pieds nus.

Il savait qu'il était inutile d'essayer de cacher qu'il sortait tout droit du lit de Mélia, et tout aussi vain de se justifier. Balbutier des excuses ou un démenti quelconque lui eût coûté le peu de dignité qui lui restait.

– Il n'y a qu'une conclusion logique à tirer de cette malencontreuse situation, Cat. » Il jeta un coup d'œil à Mélia qui paraissait aussi débraillée que lui, pour ne pas dire plus. « En l'occurrence, les apparences n'ont rien de trompeur. La vérité saute aux yeux. »

Il se dirigea vers le petit cabinet où Mélia rangeait quelques bouteilles d'alcool à son intention.

– J'ai besoin d'un verre. M'accompagnez-vous, mesdames?

Il se servit un grand verre de whisky qu'il but d'un trait. Mélia alla s'asseoir dans un coin du canapé et se mit à examiner ses ongles d'un air las. On aurait dit que Cat avait pris racine au milieu de la pièce.

– J'ai sévérement réprimandé Mélia lorsqu'elle a jeté vos médicaments, commença-t-il. C'était une blague idiote et infantile et je l'ai prévenue qu'elle n'avait pas intérêt à ce que cela se reproduise.

– Il m'a passé un drôle de savon, confirma Mélia en faisant la moue.

Le regard lourd de reproches de Cat lui donnait envie de rentrer sous terre, mais il s'obligea à le soutenir.

– Je regrette que vous ayez découvert la vérité à propos de... cette liaison, dit-il. Mais dans la mesure où vous accusiez Mélia à tort, j'ai estimé de mon devoir d'intervenir pour mettre les choses au clair.

Un moment s'écoula avant que Cat fût en mesure de reprendre la parole.

– C'est incroyable! En même temps, cela explique tellement de choses, notamment pourquoi vous l'avez réembauchée après que je l'eus licenciée. » Elle poussa un soupir écœuré, une réaction qui ne le surprenait pas le moins du monde. « Vous savez très bien que Nancy vous soupçonnait d'avoir une liaison avec moi?

– Nous n'en avons jamais parlé, dit-il, mentant.

– Comment pouvez-vous coucher avec elle? reprit-elle en jetant un coup d'œil méprisant dans la direction de Mélia, alors que vous êtes marié à une femme merveilleuse?

– Si elle est si merveilleuse que ça, qu'est-ce qu'il fiche dans mon lit? demanda Mélia. Il baise comme un fou, voilà ce qu'il fait! ajouta-t-elle d'un ton suffisant.

– S'il te plaît, Mélia, laisse-moi régler cette affaire », intervint Webster. Puis se tournant vers Cat : « Cela me regarde, Cat. Vous m'avez clairement laissé entendre à plusieurs reprises que vous n'aimiez pas que je me mêle de vos affaires. Je mérite la même politesse en échange.

– Très bien. Parfait, répondit-elle d'un ton sec. Mais je demeure convaincue que votre maîtresse me harcèle.

– Vous vous trompez, dit-il simplement.

– Je n'ai pas encore eu le temps de passer ses références au crible et de déterminer où elle était et ce qu'elle a fait ces dernières années, mais j'ai bien l'intention de m'y atteler. Et si je découvre qu'elle se trouvait à proximité de ces trois greffés du cœur décédés mystérieusement, j'en avertirai aussitôt le ministère de la Justice.

– J'ai vécu toute ma vie au Texas, intervint Mélia. Et pour votre information, mon père s'appelle bel et bien King. Je n'ai qu'un quart de sang latino-américain, de sorte que votre théorie sur ce Reyes ne vaut pas un clou. Et puis, je me fous complètement de savoir d'où vient votre cœur. Je ne voulais pas que vous vous imaginiez que vous pouviez débarquer là comme une fleur et me piquer Bill, c'est tout.

– Il ne vous appartient pas de toute façon!

– Ah non! railla-t-elle. Eh bien si vous étiez arrivée cinq minutes plus tôt, vous n'auriez pas dit ça. Je l'avais à genoux devant moi!

Bill se sentit rougir.

– Mélia était terriblement jalouse de vous lorsque vous êtes arrivée, reprit-il. Elle a eu peur que vous ne la remplaciez. Je lui ai assuré que nos relations n'étaient pas de cette nature.

Cat se tourna vers Mélia, en train de se passer nonchalamment les doigts dans les cheveux.

– Cessez de faire l'innocente. C'est vous qui avez corroboré cette absurde histoire d'attentat à la pudeur, non? J'en mettrais ma main au feu.

Mélia cessa de s'inspecter les ongles. Elle cligna des yeux, dans le vain espoir de dissimuler son air coupable. En deux enjambées, Bill fut auprès d'elle.

– Mélia? Ce n'est pas toi?

En voyant sa mine boudeuse et coupable, il éprouva brusquement une furieuse envie de la gifler de toutes ses forces.

– Réponds-moi.

Elle se leva d'un bond.

– Un type m'a appelé tout à l'heure, okay! Il m'a répété ce qu'un motard du nom de Cyclope lui avait dit au téléphone et m'a demandé si j'étais au courant de cette histoire. Je lui ai dit que j'avais effectivement vu Cat Delaney avec le gamin au pique-nique, qu'elle ne l'avait pas lâché de toute la soirée et paraissait vraiment s'être entichée de lui. Truitt m'a demandé si elle avait eu l'occasion d'être seule avec lui à un moment donné ou à un autre. Je lui ai répondu que oui. Je l'avais vue de mes yeux l'emmener dans la maison lorsqu'il n'y avait personne dedans.

« Après ça, il m'a demandé si on pouvait lier ça à cet épisode survenu il y a quelques semaines, quand ce couple est revenu sur sa demande d'adoption. Etait-il possible que la petite ait été elle aussi l'une des victimes de Cat? Je lui ai répondu que je préférais ne pas en parler parce que je faisais encore partie du personnel de *Cat's Kids* au moment où ça s'est passé et que je ne voulais pas qu'on me mette dans le même sac.

– Mon Dieu! » murmura Cat avec un mélange de fascination et de dégoût. Puis se tournant vers Webster : « Vous avez intérêt à la rendre heureuse longtemps, Bill. Le jour où vous mettrez fin à cette petite liaison minable, Dieu sait quels ravages elle fera dans votre vie! Non pas que vous ne le méritiez pas!

Elle sentait la colère monter en elle.

– Sa jalousie ridicule a failli anéantir *Cat's Kids.* Elle aurait pu ruiner tout ce que nous avons accompli. Ses mensonges auraient pu affecter la vie de dizaines d'enfants, privés d'un avenir heureux, tout cela à cause de cette... » Elle esquissa un geste de mépris en direction de Mélia. « En vaut-elle vraiment la peine, Bill?

– Je ne vous autorise pas à nous juger, ni Mélia ni moi, fit-il en une vague tentative de défense. Cependant, je suis désolé que vous ayez été harcelée aujourd'hui.

– Harcelée? répéta-t-elle, sous-entendant qu'il était largement en dessous de la vérité. Vos excuses ne me suffisent pas, Bill. Cela n'arrange rien à la situation. » Elle s'empara d'un téléphone sans fil posé sur la table et le lui tendit. « Le rédacteur en chef du *Light* est un de vos amis personnels, non? Appelez-le. Empêchez-les de publier cet article.

– C'est impossible, Cat. Il est trop tard. Je suis sûr que le journal est déjà sous presse.

– Dans ce cas, vous feriez bien de filer là-bas tout de suite pour débrancher les machines vous-même. Si vous n'arrêtez pas cette histoire, je vous jure qu'ils en auront une autre demain qui aura vite fait d'éclipser la mienne! Je serais navrée de faire cela à Nancy, mais je n'hésiterais pas une seconde, croyez-moi, pour sauver *Cat's Kids.* Vous me connaissez suffisamment pour savoir que je ne bluffe pas! Quant à vous, poursuivit-elle en fusillant Mélia du regard, vous n'êtes qu'une traînée, qui plus est méchante, bête et enfant gâtée!

Puis elle considéra Bill d'un air méprisant :

– Et vous, vous êtes ridicule! Un cliché ambulant, pathétique, de l'homme mûr en proie au démon de midi, essayant désespérément de retrouver sa jeunesse par le biais de sa quéquette. Quand je pense que je vous admirais !

Elle lui adressa un sourire dédaigneux, avant de se diriger vers la porte.

– Si j'étais vous, j'appellerais tout de suite, acheva-t-elle.

CHAPITRE 49

Le soleil était sur le point de se lever quand Cat rentra finalement chez elle. En quittant l'appartement de Mélia, elle était bien trop bouleversée pour aller se coucher; mais il y avait des heures de cela. A présent, elle avait l'impression qu'elle pourrait dormir un mois entier. Elle retira ses chaussures et extirpa sa chemise de son jean tout en gagnant sa chambre.

– Où étais-tu passée, pour l'amour du Ciel?

La voix surgie du salon plongé dans l'obscurité la fit sursauter.

– Bon sang, Alex!

– Je t'attends depuis hier soir!

Il alluma une lampe; l'éclairage brutal le fit cligner des yeux.

– Où étais-tu pendant tout ce temps-là? s'enquit-il en se levant du fauteuil où il était vautré.

– J'ai roulé.

– Tu as roulé?

– Il n'y a pas de plage à San Antonio. Il a bien fallu que je trouve autre chose.

– Ce que tu dis ne tient pas debout!

– Pour toi, non. Pour moi, oui. Qu'est-ce que tu fais ici? Je n'ai pas vu ta voiture. Et comment es-tu entré?

– Je me suis garé un peu plus haut dans la rue. J'ai traversé les jardins voisins et je me suis introduit dans la maison par la fenêtre de la cuisine, comme la dernière fois. Le verrou est branlant. Tu devrais le faire remplacer. Pourquoi n'as-tu pas mis ton système d'alarme?

– J'ai pensé que c'était inutile puisqu'un flic monte la garde devant la maison.

– Je lui ai passé sous le nez. C'était un jeu d'enfant! Si je peux le faire, n'importe qui d'autre le peut aussi.

– Bravo, Hunsaker! Sacrément efficace votre surveillance! marmonna-t-elle.

– Il aurait dû te suivre!

– Il a essayé, mais je lui ai dit que j'allais juste chercher du pain et du lait et que je n'en avais que pour quelques minutes. Tout à l'heure, en passant à côté de sa voiture, je l'ai vu bâiller. Je crois qu'il venait de se réveiller d'une bonne sieste.

– Ça veut tout dire! Et toi, ça va? » Elle hocha la tête. « Ça n'a pas l'air. Tu as une mine de déterrée, ajouta-t-il sans détour. Où as-tu erré pendant tout ce temps-là?

– Nulle part. Partout. Arrête de me poser des questions. C'est toi l'intrus, et non pas l'inverse. Et puis je meurs de faim.

Tout espoir de se reposer étant anéanti pour le moment, elle décida qu'elle ferait tout aussi bien d'apaiser sa faim. Elle n'avait rien avalé depuis les quelques bouchées du cheeseburger que Jeff lui avait apporté la veille au soir.

Alex la suivit dans la cuisine. Elle alla chercher un paquet de céréales de la réserve et s'en servit un bol.

– Tu en veux?

– Non merci.

– Pourquoi est-ce que tu m'attendais?

– Je t'expliquerai plus tard. Dis-moi d'abord où tu es allée et ce que tu as fait. Que s'est-il passé depuis que tu as quitté le bureau de Hunsaker hier après-midi?

– Tu ne vas pas me croire! dit-elle en enfournant une cuillerée de muesli additionné de raisins et d'amandes.

– Essayons quand même!

Elle lui fit signe de s'asseoir. Il se mit à califourchon sur une chaise de cuisine. Entre deux bouchées, elle lui raconta l'histoire de Ron Truitt et tout ce qui s'était ensuivi après qu'il eut lâché sa bombe.

– En définitive, ce n'est pas Cyclope qui l'a appelé.

– Comment le sais-tu?

– Hier soir, pendant que Jeff et moi étions assis là et que je pleurais la fin prochaine de *Cat's Kids,* il a téléphoné. Il continue à m'en vouloir à mort, mais il m'a juré qu'il ne savait rien du scoop donné à Truitt.

– Il mentait peut-être.

– C'est possible, mais ce n'est pas l'impression que j'ai eue.

– Si ce n'est pas lui, alors qui c'est?

– Cela reste un mystère. En revanche, je sais qui a corroboré cette histoire. Mélia King. Tu te souviens d'elle? demanda-t-elle, mi-figue, mi-raisin. La bombe sexuelle?

Alex se montra insensible à son humour.

– C'est logique, fit-il d'un air sombre. Vous êtes à couteaux tirés depuis le départ.

– Sauf que maintenant je sais pourquoi. Elle couche avec l'homme supposé être fou amoureux de moi!

– Webster!

– Je t'avoue que mon amour-propre en a pris un coup quand j'ai découvert qu'il la préférait à moi», ajouta-t-elle, caustique. Après quoi elle entreprit de lui raconter par le menu la scène survenue dans l'appartement de Mélia.

– Quel saligaud! lâcha-t-il en abattant son poing sur la table. J'étais sûr qu'il n'était pas franc du collier. Je te l'avais dit!

– J'ai toujours pensé que Bill était très malin. Rusé même, mais à des fins constructives. Il s'avère qu'il n'est qu'un menteur et un tricheur qui trompe sa femme. A mon avis, c'est l'espèce la plus vile qui soit sur cette planète. Je ne vois pas pourquoi la fidélité serait un commandement si difficile à respecter. Quand on a envie de se taper des filles à droite à gauche, il suffit de ne pas se marier.» La grimace d'Alex ne lui avait pas échappé. «Tu n'es pas d'accord?

– Théoriquement, si. Mais les choses sont rarement aussi simples. Quelquefois, il y a des circonstances atténuantes.

– Des rationalisations, tu veux dire. Seulement je ne vois pas du tout comment Bill pourrait justifier une liaison pareille.

Elle en voulait terriblement à Bill. En même temps, elle se sentait perdue. Certes il n'avait pas à répondre de sa vie privée devant elle. Pourtant, elle avait le sentiment d'avoir été trahie par un homme qu'elle admirait et respectait. Et cette traîtrise lui était douloureuse.

– Pourquoi mettrait-il en péril son mariage avec une femme si distinguée pour cette petite traînée à la mine boudeuse?

– Elle doit lui donner satisfaction, j'imagine!

– Oh ça j'en suis sûre! Ce qui m'embête, c'est que Nancy s'imagine que c'est moi qui comble son époux!

Son bol de céréales fini, elle se leva et se mit à préparer du café.

– Je pourrais l'étrangler! *Cat's Kids* a failli passer à la trappe, tout ça parce qu'il est incapable de réprimer ses pulsions sexuelles. Durant toute cette empoignade, il s'est efforcé de garder sa dignité, mais j'ai bien vu qu'il était terriblement gêné. J'espère qu'au fond de lui, il était mortifié. J'espère aussi que la prochaine fois qu'il se trouvera dans une pièce avec Nancy et moi, il aura des sueurs froides. Tu veux du café?

– S'il te plaît.

Elle revint s'asseoir à table, armée de deux tasses fumantes.

– Après avoir quitté l'appartement de Mélia, j'étais trop énervée pour rentrer. J'ai roulé pendant des heures en essayant de démêler tout ça.

– Tu crois que Webster pourra arrêter cette histoire à temps?

– Je pense qu'il mettra tout en œuvre pour y parvenir. A défaut, il exigera un désaveu à la mesure de l'article publié et insistera pour que le journal accepte pleinement la responsabilité de son erreur.

Elle sourit faiblement.

– Maintenant que nous avons évité cette catastrophe, il ne me reste plus qu'à m'inquiéter de survivre jusqu'à après-demain.

– Il n'y a pas lieu de plaisanter avec ça!

– C'est à moi que tu le dis!

– J'ai tout de même une bonne nouvelle à t'annoncer.

– Enfin une bonne nouvelle!

– Irène Walters m'a téléphoné cet après-midi. Devine qui vient passer le week-end chez eux? Joseph.

Elle se sentit transportée de joie.

– C'est... c'est merveilleux! Oh, j'aimerais tellement que ça marche. Il est si intelligent. Si doux. Je n'oublierai jamais le jour où il m'a dit qu'il ne m'en voudrait pas s'il n'était pas adopté.

– Je te parie que c'est du tout cuit! répondit-il en gloussant de rire. Irène m'a dit qu'en regardant l'émission sur lui, ils avaient eu le coup de foudre. Les formalités à remplir pour l'adoption vont prendre un peu de temps, mais en attendant, il viendra leur rendre visite de temps à autre. Charlie veut lui apprendre à jouer aux échecs. Irène s'est procuré une liste de ses plats préférés. Ils ont même bichonné Bandit pour qu'il fasse bonne impression.

Ce fut seulement lorsqu'il tendit la main pour lui caresser la joue qu'elle se rendit compte qu'elle pleurait.

– C'est vraiment une bonne nouvelle! dit-elle. Merci, Alex.

Il lui essuya doucement les joues du revers de la main, puis plongea son regard dans le sien.

– Qui a téléphoné au journal, Cat?

– Je ne sais pas.

– Cela ne peut être que ton harceleur à mon avis.

– Je le pense aussi. Il continue à jouer avec mes nerfs. Mais comment peut-il être au courant pour Cyclope?

– Ton téléphone est peut-être sur écoute. Il se peut qu'il y ait des micros cachés dans la maison. » Il marqua une pause. « Mais il pourrait aussi s'agir d'un de tes proches, quelqu'un en qui tu as confiance et que tu es à des lieues de soupçonner.

Le café qu'elle venait de boire lui pesait horriblement sur l'estomac, pour la bonne raison que la conclusion d'Alex correspondait exactement à celle à laquelle elle était arrivée après avoir roulé des heures dans la ville endormie.

Elle se leva brusquement.

– J'ai besoin de prendre une douche.

– Dépêche-toi, dit-il en jetant un coup d'œil à sa montre-bracelet. Notre vol est dans deux heures.

– Notre vol?

– C'était la raison de ma présence ici, Cat. J'ai réussi à mettre la main sur la sœur de Paul Reyes. Elle habite à Fort Worth et consent à nous parler.

CHAPITRE 50

Ils furent pris dans les encombrements et arrivèrent à l'aéroport juste à temps pour sauter dans l'avion. A peine une heure plus tard, ils se posaient à Love Field, proche de Dallas, où Alex avait réservé une voiture de location.

– Le trajet jusqu'à Fort Worth nous prendra davantage de temps que le vol, remarqua-t-il alors qu'ils quittaient l'aéroport. Il y a une bonne cinquantaine de kilomètres.

– Sais-tu où l'on va? » demanda-t-elle tout en contemplant l'alignement scintillant des gratte-ciel. Elle découvrait Dallas pour la première fois et regrettait que ce ne fût pas un voyage d'agrément.

– Mme Reyes-Dunne m'a donné des explications. Je connais à peu près le coin de toute façon.

– Comment as-tu fait pour la retrouver?

– En collaborant sur une affaire avec la police de Fort Worth il y a quelques années, je me suis lié d'amitié avec un de leurs inspecteurs. Je l'ai appelé l'autre jour en lui demandant s'il se souvenait du procès Reyes. " Difficile d'oublier ", m'a-t-il répondu, bien qu'il m'ait avoué ne plus l'avoir suivi après que le jugement eut été transféré à Houston.

« Je l'ai alors prié d'avoir la gentillesse de localiser pour moi des parents de Paul Reyes en lui expliquant mes raisons et en précisant bien que cela n'avait rien à voir avec la police.

« Il m'a rappelé au bout de quelques jours pour m'annoncer qu'il avait réussi à dénicher la sœur de Reyes. Il m'a dit qu'elle avait l'air méfiant et qu'il préférait qu'elle décide elle-même si elle était disposée à nous voir ou pas. Il lui avait donc laissé mon numéro de téléphone au cas où elle se résoudrait à parler. Finalement, hier après-midi, quand je suis rentré du commissariat, j'ai trouvé un message d'elle sur mon répondeur. Je l'ai rappelée et elle a bien voulu me fixer un rendez-vous.

– T'a-t-elle fourni des informations par téléphone?

– Non. Elle m'a simplement confirmé qu'elle était bien la sœur de Paul Reyes. Ses réponses étaient réservées, mais elle a paru intéressée d'apprendre que tu avais peut-être reçu le cœur de Judy Reyes.

Suivant la carte et son instinct, Alex naviguait habilement dans le labyrinthe de voies express reliant les deux villes, fusionnant intimement l'une avec l'autre pour former une vaste banlieue tentaculaire.

Il trouva finalement la rue qu'ils cherchaient dans un des vieux quartiers de Fort Worth, à l'ouest du centre-ville, près du Camp Bowie Boulevard. Il se gara le long du trottoir en face d'une maison en briques proprette. Un grand sycomore ombrageait le jardin de devant. Des feuilles mortes craquèrent sous leurs pas tandis qu'ils remontaient l'allée.

Une jolie femme latino-américaine en uniforme d'infirmière apparut sous le porche pour les accueillir.

– Monsieur Pierce, je présume?

– Oui, madame. Madame Dunne, je vous présente Cat Delaney.

– Comment allez-vous?

Elle leur serra la main à l'un et à l'autre; elle garda longuement celle de Cat dans la sienne tandis qu'elle explorait son visage.

– Pensez-vous que vous avez le cœur de Judy? demanda-t-elle à brûle-pourpoint.

– C'est possible.

Elle continua à la dévisager puis, retrouvant tout à coup ses bonnes manières, elle leur fit signe de prendre place dans les fauteuils en osier disposés sous le porche.

– Nous pouvons aller à l'intérieur, si vous préférez.

– On est très bien ici, répondit Cat en s'asseyant.

– J'aime prendre le frais avant d'aller au travail.

– Vous êtes infirmière?

– Oui, à l'hôpital John Peter Smith. Mon mari y travaille aussi. Il est radiologue. Je suis de garde la nuit en ce moment. La lumière du jour me manque, dit-elle en levant les yeux vers le ciel.

« Je n'ai pas très bien compris pourquoi vous vouliez me voir, ajouta-t-elle en se tournant vers Alex. Vous êtes resté assez vague au téléphone.

– Nous cherchons à localiser votre frère.

– C'est bien ce que je craignais! A-t-il fait quelque chose de mal?

Cat jeta un coup d'œil en biais à Alex pour tâcher de mesurer l'effet que ces deux phrases apparemment innocentes avaient eu sur lui. Elle constata qu'il était aux aguets.

– Votre frère a-t-il eu des démêlés avec la police depuis qu'il a été acquitté pour le meurtre de sa femme?

Mme Dunne répondit à la question de Cat par une autre.

– Que lui voulez-vous? Je ne vous dirai rien tant que je ne saurai pas ce qui vous amène.

D'une enveloppe en papier kraft, Alex sortit les coupures de journaux que Cat avait reçues.

– Avez-vous déjà vu cela quelque part? demanda-t-il en les lui tendant.

Son trouble ne cessait de s'accroître tandis qu'elle parcourait les articles. L'appréhension se lisait dans son regard, derrière ses lunettes.

– Quel est le rapport avec Paul?

– Il n'y en a peut-être aucun, répondit Cat d'une voix douce. Mais j'aimerais attirer votre attention sur les dates figurant en tête de ces articles. Elles correspondent à celle de demain. C'est aussi le jour où ces trois décès soi-disant sans lien les uns avec les autres ont eu lieu, l'anniversaire du meurtre de votre belle-sœur et celui de mon opération.

« M. Pierce et moi-même pensons que ces morts n'ont rien eu d'accidentel. Nous avons le sentiment que ces trois greffés du cœur ont peut-être été assassinés par un membre de la famille du donneur déterminé à arrêter ce cœur le jour d'anniversaire où il a été prélevé.

Mme Dunne sortit un mouchoir en papier de sa poche et s'essuya les yeux.

– Mon frère aimait Judy à la folie. Ce qu'il lui a fait est épouvantable. Je ne pourrai jamais lui pardonner. Mais il a agi sous l'effet d'une crise de jalousie, et non pas parce qu'il la haïssait. Il l'aimait tellement qu'en la voyant avec un autre homme...

Elle s'interrompit pour se tamponner le nez.

– Judy était très jolie, voyez-vous! Elle était l'amour de sa vie. Ils se connaissaient depuis l'enfance. Elle était intelligente aussi, beaucoup plus que Paul. Pour cette raison, il l'avait mise sur un piédestal.

– On se sent parfois très seule sur un piédestal, remarqua Cat.

– Oui, vous avez probablement raison. Je ne peux pas excuser Judy d'avoir trompé son mari, mais je la comprends. Ce n'était pas quelqu'un d'immoral. En fait, elle était profondément religieuse. Tomber amoureuse d'un autre homme a dû lui causer un terrible conflit intérieur.

« Si l'on pouvait lui poser la question aujourd'hui, je suis sûre qu'elle vous dirait que Paul a eu raison de faire ce qu'il a fait, et qu'elle lui pardonne. Je pense qu'elle n'aurait jamais pu se pardonner le mal qu'elle lui a infligé, ainsi qu'aux enfants.

Elle s'éclaircit la gorge.

– Par ailleurs, je suis convaincue qu'elle serait toujours amoureuse de cet homme. Ce n'était pas une passade. Elle l'aimait assez pour mourir pour lui.

Cat se souvint que Jeff l'avait interrogée à propos de l'amant, éveillant du même coup son intérêt à son sujet.

– Qu'est-il advenu de lui?

– Je donnerais cher pour le savoir, répondit Mme Dunne d'un ton amer. Il a filé, le lâche! Il ne s'est jamais fait connaître. Personne n'a jamais su son nom, pas même Paul.

Cat lui effleura la main.

– Mme Dunne, savez-vous où se trouve votre frère à l'heure qu'il est?

Elle leur jeta tour à tour un regard méfiant.

– Oui, souffla-t-elle.

– Pourriez-vous organiser une rencontre?

Pas de réponse.

Alex se pencha vers elle.

– Pensez-vous qu'il ait pu envoyer ces coupures de journaux et le faux avis mortuaire à Mlle Delaney en guise d'avertissement? Je sais que vous ne voulez pas incriminer votre frère, madame Dunne, mais y a-t-il la moindre possibilité qu'il ait commis trois meurtres afin d'arrêter le cœur de Judy?

– Non, s'écria-t-elle. Paul n'est pas un homme violent. » Réalisant tout à coup l'absurdité d'une telle affirmation à la lumière du crime qu'il avait perpétré, elle se corrigea. « Juste cette fois-là. La trahison de Judy lui avait fait perdre la tête. Sinon, il n'aurait jamais pu porter la main sur elle.

– Qu'est-ce qui l'a poussé à faire don de son cœur à votre avis?

– Je lui ai posé la question... un peu plus tard. Certains membres de notre famille étaient très choqués. Paul... » Elle battit des cils derrière ses lunettes.

– Que vous a-t-il répondu? Dites-le-nous.

– Il m'a rétorqué qu'étant donné ce qu'elle avait fait, elle méritait qu'on lui arrache le cœur, répondit-elle à mi-voix.

Alex se tourna vers Cat et la regarda d'un air entendu.

– Et maintenant il ne peut plus supporter l'idée que son cœur infidèle batte toujours dans la poitrine d'une autre.

– Ce n'est pas mon frère qui vous harcèle, mademoiselle Delaney, déclara brusquement Mme Dunne. J'en suis certaine. Jamais il ne punirait quelqu'un d'autre pour les fautes de Judy et de son amant. » Elle se leva. « Je suis désolée, mais il va falloir que je parte au travail.

– Je vous en prie, la supplia Cat en se levant à son tour tout en lui saisissant la main. Si vous savez où se trouve votre frère, dites-le-nous. S'il vous plaît.

– Il a disparu après le procès de Houston, intervint Alex pour l'exhorter à parler. Pourquoi, puisqu'il a été acquitté?

– A cause des filles. Ses filles. Il ne voulait pas leur faire honte. » Elle jeta un coup d'œil vers la fenêtre ouverte donnant sur le porche. « Elles vivent ici, avec mon mari et moi. Nous en avons la garde.

– Vient-il les voir?

Elle hésita.

– De temps en temps, répondit-elle finalement.

– Comment gagne-t-il sa vie? » Son silence obstiné ne découragea pas Alex. « Se pourrait-il qu'il se soit déplacé dans différents États? Y a-t-il eu de longues périodes de temps où vous ignoriez où il se trouvait?

– Si vous savez quelque chose, dites-le-nous, insista Cat. Vous pouvez sauver des vies. La mienne et la sienne. Je vous en prie.

Mme Dunne se rassit, baissa la tête et se mit à sangloter.

– Mon frère a vécu un calvaire. Quand il a tué Judy – et il ne fait aucun doute qu'il l'a tuée en dépit du verdict du jury –, il est mort lui aussi. Il est encore très perturbé. Mais ce que vous suggérez là me paraît...

– S'est-il rendu à San Antonio récemment?

Elle haussa les épaules d'un air triste.

– Je ne sais pas. C'est possible, je suppose.

Cat et Alex échangèrent un regard, soudain tout excités.

– Mais il est passé récemment ici, ajouta-t-elle.

– Il est ici? Dans la maison?

– Non, mais il est à Fort Worth.

– Comment faire pour le voir?

– S'il vous plaît, ne me demandez pas ça. Ne pourriez-vous pas le laisser tranquille? balbutia-t-elle en pleurant. Chaque jour, jusqu'à sa mort, il doit vivre avec ce qu'il a fait.

– Et s'il s'en prend à Mademoiselle Delaney? Pourrez-vous vivre avec cela sur votre conscience? lui demanda Alex d'un ton pressant.

– Il ne lui fera pas de mal.

– Comment le savez-vous?

– Je le sais. » Elle retira ses verres et s'essuya les yeux. Puis, très dignement, elle rechaussa ses lunettes et se leva. « Si vous y tenez tellement, venez avec moi. »

Même de l'extérieur, les locaux étaient loin d'être accueillants. Il y avait des barreaux à la plupart des fenêtres. Il leur fallut se soumettre à plusieurs contrôles de sécurité avant d'être admis dans le pavillon.

– Je ne suis pas sûr que ce soit une bonne idée », nota le psychiatre de garde en secouant la tête d'un air dubitatif. Ils lui avaient expliqué la situation et lui avaient demandé la permission de s'entretenir un instant avec Paul Reyes. « Je n'ai pas eu le temps de compléter mon examen. Le bien-être de mon patient est mon principal souci.

– Il est peut-être responsable de trois meurtres, souligna Alex.

– Mais s'il est enfermé ici, il ne peut pas faire de mal à Mademoiselle Delaney. En tout cas pas demain.

– Nous devons savoir si c'est lui qui la harcèle.
– Ou le rayer de la liste des suspects.
– Exactement.
– Vous ne faites plus partie de la police, n'est-ce pas, monsieur Pierce? Quelle compétence avez-vous dans cette affaire?
– Absolument aucune.
– Nous souhaitons simplement lui poser quelques questions, dit Cat à l'adresse du médecin. Et voir quelle est sa réaction en me voyant. Nous ne ferons rien qui puisse mettre en péril sa santé mentale.
– Vous le connaissez mieux que quiconque, madame Dunne, reprit le psychiatre en se tournant vers celle-ci. Qu'en pensez-vous?
Il se fiait à son opinion parce qu'elle était infirmière dans le service de psychiatrie voisin réservé aux femmes, comme elle l'avait expliqué à Alex et Cat pendant le trajet.
– Si je pensais que cela risque de lui être nuisible, répondit-elle, je ne les aurais pas amenés ici. La vue de mon frère dissipera leurs soupçons à mon avis.
Le docteur pesa longuement le pour et le contre. Pour finir, il leur donna son assentiment.
– Deux ou trois minutes maximum. Et pas d'agressivité. Burt vous accompagnera, acheva-t-il en se tournant vers Alex.
Burt, un Noir vêtu d'un pantalon et d'un T-shirt blancs immaculés, avait une carrure de joueur de football américain.
– Comment va-t-il aujourd'hui? lui demanda Mme Dunne.
– Il a lu un peu ce matin, lui répondit-il en lui jetant un coup d'œil par-dessus ses larges épaules alors qu'ils le suivaient dans le couloir. Je crois qu'il est en train de jouer aux cartes dans la salle de jeux.
Ils pénétrèrent dans une vaste salle brillamment éclairée. Certains patients regardaient la télévision, d'autres jouaient à des jeux de société ou lisaient, d'autres encore tournaient en rond dans la pièce.
– Il est là-bas, fit Alex en le désignant à Cat. Je le reconnais.
Il l'avait vu suffisamment de fois lors du procès à Houston. Reyes était de faible constitution; il avait le crâne dégarni. Il était assis à l'écart des autres, le regard perdu dans le vague, dans un autre monde, ses mains jointes pendant mollement entre ses jambes.
– On lui a donné des remèdes, précisa Burt. Votre entretien devrait se dérouler dans le calme. Mais comme le docteur vous l'a dit, s'il s'énerve, vous serez obligés de partir tout de suite.
– Nous comprenons, fit Mme Dunne.
Burt se retira, mais seulement jusqu'à la porte. Cat remarqua la présence de plusieurs infirmiers en uniforme mêlés aux patients. Tandis que son regard passait d'un pensionnaire à l'autre, elle fut touchée de compassion. C'étaient tous des hommes adultes, aussi dépendants que

des enfants, vivant confinés, enfermés entre quatre murs et prisonniers de leur propre enfer.

On aurait dit que Mme Dunne avait lu dans ses pensées.

– On a rendu ces locaux aussi agréables que possible, lui dit-elle. Et les médecins de ce service sont des gens merveilleux et pleins d'attention.

Son frère ne l'avait toujours pas vue. Elle l'observait avec pitié.

– Paul est arrivé à l'improviste à la maison il y a trois jours. On ne sait jamais quand il va débarquer, ni dans quel état il sera. Parfois il reste quelques jours et tout se passe bien.

Son regard s'assombrit.

– A d'autres moments, nous sommes obligés de le faire interner quelque temps jusqu'à ce qu'il aille mieux. Comme cette fois-ci. Il était très déprimé quand il est arrivé. Cela tient sans doute à la date qui approche. Demain, cela fera quatre ans que... Mais vous le savez aussi bien que moi.

Cat hocha la tête.

– Il a commencé à avoir un comportement bizarre. Les filles l'adorent, mais elles ont pris peur. Mon mari et moi l'avons conduit ici pour un examen. On nous a fortement conseillé de le faire admettre afin de le soumettre à des tests psychologiques complets. » Ses yeux se remplirent de larmes lorsqu'elle porta de nouveau son regard sur son frère. « Est-il absolument nécessaire que vous le dérangiez?

– J'en ai peur, répondit Alex à la place de Cat. Ne serait-ce qu'une minute. Nous tâcherons d'être aussi brefs que possible.

Mme Dunne posa ses doigts sur ses lèvres pour les empêcher de trembler.

– Il était si doux, si tendre, lorsque nous étions enfants. Il était toujours tellement sage. Si vraiment il a tué ces gens, je sais qu'il l'a fait sans le vouloir. C'était une autre personnalité qui l'habitait, et non pas mon gentil Paul.

Alex posa une main rassurante sur son bras.

– Nous ne sommes sûrs de rien pour le moment.

Elle les conduisit auprès de son frère, plaça une main sur son épaule en l'appelant doucement. Il leva la tête et la regarda, mais son expression resta inchangée.

– Bonjour Paul. Comment vas-tu aujourd'hui?

Elle s'assit à côté de lui et prit ses mains inertes dans les siennes.

– C'est demain, fit-il d'une voix rauque, comme s'il avait la gorge sèche à force de rester silencieux. C'est le jour où je l'ai trouvée avec lui.

– Essaie de ne pas y penser, dit-elle d'une voix douce.

– J'y pense sans arrêt.

Mme Dunne s'humecta nerveusement les lèvres.

– Ces gens veulent te voir, Paul. Voici M. Pierce et Mlle Delaney.

Pendant qu'elle parlait, il jeta un coup d'œil indifférent à Alex, mais lorsque son regard se posa sur Cat, il se leva de sa chaise d'un bond.

– Est-ce que vous avez reçu mes lettres? Hein? Hein?

Instinctivement, Cat eut un mouvement de recul. Alex s'empressa de s'interposer entre Reyes et elle tandis que Mme Dunne saisissait son frère par le bras. Burt se rua vers eux et aurait maîtrisé le patient si Cat n'était pas intervenue.

– Je vous en prie, dit-elle, en écartant Alex de son chemin. Laissez-le parler. » Puis s'adressant à Reyes directement : « Est-ce vous qui m'avez envoyé ces coupures de journaux?

– Oui.

– Pourquoi?

En dépit de sa hardiesse, Burt serrait l'épaule de Reyes comme un étau et Mme Dunne continuait à le tenir par le bras.

– Vous allez mourir! s'exclama-t-il. Comme les autres. Comme la vieille dame. Et le garçon. Il est mort noyé, vous savez. Des heures sous l'eau avant qu'on le retrouve. L'autre...

– ... a eu l'artère fémorale sectionnée par une tronçonneuse, coupa Alex.

– Oui, oui, s'écria-t-il, postillonnant, le regard brillant de fièvre. C'est à votre tour maintenant. Vous allez mourir parce que c'est vous qui avez son cœur!

– Oh mon Dieu! gémit sa sœur. Paul, qu'as-tu fait?

– Est-ce vous qui les avez tués tous les trois, Reyes? demanda Alex.

Sa tête pivota brusquement, comme celle d'une chouette, et il fixa sur Alex ses yeux écarquillés, hagards.

– Qui êtes-vous? Je vous connais? Mais oui je vous connais!

– Répondez à ma question. Est-ce vous qui avez tué ces trois greffés du cœur?

– J'ai tué ma putain de femme, hurla-t-il. Elle était couchée avec lui. Je les ai vus de mes yeux. Alors je l'ai tuée. Et je suis content de l'avoir fait. Elle méritait de mourir. Je voudrais pouvoir la tuer encore et encore. Je regrette de ne pas l'avoir liquidé lui aussi pour pouvoir lécher son sang sur mes mains.

Il était de plus en plus agité et se démenait à présent comme un beau diable pour essayer de se libérer de l'emprise de Burt. Celui-ci appela ses collègues à l'aide. Les autres patients commençaient à s'énerver eux aussi du fait de la perturbation provoquée par Reyes.

Le docteur entra précipitamment dans la salle.

– J'en étais sûr! Fichez le camp d'ici, vous autres, et tout de suite! cria-t-il.

– Attendez! Donnez-moi encore une seconde, s'il vous plaît! intervint Cat en se rapprochant de Reyes. Pourquoi vous êtes-vous donné la peine de m'avertir?

– On vous a greffé un cœur. J'ai lu des articles sur vous. C'est bien vous qui avez le cœur de Judy, n'est-ce pas?

Soudain, Reyes échappa à la poigne de Burt. Il se jeta sur elle et étala sa main sur sa poitrine.

– Oh mon Dieu! Oh, Seigneur! grommela-t-il en sentant les battements de son cœur. Ma Judy. Ma belle Judy. Pourquoi? Pourquoi? Je t'aimais tant. Mais il fallait que tu meures.

– Paul, s'écria sa sœur d'une voix brisée. Dieu te pardonne.

Burt l'encercla de ses bras musclés et l'éloigna de Cat. Alex en profita pour pousser celle-ci de côté. Le geste de Reyes l'avait stupéfiée, tout en la touchant bizarrement. Le pauvre homme souffrait le martyre. L'amour, la culpabilité, la rage s'étaient alliés en lui pour lui faire perdre la raison. La compassion l'emportait chez elle sur la peur.

– Ça va? demanda Alex en la prenant par les épaules.

Elle hocha la tête tout en regardant avec un mélange de pitié et d'horreur Reyes se débattre avec Burt. Celui-ci avait de la peine à le retenir tandis qu'il se penchait en avant en hurlant : « Vous allez mourir! Vous allez mourir! »

Les veines de son cou faisaient saillie sous la peau. Ses traits étaient déformés, ses joues marbrées.

– Demain. C'est demain, le jour. Vous allez mourir comme les autres.

Le médecin lui planta une seringue dans le biceps, sans qu'il réagît à la piqûre. Il s'affala presque instantanément contre le corps massif de l'infirmier.

Il lutta pour concentrer une dernière fois son attention sur Cat.

– Vous aussi, vous mourrez, dit-il d'une voix âpre avant de succomber à la puissante drogue.

CHAPITRE 51

– A quoi penses-tu? demanda Alex en lui tendant un verre de soda, puis il s'allongea sur le transat à côté du sien.

Ils se délassaient sur la terrasse d'Alex. Le soleil venait de se coucher, mais il faisait encore jour. Des steaks grillaient sur le hibachi. De temps à autre, des gouttes de graisse coulaient sur les braises fumantes en grésillant et une douce fumée aromatique venait leur chatouiller les narines. Cat n'avait pratiquement pas ouvert la bouche durant le vol du retour. Quand Alex avait proposé d'acheter de quoi dîner chez lui, elle avait accepté avec indifférence. Conscient qu'elle avait besoin de réfléchir, il l'avait laissée s'enfermer dans son mutisme jusqu'à présent.

Elle but une gorgée de soda, puis rejeta la tête en arrière en soupirant et leva les yeux vers le ciel couleur lavande.

– Je n'arrive pas à croire que tout est fini. Je pensais que je me sentirais plus... soulagée. Je le suis, évidemment, s'empressa-t-elle d'ajouter. Mais je revois constamment Reyes proférant des menaces contre moi.

– Il n'a pas les moyens de mettre ses menaces à exécution, Cat. Tu n'as plus rien à craindre désormais. Après ce que nous avons entendu aujourd'hui, des aveux pour ainsi dire, Reyes ne sortira plus jamais de cet hôpital, j'en ai peur.

« Le ministère de la Justice va se charger de vérifier ses activités au cours de ces dernières années. On découvrira à coup sûr que son chemin a croisé ceux de ces trois greffés du cœur.

« S'il est mis en accusation, on le déclarera probablement inapte à passer en jugement. Et si son état mental s'améliore et si on le traduit en justice, il sera condamné à perpétuité, tu peux en être sûre. D'une manière ou d'une autre, tu n'as plus à te soucier de lui.

– Je ne peux pas dire qu'il me fait peur, Alex. J'ai pitié de lui. Il devait vraiment l'aimer.

– Suffisamment pour lui défoncer le crâne avec une batte de base-ball?

– Exactement, dit-elle, répondant avec sérieux à sa question qui se voulait caustique. Quand il a pressé sa main sur mon cœur, il y avait plus de douleur que de haine dans son regard. L'infidélité de sa femme l'a brisé. Il n'était plus lui-même quand il s'est emparé de cette batte. Il l'a tuée, certes, mais il l'aime encore et continue à la pleurer. C'est peut-être la raison pour laquelle...

– Quoi?

– Non, rien. C'est idiot.

– Dis-le-moi quand même.

– C'est peut-être pour cela qu'il a accepté de faire don de son cœur. Il voulait la tuer, mais il ne voulait pas vraiment qu'elle soit morte.

– Dans ce cas, pourquoi aurait-il zigouillé trois personnes?

Elle esquissa un pâle sourire et haussa les épaules.

– Il y a une faille dans mon raisonnement, indiscutablement. Je t'avais bien dit que c'était idiot.

Il se redressa et s'assit de biais sur la chaise longue, face à elle.

– Tu sais, dans une autre vie, tu as dû être détective à mon avis. En tout cas, tu as un don certain pour les déductions. » Il plongea son regard dans le sien et sa voix prit une intonation plus intime : « Je suis heureux que tout soit fini pour toi. »

Elle emplit ses poumons d'air et expira lentement.

– Moi aussi.

– Si on passait à table?

– Je meurs de faim.

Le dîner assouvirait sa faim. Elle regrettait qu'il n'y eût pas de remède instantané pour effacer les souvenirs. Elle n'était pas près d'oublier la scène qui s'était déroulée à l'hôpital psychiatrique.

Mme Dunne en était ressortie affolée. En larmes, elle leur avait avoué qu'elle avait menti à propos des coupures de journaux; elle les avait déjà vues auparavant.

– Un jour que je faisais la lessive de Paul, je suis tombée dessus par hasard dans sa valise, leur avait-elle dit. Sur le moment, je me suis demandé comment il avait pu se les procurer puisqu'elles provenaient de journaux publiés dans d'autres États. Mais je n'ai jamais abordé la question avec lui. Moins on parlait de greffes du cœur, mieux c'était!

« Voyez-vous, certains membres de notre famille lui en voulaient autant d'avoir fait don du cœur de Judy que de l'avoir tuée. Quelques-uns pensaient même que c'était bien fait pour elle qu'elle soit morte. Par machisme, vous comprenez?

Ils s'étaient contentés de hocher la tête.

– Sa femme l'avait trompé. Son meurtre se justifiait en un sens. En revanche, prélever ses organes, au lieu de l'ensevelir intacte, c'était violer nos traditions religieuses et culturelles.

A mesure qu'elle parlait, une détresse de plus en plus accablante l'envahissait.

– Si je lui avais dit quelque chose au moment où j'ai trouvé ces coupures de journaux, qui sait, peut-être vous aurais-je épargné cette terrible épreuve! avait-elle ajouté à l'adresse de Cat.

« Si j'avais mesuré l'étendue de sa folie plus tôt, ces autres personnes ne seraient peut-être pas mortes, avait-elle poursuivi. Je sais ce qui l'a poussé à tuer Judy, mais je n'arrive pas à croire que mon frère puisse assassiner de sang-froid quelqu'un qu'il ne connaît pas.

– C'était Judy qu'il tuait à chaque fois, et non pas ces inconnus, lui avait rappelé Alex.

– J'en suis consciente. En même temps, je n'imagine pas mon frère capable d'actes pareils.

Alex et Cat avaient essayé de la réconforter. Sans grand succès. Elle savait aussi bien qu'eux que son frère resterait interné pour le restant de ses jours. Il ne se remettrait jamais de l'infidélité de sa chère Judy. Ses filles grandiraient sans parents et porteraient à jamais les stigmates du crime de leur père.

Cat était bien placée pour savoir ce que cela représentait. Elle plaignait du fond du cœur ces deux gamines qu'elle n'avait jamais rencontrées.

Ils s'installèrent à table pour dîner. Ce fut un vrai festin. Steaks et pommes de terre en robe de chambre accompagnés d'une salade et pour finir une tarte aux pacanes que Cat avait choisie au rayon boulangerie du supermarché.

Alex repoussa son assiette vide et s'adossa à sa chaise, en étendant ses longues jambes.

– Tu sais ce qui m'impressionne le plus chez toi!

– La quantité de nourriture que je peux ingurgiter en un seul repas? répondit-elle en riant, tout en se tapotant l'estomac.

– Ça aussi! répondit-il, souriant. Pour un petit gabarit, tu dévores!

– Merci monsieur, fit-elle en prenant un accent traînant. C'est le plus beau compliment qu'on m'ait jamais fait!

Il rit, mais très vite il reprit son sérieux.

– A vrai dire, c'est surtout ton courage qui m'impressionne. Aujourd'hui, quand Reyes t'a touchée, tu n'as même pas bronché. J'en connais beaucoup d'autres qui auraient tourné de l'œil... » Il secoua la tête. « Il y avait de quoi! Il est rare de voir des femmes faire preuve d'autant de témérité. Peu d'hommes en sont capables, je te le dis en toute franchise, Cat. »

Elle donnait inconsciemment des coups de fourchette dans les vestiges de sa tarte.

– Je ne suis pas courageuse, Alex.

– Comment peux-tu dire ça?

Elle posa sa fourchette et leva les yeux vers lui.

– Je ne suis pas courageuse, répéta-t-elle. En fait, je suis lâche. Si j'étais courageuse, mes parents ne seraient pas morts.

– J'aimerais bien que tu m'expliques ton raisonnement, dit-il en inclinant la tête de côté.

Elle n'avait jamais raconté à personne ce qui s'était véritablement passé le jour où l'infirmière de l'école l'avait raccompagnée à la maison, ni aux assistantes sociales ni aux conseillers socio-pédagogiques qui s'étaient efforcés de déterminer la gravité des effets que cette tragédie avait pu avoir sur la petite Catherine Delaney. Pas même à ses parents adoptifs ou à Dean. Personne ne le savait.

A cet instant, pourtant, elle éprouvait un besoin irrésistible de se livrer à Alex.

– Cela ne s'est pas passé tout à fait comme je te l'ai dit, commença-t-elle d'un ton serein. L'infirmière m'avait reconduite à la maison de bonne heure. J'ai trouvé étrange que la voiture de mon père soit garée dans l'allée. A cette heure-là de la journée, il était censé être au travail. Il prenait rarement congé, même le week-end. Tu comprends, il était obligé de faire des tas d'heures supplémentaires pour payer mes notes médicales. Même en trimant, il avait été forcé de s'endetter et ses créanciers le pourchassaient.

« Je ne comprenais pas toute la terminologie à l'époque. Des termes tels qu'hypothèque, droit de nantissement, emprunt garanti ne faisaient pas encore partie de mon vocabulaire. Or ces mots revenaient constamment dans les conversations à voix basse de mes parents.

Pour gagner du temps, elle plia sa serviette avec soin et la posa à côté de son assiette.

– Dès l'instant où je pénétrai dans la cuisine, je sus que quelque chose n'allait pas. Il y avait une sorte de tension dans l'atmosphère de la maison... que je n'avais jamais ressentie auparavant. Un frisson me parcourut, qui n'avait rien à voir avec la température. C'est sans doute ce que l'on appelle un pressentiment. Quoi qu'il en soit, j'osai à peine m'aventurer dans le couloir en direction de la chambre de mes parents.

« Mais je me forçai. La porte était entrouverte. Je jetai un coup d'œil à l'intérieur. Ils n'étaient pas morts comme je te l'ai raconté, comme je l'ai dit à tout le monde. Ma mère était couchée, le visage enfoui dans son oreiller. Elle pleurait.

« Debout à côté du lit, mon père lui parlait à voix basse, un pistolet à la main. Il était en train de lui expliquer que le suicide était le seul moyen qui leur restait de sortir de leur marasme financier, mais cela, je ne l'ai compris que beaucoup plus tard.

« J'ai cru à tort qu'il parlait de me tuer, moi. Il n'arrêtait pas de répéter : " C'est la seule solution. Ce sera beaucoup mieux pour Cathy ainsi. " Il a toujours été le seul à m'appeler Cathy, ajouta-t-elle avec un sourire pitoyable.

« Je savais que je leur coûtais beaucoup d'argent. Mais au-delà de ces considérations financières, ils avaient vécu un enfer avec moi. Au lieu de se préoccuper de me confectionner des tutus, ma mère devait s'ingénier à trouver des astuces pour dissimuler ma calvitie provoquée par la chimiothérapie. En vérité, ma maladie l'avait changée davantage qu'elle ne m'avait changée moi-même. J'ai récupéré plus vite qu'elle aussi. Maman a mis un temps fou à s'en remettre.

« De sorte que lorsque j'ai entendu Papa parler d'une solution rapide à tous leurs problèmes, j'ai aussitôt imaginé qu'ils avaient pris la décision de me liquider histoire de s'épargner davantage d'ennuis et de dépenses. C'était le raisonnement d'une gamine de huit ans, souviens-toi. Je saisissais juste assez ce qu'ils se disaient pour paniquer. Alors j'ai filé dans ma chambre sur la pointe des pieds et je me suis cachée dans le placard.

Elle marqua une pause et se mordilla la lèvre.

– Pendant que j'étais tapie là dans le noir, reprit-elle, j'ai entendu des coups de feu. Je compris que je m'étais trompée. Affreusement trompée. Et ce fut alors que je décidai de rester cachée pour toujours. Je me disais que je finirais par mourir de faim ou de soif. J'ai toujours eu un sens aigu du drame, même au plus jeune âge, remarqua-t-elle en souriant tristement.

« Pour finir, une voisine est venue pour emprunter quelque chose. Comme personne ne répondait, elle est entrée et a senti, comme moi, qu'il se passait quelque chose d'anormal. C'est elle qui a découvert mon père et ma mère dans la chambre. Quant à moi, je restai cachée, y compris quand la police et l'ambulance arrivèrent. Quelqu'un téléphona à l'école et l'on sut ainsi qu'on m'avait raccompagnée chez moi. Ils entreprirent alors de fouiller la maison de fond en comble et finirent par me trouver. J'avais peur de me faire attraper, alors je mentis en disant que j'avais trouvé mes parents morts en rentrant à la maison. Je me gardai bien de leur dire la vérité : que j'aurais pu éviter cette catastrophe.

– Ce n'est pas la vérité, Cat !

Elle écarta sa protestation en secouant énergiquement la tête.

– Si j'étais entrée dans la chambre...

– Il t'aurait probablement tuée toi aussi.

– Mais comment le savoir ? J'aurais dû l'arrêter. J'aurais pu courir dehors et appeler à l'aide. J'aurais pu faire des tas de choses au lieu d'aller me cacher. J'aurais dû comprendre ce qu'il était sur le point de faire. Peut-être l'avais-je compris d'ailleurs, inconsciemment.

Alex fit le tour de la table et la força à se lever.

– Tu n'avais que huit ans, Cat!

– Mais j'aurais dû comprendre ce qui se passait. Si je n'avais pas été aussi lâche, j'aurais pu les sauver.

– Est-ce la raison pour laquelle tu as pris sur toi de sauver l'humanité tout entière? dit-il en la saisissant par les épaules. Cat, Cat, chuchota-t-il en essuyant les larmes qui lui inondaient les joues. Tu analyses aujourd'hui ce qui s'est passé avec l'esprit d'un adulte. Tu n'étais qu'un enfant, pour ainsi dire un bébé, souviens-toi. Ce sont tes parents qui ont été faibles, pas toi! Ils t'ont laissée tomber, et non pas l'inverse, acheva-t-il en l'attirant contre lui et en serrant sa tête contre sa poitrine.

« Du temps où j'étais flic, j'ai assisté des dizaines de fois à des scènes semblables. Quelqu'un est au bout du rouleau et décide de se supprimer, ainsi que tout son entourage. Si ton père avait su que tu étais là, crois-moi, il y a de fortes chances pour que tu y sois passée toi aussi.

Il l'étreignit plus fort et lui déposa un tendre baiser sur la tempe.

– En te cachant dans l'armoire, tu as sauvé ta vie.

Elle n'en était pas tout à fait convaincue, mais son ton persuasif l'apaisa. Depuis des années, elle avait besoin qu'on lui dise qu'elle avait fait ce qu'il fallait.

Elle se cramponna à Alex aussi tenacement qu'à ses paroles de réconfort. Pour finir, ses lèvres cherchèrent les siennes, et elle répondit à son baiser avec fougue.

CHAPITRE 52

Le désir les surprit. Ils s'embrassèrent voracement. Elle adorait les picotements de sa barbe contre ses joues, la manière dont ses boucles s'enroulaient autour de ses doigts, elle adorait le regarder, le sentir, le toucher. Elle adorait Alex.

Ils avaient encore des tas de choses à régler entre eux, mais à présent, elle savait qu'elle l'aimait. Quand il lui souffla : « Montons » à l'oreille, elle glissa sa main dans la sienne en toute confiance et le suivit.

En arrivant sur le palier du premier étage, ils s'arrêtèrent pour échanger un baiser. Puis la situation leur échappa. En quelques secondes, ils étaient adossés au mur, se débattant fébrilement avec leurs habits jusqu'au moment où il la prit, très vite et sans ménagement.

Ensuite il la souleva et, la maintenant plaquée contre ses cuisses, il se dirigea vers la chambre d'une démarche vacillante. Ils se laissèrent tomber sur le lit comme une masse. Ses mains étaient partout à la fois, la caressant avec des gestes possessifs tout en la dépouillant impatiemment des vêtements qui lui restaient.

Quand ils furent nus, il lui mordilla le ventre et glissa les mains sous ses fesses. Il lui massa le dos des cuisses, ses doigts lui effleurant l'entrejambe au passage jusqu'au moment où elle crut qu'elle allait mourir d'excitation.

– Alex, je t'en supplie, touche-moi!

Il se pencha et sa bouche alla explorer ses replis soyeux, la taquinant du bout de la langue. Elle n'y résista pas longtemps et très vite sentit monter en elle un nouvel orgasme.

Puis elle inversa les rôles et le prit à son tour dans sa bouche. Elle adorait le goût musqué de son sexe, ce contact velouté contre ses lèvres, sa fermeté et sa douceur dans sa main.

Elle s'adonna tout entière à cet acte d'amour, mais il se déroba, se dressa au-dessus d'elle et la pénétra sans attendre.

Soudain, il s'immobilisa et contempla son visage. Elle ouvrit les yeux et leva son regard vers lui, surprise par ce répit inattendu au milieu de ces ébats frénétiques.

– C'est trop important. Il ne faut pas que nous allions trop vite.

Sans la quitter des yeux, il s'enfonça davantage en elle. Elle laissa échapper un petit cri.

– Je t'aime, Alex, souffla-t-elle. Non, je préfère que tu ne dises rien. Embrasse-moi.

Ses lèvres s'emparèrent doucement des siennes; leurs corps suivirent le mouvement. Quand tout fut fini, il resta niché en elle.

– Je n'ai jamais ressenti cela, dit-elle en soupirant voluptueusement. C'est seulement avec toi. Pour la première fois de ma vie, j'ai vraiment la sensation de faire un avec quelqu'un d'autre. Cette profondeur de sentiment, cette fusion de nos corps, de nos esprits, de nos âmes, c'est incroyable!

Il ferma les yeux en serrant les paupières.

– Oui, répéta-t-il d'une voix rauque, c'est incroyable.

– Tu sais, fit-elle d'une voix étouffée par l'oreiller, si nous continuons à ce rythme, il va falloir que j'ajoute une pilule supplémentaire à toutes celles que je prends déjà.

Ils étaient couchés en chien de fusil sous le drap, son derrière logé tout contre le ventre d'Alex. Il la tenait serrée contre lui par la taille.

– Tu veux parler de contraception?

– Hum!

– Ne t'inquiète pas, dit-il. Je ferai en sorte que tu ne tombes pas enceinte.

– Ou alors nous pourrions abandonner toute précaution, rétorqua-t-elle en lui jetant un coup d'œil espiègle par-dessus son épaule. Ne blêmis pas, Pierce. Si je tombe enceinte, j'assumerai entièrement la responsabilité de l'enfant.

– Pas question! Mais ce n'est pas pour cela que j'ai blêmi. Tu n'es pas censée avoir d'enfant, n'est-ce pas?

– Ce n'est pas très recommandé. Mais plusieurs greffées du cœur en ont eu. Jusqu'à présent, les mères et leurs bébés se portent à merveille.

– Ne prends pas ce risque, Cat! Tant de choses peuvent aller de travers.

– Ne sois pas pessimiste!

– Je suis réaliste.

– On dirait que tu es en colère. Pourquoi? Je plaisantais, c'est tout.

Il resserra son étreinte.

– Je ne suis pas en colère. Je ne veux pas que tu mettes ta vie en péril inutilement, c'est tout. Il n'y a pas là de quoi plaisanter.

– J'ai toujours rêvé d'avoir un bébé, dit-elle d'un air pensif.

On ne pouvait pas tout avoir dans la vie, se rappela-t-elle. Songe à toutes les joies qui t'ont été données, la plus formidable étant celui qui te tient à présent contre lui de façon protectrice. Elle sentait son souffle dans ses cheveux. Cela suffisait à la réconforter.

Il était si beau, si viril. Des images défilaient dans son esprit, répertoriant tous les précieux instants qu'ils avaient passés ensemble.

Il avait dû sentir qu'elle riait en silence car il lui donna un petit coup de genou dans l'arrière-train.

– Qu'y a-t-il de si drôle?

– J'étais en train de penser à la menace que tu as lancée à Cyclope. Je n'avais jamais rien entendu d'aussi monstrueux.

– Quand je lui ai dit que je lui arracherais l'œil et que je...

– Ne le répète pas, je t'en prie! Où as-tu déniché une expression pareille?

– Où veux-tu que ce soit? Dans la rue. Ou les vestiaires de la police. A force de traîner avec des flics, on finit par avoir un langage ordurier.

Il lui avait tendu une perche sans le vouloir.

– Que s'est-il passé, Alex? Pourquoi as-tu quitté la police de Houston? lui demanda-t-elle à mi-voix après un moment de silence.

– Spicer t'a déjà renseigné. J'ai tué quelqu'un.

– Je présume que tu l'as fait dans l'exercice de tes fonctions.

Il attendit un long moment avant de répondre. Tous les muscles de son corps s'étaient tendus.

– Ce n'était pas simplement quelqu'un. C'était un autre flic.

Elle comprenait à présent pourquoi il préférait ne pas s'en souvenir. Les policiers constituaient une véritable confrérie. Partout dans le monde, ils se considéraient les uns les autres comme des frères.

– As-tu envie d'en parler?

– Non, mais je le ferai si tu y tiens.

– Ici Hunsaker.

– C'est Baker, inspecteur.

– Quelle heure est-il?

Il alluma la lampe de chevet. Mme Hunsaker grogna avant d'enfouir son visage dans l'oreiller. Il n'avait pas réussi à s'endormir. Le chili qu'il avait mangé au dîner lui brûlait l'estomac. Les six bières qu'il avait bues en accompagnement lui donnaient des haut-le-cœur. Il était sur le point de se lever pour prendre une tablette antiacide quand le téléphone s'était mis à sonner.

– Désolé d'appeler si tard, s'excusa Baker. Mais vous m'avez dit de vous prévenir dès que j'aurais fini mon rapport.

Baker était une jeune recrue, frais émoulu de l'école de police et avide de plaire à ses supérieurs. Il traitait la moindre besogne comme s'il s'agissait d'enquêter sur l'assassinat de JFK.

– Quel rapport? » demanda Hunsaker en éructant. Un goût de bile lui vint à la bouche.

– Celui concernant les amis de Mlle Delaney. Vous m'avez donné une liste de noms en me demandant de les vérifier. Je viens juste de terminer, et je me demandais si je devais laisser le dossier sur votre bureau ou pas.

– Ecoutez, Baker, je suis désolé. Mais j'ai oublié de vous dire que j'avais laissé tomber l'affaire.

– Ah bon! Vraiment?

Il avait l'air très déçu.

– Mlle Delaney m'a téléphoné tard hier soir. Elle a retrouvé le type qui la harcelait dans un asile de fous de Fort Worth. Il a tout avoué. J'ai annulé la surveillance, mais ce rapport m'était complètement sorti de la tête. Vraiment désolé. Vous aurez vos heures supplémentaires au moins!

– Ouais.

Hunsaker rota de nouveau. Il avait un besoin pressant d'aller aux toilettes.

– Y a-t-il autre chose, Baker?

– Non, enfin, si...

– Qu'y a-t-il, Baker?

– C'est juste que c'est plutôt ironique... Je crois que c'est le mot qui convient. A propos de cet écrivain. Pierce.

Quand Baker lui révéla ce qu'il avait découvert, Hunsaker trouva lui aussi que c'était ironique. A dire vrai, c'était carrément fracassant!

– Seigneur! s'exclama-t-il en se passant la main sur la figure. Ne bougez pas, Baker. Je serai là dans vingt minutes.

– Si ça t'est trop pénible d'en parler, Alex, tu n'es pas obligé.

– Je ne voudrais pas que tu imagines pire que la réalité. C'est déjà suffisamment terrible comme ça.

Il prit un moment pour rassembler ses esprits.

– Nous essayions depuis des années de mettre un terme à un réseau de drogue qui opérait dans la région, mais les trafiquants nous échappaient toujours à la dernière minute. A plusieurs reprises, ils avaient passé de justesse entre les mailles du filet que nous leur avions tendu. Au moment où nous débarquions dans leur planque, ils venaient juste de déguerpir.

« Nous avions fini par obtenir un tuyau fiable, mais il fallait agir vite.

Nous organisâmes une descente le 4 juillet. Un jour de congé, ils ne s'y attendraient pas!

« L'opération était top secret, au point que seuls les agents directement impliqués étaient au courant. Nous étions tous un peu nerveux, mais impatients d'épingler ces salopards.

« Nous débarquâmes dans la maison. Ils n'avaient pas été prévenus cette fois-ci. Les éclaireurs firent irruption et les prirent totalement au dépourvu.

« Je me ruai dans le couloir en direction des chambres à coucher, ouvris une porte d'un coup de pied et me retrouvai face à face avec un de nos gars. Nous avions fait équipe, lui et moi, du temps où nous étions des bleus. Il aurait été difficile de dire lequel de nous deux était le plus surpris.

« Qu'est-ce que tu fous ici? m'exclamai-je. Tu n'étais pas prévu sur ce coup. " Effectivement, je n'étais pas prévu ", me répondit-il.

« Tout à coup, je compris ce qu'il faisait là. Au même moment, il porta la main à son revolver. Je m'accroupis aussitôt, roulai sur moi-même et visai. Non pas mon ancien partenaire, ni l'homme que je croyais être mon ami. Je braquai mon arme sur un sale flic, un foutu dealer de crack. Je lui tirai une balle dans la tête.

En sentant la poitrine d'Alex se soulever et s'abaisser dans son dos, les battements sourds de son cœur, Cat se rendit compte à quel point il lui était difficile de parler de tout ça.

– Tu as fait ce qu'il convenait de faire, Alex.

– J'aurais pu me contenter de le blesser. Or j'ai visé de manière à le tuer.

– Si tu ne l'avais pas fait, il t'aurait sûrement tué.

– C'est possible. Probable même.

– Tu as été blanchi de tout soupçon sans aucun doute.

– Officiellement oui. Ces descentes tournent souvent mal. Il se produit toujours quelque chose d'inattendu. Quand tout rentra dans l'ordre, on s'aperçut qu'un policier était mort, et c'était moi qui l'avais tué. Quand une opération va de travers, il faut que quelqu'un encaisse.

« Une rumeur commença à circuler au commissariat selon laquelle le flic abattu était un agent double. Je l'avais pris par erreur pour l'un des dealers et j'avais tiré avant de l'identifier!

– C'est totalement injuste!

– Ils ont couvert leurs arrières. Il ne fallait évidemment pas que l'on sache que l'un des meilleurs éléments de la police de Houston était un trafiquant de drogue. Il a d'ailleurs eu droit à des funérailles officielles, dignes d'un héros, avec vingt et un coups de canon et tout le tralala.

– Pourquoi n'as-tu rien dit?

– Clamer la vérité? s'exclama-t-il d'un ton railleur. On aurait pensé que j'avais fabriqué un mensonge pour dissimuler mon erreur. C'était ma parole contre celle de la police. De plus, le type avait une femme. Enceinte, qui plus est, pour la première fois. Je ne pouvais pas le traîner dans la boue sans qu'ils en subissent le contrecoup. Elle ignorait tout de ses activités clandestines.

– Comment le sais-tu?

– Je le sais, c'est tout. Sans compter qu'elle n'a jamais tenté de récupérer l'argent qu'il avait mis de côté. Quand elle est partie s'installer chez ses parents dans le Tennessee avec le gamin, tout est resté dans le coffre où il l'avait déposé.

Elle se tourna vers lui et effleura tendrement la cicatrice qui lui barrait le sourcil.

– Je suis désolée, Alex. J'aimerais tellement pouvoir effacer tout ça.

– Et moi donc! fit-il en souriant d'un air lugubre. Après cela, poursuivit-il, j'étais comme un gros furoncle mal placé qui ne cesse de s'infecter pour l'ensemble du département. Je redoutais chaque matin d'aller travailler. Mes collègues qui ne connaissaient pas le fond du problème me méprisaient pour ma soi-disant bévue. Ceux qui étaient au courant se méfiaient de moi en se demandant si je n'allais pas finir par moucharder. J'étais un paria. En gros, ma carrière était finie. En définitive, je leur donnai ce qu'ils voulaient – mon insigne.

– Ta première carrière était finie, corrigea-t-elle, parce que c'est à ce moment-là que tu t'es mis à écrire magnifiquement.

Elle comprenait à présent pourquoi il brossait des portraits aussi peu flatteurs de la police et de ses rouages. Ses héros étaient des francs-tireurs qui dénonçaient les manigances d'hommes politiques et de flics corrompus, le plus souvent au prix de sacrifices personnels considérables.

Elle se blottit contre sa poitrine. Il plongea ses doigts dans ses cheveux emmêlés et leva son visage vers le sien.

– La vie nous joue de sales tours, cela ne fait aucun doute, mais elle a tout de même ses compensations.

– Par exemple? demanda-t-elle, aguichante.

– Toi par exemple.

Il la saisit par le menton et l'embrassa avec fougue.

Cat se réveilla en sursaut, avec le sentiment que quelqu'un l'avait appelée.

Elle resta étendue immobile quelques instants, tendant l'oreille, tous ses sens en alerte. Elle n'entendit rien d'autre que la respiration régulière d'Alex. Peu à peu, elle se détendit, se délectant de sa présence chaleureuse et protectrice.

Au souvenir de leurs ébats, elle rougit de son indécence. Il l'avait rendue totalement impudique. Avec lui, elle se sentait libre d'exprimer sa sensualité... et c'était si bon!

Elle promena son regard sur son visage endormi. Le pli entre ses sourcils avait disparu. Le contour de sa bouche d'ordinaire si sévère s'était adouci. Dans son sommeil, il était libéré des souvenirs qui le hantaient.

Si elle pouvait pardonner à la petite fille terrorisée qui s'était cachée dans le placard, Alex pouvait lui aussi se pardonner d'avoir tiré sur un de ses anciens collègues. En s'aidant mutuellement, ils viendraient à bout de leurs cauchemars respectifs.

Pour répondre à un besoin naturel, elle se leva sans faire de bruit, enfila la chemise d'Alex et descendit. Elle ne voulait pas risquer de le réveiller en utilisant les toilettes du premier.

Profitant de la lumière des réverbères qui s'infiltrait au travers des persiennes, elle trouva le chemin de la salle de bain du rez-de-chaussée, sous l'escalier. Quand elle en ressortit, elle se rendit compte qu'elle était complètement réveillée.

Elle n'avait pas fermé l'œil de toute la nuit précédente. La journée de la veille avait été éprouvante et lui avait semblé interminable. Ils avaient fait l'amour jusqu'à n'en plus pouvoir. Pourtant, après quelques heures de sommeil seulement, elle se sentait fraîche comme une rose. Le jour ne se lèverait pas avant plusieurs heures, mais elle était trop surexcitée pour retourner au lit.

Avait-elle faim? Non.

Soif? Pas vraiment.

Soudain, elle éprouva une irrésistible attirance pour la pièce interdite. Elle regarda fixement la porte un long moment, sachant qu'elle devait résister à ce pouvoir magnétique. Mais sa curiosité innée était trop forte.

Si elle y entrait maintenant, quelle importance cela pouvait-il bien avoir?

Alex s'était farouchement opposé à ce qu'elle y fît intrusion, mais cela, c'était au tout début de leurs relations. Ils se connaissaient à peine. La situation actuelle n'avait plus rien à voir. Ils étaient intimes, tant sur le plan physique que sur le plan émotionnel. Ils s'étaient confié leurs secrets. Cette interdiction ridicule ne tenait plus, assurément.

En tournant la poignée, elle s'aperçut que la porte était fermée à clé.

Tant mieux. Elle savait pertinemment qu'elle ne devait pas entrer sans son assentiment.

Pourtant, elle se dressa sur la pointe des pieds et passa la main le long du chambranle, où elle trouva une petite clé en cuivre. Cela lui parut de bon augure. S'il tenait vraiment à lui interdire l'accès de cette pièce, pourquoi aurait-il laissé la clé à un endroit aussi accessible?

Elle inséra la clé dans la serrure. La porte s'ouvrit avec un petit déclic métallique. Elle s'immobilisa, tendit l'oreille, mais aucun bruit ne lui parvint d'en haut. Elle pénétra dans le bureau et ferma la porte derrière elle avant d'allumer la lumière.

Elle fut terriblement déçue. Si on lui avait demandé de concevoir la retraite d'un écrivain, elle en aurait fait un antre douillet, peuplé d'objets plus intéressants les uns que les autres. Elle imaginait des lambris, de vieux tapis d'Orient, et de gros fauteuils en cuir. Peut-être une mappemonde quelque part dans un coin. Et puis des étagères remplies de premières éditions et d'ouvrages de collection qui refléteraient la lumière de pittoresques lampes Tiffany.

Or l'atelier d'Alex n'avait rien à voir avec tout cela. C'était précisément cela : un atelier. Un espace utilitaire, sans attrait ni caractère, sans la moindre touche esthétique. L'ordinateur et l'imprimante reposaient sur une table pliante avec des pieds en métal et un plateau en formica, à côté du fax.

Il y avait des quantités de livres, allant des encyclopédies aux best-sellers, mais pas trace de reliures en cuir ou de rayonnages en vieux chêne. Ils s'entassaient un peu partout sur d'affreuses étagères en métal gris. Le téléphone trônait sur une pile de bottins.

Dans un coin de la pièce se trouvait un bureau où Alex s'occupait manifestement de sa paperasserie; il était encombré de correspondance, de fax, de relevés de banque. Sur une pile de chemises, elle repéra un bloc-notes taché de café et couvert de gribouillis indéchiffrables reliés par des flèches et des astérisques. Les dossiers étiquetés à la main avaient été amplement manipulés comme en témoignaient leurs bordures écornées et tout effilochées.

Au milieu de tout ce fouillis, son attention fut attirée par une photographie encadrée. Elle s'en empara pour regarder de plus près le couple souriant. Elle reconnut Alex, bien qu'il arborât une grosse moustache retroussée. Elle ne manquerait pas de le taquiner à ce sujet.

A côté de lui sur la photo, il y avait une très jolie jeune femme, vêtue, comme lui, d'un jean coupé et de bottes de cheval. Elle était perchée sur un gros rocher; il était accroupi derrière elle. Le cliché avait dû être pris dans les Rockies à en juger d'après le paysage montagneux en arrière-plan.

Un souvenir de vacances. Il était parti en vacances avec cette femme!

Elle se réprimanda intérieurement de cet accès de jalousie. Alex avait eu d'autres liaisons dans sa vie, naturellement. Dont plusieurs sérieuses, à n'en point douter. Elle n'allait pas se mettre à réagir comme une adolescente pour une photographie!

Oublie, se dit-elle en remettant la photo en place.

Une planche en liège tapissait le mur au-dessus du bureau, presque entièrement recouverte de notes tapées à la machine, d'articles découpés dans des journaux et magazines, de pense-bêtes rédigés hâtivement sur des bouts de papier. Persuadée que toutes les informations rangées là devaient toucher à son travail en cours, Cat s'en rapprocha et entreprit de les passer en revue au hasard.

Il ne lui fallut guère de temps pour se rendre compte que toute cette documentation avait trait à un seul et même sujet. Et cela n'avait rien à voir avec la corruption de la police ou le crime organisé. Il était question de greffe d'organes, et plus spécifiquement de transplantation cardiaque.

Un article en particulier attira son attention. Il s'agissait d'un exemplaire d'une des coupures de journaux que Paul Reyes lui avait envoyées. Si ce n'était que l'article épinglé avec une punaise jaune vif sur le tableau d'affichage d'Alex n'était pas une photocopie de l'article qu'elle lui avait confié plusieurs semaines auparavant. C'était un original, aux angles jaunis, vieux de deux ans.

Ses genoux se dérobèrent sous elle et elle tomba assise brutalement sur le fauteuil face au bureau.

« Ressaisis-toi, Cat », murmura-t-elle. Il était trop tôt pour tirer des conclusions. Il devait y avoir une explication logique à tout cela. Elle ne lui était pas encore venue à l'esprit, voilà tout.

Alex devait faire des recherches sur les greffes du cœur pour l'un de ses livres. Oui, c'était probablement cela. Il n'avait pas voulu le lui dire parce que... Pourquoi?

Pourquoi le lui avait-il caché? Pourquoi tant de mystères?

La réponse devait se trouver quelque part dans ses dossiers. Le premier de la pile portait un nom : AMANDA. Elle l'ouvrit et son cœur fit un bond dans sa poitrine. Lui souriant en gros plan, elle reconnut la femme qui se trouvait aux côtés d'Alex sur la photographie de vacances.

Elle avait des yeux rieurs, saisissants, un visage intelligent. Quelle avait été la nature de sa relation avec Alex? se demanda-t-elle. Elle mourait d'envie de le savoir, tout en redoutant ce qu'elle risquait de découvrir.

Elle mit la photographie de côté afin de lire le document qui se trouvait en dessous.

– Oh mon Dieu!

C'était le certificat de décès d'Amanda.

Quelle qu'eût été la teneur de leurs rapports, ils avaient pris fin avec sa mort. Pauvre Alex! Si son histoire avec Amanda était sérieuse, sa perte avait dû être tragique pour lui. Elle comprenait d'autant mieux son cynisme. Ce décès prématuré, allié à celui de son ancien partenaire, expliquait qu'il eût cherché refuge dans l'alcool. Amanda était-elle morte avant ou après le meurtre?

Elle vérifia la date sur le certificat de décès et porta la main à sa bouche pour étouffer un cri.

Lorsqu'elle recommença à respirer, son souffle lui parut bruyant et heurté dans la pièce silencieuse. Elle entendait les palpitations de son cœur. Elle écarta fébrilement le dossier d'Amanda et lut l'étiquette de celui qui se trouvait juste en dessous, bien qu'elle fût déjà presque certaine de ce qu'elle allait découvrir.

DANIEL L. LUCAS, alias SPARKY.

Elle n'avait pas besoin de regarder le nom qui figurait sur la chemise suivante. Elle vérifia malgré tout. Elle ne s'était pas trompée. JUDITH REYES.

Elle ouvrit rapidement les autres dossiers d'une main tremblante. Chacun portait le nom d'un greffé du cœur mort dans des circonstances mystérieuses. Ils contenaient tous une masse de notes, des descriptions détaillées de l'accident qui leur avait coûté la vie, des photocopies des rapports d'autopsie et de police, autant de documents que seul un flic – ou un ancien policier extrêmement habile – pouvait se procurer.

Elle lut son nom sur l'étiquette de l'ultime dossier de la pile qu'elle ouvrit et feuilleta en frissonnant. Sa vie y était amplement documentée, en particulier les années qui avaient suivi sa greffe. Il y avait des douzaines de photographies, certaines remontant à plusieurs années, d'autres datant de la semaine dernière, quelques-unes posées, d'autres naturelles, manifestement prises au téléobjectif.

Elle passa prestement en revue les autres documents. Ils étaient tous aussi volumineux les uns que les autres. Il avait dû falloir des années pour recueillir toutes ces informations. Il était impossible qu'Alex s'y fût attelé quelques semaines auparavant, lorsqu'elle lui avait demandé de l'aider à retrouver son harceleur. Tout cela représentait des heures et des heures d'investigations approfondies, des journées entières, des années de travail. Chaque décès avait donné lieu à une enquête exhaustive et à un compte rendu précis.

Son esprit refusait d'admettre ce que cela sous-entendait.

Tout à coup, la porte s'ouvrit derrière elle. Elle bondit sur sa chaise et la fit pivoter.

Alex se rua sur elle. Une lueur meurtrière brillait dans son regard.

CHAPITRE 53

– Je t'avais dit de ne jamais entrer dans cette pièce.

Elle avait la bouche sèche. Mais plutôt que de manifester son appréhension, elle choisit de prendre l'offensive.

– Qu'est-ce que tu fais avec tout ça? Comment as-tu rassemblé tous ces documents? Qu'est-ce que ça veut dire? Tu t'intéressais aux greffes du cœur longtemps avant notre rencontre. Pourquoi? Et qui est Amanda?

– Tu n'as pas à fureter dans mes dossiers personnels.

– Je veux savoir pourquoi tu as accumulé tout ça, Alex. Qui était Amanda? répéta-t-elle d'une voix forte.

– Une femme que j'ai connue.

– Très bien connue.

– Oui.

– Et elle est morte.

– Oui.

Derrière son dos, ses mains agrippèrent le bord du bureau.

– D'après son certificat de décès, elle est morte quelques heures avant ma greffe. A-t-on fait don de son cœur par hasard?

Après une brève hésitation, il hocha la tête.

– Dans ce cas, pourquoi ne m'en as-tu jamais parlé? Attends!

Ses pensées se succédaient à une vitesse si vertigineuse qu'elle n'arrivait plus à réfléchir de manière cohérente. Quelque chose avait déclenché le souvenir de la conversation qu'ils avaient eue la veille au soir, même si elle avait le sentiment que celle-ci s'était déroulée il y avait des années.

– Le carambolage sur l'autoroute de Houston! s'exclama-t-elle. Jeff y a fait allusion l'autre soir. J'avais presque oublié. Amanda est-elle morte dans cet accident?

– Non.

Elle expira longuement.

– Qui était-elle, Alex? Bon sang, tu vas me le dire? Vous êtes partis en vacances ensemble. C'était quelqu'un à qui tu tenais, c'est sûr.

– Beaucoup.

Des larmes lui picotaient les yeux.

– Tu as eu une liaison avec une femme dont le cœur a été greffé sur quelqu'un d'autre, mais tu ne m'en as jamais fait part? Pourquoi?

– Ça n'a pas d'importance. Plus maintenant en tout cas.

Il fit un pas vers elle; elle recula à la hâte.

– Ça a énormément d'importance au contraire, à mon avis, répondit-elle, à court de souffle. Sinon nous nous serions penchés ouvertement sur son cas comme nous l'avons fait pour Sparky et Judy Reyes. Pourquoi refuses-tu de me parler d'Amanda?

Sur le point de suffoquer, elle porta la main à sa gorge et déglutit péniblement.

– Comment est-elle morte?

– Cat...

– Réponds-moi! Comment est-elle morte?

– D'une embolie cérébrale. Lors d'un accouchement.

– D'un accouchement? fit-elle d'une voix éraillée, à peine audible. Et le bébé? Qu'est-il advenu du bébé?

– Mon fils est mort-né. Il s'est étranglé avec le cordon ombilical.

Elle laissa échapper un petit cri angoissé.

– Ton fils? Amanda était ta femme?

– Nous ne nous sommes jamais mariés.

– Peu importe. Vous étiez dévoués l'un à l'autre, n'est-ce pas?

– Totalement.

– Tu l'aimais.

– Plus que ma propre vie.

Cat essuya instinctivement les larmes qui lui inondaient les joues.

– Et tu penses que j'ai son cœur.

Il s'approcha encore d'elle en lui tendant les bras, mais elle battit en retraite, ce qui le rendit furieux.

– Arrête de me fuir, bon sang! Calme-toi et écoute-moi.

– Oh, pour écouter, je sais écouter! railla-t-elle en riant cyniquement d'elle-même. Je crois tout ce qu'on me dit, sans me poser de questions. Je suis d'une naïveté à toute épreuve. Je fais aveuglément confiance aux gens, sans jamais mettre leurs paroles en doute.

Un sanglot lui secoua la poitrine avec une telle force qu'elle eut mal.

– Quel salaud! Ce n'était pas avec moi que tu faisais l'amour! C'était avec Amanda...

– Ecoute-moi.

– Non! J'en ai marre d'écouter.

Epouvantée par les conséquences de ce qui était en train de se passer, elle serra convulsivement ses poings contre ses tempes.

– Quand je pense avec quelle minutie tu as planifié tout ce... Parce que tu avais tout prévu, n'est-ce pas? C'était un coup monté depuis le départ. En commençant par notre rencontre!

– Oui, reconnut-il laconiquement.

Sa respiration s'arrêta net et une sorte de plainte rauque s'échappa de sa gorge.

– Irène et Charlie Walters avaient fait une demande d'adoption, s'empressa-t-il d'ajouter. J'avais espéré faire ta connaissance par leur intermédiaire. A un moment donné ou à un autre. Je n'avais certainement pas prévu que le frère d'Irène tomberait malade, ni que ce serait toi qui viendrais ce matin-là.

– Je refuse de le croire.

– Mais dès l'instant où je t'ai vue, j'ai éprouvé... quelque chose. Tu l'as ressenti toi aussi.

– Le coup de foudre! lâcha-t-elle, sarcastique. Tu penses que le cœur d'Amanda a fait un petit bond en te reconnaissant?

– Seigneur! marmonna-t-il en se passant la main dans les cheveux. Je ne sais plus que penser. Tout ce que je sais, c'est que je suis amoureux de toi.

– Faux. Tu es amoureux d'Amanda.

– Ce que j'ai fait est...

– Méprisable. Perfide. Ignoble. Dégueulasse!

– D'accord! Tu as raison. Je suis un salaud! Je l'ai admis il y a longtemps. » Il ravala de justesse les paroles de colère qui allaient suivre et baissa brusquement la tête. Longtemps, son regard resta rivé au sol. Pour finir, il leva les yeux vers elle et dit à voix basse : « Avant de pouvoir me pardonner, il va falloir que tu comprennes à quel point je l'aimais.

Cat était trop bouleversée pour parler. Alex profita de son mutisme pour débiter son plaidoyer.

– Amanda voulait absolument que nous nous mariions, mais j'ai toujours refusé à cause de mon métier. Il m'arrivait souvent de partir plusieurs jours d'affilée. Quand je sortais de la maison, elle ne savait jamais si elle me reverrait, ou si un voyou ne passerait pas le test d'initiation de sa bande en se payant la peau d'un flic. Ce genre de vie est infernal pour une relation. Je tenais à ce qu'elle se sente libre de s'en aller à n'importe quel moment. Sans attaches.

« Quelque temps après cette descente fatale, elle s'est arrangée pour tomber enceinte. Au début, j'étais furieux. Et puis j'avais peur. Mais elle était tellement ravie que peu à peu, son enthousiasme m'a gagné. Cette vie nouvelle qui grandissait en elle était comme une étincelle d'espoir, tu comprends?

« Lorsque j'ai appris qu'elle était sur le point d'accoucher, je me suis précipité à l'hôpital, mais j'ai été retenu par le fameux carambolage sur la bretelle de l'autoroute. Quand j'arrivai enfin... » Il se frotta les yeux. « ... j'ai perdu la tête lorsque le docteur m'a annoncé qu'ils l'avaient déjà déclarée en coma dépassé.

Ses larmes continuaient à couler à flots, mais sa colère s'était dissipée. Elle était captivée par l'histoire tragique qu'Alex était en train de lui raconter. De temps à autre, elle hoquetait un faible sanglot. Mais en dehors de cela, elle le laissa parler sans l'interrompre.

– La représentante de la banque d'organes vint me trouver. Elle n'exerça pas la moindre pression sur moi, je dois le reconnaître. Elle s'excusa d'intervenir à un moment aussi pénible, mais me rappela qu'Amanda avait fait préciser sur son permis de conduire que s'il lui arrivait quelque chose, elle souhaitait faire don de ses organes.

« On estime qu'il s'agit là d'un document officiel. Quoi qu'il en soit, elle me laissa entendre que rien ne serait entrepris sans mon accord. Amanda n'avait pas de famille. La décision m'appartenait à part entière.

« Quelqu'un avait désespérément besoin du cœur d'Amanda, me précisa-t-elle. Sans ce cœur, cette autre personne mourrait. Le prélèvement devait être effectué rapidement. Il était essentiel de faire vite. Aussi, si je voulais bien lui donner la permission...

Sa phrase resta en suspens, et Cat comprit qu'il avait cessé d'être conscient de sa présence. Il était de retour dans ce couloir d'hôpital, accablé de chagrin, et quelqu'un lui demandait instamment d'accepter que l'on extraie le cœur de la femme qu'il aimait.

– Nous avons vécu ensemble cinq ans, mais je ne lui ai jamais donné ce qu'elle désirait le plus au monde. Mon nom. Ce n'était pourtant pas un nom très populaire à Houston à ce moment-là. Il me semblait qu'elle s'en tirerait mieux sans. Ou bien peut-être étais-je simplement trop égoïste.

« Je savais que je l'aimais, poursuivit-il. Je savais que je voulais vivre avec elle et notre enfant jusqu'à la fin de mes jours. Mais je ne m'étais pas rendu compte à quel point je dépendais d'elle sur le plan émotionnel jusqu'au jour où elle n'a plus été là.

« Paradoxalement, j'avais démissionné de la police le jour même, ce qu'elle m'exhortait à faire depuis l'accident. Elle voulait que je consacre tout mon temps à l'écriture. Elle croyait en mon talent. C'était ce qu'elle disait tout au moins, ajouta-t-il avec un sourire poignant.

« Après son enterrement, j'ai vidé l'appartement, jeté toute la layette et j'ai bu pendant des mois. Ce fut seulement après avoir retrouvé ma sobriété, à la suite de ma rencontre avec Arnie, que je songeai à me renseigner sur la personne qui avait reçu son cœur.

« L'organisme chargé des prélèvements ne voulant rien me dire, je me mis en tête de la retrouver moi-même. J'étais hanté par la pensée que son cœur battait dans la poitrine de quelqu'un d'autre.

« J'entrepris de lire les journaux publiés dans toutes les grandes villes du pays le jour de son décès et durant les quelques semaines suivantes, à la recherche d'articles concernant des greffés du cœur. Si les receveurs savent lire entre les lignes dans la presse, ils peuvent parfois déterminer avec précision qui est leur donneur simplement en parcourant les gros titres. Je pensais que l'inverse fonctionnerait aussi.

« J'ai lu absolument tout ce qui a paru sur le sujet. Cela m'a permis d'apprendre quels étaient les critères nécessaires pour un bon transfert d'organes. Je les ai notés soigneusement et j'ai ainsi esquissé un profil du receveur potentiel, tout à fait comme je l'aurais fait pour un personnage de roman.

« Ta greffe avait fait la une des journaux. En me servant de mes anciens contacts dans la police, en graissant des pattes ici et là, en recourant à toutes sortes de ruses, j'ai fini par savoir, grâce au personnel de l'hôpital californien où tu étais, l'heure exacte à laquelle ton opération avait eu lieu. C'était limite, mais possible. Vos groupes sanguins correspondaient. Vous étiez à peu près de la même taille. Plus j'approfondissais mes recherches, plus j'étais convaincu que c'était toi qui avais son cœur.

« Je songeais à aller m'installer à Los Angeles pour tâcher de te rencontrer lorsqu'on annonça ton intention de déménager à San Antonio. J'ai aussitôt quitté Houston pour venir ici. » Il marqua une pause. « Tu connais la suite.

– Tu es vraiment un salopard de première, menteur et sournois qui plus est!

– A la base, oui. Mais en te voyant à travers le grillage de la porte, j'ai eu un choc terrible. J'ai su tout de suite, dit-il en brandissant le poing pour donner plus de poids à ses paroles, j'ai su que j'avais raison. Plus je passais du temps avec toi, plus j'étais convaincu. Tu lui ressembles tellement à certains égards.

– Tais-toi. Je ne veux pas le savoir.

– Tes expressions me rappellent Amanda. Vous avez les mêmes goûts, les mêmes phobies. Ton sens de l'humour lui-même ressemble au sien, ainsi que ton optimisme à toute épreuve.

– Arrête! hurla-t-elle en se bouchant les oreilles.

– Il fallait que je fasse l'amour avec toi, Cat. Il le fallait.

– Tu t'es servi de moi!

– Oui, siffla-t-il. Il fallait que je voie si je pouvais l'atteindre. La sentir. La toucher, rien qu'une fois encore.

– Oh mon Dieu! gémit-elle, anéantie par cet aveu.

– Et j'ai effectivement senti une sorte d'union cosmique. Mais était-ce Amanda? Ou toi? Ce qui se passait entre nous était tellement incroyable que j'en suis arrivé à me sentir coupable de l'avoir trahie.

– Je n'étais certainement pas ta première conquête en quatre ans?

– Non. Mais tu étais la première avec laquelle cela voulait dire quelque chose, la première dont je me souvenais du nom en me réveillant le lendemain matin. Voilà pourquoi j'ai préféré rompre avec toi. Je ne pouvais plus me fier à mes motivations. J'étais en train de tomber amoureux de toi et Amanda n'avait plus rien à voir là-dedans.

« Peu m'importait désormais que tu aies son cœur ou non. J'ai failli m'étrangler le matin où tu m'as dit que tu avais demandé à la banque d'organes des informations sur ton donneur. Aussitôt après ton départ, j'ai téléphoné à l'organisme qui s'était chargé du prélèvement du cœur d'Amanda pour annuler ma demande de renseignements qui remontait à longtemps. Si tu avais son cœur, je ne voulais pas le savoir. A ce stade, j'avais compris que je t'aimais. Je n'avais plus besoin d'en savoir plus.

– Tu ne t'imagines tout de même pas que je vais croire ces sornettes? Quant à ça... » Elle balaya la pile de dossiers, dont le contenu s'éparpilla sur le sol. « Tu t'es donné sacrément de peine pour rien. Rien ne prouve que j'ai son cœur. Strictement rien!

– J'en suis sûr à quatre-vingt-dix pour cent. Je n'ai pas eu ce même choc avec les autres.

– Ce n'est qu'une... » Elle s'interrompit tout à coup en prenant brutalement conscience de ce qu'il venait de dire. « Les autres?... Les autres greffés? Tu les as rencontrés eux aussi?

Ses larmes se tarirent instantanément alors que la vérité se faisait jour dans son esprit.

– Oh mon Dieu! C'est toi!

– Cat...

Elle se rua sur lui, martelant sa poitrine de ses poings avec toute l'énergie du désespoir. Elle l'avait pris totalement au dépourvu. Il perdit l'équilibre et s'abattit contre les étagères, expédiant plusieurs rangées de livres par terre. Elle en profita pour courir jusqu'à la porte qu'elle claqua derrière elle.

Elle fonça dans le couloir, traversa le salon à toutes jambes, attrapant au passage les clés de voiture qu'Alex avait laissées sur la table. La porte d'entrée était fermée à clé. Ses doigts engourdis tiraillèrent fébrilement sur le verrou. Derrière elle, le bruit de ses pieds nus résonnait sur le tapis. Sans perdre une seconde, elle se précipita dehors et s'élança vers la voiture d'Alex.

– Cat, attends! hurla-t-il en courant derrière elle.

– Pour que tu puisses me tuer comme les autres!

Elle passa prestement la marche arrière et enfonça le champignon. Les pneus crissèrent sur le trottoir et tournèrent dans le vide. Il était à deux doigts de saisir la poignée de sa portière quand les roues trouvèrent enfin prise. Elle démarra en trombe dans la nuit.

CHAPITRE 54

Où pouvait-elle bien être cette stupide garce?

Malheureusement Kismet n'était pas si bête que ça, se rappela-t-il amèrement. Il était d'ailleurs tombé dans le piège qu'elle lui avait tendu, comme un imbécile.

Il cogitait depuis des jours pour trouver un moyen de la dénicher. Jusqu'à présent, il n'avait pas encore eu d'idées lumineuses. Le contraire eût été étonnant pour la bonne raison qu'il avait la cervelle ramollie par l'alcool et les drogues.

Il avait interrogé les gens autour de lui, mais personne ne connaissait l'existence de foyers pour femmes dans la région. Ses investigations n'avaient rien donné mises à part quelques remarques goguenardes sur son inaptitude à mater sa petite amie. On s'était moqué de lui!

Bon sang! Il fallait à tout prix qu'il la trouve et qu'il la ramène de force à la maison, ne serait-ce que pour sauver son honneur. Ses ennemis eux-mêmes commençaient à lui manquer de respect, ce qui devenait insupportable.

Dès qu'il aurait mis la main sur elle, et il ne doutait pas un instant qu'à un moment donné ou un autre elle viendrait le supplier à genoux de la reprendre, il lui ferait regretter de l'avoir trahi.

Jamais elle n'aurait eu le cran de lui tenir tête si cette fichue Delaney ne s'en était pas mêlée. Tout ça, c'était de sa faute. Elle avait surgi de nulle part en réveillant du même coup le fantôme de Sparky dans l'esprit de Kismet.

Jusque-là, il n'avait eu aucun mal à la tenir en respect. Il lui suffisait de menacer le gamin pour qu'elle devienne aussitôt douce comme un agneau. Elle était prête à tout pour protéger ce sale petit bâtard. Mais il pouvait difficilement la maîtriser, sans parler de la punir comme elle méritait de l'être, s'il n'arrivait pas à dénicher sa planque.

Une seule personne pouvait lui dire où Kismet se cachait avec son mioche. Non, en fait, ils étaient deux à le savoir, mais il préférait ne pas se frotter à ce Pierce, à moins qu'il n'y eût pas moyen de faire autrement.

Quoi qu'il en soit, il n'accomplirait rien en restant assis là à se creuser les méninges. Il avait examiné la situation sous toutes ses coutures au point d'avoir le cerveau en compote. Le moment était venu de passer à l'action. La grosse chaleur devait être passée à l'heure qu'il était. Les flics auraient autre chose en tête que de lui courir après.

Il se leva et tituba légèrement avant de retrouver suffisamment d'équilibre pour gagner la porte du bar. La nuit était tombée. L'air frais le ravigota et il retrouva du même coup un semblant de lucidité.

En enfourchant sa Harley, il la caressa comme s'il s'agissait d'un être vivant. Il fit ronfler son moteur puissant et le vrombissement familier qui lui envoyait des vibrations dans les cuisses, le bas-ventre et l'estomac lui fit du bien. Cette sensation agréable l'imprégna d'un sens de sa virilité en lui redonnant la confiance en lui que son fiasco face à la Delaney avait mise en pièces.

S'il laissait cette fichue rousse bousiller sa vie en s'en tirant à bon compte, autant lui donner un couteau de boucher pour le castrer!

Pas question, ma jolie, railla-t-il en démarrant dans la nuit avec un bruit d'enfer.

Bill Webster n'avait pas fermé l'œil de la nuit.

Pour la énième fois il jeta un coup d'œil au réveil posé sur la table de chevet de Mélia. Il était minuit passé. Il repoussa les couvertures et se leva sans faire de bruit. Son pantalon était soigneusement plié sur un dossier de chaise. Il était en train de l'enfiler quand Mélia se dressa sur son séant et l'appela d'une voix endormie.

– Désolé de t'avoir réveillée, lui dit-il. Rendors-toi.

– Où vas-tu?

– Il est temps que je m'en aille.

– A cette heure-ci? Je croyais que tu avais dit à Nancy que tu ne rentrerais que demain.

– C'est bien ce que je lui ai dit.

– Alors pourquoi n'attends-tu pas le matin?

– C'est déjà le matin.

Elle fronça les sourcils, peu encline à couper les cheveux en quatre à cette heure indue.

– J'ai horreur de me réveiller toute seule, bougonna-t-elle.

– Pas moyen de faire autrement aujourd'hui.

– Pourquoi es-tu si pressé?
– J'ai quelque chose d'important à faire.
– A cette heure-ci? insista-t-elle.
– Le plus tôt sera le mieux, répondit-il laconiquement.

Elle déploya des trésors de sensualité pour essayer de l'attirer au lit, mais rien n'y fit. Il partit précipitamment, sans même l'embrasser pour lui dire au revoir.

Alex jura grossièrement en voyant les feux arrière de sa voiture disparaître à l'angle de la rue, mais il ne perdit pas un instant.

Il se rua à l'intérieur, monta à toute allure dans sa chambre et s'habilla. Il prit le revolver rangé dans le premier tiroir de son bureau et s'empara d'une poignée de balles qu'il fit glisser dans la poche poitrine de sa chemise tout en redescendant les marches quatre à quatre.

En sortant de la maison, il jeta un coup d'œil à sa montre et jura de nouveau entre ses dents.

Sa moto était toujours au garage. Il n'hésita qu'une seconde. A l'aide de la crosse de son revolver, il brisa la vitre avant droite de la BMW de son voisin. En un rien de temps, il avait mis le contact en provoquant un court-circuit.

Tout en démarrant sur les chapeaux de roue, il vérifia l'heure encore une fois. Il n'avait que cinq minutes de retard sur elle.

Elle avait bien trop peur pour pleurer. Elle pleurerait plus tard. Quand il serait sous les verrous et qu'elle serait en sécurité, elle donnerait libre cours à son chagrin. Pour l'heure, elle devait concentrer toute son attention sur la nécessité de survivre.

C'était Alex! Depuis le début. Il y avait une chance pour qu'elle ait reçu le cœur de sa chère Amanda. Il projetait par conséquent de la tuer comme il avait liquidé tous les autres. Aujourd'hui même, puisque c'était la date anniversaire du jour où elle avait repris vie, un jour qui pour lui était synonyme d'une souffrance indicible.

Il lui avait dit qu'il était hanté par la pensée que le cœur d'Amanda pût battre dans la poitrine de quelqu'un d'autre. Il avait donc traqué tous les receveurs éventuels et, fort de ses talents de bluffeur, il s'en était approché suffisamment pour les tuer sans éveiller le moindre soupçon. Il était ainsi passé d'une victime à l'autre en élaborant chaque fois un plan judicieux.

Qui pouvait-on imaginer de mieux à même d'exécuter ces crimes parfaits – que les autorités n'avaient d'ailleurs même pas jugés comme tels – qu'un ancien policier auteur de romans noirs? Il savait mieux que quiconque faire disparaître d'éventuels indices et brouiller les pistes.

Elle frissonna, et pas seulement parce qu'elle n'avait rien d'autre sur le dos que sa chemise. Le cuir du siège était glacé contre ses fesses nues et elle avait la chair de poule.

Dès qu'elle arriverait chez elle, elle téléphonerait à l'inspecteur Hunsaker. Mais il fallait déjà qu'elle arrive! Elle avait l'œil sur son rétroviseur. Même si elle l'avait pris au dépourvu, Alex ne manquait pas de ressource. Elle s'attendait à tout instant à ce qu'un autre véhicule la dépasse.

Ce serait parfait, non? Il lui suffisait de l'expédier par-dessus la rambarde du pont autoroutier et de filer au plus vite. Sa mort passerait pour un accident et personne ne songerait à le soupçonner puisqu'elle était au volant de sa voiture à lui. Oui. Ce serait on ne peut plus plausible. Elle avait passé la nuit avec lui et s'en était allée de bonne heure le matin pour rentrer chez elle. Il lui avait gentiment prêté sa voiture.

« Je n'arrive pas à le croire », s'exclamerait-il en apprenant son décès. Il prendrait une mine de circonstance et personne ne douterait une seconde de son innocence.

Comme elle y avait cru elle-même.

Pourquoi n'avait-elle pas écouté Dean? Ou Bill? Ils l'avaient pourtant mis en garde à son sujet, conscients l'un et l'autre de sa duplicité. Pourquoi n'avait-elle rien vu? Son « côté sombre », comme elle avait préféré l'appeler, était carrément noir au point d'être meurtrier.

Il avait joué son rôle à la perfection, avec la finesse et l'habileté d'un expert en la matière. Il avait commencé par lui faire la cour, la désarmant en déployant tous ses charmes. Puis il l'avait repoussée en l'incitant du même coup à le désirer davantage. Ensuite il s'était fait son ami, son confident, au moment où elle en avait le plus besoin. Pour finir il était devenu son amant dans le sens le plus rigoureux du terme. Elle lui avait déclaré sa flamme! Et pendant tout ce temps-là...

Elle réprima un sanglot en s'engageant sur la bretelle de sortie à une vitesse trois fois supérieure à celle recommandée, serrant le volant de toutes ses forces. Elle enfila à toute allure les quelques rues qui la séparaient encore de chez elle tout en se rabâchant qu'elle n'avait plus le loisir de s'appesantir sur ces questions personnelles. Si elle réussissait à s'en sortir, elle aurait tout le temps de soigner son pauvre cœur meurtri.

Elle remonta l'allée à toute allure et freina brusquement devant sa porte. Puis elle ouvrit violemment sa portière et se rua vers l'entrée. En atteignant la dernière marche du porche, elle trébucha sur une forme humaine et poussa un cri strident.

Son visiteur inattendu se redressa d'un bond et la saisit par les bras.

– Cat? Où étiez-vous passée?

Elle faillit s'évanouir, sous l'effet de la peur, puis du soulagement.

– Jeff! C'est vous? Dieu merci.

En s'agrippant aux manches de sa veste, elle s'abattit contre sa poitrine tout en essayant de reprendre son souffle.

– Il faut que vous m'aidiez.

– Seigneur, Cat, vous êtes pour ainsi dire... Où sont vos habits? bafouilla-t-il.

– C'est une longue histoire.

Elle ouvrit la porte d'entrée à la hâte et éteignit le système d'alarme. Jeff la suivit à l'intérieur.

– Il faut absolument que j'appelle la police, dit-elle. C'est Alex Pierce qui me persécute.

– *Comment?*

– A cause d'une femme qu'il aimait. Elle est morte en donnant naissance à son fils. Il a accepté de faire don de son cœur...

Tout en lui expliquant la situation, elle fouilla fébrilement dans son sac à la recherche de la carte de l'inspecteur Hunsaker.

– Où est-ce que je l'ai fichue? Je sais qu'elle est quelque part là-dedans? Il faut que je l'appelle sur-le-champ. Aujourd'hui, c'est la date anniversaire de...

– Je le sais, l'interrompit-il. Je m'en suis rendu compte à minuit. N'ayant pas eu de nouvelles de vous de toute la journée, j'ai commencé à m'inquiéter. Je suis venu voir si tout allait bien avec l'intention de rester auprès de vous si vous étiez toute seule.

– Il veut ma peau, Jeff! Ne serait-ce que pour m'empêcher de révéler la vérité sur ses trois autres meurtres. Il est incroyablement ingénieux. Rien ne l'arrêtera. Vous ne pouvez pas vous imaginer la logique implacable avec laquelle il a mis son plan à exécution.

La sonnette retentit, suivie de coups déterminés sur la porte.

– *Cat!*

Ils s'immobilisèrent l'un et l'autre. Puis Jeff passa devant Cat et se planta en face de la porte dans l'intention de la protéger de son corps. Dans d'autres circonstances, elle aurait ri de cette tentative aussi héroïque que comique.

– La police arrive, hurla-t-il.

– Cat? C'est Bill.

Elle écarta Jeff de son passage et se hâta d'aller ouvrir.

Bill Webster entra d'une démarche décidée.

– Que se passe-t-il, pour l'amour du Ciel? Qu'est-ce que vous faites là, Doyle? Et qu'est-ce que c'est que cette tenue, Cat?

– C'est Alex Pierce qui lui a envoyé toutes ces coupures de journaux, l'informa aussitôt Jeff. Il a tué les autres greffés du cœur et maintenant il est à ses trousses.

Bill était tout aussi étonné de cette nouvelle que Jeff l'avait été quelques instants auparavant.

– Comment savez-vous que c'est lui? Où est-il à l'heure qu'il est?
– Je viens de le quitter.
Les deux hommes portèrent un regard embarrassé sur ses jambes nues. Cat, elle, n'avait pas le temps d'être gênée.
– Je m'apprêtais à téléphoner à l'inspecteur Hunsaker.
Elle leur décrivit en peu de mots la chambre secrète d'Alex, les dossiers qu'elle y avait découverts, la masse d'informations qu'il avait accumulées.
– Tout est clair à présent, acheva-t-elle. Il a dû glousser de rire intérieurement quand je l'ai supplié de m'aider à trouver mon harceleur. Il m'a donné des indices concernant Sparky. C'est lui qui a " découvert " Paul Reyes et qui a inutilement imposé à ce pauvre homme et à sa famille une épreuve terrible aujourd'hui même.
– Qui est ce Reyes? demanda Bill.
Elle leur fit un compte rendu éclair de leur expédition à Fort Worth. Ils furent aussi déconcertés qu'elle par le mal qu'Alex s'était donné pour la lancer sur de fausses pistes.
– Ah voilà! s'exclama-t-elle en brandissant la carte de Hunsaker tout en se précipitant sur le téléphone.
– Je vais l'appeler pendant que vous irez vous changer, suggéra Jeff.
– Merci.
Elle se dirigea aussitôt vers sa chambre, mais Bill l'arrêta au passage.
– Cat, sommes-nous toujours amis? Pouvez-vous me pardonner à propos de Mélia? lui souffla-t-il.
C'était étrange de constater avec quelle rapidité cette sensation d'être suspendue entre la vie et la mort avait jeté une lumière nouvelle sur tout le reste. Ses priorités lui apparaissaient désormais avec une parfaite netteté.
– J'étais très fâchée contre vous, et cruellement déçue. Mais ce n'est pas à moi de vous pardonner. Et nous sommes toujours amis, cela va de soi.
Brusquement, elle se rendit compte de l'incongruité de sa présence chez elle à une heure pareille.
– Qu'est-ce qui me vaut l'honneur de votre visite? demanda-t-elle.
Avant qu'il eût le temps de répondre, Jeff leur annonça qu'Hunsaker était en route.
– Il a dit qu'il serait là aussitôt que possible.
– Vous voulez bien rester jusqu'à ce qu'il arrive?
Les deux hommes acquiescèrent à l'unisson. Elle les remercia avant de disparaître dans sa chambre.

Le docteur Spicer posa sa clé en plastique sur la commode avant de quitter sa chambre d'hôtel.

Il était encore tôt. Les couloirs étaient déserts. Il se retrouva seul dans l'ascenseur. En traversant le hall, il constata que le réceptionniste somnolait à moitié. Il quitta l'établissement sans que personne le vît.

Il était arrivé à San Antonio peu après minuit par un vol en provenance de Los Angeles avec une escale d'une heure à Dallas. Il avait essayé de joindre Cat depuis l'aéroport de Dallas-Fort Worth, puis de nouveau en atteignant San Antonio. Mais elle n'avait pas répondu.

Il avait pensé laisser un message sur son répondeur, mais s'était ravisé. Au cas où Pierce était là avec elle, il ne voulait pas passer pour un imbécile. Il imaginait sa voix résonnant dans la chambre à coucher pendant qu'ils faisaient l'amour!

De plus, il n'était pas certain de l'accueil qu'elle lui réserverait. La dernière fois qu'ils avaient parlé au téléphone, elle lui avait raccroché au nez. Il lui avait fait part du meurtre du policier de Houston que l'on attribuait à Pierce. Pour ce qui était de l'écrivain, elle se laissait guider par son cœur plutôt que par son esprit, cela allait sans dire.

Mais n'était-ce pas là le propre de toutes les femmes?

En y réfléchissant, il était sans doute préférable qu'il ne l'eût pas atteinte par téléphone. Sa visite la surprendrait. Ce qui ne devrait pas être le cas, d'ailleurs, puisque aujourd'hui c'était l'anniversaire de sa greffe.

La rue était déserte et sombre.

Cyc rangea sa moto à l'abri des regards, sous un chêne, à l'autre bout du pâté de maisons et plissa son bon œil en fixant son attention sur la maison de Cat Delaney.

Il reconnaissait la voiture dans l'allée. C'était celle de Pierce. Mais il y en avait une autre, garée le long du trottoir. Toutes les lumières étaient allumées dans les pièces donnant sur la rue.

– Mince!

Tout allait décidément de travers ces temps-ci. Ce serait évidemment idiot de faire irruption chez elle alors qu'elle était en compagnie de son copain flic.

Il était en train de cogiter une solution de rechange quand un inconnu ouvrit la porte d'entrée. Il dit quelque chose d'inaudible par-dessus son épaule, puis sortit sur le porche en refermant la porte derrière lui.

Il jeta des coups d'œil furtifs autour de lui. Cyclope retint son souffle, mais sa cachette obscure lui évita de se faire repérer. Ensuite l'homme se dirigea à grandes enjambées vers la voiture de Pierce qu'il alla ranger dans le garage. Il en ressortit quelques instants plus tard et abaissa manuellement la lourde porte. Après quoi, il se précipita vers l'autre véhicule garé devant la maison et, après s'être bagarré avec un trousseau de clés, il s'installa au volant et s'éloigna dans la direction opposée à celle où Cyc était embusqué.

Celui-ci s'efforçait désespérément de comprendre ces étranges manœuvres. Il n'était pas absolument certain que la voiture rangée dans l'allée fût celle de Pierce. Il l'avait vu la conduire, bien sûr, mais rien ne prouvait qu'elle ne lui appartenait pas à elle.

Peut-être bien qu'elle avait une histoire avec un autre homme que Pierce. Sinon pour quelle raison ce type serait-il sorti de chez elle à une heure pareille en rasant les murs? La question était de savoir si elle était vraiment seule maintenant qu'il était parti.

Il laissa sa moto sous le chêne et remonta la rue à pied en direction de la maison.

Cat éprouvait le besoin de se purifier des caresses d'Alex, de son odeur, de son essence. Elle pouvait s'autoriser quelques instants de détente avant l'arrivée d'Hunsaker. Que se passerait-il ensuite? Dieu seul le savait!

En poussant un profond soupir, elle se glissa dans un bain chaud débordant de mousse et posa la tête contre le rebord de la baignoire. Elle mourait d'envie de s'immerger tout aussi totalement dans son désespoir, de pleurer jusqu'à ce qu'il ne lui reste plus une larme. Mais elle ne pouvait pas se permettre de laisser ses émotions prendre le dessus pour le moment. Elle devait avoir les idées aussi claires que possible, garder la tête froide, et se montrer aussi impitoyable qu'il l'avait été.

Sans cœur, songea-t-elle, non sans cynisme.

Elle ferma les yeux dans l'espoir d'effacer les visions d'Alex qui affluaient dans son esprit, mais son visage continuait à la hanter – lorsqu'il lui faisait l'amour, lorsqu'il lui parlait avec enthousiasme de son travail ou lorsqu'il lui avait fait part de son attachement à Amanda.

Un élan d'émotion l'envahit. Sa gorge se serra. Elle lutta ardemment, agressivement, contre cet émoi. Ce fut probablement la raison pour laquelle elle n'entendit pas la porte de la salle de bain s'ouvrir. De fait, si elle n'avait pas senti un léger courant d'air sur son visage, elle n'aurait même pas rouvert les yeux.

Lorsqu'elle le vit, elle se redressa en sursaut, expédiant un jet d'eau par-dessus le bord de la baignoire.

– Qu'est-ce que vous faites là?

– Ça vous étonne?

Elle était abasourdie. Trop abasourdie pour crier. Incrédule, elle le regarda brancher le sèche-cheveux dans la prise au-dessus de la coiffeuse. Il actionna le bouton et l'appareil se mit à ronronner.

– Je suis désolée, Cat. » Son sourire doux et triste lui glaça le sang. « Vous êtes sur le point d'être la victime d'un tragique accident. »

CHAPITRE 55

– Bon sang!

Alex abattit son poing sur le volant de la BMW. Ces fichues bagnoles n'étaient pas censées tomber en panne d'essence! C'était bien sa veine! Piquer une voiture dont le réservoir était vide.

Il tourna le volant à fond de manière à engager le véhicule sur le bas-côté de l'autoroute, ouvrit la portière brutalement et reprit aussitôt sa route au pas de course. Ce serait bien fait pour son BCBG de voisin si on faisait main basse sur sa voiture ou tous ses accessoires. En panne d'essence! Pour l'amour du Ciel!

Il y avait très peu de circulation. Il brandit le pouce au passage de plusieurs voitures, bien qu'il doutât de se faire prendre. Il ne devait guère inspirer confiance avec ses cheveux en bataille, sa barbe de deux jours et sa chemise qui lui battait les reins.

Il prit la bretelle de sortie, ses talons résonnant sur le macadam, tout en comptant mentalement le nombre de pâtés de maisons qu'il aurait à franchir avant d'atteindre la maison de Cat.

Il n'osait même pas penser à ce qu'il risquait de trouver en arrivant.

En se réveillant ce matin-là, la clé du mystère lui était brusquement apparue. Son inconscient avait travaillé pendant son sommeil. Un élément essentiel du puzzle lui échappait depuis le début. Il lui sautait aux yeux à présent. Pourquoi n'y avait-il pas pensé avant que trois innocentes victimes trouvent la mort? Il se maudissait de sa stupidité. Dans cet enchevêtrement inextricable de vies, la présence de tout le monde s'expliquait, à l'exception d'une seule personne.

Malheureusement, c'était l'assassin.

Il bifurqua à un angle de rue en allongeant sa foulée et faillit se heurter à une bouche d'incendie qu'il vit à la dernière seconde. Il l'esquiva de justesse en réduisant à peine son allure.

« Tiens bon, Cat. Ne meurs pas. Pas toi aussi. »

Cat claquait des dents.

– Pourquoi faites-vous cela? Je ne comprends pas.

– Bien sûr que si. Votre mort par électrocution sera comme celle des autres. Un regrettable accident.

– Eh bien au moins, vous êtes on ne peut plus clair sur vos intentions!

– Toujours le mot pour rire, Cat Delaney!

– Vous ne vous en tirerez pas comme ça cette fois-ci. L'inspecteur Hunsaker sera ici d'un instant à l'autre.

Jeff Doyle esquissa un vague sourire.

– J'ai appelé la météo et non pas la police.

– Bill...

– Je l'ai expédié dehors. Son arrivée intempestive a failli tout gâcher, mais j'ai trouvé le moyen de me débarrasser de lui. Je lui ai suggéré de déplacer sa voiture de manière à ce que Pierce ne se rende pas compte de sa présence lorsqu'il arriverait soi-disant pour vous liquider.

– Futé!

– Oh oui! J'ai eu tout le temps d'apprendre à brouiller les pistes. En revenant, Bill me trouvera au téléphone en train de râler parce que Hunsaker n'est pas encore là. Au bout d'un moment, nous nous inquiéterons de votre absence prolongée et nous irons voir ce qui se passe. Nous découvrirons alors votre cadavre.

« Je deviendrai hystérique comme les homosexuels ont tendance à le faire sous l'effet du stress, poursuivit-il en ricanant. Je me maudirai de ne pas vous avoir exhortée à moderniser l'installation électrique de cette vieille maison. Vous auriez dû faire poser un disjoncteur pour empêcher ce genre de catastrophe.

« J'émettrai l'hypothèse que la traîtrise de Pierce vous aura bouleversée au point que vous vous serez emparée sans réfléchir de votre sèche-cheveux alors que vous étiez encore dans l'eau. Webster étayera mon récit. Il a vu combien vous étiez ébranlée en découvrant que votre amant avait l'intention de vous assassiner.

– Ce qu'Alex niera.

– Incontestablement. Mais il sera également impliqué dans les autres meurtres quand les autorités découvriront les preuves accablantes dissimulées dans son appartement. Je vous remercie infiniment de m'avoir parlé de son bureau secret, Cat. Il semble qu'il ait conservé des dossiers exhaustifs de toutes ses interviews.

– Quelles interviews?

– Celles qu'il a effectuées auprès des greffés du cœur. Il fait une forte impression sur les gens, vous savez! Ils m'ont tous parlé de lui. Ils étaient très flattés qu'il eût jugé bon de les questionner pour son livre. M. Pierce est un homme très intelligent et tout à fait charmant. Aucun d'eux ne s'est rendu compte qu'en réalité, il était à la recherche du cœur d'Amanda.

« Moi-même je suis tombé dans le panneau. J'ai vraiment cru qu'il faisait des recherches en vue de la rédaction d'un ouvrage. Tout au moins jusqu'au moment où j'ai commencé à enquêter sur lui à votre demande. J'ai ainsi découvert qu'il avait fait don du cœur de la femme de sa vie.

« Quand la police trouvera tous ces dossiers, il va falloir qu'il se creuse les méninges pour se justifier, pas vrai? » Il eut un petit rire aigu. « Je dois reconnaître que son apparition sur la scène m'a passablement dérouté. J'avais peur qu'il fiche tout en l'air en mettant au jour mon manège. A l'évidence il a commencé à se douter de quelque chose lorsqu'il s'est aperçu que les greffés du cœur qu'il avait interviewés mouraient les uns après les autres. A un an d'écart, d'accord. Mais les coïncidences étaient trop flagrantes pour qu'un ancien policier de la criminelle passe outre.

« En plus de vouloir trouver Amanda en vous, le cher homme cherchait sans doute à vous épargner le même sort que les autres. Son désir de vous protéger est tout à son honneur!

« Je l'ai même soupçonné à un moment donné d'être l'auteur de ces lettres anonymes. Ça m'a quelque peu déboussolé, je l'avoue. Il faut dire que cela m'avait rendu nerveux d'apprendre que quelqu'un avait découvert mon plan. Non pas que cela m'aurait arrêté.

« Pierce a tout de même eu le mérite de pimenter les choses en compliquant la situation et en la rendant par conséquent plus intéressante. Les autres étaient presque trop faciles à éliminer. J'ai fini par voir en lui une sorte de défi. Et il fera un excellent bouc émissaire, ce que je n'avais vraiment pas prévu.

Il secoua la tête et fit claquer sa langue pour manifester son regret.

– L'avenir de notre auteur de best-sellers préféré est fort compromis, vous ne trouvez pas? Surtout si l'on songe à tous ces dossiers qu'il conserve soigneusement sous clé. On a vraiment l'impression qu'il est totalement obsédé par la question, pas vrai?

Prenant une pause songeuse, il ajouta :

– En définitive, Pierce et moi avons les mêmes motivations.

– Trouver le cœur d'Amanda, vous voulez dire? Vous la connaissiez vous aussi?

– Cat! lâcha-t-il sur un ton de reproche. Faites un peu travailler votre imagination! Vous n'avez pas encore compris? J'ai honte de vous!

Son ton placide la terrifia. S'il s'était mis à la traiter de tous les noms, en écumant de rage, elle aurait eu moins peur. Sa logique implacable, sa voix douce et posée témoignaient de sa démence. Il était à mille lieues de la réalité.

– Comme d'habitude, poursuivit-il, personne ne me soupçonnera de quoi que ce soit. Vous accusiez Mélia chaque fois que quelque chose allait de travers, sans jamais songer à moi. C'est moi qui ai rapporté l'affaire O'Connor à Ron Truitt. Je l'ai également appelé, en me faisant passer pour Cyclope, et en fabriquant de toutes pièces cette histoire d'attentat à la pudeur. J'avais peur qu'il ne reconnaisse ma voix lors de l'entrevue dans le bureau de Webster. Mais il était si résolu à s'en prendre à vous qu'il ne m'a pas prêté la moindre attention.

« Le projecteur, ça n'a pas été facile de le déboulonner, mais c'était bel et bien moi le responsable, une fois de plus. Cette fichue lampe a failli vous liquider plus tôt que prévu. Mon but, à ce stade, était seulement de vous faire peur.

Il eut une moue de remords.

– Après tous les revers que vous venez de subir sur le plan personnel et professionnel, on comprendra que vous soyez à bout, pour ne pas dire suicidaire, le jour d'anniversaire de votre greffe.

« J'irai m'installer dans un autre coin du pays, je trouverai un autre emploi et je me fondrai dans la masse une fois de plus. Je suis capable de jouer à peu près n'importe quel rôle, je peux me faire passer pour n'importe qui. Je suis extrêmement adaptable. Un vrai caméléon! L'homme moyen par excellence. Les gens me remarquent à peine. On m'oublie facilement. » Une lueur de tristesse passa dans son regard. « Judy était la seule à me trouver quelque chose.

– Judy? Judy Reyes? Vous étiez son amant!

– Ah! Tout de même! Ça y est! Vous avez compris. C'est moi l'inconnu qui a échappé à ce crétin.

Son humeur changea brutalement. Ses yeux s'emplirent de larmes.

– Il lui a défoncé la tête avec une batte de base-ball.

– Comment avez-vous réussi à lui échapper?

– Il se tenait devant elle, le regard fixé sur les ravages qu'il venait de lui infliger. Il semblait fasciné par le sang qui se déversait de son crâne à flots. Il était pour ainsi dire en transe et ne me prêtait pas la moindre attention. Je me suis jeté sur mes habits, je me suis habillé en hâte et je suis parti. Je savais que je ne pouvais plus rien faire pour Judy. Je savais qu'elle était morte. Je l'ai sentie s'en aller aussi sûrement que si j'étais mort moi-même.

Un élan de rage contenue lui souleva la poitrine tandis qu'il se remémorait ce sinistre après-midi à Fort Worth quatre ans plus tôt.

– Judy était très religieuse. Elle avait été élevée dans la tradition hispanique. Son mari savait ce qu'elle aurait pensé à l'idée qu'on la charcute comme on l'a fait.

– Elle se serait opposée au don du cœur, intervint Cat.

Il fallait à tout prix qu'elle continue à le faire parler pour donner à Bill le temps de revenir. Elle jetait des coups d'œil à droite à gauche dans la salle de bain, à la recherche d'un moyen de s'échapper, d'une arme quelconque lui permettant de se défendre. Mais tant qu'il maintenait le sèche-cheveux vrombissant au-dessus de la baignoire, juste au-delà de sa portée, elle n'osait même pas bouger. Au moindre geste, il le lâcherait dans l'eau et c'en serait fini d'elle.

– Elle aurait été mortifiée rien qu'à cette idée, poursuivit-il. Elle aurait tenu à être ensevelie intacte. Reyes le savait pertinemment. Faire don de ses organes était sa manière à lui de nous punir de notre amour. Il l'a fait découper en morceaux pour nous torturer jusque dans l'au-delà. Le seul moyen que j'ai de nous libérer de cette malédiction est d'arrêter son cœur.

– En tuant celui ou celle qui l'a reçu.

– Oui, répondit-il froidement. Tant que son cœur battra, son âme sera tourmentée. J'ai juré sur sa tombe de lui donner le repos et la paix qu'elle mérite. Il fallait que je tue le gamin.

– Le jeune garçon de Memphis. Comment vous êtes-vous débrouillé pour le trouver?

Il haussa les épaules avec désinvolture comme s'il s'agissait de la partie la plus facile de tout son plan.

– J'ai déniché un emploi dans une banque d'organes. Très vite, j'ai réussi à obtenir le numéro de RUPO affecté au cœur de Judy. Je n'ai eu aucun mal à retrouver sa piste après ça.

– Puisque vous aviez tenu la promesse faite à Judy, pourquoi assassiner les autres? Pourquoi? Et pourquoi vouloir me tuer moi?

– Les ordinateurs ne sont pas infaillibles. Ils sont manipulés par des hommes. Et si l'on s'était trompé de numéro? » Il secoua la tête comme si c'était impensable. « Je ne pouvais pas prendre le risque qu'il y ait eu une erreur.

– Alors vous avez décidé d'éliminer tout patient ayant reçu un cœur ce jour-là.

– C'était le seul moyen d'être assuré de l'accomplissement de ma mission.

Elle frissonna tout en s'efforçant de dissimuler sa terreur qui grandissait de minute en minute.

– Pourquoi avoir attendu la date d'anniversaire de ces greffes année après année?

– Je ne suis pas un vulgaire tueur en série! Ni un psychopathe! En opérant de cette façon, je donnais à ces meurtres un caractère de rituel que Judy aurait apprécié. Elle aurait voulu qu'il en soit ainsi.

– Vous croyez sincèrement qu'elle serait fière de vous, sachant que vous avez assassiné trois personnes?

– Elle voudrait que je lui rende son cœur. Et c'est bien ce que j'ai l'intention de faire. A ce moment-là seulement, son âme cessera sa quête éperdue. » Il essuya ses larmes du revers de la main. « Je l'aime trop pour laisser son esprit vivre de pareils tourments. Je suis désolé qu'il vous faille mourir, Cat. Je vous aime bien. Mais il n'y a pas d'autre moyen.

Il déposa un baiser sur le bout de ses doigts avant de les presser contre la poitrine de Cat.

– Repose en paix, Judy mon amour. Je t'aimerai à jamais.

Cat s'empara de son poignet au moment où son autre main lâchait le sèche-cheveux. Elle poussa un hurlement.

Les lumières s'éteignirent brusquement.

Le sèche-cheveux tomba dans l'eau sans causer d'autres dommages qu'un éclaboussement.

Jeff laissa échapper un cri de consternation mêlée de frustration.

Cat bondit hors de l'eau, mais il la repoussa dans la baignoire. Elle entendit ses genoux heurter le sol en dallage lorsqu'il s'agenouilla à côté d'elle. Ses mains s'abattirent sur le sommet de son crâne et il parvint à l'immerger tout entière.

Il la maintint sous l'eau. Elle se débattit en agitant les bras et les jambes, tournant la tête en tous sens, lui griffant les bras au passage. Mais il tenait bon. Instinctivement, elle ouvrit la bouche pour crier; celle-ci se remplit d'eau en un instant.

Soudain, elle entendit des pas résonner dans le couloir, comme s'ils venaient de très loin. La porte s'entrouvrit et tout à coup, elle fut libérée. Elle sortit la tête de l'eau et absorba une grande goulée d'air, s'étranglant à demi à cause de l'eau qui lui obstruait la gorge et les narines. Ses cheveux mouillés lui collaient à la figure, bloquant sa vue. Quoi qu'il en soit, il faisait nuit dans la salle de bain. Elle n'aurait rien vu de toute façon.

– Cat? » C'était la voix d'Alex.

– Je suis là.

– Ecarte-toi, hurla-t-il.

Il avait réussi à plaquer Jeff à terre. Celui-ci ne pourrait lui résister. Alex était nettement plus fort que lui.

– Salopard! Si jamais elle a quoi que ce soit...

Sa menace s'acheva en un grognement de douleur mêlée de surprise.

– Est-ce que ça va?

C'était Bill, debout sur le seuil.

Une langue de flammes jaillit de la bouche du revolver d'Alex. Le coup de feu se répercuta sur les murs de la salle de bain.

Bill s'effondra sans émettre un son.

Alex beugla, fou de rage.

Les yeux de Cat commençaient à s'accoutumer à la pénombre. Elle s'aperçut que Jeff avait réussi inexplicablement à s'emparer de l'arme d'Alex. Celui-ci se démenait pour la récupérer.

Cat enjamba tant bien que mal le rebord humide et glissant de la baignoire. Elle attaqua Jeff au visage de ses mains nues, le bourrant de coups de poing, le griffant, lui tirant les cheveux.

Il poussa un cri de douleur et lâcha le revolver que Alex braqua aussitôt derrière son oreille tout en lui faisant faire volte-face et en se mettant à califourchon sur le bas de son dos.

– Ecarte-toi, siffla-t-il d'une voix essoufflée. S'il te plaît. Rien ne me ferait plus plaisir que de lui faire sauter la cervelle!

– Allez-y! Tirez, sanglota Jeff. J'ai trahi Judy. Je veux mourir.

– Ne me tente pas.

Cat se fraya un passage à côté d'eux et se rua vers la porte. Sur le seuil, elle trébucha sur les pieds de Webster.

– Bill?

Dans la faible lueur, elle le vit gisant sur le dos. La tache qui grossissait à vue d'œil sur le devant de sa chemise paraissait noire comme de l'encre.

– Oh mon Dieu! Non! murmura-t-elle.

Trop faible pour se redresser, elle rampa jusqu'à la table de chevet, tira le fil du téléphone et composa le numéro de police-secours.

Après quoi, elle retourna auprès de Bill à quatre pattes et serra sa main dans la sienne en lui chuchotant des paroles rassurantes.

– Les secours arrivent, cria-t-elle à l'adresse d'Alex, mais elle fut abasourdie par la faiblesse de sa voix.

– Comment va Webster? demanda-t-il.

– Il n'a pas bougé.

– Seigneur! l'entendit-elle dire. Il va peut-être falloir vous attribuer un meurtre supplémentaire, monsieur Doyle.

Jeff marmonnait des propos incohérents.

Cat claquait des dents. Elle saisit un coin du couvre-lit et le tira vers elle. Mais au lieu de s'en envelopper, elle en couvrit Bill en le bordant soigneusement.

Le hurlement des sirènes qui approchaient était le son le plus doux qu'elle avait jamais entendu.

– Tenez bon, Bill! dit-elle d'un ton pressant en se penchant vers lui. Les secours arrivent. Est-ce que vous m'entendez? Ça va aller, vous verrez. Ça va aller!

Il ne répondit pas, mais elle espérait qu'il sentait sa présence.

L'inspecteur Hunsaker fut le premier à pénétrer dans la maison.

– Pourquoi n'y a-t-il pas d'électricité? s'exclama-t-il.

– Le compteur est dans l'arrière-cuisine, cria Alex de la salle de bain. Appuyez sur le bouton de l'interrupteur principal.

– Faites venir quelqu'un dans la chambre! hurla Cat. Un homme a reçu une balle dans la poitrine.

Quelques secondes plus tard, les lumières se rallumèrent. Cat ferma les yeux, surprise par l'éclairage brutal. Quand elle les rouvrit, deux ambulanciers et Hunsaker essayaient de pénétrer dans la chambre de front. Hunsaker avait dégainé son arme.

– Bon Pierce! On vous tient! Sortez de là-dedans. Les mains en l'air.

– Qu'est-ce que vous racontez? hurla Alex.

– Pas Alex. Il a réussi à maîtriser...

Incapable d'en dire davantage, Cat fit un geste en direction de la salle de bain.

L'un des ambulanciers lui secoua l'épaule.

– Votre ami est mal en point, dit-il. Ecartez-vous et laissez-nous nous occuper de lui.

– Est-ce qu'il s'en sortira?

– Nous ferons ce que nous pourrons.

Tapi en position d'attaque, Hunsaker approchait de la porte de la salle de bain à pas de loup, brandissant son revolver des deux mains.

– Jetez votre arme, Pierce!

– Avec plaisir, imbécile. A condition que vous me couvriez.

– Qui c'est celui-là par terre?

– Jeff Doyle.

– Ce ne serait pas le saligaud qui a téléphoné à la météo en prétendant qu'il me parlait à moi?

– Le téléphone était toujours sur écoute, alors? demanda Alex.

– Exact. Sacrée bonne idée! Qui c'est ce petit morveux à la fin?

– C'est une longue histoire. Passez-lui les menottes, voulez-vous.

– Pas si vite, monsieur Pierce! Ce n'est pas à vous de me dire ce que je dois faire. Je suis venu ici pour vous arrêter, vous!

– Dépêchez-vous, répliqua Alex d'un ton sec en écartant l'inspecteur de son chemin.

Il contourna les ambulanciers s'activant fébrilement autour de Webster pour tâcher de lui sauver la vie. Cat était restée plantée là, interdite, observant la scène. Alex s'empara de sa robe de chambre posée sur une chaise et l'en enveloppa.

Puis il l'attira contre lui, en serrant sa tête contre sa poitrine.

– Ça va?

Elle hocha la tête.

– Tu es sûre?

– Oui. J'ai peur. Est-ce que Bill...

– Est encore en vie. Je pense.

Il glissa une main sous son menton et la força à lever son visage vers le sien.

– C'était sacrément courageux ce que tu as fait là! Il aurait pu me descendre, moi aussi. Merci.

Maintenant que tout était fini, elle vacillait sur ses jambes et des tremblements l'agitaient des pieds à la tête.

– Je n'ai rien de courageux!

– Détrompe-toi! » Il l'étreignit plus fort encore, au point qu'elle en eut presque le souffle coupé. « S'il t'était arrivé quoi que ce soit... » Il déposa un baiser passionné sur le sommet de sa tête. « Je t'aime, Cat, murmura-t-il.

– Vraiment, Alex? chuchota-t-elle, le visage enfoui contre sa poitrine. Est-ce vraiment moi que tu aimes?

CHAPITRE 56

– Qu'a-t-il répliqué à cela? demanda Dean tout en adressant un hochement de tête au steward pour le remercier de lui avoir apporté un deuxième scotch additionné d'eau.

– Rien, répondit Cat. Tu es arrivé à ce moment-là. C'était le chaos le plus total. Alex et moi n'avons pas eu d'occasion de nous parler seul à seule depuis.

– Je voulais te surprendre en t'apportant une bouteille de champagne pour fêter le quatrième anniversaire de ta deuxième vie, dit-il. Au lieu de cela, en arrivant chez toi, je trouve ta maison cernée par des voitures de police et l'on est en train de charger quelqu'un dans une ambulance. Imagine ma frayeur!

Elle lui tapota la main, puis appuya sa tête contre le dossier confortable de son siège de première classe.

– Je suis si fatiguée! Je ne veux plus parler de tout ça. Pourtant il le faut! J'ai besoin de m'en décharger une bonne fois pour toutes pour pouvoir tout oublier.

Après un moment de réflexion, elle ajouta:

– J'ai appris qu'il ne servait à rien de refouler les mauvais souvenirs. Mieux vaut les mettre sur le tapis, les analyser sous tous les angles et régler ainsi le problème avant de les enfouir à jamais au fin fond de ma mémoire.

– De qui tiens-tu ces trésors de sagesse? s'enquit-il d'un ton narquois. Mais est-il besoin de poser la question?

– Tu m'as promis, Dean! s'exclama-t-elle en fermant les yeux avec lassitude. Pas de vacheries à l'encontre de Pierce!

– C'est vrai, mais j'ai cédé à contrecœur, avoua-t-il avant de boire une gorgée. Nous avons presque tout reconstitué, mais il reste tout de même un certain nombre de points que je ne parviens pas à élucider. Tu dis que Bill est revenu chez toi à pied après avoir été déplacer sa voiture. Il est arrivé en même temps qu'Alex.

– Oui. Bill a vu Alex remonter l'allée au pas de course et il a voulu lui barrer le chemin. Il l'a prévenu que nous avions découvert son jeu et que Jeff et lui étaient là pour me protéger. Alex a alors expliqué à Bill que nous nous trompions de cible en lui précisant que Jeff avait été l'amant de Judy Reyes.

– Il a dû se montrer drôlement persuasif!

– Il est très doué pour ça, répondit-elle à mi-voix. Quoi qu'il en soit, Alex a attiré l'attention de Bill sur le fait que la voiture de Jeff n'était pas dans les parages. A l'évidence, il l'avait cachée pour que personne ne sache qu'il était chez moi. Moi même je ne l'aurais pas su jusqu'à ce qu'il soit entré et qu'il soit par conséquent trop tard.

« Cela a achevé de convaincre Bill. Il a aussitôt demandé à Alex ce qu'il pouvait faire pour l'aider. Ils ont fait le tour de la maison à pas feutrés, en guignant par les fenêtres afin d'essayer de voir ce qui se passait à l'intérieur. Leur intention était d'attaquer par surprise.

Le cardiologue prit le relais :

– En voyant Jeff brandir le sèche-cheveux au-dessus de ta baignoire, Alex s'est précipité derrière la maison. Il est entré par la fenêtre de la cuisine, s'est rué sur le compteur et a appuyé sur la manette de l'interrupteur principal. Le moins que l'on puisse dire c'est qu'il n'a pas perdu de temps!

– Fort heureusement, il avait déjà repéré le compteur auparavant. Sinon il n'aurait jamais su où le trouver.

Elle estima inutile de préciser dans quelles circonstances Alex s'était introduit subrepticement chez elle les fois précédentes.

– Dieu merci! Une seconde ou deux de plus et...

– Je ne veux pas y penser, fit-elle en frissonnant. Pauvre Bill! Ils ont fini par m'autoriser à le voir ce matin, juste avant notre départ. Il est toujours en soins intensifs et très faible, mais il va s'en tirer. Nancy ne l'a pas quitté une seule seconde.

– Pourquoi a-t-il débarqué chez toi à une heure pareille?

– Nous avions une décision urgente à prendre à propos de *Cat's Kids,* répondit-elle, préférant mentir afin de protéger la vie privée des Webster.

Miraculeusement, la balle perdue avait transpercé Bill de part en part sans endommager d'organes vitaux. Il avait souffert d'un choc, d'une grave hémorragie, et de plaies superficielles, mais les médecins avaient affirmé qu'il serait rapidement sur pied.

Ce matin-là, il avait prié l'infirmière de garde de le laisser seul un moment avec Cat. Puis il avait remercié celle-ci de l'avoir poussé à mettre un terme à sa liaison avec Mélia.

– J'aime Nancy, lui avait-il dit. Sans son amour et son soutien...

Il avait marqué une pause, comme si ces quelques mots avaient eu raison de son énergie.

– Jusqu'à la mort de Carla, nous avions une vie de rêve. On aurait dit que nous étions à l'abri des souffrances que l'existence infligeait aux autres. Quand elle est morte, nous avons déchanté.

« J'étais anéanti. Je n'arrivais pas à m'en remettre et je me suis mis en quête de quelque chose, n'importe quoi, pour alléger ma peine. Bêtement, je me suis ainsi retrouvé dans une histoire sordide avec une femme qui se trouvait être l'antithèse de ma formidable épouse. Je me disais que je ne méritais pas mieux. Je cherchais en réalité à me punir de ne pas avoir su protéger Carla de la mort.

« Mélia n'a pas cessé de me harceler jusqu'à ce que je l'embauche. Ensuite, elle a fait des pieds et des mains pour travailler sur *Cat's Kids.* Vous connaissez la suite. La nuit où vous nous avez surpris, vous avez dit un certain nombre de choses qui m'ont ramené à la raison. Hier soir, j'ai compris que je devais mettre un terme à cette liaison. Dès que ma décision fut prise, je ne pus demeurer chez elle un instant de plus.

Il avait pris sa main dans la sienne.

– Je suis allé chez vous directement pour vous dire que je vous devais d'avoir sauvé la chose la plus importante que j'ai au monde : ma famille. Merci.

– Remerciez-moi en vous remettant au plus vite. Nous avons encore beaucoup de pain sur la planche, vous et moi.

Avant de partir, elle avait déposé un chaste baiser sur son front.

Dans le couloir, elle était tombée sur Nancy qui l'avait serrée longuement contre elle.

– Merci, Cat.

– De quoi me remerciez-vous? Si Bill a reçu une balle, c'est bien de ma faute.

Nancy avait plongé son regard dans le sien, lui communiquant ainsi un message d'une teneur bien plus profonde.

– Il m'a tout raconté. Je lui ai pardonné. Mais vous, saurez-vous me pardonner? J'ai... j'ai été terriblement injuste envers vous en vous soupçonnant de...

– Ça n'a aucune importance, avait-elle répondu en la coupant. Votre amitié m'est très chère, Nancy. Et j'ai une admiration sans bornes pour votre talent d'organisatrice. Puis-je compter sur vous pour continuer à m'épauler avec *Cat's Kids?*

– Dès que Bill sera remis sur pied.

Dean extirpa Cat de ses souvenirs en la ramenant brusquement au présent.

– Il semble que Webster et Pierce aient fondé un club d'admiration mutuelle!

Elle éclata de rire.

– Ce qui est curieux si l'on songe aux sentiments d'antipathie qu'ils nourrissaient l'un pour l'autre au départ. Alex s'est senti mortifié d'avoir laissé Jeff s'emparer de son revolver durant la bagarre qui les a opposés. Bill a écarté ses excuses d'un geste. S'il était resté dans la cuisine conformément aux instructions d'Alex, il ne se serait jamais trouvé dans la ligne de tir.

– Qu'est-il advenu de ce Doyle?

Elle avait regardé les policiers emmener Jeff, menottes aux mains, et l'enfourner à l'arrière de leur voiture. Elle avait encore du mal à faire le lien entre le jeune homme sensible qui travaillait avec tant de zèle sur les plateaux de tournage de *Cat's Kids* et ce tueur sans pitié.

– En perquisitionnant chez lui, la police a retrouvé des albums et de vieux journaux à côté desquels les dossiers d'Alex auraient eu l'air minable. Il était manifestement obsédé par tout ça depuis la mort de Judy Reyes. D'après Alex, il lui faudra en définitive faire face à trois accusations de meurtre, outre deux tentatives d'assassinat. Mais quatre États sont impliqués. Extradition. Délais. C'est un véritable casse-tête chinois sur le plan juridique. En attendant, quelle que soit la manière dont tout cela se résout, il ne fait aucun doute qu'il passera le restant de ses jours sous les verrous. » Elle réfléchit une minute avant d'ajouter : « Ce qui en fait trois.

– Trois quoi?

– Trois personnes sous les verrous. Jeff, Paul Reyes et George Murphy.

– Cyclope. Je n'arrive pas à croire qu'ils l'ont appréhendé à quelques mètres de chez toi. Je me demande bien quelles étaient ses intentions?

– En tout cas, elles étaient sûrement mauvaises, répondit-elle. Il a violemment résisté aux policiers qui l'ont arrêté et en a même blessé un. L'avenir de Giorgio me paraît sombre!

Elle sourit joyeusement.

– Quoi qu'il en soit, Dieu merci, il a cessé une fois pour toutes de hanter la vie de Patricia et de Michael! Sais-tu qu'elle a déjà trouvé une place d'apprentie dans une fabrique de bijoux? Elle va pouvoir gagner sa vie et développer ses talents en même temps. Un psychologue spécialiste des enfants s'occupe de Michael. Maintenant qu'il ne vit plus dans la hantise de Cyclope, il sort de sa coquille comme un vrai poussin.

– Et Reyes?

Son sourire pâlit.

– Je suis désolée pour lui et pour sa famille. Sa sœur m'a manifesté une reconnaissance pitoyable quand je l'ai appelée pour lui dire qu'il n'était pas coupable des trois autres meurtres.

« Tu sais, à l'hôpital psychiatrique, il n'était pas en train de me menacer, mais de me mettre en garde! Selon la déclaration que Jeff a faite à la police, c'était lui qui envoyait les coupures de journaux à Reyes dans le but de lui faire savoir qu'il avait trouvé un moyen ingénieux de contourner son projet de châtiment diabolique. Jeff ne pouvait évidemment pas imaginer que ces articles finiraient dans ma boîte aux lettres en guise d'avertissement.

« En dépit de son instabilité mentale, Reyes, lui, avait parfaitement compris leur signification. A un moment donné ou à un autre, il est arrivé à la conclusion que Cat Delaney, la vedette de la télévision, avait reçu le cœur de sa femme. Une fois qu'il eut compris la méthode suivie par le meurtrier, il n'eut plus de doute que j'étais la prochaine sur la liste. Tout comme Alex d'ailleurs.

« Alex lui aussi me traquait, dans l'espoir de me sauver la vie. Reyes avait à peu de chose près la même idée en tête. Il est venu à San Antonio pour garder l'œil sur moi. J'imagine qu'il a dû trouver mon adresse en me suivant depuis les studios de la télévision.

– Pourquoi ne t'a-t-il pas appelée tout simplement en se présentant et en te faisant clairement part de ses soupçons?

– Même s'il a été acquitté en bonne et due forme, il n'empêche qu'il a sauvagement assassiné sa femme dans un accès de jalousie. Il a des antécédents pychologiques lourds. Penses-tu que je l'aurais cru, ou qui que ce soit d'autre d'ailleurs?

– C'est juste.

– A mesure que la fameuse date anniversaire approchait, la tension est montée en lui au point qu'il a fini par retourner sur les lieux du crime, si l'on peut dire. Telle est en tout cas l'hypothèse de sa sœur. Hier, je lui ai écrit une lettre en lui expliquant tout ce qui s'était passé et en le remerciant d'avoir tenté de m'avertir. Je ne suis pas certaine qu'il comprendra tout ce que je lui ai dit, mais cela m'a fait du bien de lui écrire.

Elle agita les glaçons de son soda qu'elle n'avait pas encore touché.

– Tant de tragédies ont résulté de cette seule et unique journée il y a quatre ans.

– Et tant de bonnes choses aussi, ajouta-t-il d'une voix douce en lui prenant la main.

– Tous ces gens-là sont morts sans raison, Dean.

– Mais ils ont vu leur vie prolongée grâce à leur nouveau cœur. Leurs greffes ont valu la peine malgré tout. Si c'était à refaire, ils recommenceraient. Ils ont eu droit à un sursis. C'est tout ce que nous essayons de faire, Cat. Donner au patient un peu plus de temps. Ensuite c'est le destin qui prend les rênes. Personne ne peut le prévoir ni en altérer le cours.

– Tout cela est vrai. Je le comprends, là, dit-elle en désignant sa tempe. Mais il me reste encore à l'assimiler ici, ajouta-t-elle en effleurant sa poitrine.

– Et je ne vois pas de meilleur endroit pour le faire que sur une plage privée, acheva-t-il en lui caressant la main du bout du pouce. Je suis si heureux de penser que tu seras à nouveau près de moi. Tu m'as beaucoup manqué.

– Je vais retourner là-bas, Dean. *Cat's Kids* a été suspendu jusqu'à ce que j'aie retrouvé mes esprits et engagé une nouvelle équipe, mais l'affaire n'est pas close, loin de là. Il est même question de vendre l'émission à d'autres chaînes. Ce serait une entreprise considérable. Mais songe au nombre d'enfants qui en profiteraient, s'exclama-t-elle, retrouvant soudain son enthousiasme. Je vais juste me reposer quelques semaines à Malibu. Ensuite, je retourne là-bas, répéta-t-elle.

– Et lui? Comment s'intègre-t-il dans tout ça?

– Alex. » Son nom lui échappa sans qu'elle en fût vraiment consciente. Elle eut un pincement au cœur. Il avait risqué sa vie pour la sauver, et cela, elle ne l'oublierait jamais.

Mais elle n'oublierait jamais non plus qu'il l'avait abusée.

Leur relation était fondée dès le départ sur un péché d'omission. Quand il lui avait dit qu'il l'aimait, était-ce aussi un mensonge? Il n'y avait qu'un seul moyen de dissiper ses doutes une fois pour toutes.

– Il y a une chose qu'il faut absolument que tu fasses pour moi, Dean.

– Tes désirs sont des ordres, ma chère, répondit-il, en esquissant une salutation à l'orientale.

– Ne plaisante pas! Je te préviens, ça ne va pas te plaire.

Elle prit une profonde inspiration, en se demandant si en dépit de sa détermination, elle aurait le courage d'aller jusqu'au bout de sa requête.

– Je veux savoir si j'ai le cœur d'Amanda.

Dean n'en crut pas ses oreilles.

– Je sais que j'ai toujours dit que je ne voulais rien savoir de mon donneur. Et je maintiens ma position. A moins que ce ne soit Amanda. Si c'est le cas, je dois le savoir.

– Cat...

Elle leva les deux mains pour écarter toute protestation.

– Peu m'importe comment tu te débrouilles pour le savoir. Que tu demandes des faveurs, que tu montes je ne sais quelle magouille, que tu fasses entorse à la déontologie médicale, que tu mentes, supplies, voles ou que tu verses des pots-de-vin à droite à gauche, tout cela m'est égal. Tu as les contacts qu'il faut et le savoir-faire nécessaire pour dénicher la vérité.

– Te rends-tu compte que j'ai tout intérêt à refuser? lui dit-il en plongeant son regard dans le sien.

– Mais tu ne le feras pas.

– Rien ne m'empêchera de te mentir à propos du résultat de mon enquête afin de t'épargner une peine de cœur supplémentaire. Ce qui servirait aussi mes intérêts.

– Mais cela non plus, tu ne le feras pas. Tu me diras ce qu'il en est, quoi qu'il arrive.

– Comment peux-tu en être si sûre?

– Pour la bonne raison qu'il y a quatre ans, tu as eu le courage de me regarder droit dans les yeux et de me dire que je n'en avais sans doute plus pour très longtemps. » Le visage de Dean devint flou à travers ses larmes. Elle posa sa main sur sa joue. « Tu ne triches jamais avec la vérité, aussi pénible ou désagréable soit-elle. J'ai besoin que tu me prouves une nouvelle fois ton amitié de cette manière, Dean. J'ai besoin que tu sois aussi cruellement honnête avec moi que tu l'as été quand tu m'as dit que j'étais en train de mourir.

– Parce que tu compares ta vie sans lui à la mort?

– La seule chose que je puisse envisager de pire serait de vivre avec lui sans jamais savoir s'il m'aime parce que je suis moi ou parce que je suis quelqu'un d'autre.

Elle lui saisit la main et la serra fort dans la sienne.

– Débrouille-toi pour savoir si j'ai le cœur d'Amanda. Je t'en prie, Dean, fais cela pour moi.

CHAPITRE 57

Quelque chose incita Cat à lever les yeux vers la maison au moment précis où Dean se penchait au balcon et agitait la main à son adresse. Elle lui rendit son salut et elle était sur le point de reporter son regard sur la plage délaissée par la marée basse quand une autre silhouette apparut à côté de celle de son ami.

Le vent faisait battre le large bord de son chapeau. Elle l'enfonça plus sûrement sur sa tête d'une main tout en le relevant devant afin qu'il n'obstrue pas sa vue.

Elle reconnut aussitôt son long corps élancé se détachant sur le ciel, la forme de sa tête, sa posture désinvolte. Il se tourna pour dire quelque chose à Dean; les deux hommes se serrèrent la main.

Dean abaissa son regard vers elle et agita la main encore une fois avant de disparaître à l'intérieur de la maison.

Elle eut envie de courir vers lui, mais se retint et se contenta de le suivre des yeux tandis qu'il descendait la pente abrupte dans sa direction. Quand il sauta de la dernière marche dans le sable, ses bottes de cow-boy s'y enfoncèrent jusqu'aux chevilles, sans qu'il parût s'en apercevoir. Son attention était fixée sur elle, de la même façon qu'elle semblait incapable de détacher son regard de lui.

– Salut!

– Salut!

– Le chapeau te va bien.

– Merci.

Ils se dévorèrent des yeux pendant un moment qui leur parut une éternité. Elle finit par trouver le moyen de lui dire :

– Ce voisinage est strictement réservé aux riverains. Comment es-tu entré?

– En faisant usage de mon pouvoir de persuasion.
– Et ça a marché.
– A la perfection!
– Et te voilà!
– Me voilà! Fou de rage parce que c'est Spicer qui m'a ouvert ta porte.
– Il séjourne quelques jours chez moi. En ami.
– C'est ce qu'il m'a laissé entendre. » Il haussa les épaules et ajouta sur un ton arrogant: « J'avoue qu'il est bon perdant.
– Qu'a-t-il perdu?
– Ses prérogatives d'invité privilégié. Il vient de passer sa dernière nuit avec toi – même en tant qu'ami. Je prends la relève désormais. Et il y aura des milliers d'autres nuits comme celle-ci.
– Ah vraiment?
– Vraiment. Et ne t'avise pas de me repousser, Cat. Je t'ai donné tout le temps nécessaire pour remettre tes idées en ordre. J'ai tenu bon trois longues semaines, et ces vingt et un jours ont été pour moi un véritable enfer.
– As-tu écrit?
– Comme un forcené. Du matin jusqu'au soir et du soir au matin. Sans m'arrêter. Jusqu'à ce que j'aie fini.
– Tu as fini ton livre?
– Six cent trente-deux pages au total. J'ai aussitôt envoyé le manuscrit à Arnie. Il m'a téléphoné hier pour me dire que c'était sensationnel, le meilleur travail que j'ai produit jusqu'à présent. Un best-seller garanti, m'a-t-il affirmé.

Il tendit la main pour écarter une mèche de cheveux agitée par le vent qui s'était échappée de son chapeau. Il se mit à l'examiner avec attention tout en la frottant entre ses doigts.

– Arnie était curieux de savoir pourquoi j'avais modifié l'intrigue pour y incorporer une histoire d'amour.
– Ce à quoi tu lui as répondu...?
– Que j'avais trouvé de l'inspiration. » Il plongea son regard dans le sien. « Je n'aurais jamais pu écrire une histoire d'amour avant de t'avoir rencontrée, Cat. Je pensais que cette partie-là de mon être était morte en même temps qu'Amanda. Je m'étais trompé. »

Il glissa ses mains autour de son cou en nouant ses doigts sur sa nuque.

– Je te pourchasserai jusqu'à ce que tu cèdes, par épuisement s'il le faut.

« Je veux être à tes côtés aujourd'hui, demain et dans quarante ans d'ici. Même si tu as le cœur d'un fichu chimpanzé! Ça m'est bien égal. Je veux voir ta chevelure rousse étalée sur l'oreiller à côté du mien tous les matins de ma vie. Je t'aime, Cat.

« Quant à ce que j'ai fait... » Il tourna la tête et son regard alla se perdre sur la mer un long moment avant de revenir se poser sur elle. « Ma vie avec Amanda est restée inachevée. Je n'ai jamais pu m'excuser auprès d'elle d'avoir été un monstre d'égoïsme et de ne pas l'avoir épousée. Je n'ai pas eu le temps non plus de la remercier pour toutes les fois où elle m'a écouté me plaindre. Ni de pleurer avec elle la perte de notre fils. »

Il ferma les yeux comme s'il pouvait la forcer à comprendre par la force de sa volonté. Puis il les rouvrit et la regarda d'un air sombre, et toute son arrogance et son aplomb paraissaient s'être envolés.

– Je n'ai pas pu lui dire au revoir, Cat. J'aurais tellement voulu lui dire au revoir.

– Je comprends, dit-elle d'une voix rauque. De fait, je trouve que j'ai beaucoup de chance d'être aimée par un homme qui a si bien su aimer quelqu'un d'autre.

Il prit ses mains dans les siennes et les porta à ses lèvres.

– Peux-tu me pardonner?

– Je t'aime.

Au moment où il se penchait pour l'embrasser, un mouvement sur le côté attira son attention. En se tournant, il vit approcher une jeune fille.

– Oh Sarah, vous êtes de retour! s'exclama Cat. Avez-vous fait une balade agréable?

– Très agréable. C'est si beau par ici!

La jeune fille jeta un coup d'œil hésitant à Alex de dessous le bord de son chapeau. Elle portait un jean, des tennis et un sweat-shirt à manches longues avec le sigle de l'UCLA. Elle avait de longs cheveux raides, brun foncé, et de grands yeux couleur café.

– Sarah Choate, dit Cat en lui prenant le bras et en l'attirant plus près. Alex Pierce. Alex, Sarah est une de tes grandes admiratrices.

– C'est toujours un plaisir de rencontrer ses admirateurs. Bonjour, Sarah. Ravi de faire votre connaissance.

– Moi de même, répondit-elle d'une petite voix.

– Etes-vous étudiante à l'université de Los Angeles? lui demanda-t-il en désignant son sweat-shirt.

– Oui, monsieur. En anglais.

– Merveilleux. En quelle année?

– En deuxième année.

– Sarah est trop modeste pour te dire qu'elle est un génie, intervint Cat. Elle a déjà publié plusieurs nouvelles qui lui ont valu des prix.

– Bravo! Je vous félicite.

Sarah rougit jusqu'à la racine des cheveux.

– Vous êtes gentil. Mais je n'aurai jamais votre talent.

– Vous écrivez de la fiction?

– Non, plutôt des essais.

– En fait, reprit Cat, elle a écrit plusieurs articles acclamés par la critique sur ses expériences de greffée du cœur.

Alex, qui buvait manifestement du petit-lait à l'écoute des compliments de la jeune fille, se raidit brusquement. Son regard passa de Sarah à Cat, puis retourna sur Sarah qui l'observait à présent à travers un voile de larmes.

– Je vous remercie du fond du cœur.

Le vacarme des vagues assourdit ses paroles, mais Cat et Alex n'eurent aucun mal à lire ses paroles sur ses lèvres. Son regard en exprimait tout autant.

Sarah saisit la main d'Alex et la pressa entre les siennes.

– Je suis désolée pour Amanda et votre petit garçon. Cat m'a fait part de l'enfer que vous aviez vécu lorsque vous les avez perdus tous les deux.

« Mais je vous remercie de la décision que vous avez prise. Enfin, je sais qu'Amanda avait précisé sur son permis de conduire qu'elle souhaitait faire don de ses organes, mais c'est grâce à vous si ses intentions sont devenues réalité. Sans son cœur, je serais morte. Je vous dois la vie et je ne pourrai jamais vous remercier assez. Jamais.

Cat retint son souffle, en se demandant comment Alex allait réagir. Il scruta quelques instants le regard de la jeune fille, puis posa la main au centre de sa poitrine. Sarah ne se déroba pas. Elle sourit au contraire. Il l'attira alors dans ses bras. Ils s'étreignirent pendant plusieurs longues minutes, en se balançant doucement tandis que le vent tourbillonnait autour d'eux. Quand il la relâcha finalement, il avait la voix rauque et ses yeux brillaient d'une lueur étrange.

– Amanda serait heureuse que ce soit vous. Très heureuse.

– Merci, répondit-elle, en léchant les larmes qui lui mouillaient les lèvres. Pendant longtemps, je n'ai rien voulu savoir sur mon donneur ou sa famille. J'avais les mêmes sentiments que Cat à cet égard. Elle ne sait toujours rien et ne veut rien savoir.

« Récemment, toutefois, j'ai changé d'avis. Je ne saurais vous expliquer pourquoi. Brusquement j'ai senti qu'il fallait absolument que je retrouve la personne à laquelle je devais mon nouveau cœur, pour la remercier. Je me suis donc renseignée auprès de la banque d'organes. J'attendais des nouvelles lorsque le docteur Spicer m'a contactée.

« Il m'a expliqué que la situation n'était pas tout à fait habituelle et m'a demandé si je serais disposée à m'entretenir avec Cat Delaney avant de rencontrer la famille de mon donneur. Je savais bien évidemment qui elle était. J'ai répondu que je serais enchantée de la voir.

« Imaginez ma surprise quand ils m'ont annoncé que mon romancier favori était... enfin... vous savez. Cat m'a prié de passer quelques jours chez elle. Nous avons beaucoup parlé. Elle m'a expliqué tout ce qui s'était passé. Elle m'a dit qu'elle ne pensait pas que vous lui en voudriez de me raconter votre histoire.

– Non, dit-il, je ne lui en veux pas. En fait, je suis ravi que nous vous ayons trouvée, Sarah. Cela a une portée encore plus grande que vous ne pouvez vous l'imaginer.

Il dévisagea Cat d'une telle manière qu'elle en eut le souffle coupé. Puis il passa son bras autour de ses épaules et l'attira contre lui.

Sarah dut se sentir de trop.

– Eh bien, je crois qu'il est temps que je m'en aille, fit-elle avec un sourire entendu. Le docteur Spicer a promis de me reconduire à l'université, sur le chemin de l'hôpital.

Elle leva vers Alex un regard intimidé.

– Il semble que nous étions destinés à nous rencontrer, vous ne croyez pas ?

– J'en suis persuadé.

– Est-ce que vous voyez un inconvénient à ce que je vous écrive de temps à autre ? Je ne vous ennuierai pas, c'est promis. Mais j'ai pensé que...

– Je serais terriblement déçu que nous ne restions pas en contact, répondit-il. Amanda le serait elle aussi. Elle voudrait certainement que nous soyons amis.

Le sourire radieux de Sarah lui venait à l'évidence du fond du cœur.

Ils la suivirent des yeux tandis qu'elle remontait les marches jusqu'à la terrasse où elle s'arrêta un bref instant pour leur adresser un geste d'adieu avant d'entrer dans la maison.

– Elle est merveilleuse, dit-il.

– J'étais sûre que tu l'apprécierais.

– Cela peut paraître dingue, mais je donnerais cher pour qu'Amanda puisse la rencontrer.

– C'est parfaitement compréhensible.

Il se tourna vers elle et la saisit par les épaules.

– Merci.

– Je ne l'ai pas fait seulement pour toi, Alex. J'avais besoin de savoir qui tu aimais vraiment.

– Tu le sais très bien, murmura-t-il.

Ses lèvres s'emparèrent des siennes et ils échangèrent un long baiser empreint de promesses et d'espérances.

Lorsqu'ils s'écartèrent finalement l'un de l'autre, et avant de s'embrasser de nouveau, elle prit un moment pour le contempler avec adoration – les angles de son visage, ses cheveux désordonnés, la forme irrégulière de son sourcil. Et dans ses yeux, elle lut tout l'amour qu'il lui portait.

– Je suis reconnaissante à Amanda, dit-elle.

Il pencha la tête, déconcerté par sa remarque.

– Ce n'est pourtant pas à elle que tu dois ton cœur.

– Non, mais c'est à elle que je dois le tien.

Cet ouvrage a été réalisé par la
SOCIÉTÉ NOUVELLE FIRMIN-DIDOT
Mesnil-sur-l'Estrée
pour le compte de France Loisirs
123, boulevard de Grenelle, Paris
en mars 1996

Imprimé en France
Dépôt légal : avril 1996
N° d'édition : 26790 – N° d'impression : 34141